Die elfjährige Sarah, wohlbehütete Tochter reicher Gutsbesitzer, erhält in Charleston ein ungewöhnliches Geburtstagsgeschenk – die zehnjährige Hetty »Handful«, die ihr als Dienstmädchen zur Seite stehen soll. Dass Sarah dem schwarzen Mädchen allerdings das Lesen beibringt, hatten ihre Eltern nicht erwartet. Und dass sowohl Sarah als auch Hetty sich befreien wollen aus den Zwängen ihrer Zeit, natürlich auch nicht. Doch Sarah ahnt: Auf sie wartet eine besondere Aufgabe im Leben. Obwohl sie eine Frau ist. Handful ihrerseits sehnt sich nach einem Stück Freiheit. Denn sie weiß aus den märchenhaften Geschichten ihrer Mutter: Einst haben alle Menschen Flügel gehabt …

Sue Monk Kidd hatte sich in den USA bereits mit dem Schreiben von Biografien einen Namen gemacht, ehe »Die Bienenhüterin« erst zum Geheimtipp, dann zum großen internationalen Bestseller wurde, der sich allein in den USA über 6 Millionen Mal verkaufte und in England für den renommierten Orange Prize nominiert war. Ihr lange erwarteter neuer Roman »Die Erfindung der Flügel» sorgte in den USA für großes Aufsehen und stieg auf Platz 1 der New-York-Times-Bestsellerliste ein. Die Filmrechte hat sich Oprah Winfrey gesichert. Sue Monk Kidd lebt mit ihrer Familie in South Carolina.

Sue Monk Kidd

Die Erfindung der Flügel

Roman

Aus dem Amerikanischen
von Astrid Mania

btb

Die amerikanische Originalausgabe erschien 2014 unter dem
Titel »The Invention of Wings« bei Viking, New York.

Verlagsgruppe Random House FSC® N001967

7. Auflage
Genehmigte Taschenbuchausgabe April 2017

This edition published by arrangement with Viking, a member of
Penguin Group (USA) LLC, A Penguin Random House Company.

Umschlaggestaltung: semper smile, München
Umschlagmotiv: © Heritage Images/Corbis
© De Agostini/G. Dagli Ort /Getty Images
Druck und Einband: GGP Media GmbH, Pößneck
UB · Herstellung: sc
Printed in Germany
ISBN 978-3-442-71467-4

www.btb-verlag.de
www.facebook.com/btbverlag

Für Sandy Kidd,
mit all meiner Liebe

ERSTER TEIL

November 1803–Februar 1805

Hetty Handful Grimké

Es war einmal eine Zeit, da konnten die Menschen in Afrika fliegen. Das hat Mauma mir eines Abends erzählt. Damals war ich zehn. »Handful«, hat sie gesagt, »deine Omama hat es noch selbst gesehen. Sie sagt, über Bäume und Wolken sind sie geflogen. Sie sagt, wie Schwarzdrosseln sind sie geflogen. Dann hat man sie hergebracht, und da war der Zauber vorbei.«

Meine Mauma war klug. Auch wenn sie nicht, so wie ich, lesen und schreiben konnte. Alles, was sie wusste, hatte sie ein Leben im Schatten der Gnade gelehrt. Sie hatte mir ins Gesicht geschaut, in dieses Meer aus Not und Zweifel. »Du glaubst mir nich? Mädchen, wo kommen deine Schulterblätter her?«

Die dürren Knochen. Sie hatten wie Grate aus meinem Rücken geragt. Mauma hatte sie sanft getätschelt. »Mehr is nich mehr da von deinen Flügeln, nur zwei platte Knochen. Aber eines Tages kommen sie wieder.«

Ich war genauso klug wie meine Mauma. Selbst mit zehn war mir klar, Menschen, die fliegen konnten, das war Blödsinn. Wir waren doch keine besonderen Menschen, die ihre Zauberkräfte verloren hatten. Wir waren Sklaven, für uns ging es nirgendshin. Erst später habe ich verstanden, was sie mir sagen wollte. Wir konnten wirklich fliegen, aber das hatte nichts mit einem Zauber zu tun.

An dem Tag, an dem ich mein Leben in der Welt verloren glaubte, kochte ich im Wirtschaftshof das Bettzeug von uns

Sklaven. Ich schürte das Feuer unterm Waschtrog. Der Wind wehte mir die Laugenseife ins Gesicht, und meine Augen brannten. Der Morgen war kalt – die Sonne wie ein kleiner weißer Knopf fest an den Himmel geheftet. Im Sommer trugen wir nicht mehr als schlichte Baumwollkleider über der Unterhose, aber wenn ab November oder Januar der Winter wie ein müßiges Mädchen in Charleston einzog, stiegen wir in unsere Säcke – derbe Mäntel aus schwerem Garn. Es waren wirklich alte Säcke mit Ärmeln. Meiner war ein Erbstück und reichte mir bis an die Knöchel. Keine Ahnung, wie viele ungewaschene Leiber ihn vor mir getragen hatten, aber netterweise hatten sie mir alle ihren Duft hinterlassen.

Schon am Morgen hatte ich den Stock von der Missus im Rücken gespürt. Ich war eingeschlafen, beim Beten. Jeden Tag wurden wir Sklaven, bis auf Rosetta, die alt und verwirrt war, noch vor dem Frühstück ins Speisezimmer gepfercht, und während wir versuchten, den Schlaf abzuschütteln, brachte uns die Missus knappe Bibelverse bei, so was wie »Jesus weinte«, oder sie sprach ein Gebet zu Gottes Lieblingsthema *Gehorsam*. Wer eindämmerte, bekam Schläge, auch wenn Gott im gleichen Moment noch dieses oder jenes zu sagen hatte.

Bei Aunt-Sister aber riskierte ich nach dieser grässlichen Veranstaltung immer eine dicke Lippe. »Lass diesen Kelch an mir vorübergehen«, plapperte ich die Bibelstelle nach. Oder ich spottete: »Jesus weinte, weil er auch bei der Missus festsitzt, so wie wir.«

Aunt-Sister war die Köchin – sie war zur Missus gekommen, da war die Missus noch ein Mädchen gewesen –, und gemeinsam mit Tomfry, dem Butler, schmiss sie den Laden. Sie war die Einzige, die nicht der Stock traf, wenn sie der Missus etwas freiheraus sagte. Von Mauma hörte ich ständig, pass auf, was du sagst, aber das tat ich trotzdem nicht. Ich fing mir bestimmt dreimal am Tag von Aunt-Sister eine Backpfeife ein.

Mit mir hatten sie wirklich alle Hände voll zu tun. Aber nicht darum wurde ich Handful genannt. Das war mein Rufname. Der Master und die Missus, die gaben einem Kind den offiziellen Namen, aber eine Mauma schaute ihr Baby in seinem Körbchen an, und dabei fiel ihr der Rufname ein. Er konnte damit zu tun haben, wie ihr Neugeborenes aussah, welcher Wochentag war, was das Wetter gerade machte oder einfach, wie ihr die Welt an jenem Tag erschien. Der Rufname meiner Mauma war Summer, ihr richtiger Name Charlotte. Sie hatte einen Bruder, dessen Rufname war Hardtime. Alle denken immer, ich hätte mir das ausgedacht, dabei stimmt das, ehrlich.

Mit dem Rufnamen hatte man wenigstens etwas von seiner Mauma. Master Grimké hatte mich Hetty genannt, aber Mauma hatte für mich, nachdem sie mich geboren hatte – weil ich zu früh auf die Welt gekommen war –, Handful ausgesucht.

An dem Tag, als ich Aunt-Sister im Hof helfen musste, arbeitete Mauma im Haus an einem Kleid für die Missus, einem sogenannten Watteaukleid aus goldenem Satin, mit einer Tournüre im Rücken. Mauma war die beste Näherin in ganz Charleston und arbeitete sich an der Nadel die Finger krumm. Einen Putz, wie meine Mauma ihn zaubern konnte, gab es kein zweites Mal, und sie benutzte dafür nicht einmal Schablonen, denn sie hasste Vorlagen und Schnittmuster. Sie wählte selbst auf dem Markt den Samt und die Seide aus, und daraus machte sie alles, was die Grimkés besaßen – Vorhänge, gesteppte Unterröcke, gebauschte Überröcke, Wildlederhosen, ja, selbst diese aufgetakelten Jockeytrachten für die Charlestoner Rennwoche.

Und für die Rennwoche lebten die Weißen – das können Sie mir ruhig glauben. Dann jagte ein Picknick, eine Promenade, ein elegantes Ereignis das nächste. Die Party von Mrs

King, wie immer am Dienstag. Am Mittwoch das Dinner im Jockey-Club. Und die ganz große Schau war am Samstag, beim St.-Cecilia-Ball, dort stolzierten alle in ihren schönsten Kleidern herum. Aunt-Sister sagte immer, Charleston würde an der Prunksucht leiden. Bis ich acht oder so wurde, hielt ich die Prunksucht für eine Art Dünnschiss.

Die Missus war eine kleine Frau mit kräftiger Taille und Hefebällchen unter den Augen. Sie weigerte sich, Mauma an die anderen Damen auszuleihen. Natürlich flehten sie die Missus an, und Mauma flehte die Missus ebenfalls an, denn von dem Lohn für diese Arbeit hätte sie einen Teil behalten können – aber die Missus sagte, auf keinen Fall lasse ich zu, dass du für die anderen etwas Besseres machst. Abends riss Mauma immer Stoffstreifen für ihre Quilts. Ich hielt dabei mit der einen Hand das Talglicht und legte mit der anderen die Streifen zu Haufen, nach Strich und Faden, farblich sortiert. Mauma mochte helle Töne und stellte Farben zusammen, auf die niemand sonst gekommen wäre – Violett und Orange, Rosa und Rot. Von allen Formen mochte sie das Dreieck am liebsten. Aber schwarz musste es sein. Es gab kaum einen Quilt ohne ihre schwarzen Dreiecke.

Wir besaßen eine hölzerne Dose für die Stoffreste, ein Beutelchen für Nadeln und Fäden und einen Fingerhut aus echtem Messing. Mauma sagte immer, eines Tages würde der Fingerhut mir gehören. Wenn sie ihn nicht brauchte, setzte ich ihn mir auf die Fingerkuppe, als wäre es ein Schmuckstück. Unsere Quilts füllten wir mit Rohbaumwolle und Webresten. Das beste Füllmaterial waren Federn, bis heute, und Mauma und ich gingen nie achtlos vorüber, wenn eine Feder auf dem Boden lag. An manchen Tagen kam Mauma mit einer Tasche voll Gänsefedern an, die zupfte sie im Herrenhaus aus Löchern in den Matratzen. Wenn wir ganz dringend einen Quilt füllen mussten, streiften wir Louisianamoos von der Eiche im Hof und nähten Futter und Oberseite drum herum. Auch um die Krabbeltiere.

Das war das Höchste für Mauma und mich, unsere gemeinsame Zeit mit den Quilts.

Egal, was Aunt-Sister mir im Hof zu tun gab, immer sah ich nach oben, zu dem Fenster, hinter dem Mauma nähte. Wir hatten ein Signal. Wenn ich den Eimer kopfüber vors Küchenhaus stellte, war die Luft rein. Dann öffnete Mauma das Fenster und warf mir ein Karamellbonbon zu, das sie aus dem Zimmer der Missus gestohlen hatte. Manchmal kam ein Bündel aus Stofffetzen herunter – hübscher Kattun, Gingan, Musselin und importiertes Leinen. Einmal der Fingerhut aus echtem Messing. Am liebsten aber nahm sie scharlachrotes Garn. Sie wickelte es in die Tasche von ihrem Kleid und marschierte einfach damit aus dem Haus.

An dem Tag aber war auf dem Hof sehr viel los, und darum hatte ich auch keine Hoffnung, dass aus dem blauen Himmel ein Bonbon fallen würde. Mariah, die Wäschesklavin, konnte nichts tun, sie hatte sich die Hand an der Holzkohle aus dem Bügeleisen verbrannt. Aunt-Sister war außer sich, so groß war der Wäschestapel. Tomfry hatte die Männer gerufen, weil er ein Schwein schlachten wollte, und das rannte laut kreischend über den Hof. Alle waren sie draußen, vom alten Snow, dem Kutscher, bis hin zu Prince, dem Stallburschen. Tomfry wollte die Sache schnell erledigen, denn die Missus hasste es, wenn auf dem Hof so ein Aufruhr war.

Lärm stand nämlich auch auf ihrer Liste von Sklavensünden, und die kannten wir alle auswendig. Ganz oben: Diebstahl. Danach: Ungehorsam. Auf Platz drei: Faulheit. Auf vier: Lärm. Ein Sklave sollte wie der Heilige Geist sein – man sieht ihn nicht, man hört ihn nicht, aber er schwebt immer eifrig um einen herum.

Und schon rief die Missus nach Tomfry und sagte, Ruhe

da draußen, eine Dame muss nicht wissen, woher ihr Schinken stammt. Darauf sagte ich zu Aunt-Sister, die Missus weiß doch nicht mal, an welchem Ende ihr Schinken rein- und an welchem er rauskommt. Und bekam eine schallende Ohrfeige.

Ich griff mir den langen Stock, den sogenannten Bleuel, fischte die Bettbezüge aus dem Waschkessel und ließ sie tropfnass über die Stange klatschen, an der Aunt-Sister ihre Küchengewürze trocknete. Die Stange im Stall war verboten, denn die Augen der edlen Pferde vertrugen die Lauge nicht. Die Augen der Sklaven dagegen schon. Dann schlug ich die Laken und Decken mit dem Bleuel halb tot. Das hieß bei uns, den Schmutz rauspressen.

Als ich mit der Wäsche fertig war, hatte ich nichts mehr zu tun. Also vergnügte ich mich mit Sünde Nummer drei und lief meinen Trampelpfad entlang. Die Runde machte ich bestimmt zehn, zwölf Mal am Tag. Los ging es an der Rückseite vom Herrenhaus, vorbei an Küchenhaus und Wäscherei bis hin zum Wucherbaum. Manche Äste waren dicker als ich und alle so verschlungen wie Bänder in einer Schachtel. Böse Geister bewegen sich nur in geraden Linien, und an unserem Baum war keine einzige nicht-gewundene Stelle. Wenn die Hitze zu schwer drückte, versammelten wir Sklaven uns unter dem Baum. Mauma sagte immer, zupf bloß nicht das Spanische Moos von den Ästen, denn das schützt vor der Sonne und vor neugierigen Blicken.

Zurück ging es an Stall und Kutschhaus vorbei. Das war die Welt, die ich kannte. Damals hatte ich den Globus im Haupthaus noch nicht gesehen, auf dem sich der Rest von der Welt drehte. Ich drückte mich also draußen rum und wartete, dass der Tag an sein Ende kam, damit ich mit Mauma in unser Zimmer gehen konnte. Es lag über dem Kutschhaus und hatte kein Fenster. Von Stall und Kuhhaus her roch es so stark, als ob unser Bett mit Mist und nicht mit Stroh gefüllt wäre. Die

Zimmer von den anderen Sklaven lagen über dem Küchenhaus.

Der Wind legte zu, und ich lauschte, ob die Segel im Hafen hinter der Straße schlugen. Ich konnte den Hafen riechen, aber gesehen hatte ich ihn noch nie. Die Segel knallten wie Peitschen, und wir horchten immer, ob im Nachbarhof ein Sklave gezüchtigt oder ein Schiff zur Ausfahrt bereit gemacht wurde. Denn in dem einen Fall hörte man Schreie, im anderen nicht.

Die Sonne war weg, an ihrer Stelle ballten sich Wolken, als ob der Knopf abgefallen wäre. Ich nahm mir den Bleuel vom Waschkessel, steckte ihn einfach so in einen Kürbis und warf ihn über die Mauer. Er klatschte laut auf.

Dann stand die Luft still. Nur die Stimme von der Missus kam aus der Hintertür: »Aunt-Sister, bring auf der Stelle Hetty zu mir.«

Ich ging ins Haus. Bestimmt machte die Missus einen Aufstand um ihren Kürbis. Ich sprach meinem Rücken Mut zu.

Sarah Grimké

Mein elfter Geburtstag begann damit, dass Mutter mich aus dem Kinderzimmer beförderte. Ich hatte mich schon seit letztem Jahr danach gesehnt, dem Durcheinander aus Porzellanpuppen, Kreiseln und winzigen Teegedecken zu entfliehen, der langen Reihe der Bettchen, der verwirrenden Überfülle, die hier regierte, doch nun, da der Tag gekommen war, stand ich auf der Schwelle zu meinem neuen Zimmer und scheute. Es war mit Düsternis getäfelt und verströmte die Gerüche meines Bruders – etwas Rauchiges und Ledriges. Der Eichenbaldachin mit seinen roten Samtvolants ragte so hoch auf, dass das Bett der Decke näher als dem Boden war. Vor lauter Angst vor diesem gewaltigen, anmaßenden Zimmer war ich wie erstarrt.

Ich holte tief Luft und hievte mich über die Schwelle. Auf diese wenig kunstvolle Art umschiffte ich die Klippen meiner Mädchenjahre. Ich galt als beherzte Natur, doch so furchtlos, wie alle glaubten, war ich nicht. Ich hatte das Temperament einer Schildkröte. Wenn Schrecken, Furcht oder ein Stolperstein auf meinem Weg erschienen, hätte ich viel lieber Halt gemacht und mich in meinen Panzer verkrochen. Und doch hatte ich mir das bescheidene Motto zugelegt: *Wenn du irren musst, dann irre aus Kühnheit.* Dieser Satz half mir über manche Schwelle hinweg.

An jenem Morgen wehte eine kalte, kräftige Brise vom Atlantik her, und die Wolken trieben wie Windsäcke über den Himmel. Einen Augenblick lang stand ich reglos in diesem Zimmer und lauschte dem Rasseln der Säbelpalmen draußen im Freien. Das Gebälk der Veranda fauchte. Das Schaukelsofa murrte an seinen Ketten. Unten, in der Aufwärmküche, stellten die Sklaven auf Mutters Geheiß Porzellanschüsseln und Wedgwood-Tassen bereit, in Erwartung meiner Geburtstagsfeier. Cindie, Mutters Zofe, hatte Mutters Perücke stundenlang mithilfe von feuchtem Papier und Eisenrollen in Form gebracht. Der säuerliche Geruch von kochendem Boraxwasser war durch das Treppenhaus bis in die oberen Stockwerke gezogen.

Ich schaute zu, wie Binah, die Mauma unserer Kinderstube, meine Kleider in den schweren, alten Schrank einräumte. Früher hatte sie die Wiege meines jüngsten Bruders Charles mit dem Feuerhaken geschaukelt. An ihren Armen hatten Reifen aus Kaurimuscheln geklappert, und was hatte sie uns mit ihren Geschichten über die alte Booga-Hexe, die auf einem Besen ritt und bösen Kindern den Lebensatem aussaugte, Angst eingejagt! Binah würde mir fehlen. Und auch die süße kleine Anna, die beim Schlafen den Daumen in den Mund steckte. Und Ben und Henry, die wie die Wilden auf ihren Matratzen herumsprangen, bis Geysire aus Gänsefedern emporschossen, und die kleine Eliza, die so oft zu mir ins Bett geschlüpft war, um sich vor der schrecklichen Booga-Hexe zu verstecken.

Eigentlich war ich der Kinderstube längst entwachsen, aber ich musste warten, bis John aufs College kam. Unser Haus mit seinen drei Geschossen war eines der größten in ganz Charleston, und dennoch verfügte es nicht über genügend Zimmer, da Mutter derart … nun ja, derart fruchtbar war. Wir waren zehn an der Zahl: John, Thomas, Mary, Frederick und ich, gefolgt von den Bewohnern der Kinderstube – Anna, Eliza, Ben, Henry und Baby Charles. Ich war das mittlere Kind, jenes Kind, das Mutter *anders* und Vater *außergewöhnlich* nannte, das mit möhrenrotem Haar und Sommersprossen, die regelrechte

Konstellationen bildeten. Einmal hatten meine Brüder zur Kohle gegriffen und die hellroten Flecken auf meiner Stirn und meinen Wangen zu Orion, dem Großen Wagen und Ursa Major verbunden. Es hatte mir überhaupt nichts ausgemacht – über Stunden war ich ihr Firmament gewesen.

Alle sagten, ich sei Vaters Augenstern. Ich weiß nicht, ob er mich bevorzugte oder bemitleidete, aber ohne Frage war er *mein* Augenstern. Als Richter am Obersten Gericht von South Carolina stand er an der Spitze der gesellschaftlichen Klasse, die als Charlestons Elite galt: die Plantagenbesitzer. Er hatte unter General Washington gekämpft und war in britische Gefangenschaft geraten. Ihn hinderte seine Bescheidenheit, von derlei Dingen zu sprechen – das übernahm Mutter.

Ihr Name war Mary, und damit erschöpft sich auch schon jegliche Ähnlichkeit mit der Mutter unseres Herrn. Sie entstammte einer der Gründerfamilien Charlestons, jenem kleinen Kreis von Lords, die King Charles über das Meer gesandt hatte, um seine Stadt zu gründen. Mutter flocht diese Tatsache derart beständig in jegliche Konversation ein, dass wir nicht einmal mehr die Augen verdrehten. Sie herrschte nicht nur über das Haus, eine ansehnliche Kinderschar und vierzehn Sklaven, sondern kam auch derart vielen sozialen und religiösen Verpflichtungen nach, dass es selbst Europas Königinnen und Heilige entkräftet hätte. Wenn ich großzügig gestimmt war, nannte ich meine Mutter erschöpft. Ich fürchte allerdings, dass sie in ihrem tiefsten Inneren bösartig war.

Nachdem Binah Haarkämme und Schleifen auf meinem luxuriösen neuen Frisiertisch ausgebreitet hatte, drehte sie sich zu mir um. Ich hatte dort wohl recht verloren herumgestanden, denn sie schnalzte mit der Zunge und sagte: »Arme Miss Sarah.«

Was hasste ich dieses *Arme* vor meinem Namen! Seit meinem vierten Lebensjahr murmelte Binah *Arme Miss Sarah*. Es klang wie eine Beschwörungsformel.

Meine früheste Erinnerung stammt aus jenem Jahr: Ich lege die Murmeln meines Bruders zu Worten. Es ist Sommer, ich hocke unter der Eiche im Wirtschaftshof. Thomas, der zehn ist und den ich von all meinen Brüdern am liebsten habe, hat mir neun Worte beigebracht: SARAH, MÄDCHEN, JUNGE, GEHEN, STOPP, HÜPFEN, LAUFEN, AUF, AB. Er hat sie auf ein Blatt geschrieben und mir einen Beutel mit achtundvierzig Murmeln gegeben. Damit soll ich die Worte bilden, immer zwei. Ich lege die Murmeln auf die Erde und kopiere die Tintenworte von Thomas' Hand. *Sarah gehen. Junge laufen. Mädchen hüpfen*. Ich beeile mich. Bald schon wird Binah nach mir suchen.

Dann steigt Mutter die Stufen hinab in den Hof. Binah und die anderen Haussklaven drängen sich in ihrem Gefolge, sie bewegen sich mit vorsichtigen, synchronisierten Schritten, wie ein einziges Wesen, ein Tausendfüßler, der ungeschütztes Terrain durchquert. Ich spüre den Schatten, der über ihnen droht, ihre gewaltige Furcht, und krieche zurück in das grünschwarze Dunkel unter dem Baum.

Die Sklaven starren auf Mutters geraden, unnachgiebigen Rücken. Sie dreht sich um und äußert ihren Tadel. »Ihr hinkt hinterher. Rasch, lasst uns das endlich erledigen.«

Im selben Moment wird Rosetta, eine ältere Sklavin, aus dem Kuhhaus gezerrt. Von einem Mann, einem Hofsklaven. Sie wehrt sich, zerkratzt sein Gesicht. Mutter sieht ungerührt zu.

Er bindet Rosettas Hände an einen Verandapfeiler am Küchenhaus. Sie schaut über ihre Schulter und bettelt. *Missus, bitte. Missus. Missus. Bitte.* Sie bettelt noch, als der Mann mit der Peitsche schon zuschlägt.

Ihr Kleid ist aus Baumwolle, ein blasses Gelb. Ich schaue wie gebannt, als Blut durch den Stoff an ihrem Rücken sprießt, sich rote Knospen zu Blüten öffnen. Ich kann das Grobe der Schläge nicht mit ihrer schmeichelnden Klage und der Schönheit der Rosen versöhnen, die sich um das Spalier ihrer Wirbelsäule ranken. Irgendjemand zählt die Schläge – Mutter? *Sechs, sieben.*

Die Geißelung geht weiter, doch Rosetta wimmert nicht mehr. Sie sinkt gegen das Geländer. *Neun, zehn.* Mein Blick wendet sich ab. Er folgt einer schwarzen Ameise, sie durchwandert die Weiten unter dem Baum – die gebirgigen Wurzeln und waldigen Moose, endlose Gefahren –, und im Geiste spreche ich die Worte aus Glas. *Junge laufen. Mädchen hüpfen. Sarah gehen.*

Dreizehn. Vierzehn … Ich stürze aus den Schatten, vorbei an dem Mann, der nun die Peitsche einrollt, er hat seine Sache gut gemacht, vorbei an Rosetta, dem elenden Bündel, das an seinen Händen hängt. Als ich die Stufen ins Haus hinaufrenne, ruft Mutter mir nach, und Binah versucht, mich zu fassen, doch ich entkomme, stürme durch den Gang zur Vordertür hinaus. Ich stürze blindlings zum Kai.

An den Rest erinnere ich mich nur vage. Ich laufe heulend über den Landungssteg eines Segelschiffes und stolpere über einen Turban aus Seilen. Ein freundlicher Herr mit Bart und dunkler Mütze fragt mich, was ich will. Ich flehe ihn an. *Sarah gehen.*

Binah ist mir nachgejagt, aber das merke ich erst, als sie mich in die Arme nimmt und gurrt: »Arme Miss Sarah, arme Miss Sarah.« Beschluss, Erklärung und Prophezeiung.

Als ich nach Hause komme, bin ich Rotz und Wasser, Hofschmutz und Hafendreck. Mutter zieht mich an sich, tritt zurück, schüttelt mich wütend, dann umarmt sie mich wieder. »Du musst mir versprechen, dass du niemals mehr fortläufst. Versprich es mir.«

Ich will ja. Ich versuche es. Die Worte liegen mir auf der Zunge – runde Klumpen, sie schimmern wie Murmeln.

»Sarah!«, drängt sie.

Nichts. Nichts kommt heraus. Nicht ein Ton.

Ich blieb eine ganze Woche stumm. Es war, als ob meine Worte in der Kluft zwischen den Schlüsselbeinen festgesessen hätten. Langsam, schrittweise löste ich sie, durch Gebete, Drohen und Locken. Es gelang mir, wieder zu sprechen, doch mit einem seltsamen, launischen Stottern.

Ich hatte nie wirklich flüssig gesprochen, selbst meine früheren Worte waren von einer gewissen Widerspenstigkeit gewesen, doch nun waren da hässliche, hinderliche Lücken, endlose Sekunden, in denen die Worte nicht über die Lippen wollten und mein Gegenüber den Blick abwandte. Diese entsetzlichen Pausen kamen und gingen, ganz, wie es ihrer eigenen, unergründlichen Laune entsprach. Manchmal quälten sie mich wochenlang, dann blieben sie über Monate fort, um dann ebenso plötzlich wiederzukehren, wie sie verschwunden waren.

Doch an jenem Tag, als ich aus der Kinderstube ausgezogen war, um in Johns gesetztem Zimmer in das Erwachsenenleben einzutreten, hatte ich überhaupt nicht an jene Grausamkeit aus fernen Tagen gedacht. Ebenso wenig an die brüchigen Fäden, an denen meine Stimme seitdem hing. Meine Sprachstörung hatte sich schon länger nicht gezeigt – vier Monate und sechs Tage. Ich hatte mich fast als geheilt betrachtet.

Als dann Mutter jäh ins Zimmer rauschte – ich im Taumelgriff meiner neuen Umgebung, Binah meine Besitztümer hierhin und dorthin verstauend – und fragte, ob die neuen Räumlichkeiten zu meiner Zufriedenheit seien, und ich keine Antwort geben konnte, war ich fassungslos. Die Tür in meiner Kehle schlug zu. In mein Zimmer zog Schweigen. Mutter schaute mich an und seufzte.

Als sie ging, blinzelte ich die Tränen weg und wandte mich von Binah ab. Ich konnte kein weiteres *Arme Miss Sarah* ertragen.

Handful

Aunt-Sister brachte mich in die Aufwärmküche. Binah und Cindie machten sich an silbernen Tabletts voller Ingwerkuchen und Äpfel mit Erdnüssen zu schaffen. Sie hatten die guten, langen Schürzen an, die gestärkten. Im Salon summte es wie in einem Bienenkorb.

In dem Moment erschien die Missus und sagte zu Aunt-Sister, dass sie mir den hässlichen Mantel ausziehen und das Gesicht waschen sollte, und zu mir: »Hetty, heute ist Sarahs elfter Geburtstag, und wir geben ein Fest für sie.«

Sie holte ein violettes Band ganz oben aus dem Vorratsschrank, schlang es mir um den Hals und machte eine Schleife. Aunt-Sister rieb mir mit einem Lappen das Schwarz von den Wangen. Dann wickelte mir die Missus mehrere Bänder um die Taille. Als ich daran zog, sagte sie scharf: »Hör mit dem Gehampel auf, Hetty! Halt still.«

Die Missus hatte mir das Band viel zu stramm um den Hals gebunden. Ich konnte kaum schlucken und suchte die Augen von Aunt-Sister, doch die klebten an den Tabletts mit dem Essen. Gern hätte ich ihr gesagt: *Befrei mich, hilf mir, ich muss mal aufs Klo.* Sonst war ich immer so vorlaut, aber plötzlich war mir die Stimme wie eine Küchenmaus in den Rachen gehuscht.

Ich tänzelte von einem Bein aufs andere. Mit Maumas Worten im Ohr: »Bald is Weihnachten, benimm dich, denn da verkaufen sie die überflüssigen Kinder oder schicken sie raus aufs Feld.« Ich wusste von keinem einzigen Sklaven, den Master Grimké verkauft hatte, aber auf seine Plantage auf dem Land hatte er etliche geschickt. Von da war Mauma gekommen. Mit mir im Bauch, aber ohne meinen Daddy. Der musste dortbleiben.

In dem Moment hörte ich mit dem Gehampel auf. Ich rutschte selbst in das Loch, in dem meine Stimme schon war. Ich versuchte zu tun, was die Missus, was Gott von mir wollte. Gehorch, sei still, gib Ruhe.

Die Missus prüfte, wie ich mit den violetten Bändern aussah. Dann fasste sie mich am Arm und führte mich in den Salon, wo die Damen mit ihren aufgefächerten Kleidern und ihren Porzellantässchen und Spitzenservietten saßen. Eine Dame spielte das kleine Klavier, das Cembalo heißt, aber sie hörte auf, als die Missus in ihre Hände klatschte.

Alle Augen richteten sich auf mich. Die Missus sagte: »Das hier ist unsere kleine Hetty. Sarah, Liebes, das ist dein Geschenk, eine Kammerzofe eigens zu deinen Diensten.«

Ich presste die Hände zwischen die Beine, aber die Missus schlug sie mir weg. Sie drehte mich einmal im Kreis. Die Damen plapperten los wie Papageien –, *herzlichen Glückwunsch, herzlichen Glückwunsch* – und ihre aufgeputzten Köpfe nickten dazu. Miss Mary, die ältere Schwester von Miss Sarah, saß grimmig da, weil sie nicht im Mittelpunkt stand. Sie war ein scheußlicher Vogel, beinah so schlimm wie die Missus. Wir konnten ja alle sehen, wie sie mit *ihrer* Kammerzofe umging. Sie schlug die arme Lucy von hier bis Jerusalem. Wir sagten immer, wenn Miss Mary ihr Taschentuch aus dem zweiten Stock werfen würde, müsste Lucy durchs Fenster hinterherspringen. Wenigstens war ich nicht bei der gelandet.

Miss Sarah stand auf. Sie hatte ein dunkelblaues Kleid an und rosafarbenes Haar, so glatt wie Maisbart, und überall in ihrem Gesicht waren Sommersprossen, genauso rosa. Nun holte sie tief Luft und bewegte die Lippen. Damals holte Miss Sarah die Worte aus ihrem Hals, wie man einen Eimer aus einem Brunnen zieht.

Als der Eimer endlich oben war, konnten wir sie trotzdem nicht verstehen. »… Es tut mir leid, Mutter … Das kann ich nicht annehmen.«

Die Missus bat sie, die Worte zu wiederholen. Miss Sarah brüllte wie ein Krabbenhändler.

Die Augen der Missus waren so hellblau wie die von Miss Sarah, aber in dem Moment wurden sie dunkel wie Indigo. Ihre Fingernägel gruben sich in mich und schnitten mir einen Vogelschwarm in den Arm. Sie sagte: »Setz dich, Sarah, Liebes.«

Miss Sarah sagte: »… Ich brauche keine Kammerzofe … Ich komme bestens ohne zurecht.«

»Das reicht«, sagte die Missus. Wie man das nicht als Drohung verstehen konnte, ist mir ein Rätsel. Aber Miss Sarah hatte wohl Watte in den Ohren.

»… Kannst du sie nicht für Anna aufheben?«

»Das reicht!«

Miss Sarah plumpste auf ihren Stuhl, als ob sie jemand geschubst hätte.

In dem Moment tröpfelte mir langsam das Wasser am Bein entlang. Ich wand mich hin und her, um mich aus den Krallen von der Missus zu lösen, doch da landete schon der ganze Schwall auf dem Teppich.

Die Missus stieß einen Schrei aus. Alles wurde still. Man hörte nur noch, wie im Kamin die Funken knisterten.

Ich wartete auf eine Ohrfeige oder Schlimmeres. Rosetta bekam, wenn es hilfreich war, einen Schüttelanfall, ließ Spucke aus dem Mund laufen und verdrehte die Augen ganz weit nach hinten. Dann sah sie aus wie ein Käfer, der auf dem Rücken liegt und zappelt, aber es ersparte ihr die Bestrafung. Ich überlegte schon, auch auf den Boden zu sinken und einen Anfall vorzutäuschen.

Aber ich stand nur da, das Kleid nass an die Beine geklebt, die Scham heiß im Gesicht.

Aunt-Sister erschien und zog mich weg. Als wir an der Treppe in der Eingangshalle vorbeikamen, stand Mauma auf dem Podest und drückte die Hände an ihre Brust.

An dem Abend saßen Tauben in den Bäumen und klagten. Ich klammerte mich in unserem Seilbett an Mauma und schaute auf den Quilt-Rahmen über uns an der Decke, festgezurrt an seinem Flaschenzug. Mauma sagte, der Quilt-Rahmen wäre unser Schutzengel. Sie sagte: »Alles wird gut.« Doch die Scham blieb. Sie lag mir wie ein bitteres Kraut auf der Zunge.

Die Glocken läuteten über Charleston die Sperrstunde für die Sklaven ein. Mauma sagte, bald schlägt die Wache draußen die Trommel.

Dann rieb sie mir über die platten Knochen in meinen Schultern. Und hat mir die Geschichte erzählt, die sie von ihrer Mauma kannte. Die Geschichte aus Afrika. Mit den fliegenden Menschen. Die über Bäume und Wolken geflogen sind. Die wie Schwarzdrosseln geflogen sind.

Am nächsten Morgen gab mir Mauma einen Quilt, der für meine Länge passend war, und sagte, dass ich ab jetzt nicht mehr bei ihr schlafen könnte. Von nun an müsste ich auf dem Boden im Flur liegen, vor der Schlafzimmertür von Miss Sarah. Mauma sagte: »Geh nie weg von deinem Quilt, außer Miss Sarah ruft. Streun nich nachts rum. Mach keine Kerze an. Mach kein Geräusch. Und wenn Miss Sarah klingelt, dann machst du voran.«

Mauma sagte zu mir: »Ab jetzt wird es hart für dich, Handful.«

Sarah

Ich wurde in mein neues Zimmer verbannt, mit der Order, jedem einzelnen Gast eine Entschuldigung zu schreiben. Mutter setzte mich an mein Pult, mit Papier, Tintenfass und einem Brief, der aus ihrer Feder stammte und den ich zu kopieren hatte.

»... Du hast doch nicht etwa Hetty bestraft?«, fragte ich.

»Hältst du mich für einen Unmenschen, Sarah? Dem Mädchen ist ein Malheur passiert. Was bleibt da zu tun?« Sie zuckte ratlos mit den Schultern. »Wenn sich der Teppich nicht reinigen lässt, müssen wir ihn wohl oder übel entfernen.«

Als sie sich zur Tür wandte, mühte ich mich, meinem Mund die drängenden Worte zu entreißen: »Mutter, bitte, erlaube ... erlaube, dass ich dir Hetty zurückgebe.«

Dass ich dir Hetty zurückgebe. Als würde sie mir gehören. Als wäre der Besitz eines Menschen so normal wie das Atmen. Denn ungeachtet all meines Widerstandes gegen die Sklaverei atmete auch ich diese faulige Luft.

»Deine Vormundschaft ist rechtens und bindend. Hetty gehört dir, Sarah, daran kannst du nichts ändern.«

»... Aber ...«

Als sie zu mir an das Pult zurückkam, rauschten und raschelten ihre Unterröcke. Einer Frau wie ihr gehorchten die Winde und die Gezeiten, doch in dem Moment war sie milde gestimmt. Sie legte mir einen Finger unter das Kinn, wandte mein Gesicht dem ihren zu und lächelte sanft. »Warum musst du dich dem so stark widersetzen? Ich weiß nicht, woher du diese seltsamen Ideen hast. Es ist nun einmal unsere Lebensweise, meine

Liebe, also mach deinen Frieden damit.« Sie gab mir einen Kuss auf den Kopf. »Ich erwarte alle achtzehn Briefe morgen früh.«

Die Zypressenpaneele glühten in Orange, dann schmolz der Lichtschein zu Dämmer und Schatten dahin. Mir stand Hettys Anblick noch deutlich vor Augen – ihr verwirrter und gedemütigter Ausdruck, die Zöpfe, die in alle Richtungen ragten, die schmählichen violetten Bänder. Sie war nur ein Jahr jünger als ich, aber mit ihrer kümmerlichen Statur wirkte sie wie höchstens sechs. Sie war nur Haut und Knochen. Ihre Ellbogen erinnerten an die drahtigen Windungen von Sicherheitsnadeln. Das einzig Große an ihr waren die Augen, die einen seltsamen Goldton hatten und wie glänzende Halbmonde über ihren schwarzen Wangen schwebten.

Ich empfand es als Verrat, dass ich für etwas um Verzeihung bitten sollte, das mir nicht im Mindesten leidtat. Eher bedauerte ich, dass mein Protest so kläglich ausgefallen war. Am liebsten hätte ich an diesem Tisch die Nacht verbracht, ohne nachzugeben, falls nötig Tage und Wochen gar, doch am Ende fügte ich mich und schrieb die verwünschten Briefe. Ich wusste ja selbst, dass ich ein sonderbares Mädchen war, mit meinen aufmüpfigen Ideen, meinem hungrigen Geist und meinem komischen Äußeren. Und dann spuckte ich beim Sprechen auch noch wie ein Pferd, das an seinem Mundstück kaut – alles wahrlich keine Eigenschaften, die dem weiblichen Geschlechte schmeicheln. Ich entwickelte mich zum Paria der Familie, und diese Rolle fürchtete ich. Mehr als alles andere.

Und so schrieb ich wieder und wieder:

Liebe Madame,
ich danke Ihnen für die Ehre und Freundlichkeit, die Sie mir mit Ihrer Teilnahme an meiner Geburtstagsfeier erwiesen haben. Mein ungebührlich schlechtes Benehmen während dieses Anlasses – trotz der guten Erziehung, die mir meine Eltern zuteilwer-

den ließen – bedauere ich sehr. Ich erbitte demütig Ihre Vergebung für meinen Mangel an Formgefühl und Respekt.
Ihre reuige Freundin Sarah Grimké

Ich bezwang die groteske Höhe meiner Matratze und hatte mich gerade zum Schlafen bereit gemacht, als vor dem Fenster ein Vogel zu trällern begann. Zunächst ergoss sich ein Sturzbach aus Pfiffen, dann folgte ein sanftes, melancholisches Lied. Ich fühlte mich sehr einsam mit meinen seltsamen Ideen.

Ich glitt von meinem Hochstand und huschte zum Fenster – dort war es in meinem weißen wollenen Hemdchen recht kühl – und schaute hinaus auf die East Bay Street, über die dunklen Dächer hinunter zum Hafen. Nun, da die Hurrikansaison vorüber war, ankerten dort an die hundert Toppsegel. Sie schimmerten hell auf dem Wasser. Ich drückte meine Wange an die kalte Scheibe. In dieser Haltung konnte ich beinahe die Sklavenquartiere über dem Kutschhaus sehen, wo Hetty eine letzte Nacht bei ihrer Mutter verbringen durfte. Am kommenden Tag würde sie ihre Pflichten aufnehmen und vor meiner Türe schlafen.

In dem Moment kam mir eine Eingebung. Ich zündete an der letzten Glut der Kohle eine Kerze an, öffnete die Tür und trat in den dunklen, unbeheizten Korridor. Drei schemenhafte Gestalten zeichneten sich auf dem Boden neben den Schlafzimmertüren ab. Ich hatte die Welt außerhalb des Kinderzimmers noch nie bei Nacht gesehen, und so dauerte es eine Weile, bis ich begriff, dass die Gestalten Sklaven waren, die in Rufweite schliefen, falls ein Grimké nach ihnen läutete.

Mutter hatte den Wunsch geäußert, dieses archaische System zu erneuern, wie man es jüngst im Hause ihrer Freundin Mrs Russell getan hatte. Dort konnte man auf Knöpfe drücken, woraufhin es in den Sklavenquartieren läutete. Vater hielt so etwas für Verschwendung. Wir waren Anglikaner, dennoch herrschte bei uns ein gewisser Hang zu hugenottischer Sparsamkeit. Nur über seine Leiche würde dieser Knöpfe-Pomp im Haus der Grimkés Einzug halten.

Ich schlich barfuß die breite Mahagonitreppe hinab zur ersten Etage, wo zwei weitere Sklaven schliefen. Cindie saß mit dem Rücken zur Wand hellwach vor dem Zimmer meiner Mutter. Sie beäugte mich argwöhnisch, sprach mich aber nicht an.

Ich huschte über den Perserteppich, der fast die gesamte Länge des Hauptkorridors durchmaß, zu Vaters Bibliothek, drehte am Knauf und trat ein. Ein Schleier aus Mondlicht fiel durch das große Fenster auf das kunstvoll gerahmte Porträt George Washingtons. Vater drückte seit beinahe einem Jahr ein Auge zu, wenn ich mich an Mr Washington vorbeistahl, um die Bibliothek zu plündern. John, Thomas und Frederick besaßen die volle Verfügungsmacht über diesen Schatz – Vaters Bücher über Rechtswissenschaft, Geografie, Philosophie, Theologie, Geschichte, Botanik, Dichtkunst und die griechische Antike –, während es Mary und mir verboten war, auch nur ein Wort davon zu lesen. Mary machte das dem Anschein nach nichts aus, ich hingegen … träumte nachts von Büchern. Ich liebte sie auf eine Weise, für die ich nicht einmal Thomas gegenüber Worte fand. Dabei war er es, der mich auf ausgesuchte Bände hinwies und mich in der lateinischen Deklination drillte. Er war auch der Einzige, der um meinen verzweifelten Wunsch nach einer richtigen Bildung wusste, einer Bildung, die über alles hinausging, was ich mir bei Madame Ruffin aneignen konnte, meiner Lehrerin und Nemesis aus dem Frankenreich.

Madame Ruffin war eine kleine, aufbrausende Frau mit einer Witwenkappe, deren Bänder an ihren Wangen herunterbaumelten. Wenn es kalt war, trug sie einen exaltierten Pelzmantel und winzige fellgefütterte Schühchen. Sie genoss den zweifelhaften Ruf, ihre Mädchen beim kleinsten Vergehen in die Ecke zu stellen und so lang anzuschreien, bis sie in Ohnmacht fielen. Ich hasste sie, sie und ihre »vornehme Erziehung der Frauenzimmer«, die aus Handarbeiten, Benimmunterricht, Zeichnen, Grundkenntnissen des Lesens und Schreibens, Klavierspiel, Bibelkunde, Französisch und genügend Arithmetik bestand, um zwei und zwei zu addieren. Jedes Mal, wenn wir winzige Blümchen zeichnen mussten, kam ich vor Verzweiflung beinahe um. Einmal hatte ich an den Rand meines Blocks geschrieben: »Sollte ich an dieser grässlichen Übung sterben, so mögen diese Blumen meinen Sarg schmücken.« Madame Ruffin war nicht amüsiert. Ich wurde in die Ecke beordert. Dort zeterte sie ob meiner Unverfrorenheit, und ich kämpfte gegen die Ohnmacht an.

In ihrem Unterricht überfiel mich eine immer drängendere Sehnsucht, ein flutendes, fremdes Verlangen. Ich wollte so viel wissen. Ich wollte jemand sein. *Ach, wäre ich doch ein Sohn!* Ich vergötterte Vater, weil er mich *beinahe* wie einen solchen behandelte und mir gestattete, in seiner Bibliothek ein und aus zu gehen.

In jener Nacht waren die Kohlen im Kamin schon kalt, doch der Geruch von Zigarren hing noch in der Luft. Ohne Mühe fand ich *Das Amt des Friedensrichters und das Öffentliche Recht von South Carolina*, das Vater selbst verfasst hatte. Ich hatte oft genug in diesem Buch geblättert, um zu wissen, dass darin die Abschrift eines Freibriefs stand.

Als ich die richtige Stelle fand, nahm ich Papier und Feder von Vaters Schreibtisch und kopierte das Dokument:

Ich beurkunde hiermit, dass ich mit dem heutigen Tage, dem 26. November 1803 zu Charleston im Staate South Carolina, Hetty Grimké aus der Sklaverei entlasse und ihr diesen Freibrief übereigne.

Sarah Moore Grimké

Nun würde Vater Hettys Freiheit als ebenso rechtens und bindend erachten müssen wie zuvor den Besitz an ihrem Leib und Leben! Folgte ich doch einem Gesetzbuch, das er selbst ersonnen hatte! Ich legte mein Werk auf die Backgammon-Schachtel.

Als ich in den Korridor trat, läutete Mutters Glocke nach Cindie. Ich rannte so rasch die Treppe hinauf, dass meine Kerze dabei erlosch.

Mein Zimmer war nun noch kälter, und auch der kleine Vogel sang nicht mehr. Ich kroch unter den Berg aus Quilts und Decken, doch vor Aufregung fand ich keinen Schlaf. Welche Dankesbezeugungen Hetty und Charlotte über mich ergießen würden! Wie stolz Vater wäre, wenn er das Dokument am Morgen fand – und wie verärgert Mutter. *Rechtens und bindend, o ja!* Endlich siegten Erschöpfung und Zufriedenheit, und ich glitt in den Schlaf.

Als ich wach wurde, glühten die Delfter Kacheln rings um den Kamin schon blau im Licht. Ich setzte mich in der Stille auf. Meine ekstatische Aufwallung der vergangenen Nacht war verebbt, nun erfüllten mich Ruhe und Klarheit. Und eine neue Gewissheit. Zwar hätte ich nicht erklären können, wie in einer kleinen Eichel eine stolze Eiche existiert oder, nicht weniger wundersam, in meinem Inneren eine große Zukunft – die Frau, zu der ich mich entwickeln würde –, doch ich wusste genau, wer sie war.

Sie war in mir, wenn ich Vaters Bücher durchforstete und bei unseren abendlichen Debatten meine Argumente formulierte. Erst in der vergangenen Woche hatte Vater eine Diskussion über das Phänomen fremdartiger Fossilien orchestriert. Thomas hatte argumentiert, wenn diese seltsamen Tiere wirklich ausgestorben wären, spräche dies für eine schlechte Planung unseres Schöpfers und würde das Ideal der göttlichen Perfektion in Zweifel ziehen. Ergo müssten derartige Wesen noch an entfernten Winkeln der Erde leben. Ich hatte dagegengehalten, dass es selbst Gott erlaubt sein sollte, seine Meinung zu ändern. »Warum sollte Gottes Perfektion auf der Unveränderlichkeit der Natur beruhen?«, hatte ich gefragt. »Ist Flexibilität denn nicht perfekter als Starrheit?«

Vater hatte mit der Hand auf den Tisch geschlagen. »Wenn Sarah ein Junge wäre, sie wäre der beste Anwalt in ganz South Carolina!«

In jenem Moment hatte mich sein Urteil bange gemacht, doch nun, als ich in meinem neuen Zimmer erwachte, erkannte ich seine wahre Bedeutung. Geradezu rauschhaft begriff ich mein Schicksal. *Ich würde Anwalt werden.*

Selbstverständlich war mir bewusst, dass es keine weiblichen Anwälte gab. Für eine Frau gab es nichts jenseits des häuslichen Bereichs und der winzigen Blümchen in ihrem Malheft. Eine Frau, die danach strebte, Anwalt zu werden – wenn das nicht von der nahenden Apokalypse kündete! Und doch wuchs ein Baum aus einer Eichel, oder nicht?

Das Leiden an meiner Stimme sollte mir auf meinem Weg kein Hemmschuh, sondern Antrieb sein. Es sollte mich stark machen, denn stark würde ich sein müssen.

Ich hatte immer schon kleine persönliche Rituale veranstaltet. Als ich zum ersten Mal ein Buch aus Vaters Bibliothek entliehen hatte, hatte ich Datum und Titel – 25. Februar 1803, *Lady of the Lake* – auf einen Zettel geschrieben, ihn in eine Haarspange aus Schildpatt geklemmt und heimlich mit mir herumgetragen. Nun, wo sich die Morgendämmerung in hellen Sprenkeln auf mein Lager legte, wollte ich den Moment meiner bislang wohl größten Einsicht begehen.

Ich stand auf und holte das blaue Kleid aus dem Schrank, das Charlotte für mein desaströses Geburtstagsfest genäht hatte. An die Stelle, wo der Kragen auflag, hatte sie einen großen Silberknopf geheftet, mit der Gravur einer stilisierten Lilie. Ich säbelte den Knopf mit dem Brieföffner aus Karettschildpatt ab, den John mir hinterlassen hatte. Dann drückte ich den Knopf fest in meiner Hand und betete: *Bitte, lieber Gott, lass diesen Samen, den du in mich gesetzt hast, Früchte tragen.*

Als ich die Augen öffnete, war die Welt wie zuvor. Das erste Licht des Morgens tüpfelte mein Zimmer, das Kleid lag wie ein Haufen blauen Himmels auf dem Boden, ich krallte die Hand um den silbernen Knopf, und doch hatte ich das Gefühl, Gott hätte mich gehört.

Alles, was ich in jener Nacht durchlebt hatte, übertrug ich auf den Sterlingknopf – meine Weigerung, Hetty zu besitzen, das Gefühl der Erleichterung, den Freibrief zu unterzeichnen, vor allem aber die Beglückung, jenen Samen in mir zu erkennen, den mein Vater längst entdeckt hatte. In mir schlummerte eine *Anwältin.*

Ich legte den Knopf in eine kleine Dose aus italienischem Lavagestein, die ich einmal zu Weihnachten bekommen hatte, und verbarg sie tief in der Schublade meines Frisiertisches.

Im Korridor waren erste Stimmen zu hören. Kannen und Tabletts klapperten. Der morgendliche Klang der Sklaverei. Die Welt erwachte.

Ich zog mich eilig an und fragte mich, ob Hetty wohl schon vor meinem Zimmer wartete. Mein Herz schlug schneller. Ich öffnete die Tür. Keine Hetty. Etwas lag zu meinen Füßen. Es war der Freibrief. Zerrissen in zwei Teile.

Handful

Mein Leben mit Miss Sarah fing auf einem sehr falschen Fuß an. Als ich am ersten Morgen zu ihrem Zimmer kam, stand die Tür offen. Miss Sarah saß im Kalten und starrte ins Leere. Ich steckte meinen Kopf ins Zimmer und sagte: »Miss Sarah, möchten Sie, dass ich reinkomme?«

Miss Sarah hatte kleine plumpe Hände mit Stummelfingern. Sie fuhren vor ihren Mund und spreizten sich wie ein Damenfächer. Ihre Augen waren blass und sprachen klarer als ihr Mund. Sie sagten: *Ich will dich hier nicht.* Ihr Mund aber: »Ja, komm rein … Ich freue mich, dich als meine Kammerzofe zu haben.« Dann sank sie wieder in ihrem Sessel zusammen und tat, was sie vorher getan hatte. Nichts.

Eine zehnjährige Hofsklavin, die nur machte, was Aunt-Sister ihr sagte, kam nicht oft ins Herrenhaus. Und in die oberen Etagen schon gar nicht. War das ein Zimmer! Miss Sarah hatte ein Bett so groß wie ein Pferdewagen, einen Frisiertisch mit einem Spiegel, einen Schreibtisch für Bücher und noch mehr Bücher und viele gepolsterte Sessel. Vor dem Kamin stand ein Ofenschirm, der mit rosa Blumen bestickt war. Sie stammten von Maumas Nadel. Auf dem Sims standen zwei weiße Vasen aus echtem Porzellan.

Ich sah mir alles an, dann fragte ich mich, was ich tun sollte. Ich sagte: »Es ist ziemlich kalt.«

Miss Sarah gab keine Antwort, also sagte ich lauter: »ES IST ZIEMLICH KALT.«

Das riss sie aus ihrem Wände-Anstarren. »Ach ja, du kannst ja mal ein Feuer machen.«

Ich hatte schon gesehen, wie man ein Feuer macht, aber Sehen ist nicht gleich Tun. Dass man den Abzug prüfen musste, wusste ich nicht, und schon kam mir der Rauch wie ein Schwarm Fledermäuse entgegen.

Miss Sarah riss die Fenster auf. Es hatte wohl ausgesehen, als ob das Haus in Flammen stehen würde, denn unten auf dem Hof schrie Tomfry: *»Feuer, Feuer!«*

Dann fielen alle ein.

Ich holte die Schüssel zum Frischmachen aus dem Ankleidezimmer und goss das Wasser ins Feuer, aber davon qualmte es nur noch schlimmer. Miss Sarah fächelte den Rauch zu den Fenstern hinaus. Sie stand wie ein Geist zwischen den schwarzen Wolken. In ihrem Zimmer war eine Tapetentür, die raus auf die Veranda führte. Ich wollte sie aufreißen und Tomfry zurufen, dass es kein Feuer gab, aber bevor ich an der Tür war, rannte die Missus schon durchs Haus und brüllte allen zu, raus, und schnappt euch, was ihr könnt.

Als der Qualm nur noch feine Spinnweben zog, folgte ich Miss Sarah in den Hof. Der alte Snow und Sabe hatten schon die Pferde angespannt und zogen die Kutschen fort, für den Fall, dass der Hof mit dem Haus draufgehen sollte. Tomfry hatte Prince und Eli befohlen, Wasser von der Zisterne herbeizuschleppen. Auch aus den Nachbarhäusern erschienen Männer mit Eimern. Ein Feuer fürchteten sie alle mehr als den Teufel. Im Kirchturm von St. Michael musste den ganzen Tag ein Sklave sitzen und die Dächer im Auge behalten, und ich hatte große Angst, dass er den Rauch gesehen und die Glocke geläutet hatte. Denn dann wäre auch noch die Feuerwehr gekommen.

Ich lief zu Mauma, die sich mit den anderen drängte. Das, was einer Rettung würdig galt, lag in Haufen vor ihren Füßen: Porzellanschüsseln, Teewagen, Urkundenbücher, Kleider, Porträts, Bibeln, Broschen und Perlen. Sogar eine Marmorbüste war darunter. Die Missus hielt in der einen Hand ihren Stock mit der goldenen Spitze und einen Zigarrenhalter aus Silber in der anderen.

Miss Sarah versuchte, in der ganzen Aufregung zu Tomfry und den Männern durchzudringen und ihnen zu sagen, dass es nichts zu löschen gab, aber bis sie die Worte aus ihrem Mund gezogen hatte, waren die Männer schon fort, um Wasser zu holen.

Als endlich alle kapierten, was los war, tobte die Missus. »Hetty, du inkompetente Närrin, du!«

Niemand rührte sich, nicht einmal die Nachbarsmänner. Nur Mauma kam und schob mich hinter sich, aber die Missus zerrte mich wieder nach vorn. Der goldbewehrte Stock fuhr auf meinen Hinterkopf. So einen schlimmen Schlag hatte ich noch nie bekommen. Ich sank auf die Knie.

Mauma schrie. Miss Sarah schrie. Aber die Missus, die Missus hob den Arm, als ob sie gleich wieder auf mich losgehen wollte. Ich kann nicht wirklich beschreiben, was dann passiert ist. Der Hof, die Menschen, die Mauern um uns herum, all das brach in Stücke. Der Boden rollte unter mir weg, und der Himmel blähte sich wie ein Zelt im Wind. Ich war irgendwo ganz allein, an einem Ort, den die Zeit nicht kennt. Eine Stimme rief ständig in meinem Kopf: *Steh auf. Steh auf und sieh ihr ins Gesicht. Halt ihr die Wange hin. Zeig's ihr.*

Ich rappelte mich auf und reckte ihr mein Gesicht entgegen. Mein Blick sagte: *Schlag mich doch, dir zeig ich's.*

Die Missus ließ den Arm sinken und trat zurück.

Dann war ich wieder auf dem Hof und befühlte meinen Kopf. Da war eine Beule, so groß wie ein Wachtelei. Mauma berührte sie sanft mit den Fingerspitzen.

Den ganzen Rest dieses gottverdammten Tages musste jede Sklavenfrau und jedes Sklavenmädchen sämtliche Kleider, Bettwäsche, Teppiche und Vorhänge aus allen oberen Zimmern auf die Veranda bringen und lüften. Alle, bis auf Mauma und Binah, warfen mir verächtliche Blicke zu. Miss Sarah kam auch nach oben und half. Sie schleppte, wie wir anderen, Wäsche. Jedes Mal, wenn ich mich umdrehte, betrachtete sie mich, als ob sie mich noch nie im Leben gesehen hätte.

Sarah

In den folgenden drei Tagen nahm ich die Mahlzeiten allein in meinem Zimmer ein, aus Protest gegen die Übereignung Hettys, auch wenn das niemand bemerkte. Am vierten Tag schluckte ich meinen Stolz hinunter und erschien zum Frühstück im Speisezimmer. Ich hatte Mutter nicht auf den missglückten Freibrief angesprochen, doch ich vermutete, dass *sie* ihn zerrissen, vor meinem Zimmer deponiert und somit das letzte Wort behalten hatte, ohne sich dazu zu äußern.

Im Alter von elf Jahren besaß ich eine Sklavin, der ich nicht die Freiheit schenken konnte.

Das Frühstück, die größte Mahlzeit des Tages, war schon in vollem Gange – Vater, Thomas und Frederick waren bereits zu Arbeit und Schule gefahren, nur Mutter, Mary, Anna und Eliza saßen noch am Tisch.

»Du bist spät, meine Liebe«, sagte Mutter. Nicht ohne einen Hauch von Mitgefühl.

An meiner Seite erschien Phoebe, die Aunt-Sister zur Hand ging und vermutlich kaum älter als ich war. Sie brachte sämtliche Gerüche des Küchenhauses mit – Schweiß, Kohle, Rauch und ein strenges Fischaroma. Normalerweise stand sie nur bei Tisch und schwang den Fliegenwedel, doch heute schob sie mir einen Teller hin, auf dem sich Würstchen, Grießplätzchen, gesalzene Krabben, braunes Brot und Tapiokagelee türmten.

Als sie versuchte, eine zittrige Tasse neben meinem Teller abzustellen, traf sie versehentlich den Löffel, und der Tee schwappte auf das Tischtuch. »Oh, Missus, mir tut so leid!«, rief sie und drehte sich zu Mutter.

Mutter stieß einen Seufzer aus, als ob die Unvollkommenheit sämtlicher Neger dieser Welt auf ihren Schultern lastete. »Wo ist Aunt-Sister? Warum, in Gottes Namen, servierst du?«

»Sie zeigt mir, wie's geht.«

»Na, dann sieh zu, dass du es lernst.«

Als Phoebe davoneilte, um sich draußen vor die Tür zu stellen, versuchte ich, ihr ein Lächeln zuzuwerfen.

»Es ist schön, dass du wieder bei Tisch erscheinst«, sagte Mutter. »Bist du genesen?«

Alle Blicke richteten sich auf mich. Die Worte sammelten sich in meinem Mund und verharrten dort. In solchen Momenten verlegte ich mich auf eine besondere Technik. Ich stellte mir vor, meine Zunge wäre eine Schleuder. Ich spannte sie, fest, fester: »Es geht mir gut«, katapultierte ich in einem Spuckeregen quer über den Tisch.

Mary betupfte sich demonstrativ das Gesicht mit der Serviette.

Sie wird einmal genau wie Mutter. Sie wird ein Haus führen, in dem es vor Kindern und Sklaven nur so wimmelt, während ich ...

»Ich gehe davon aus, dass du die Überreste deiner närrischen kleinen Grille gefunden hast?«, fragte Mutter.

Aha, ich hatte also recht. Sie hatte tatsächlich mein Dokument konfisziert, und das sehr wahrscheinlich hinter Vaters Rücken.

»Welche Grille?«, fragte Mary.

Ich warf Mutter einen beschwörenden Blick zu.

»Nichts, womit du dich befassen müsstest, Mary«, sagte Mutter und neigte den Kopf, als wollte sie die Kluft zwischen uns überbrücken.

Ich sank in meinen Stuhl und erwog, mich an Vater zu wenden und ihm das zerrissene Schriftstück vorzulegen. Den ganzen Tag dachte ich nur über diese Frage nach, doch als es Abend wurde, sah ich ein, dass es nichts nützen würde. Vater übertrug sämtliche Angelegenheiten des Haushalts an Mutter. Und er verabscheute Petzerei. Meine Brüder petzten nie, also würde ich es auch nicht tun. Davon abgesehen wäre es idiotisch gewesen, Mutter noch mehr zu reizen.

Ich begegnete meiner Enttäuschung, indem ich mit mir energisch über meine Zukunft sprach. *Alles ist möglich, einfach alles.*

Und bei Nacht öffnete ich die steinerne Schatulle und schaute auf den Silberknopf.

Handful

Die Missus sagte, ich wäre die schlechteste Kammerzofe in ganz Charleston. »Du bist *desaströs*, Hetty, einfach nur *desaströs*.«

Ich fragte Miss Sarah, was *desaströs* bedeutet, und sie sagte: »Nicht ganz den Anforderungen entsprechend.«

Äh äh. Ich sah es der Missus doch an. Es gab schlecht, schlechter und desaströs.

Außer der Sache mit dem Rauch machte ich in der ersten Woche noch einen glitschigen Flecken, als mir Lampenöl auf den Boden lief, zerbrach eine der beiden Porzellanvasen und röstete ein Stück von Miss Sarahs rotem Haar mit dem Lockenbrenner. Sie verpetzte mich nie. Sie zog einfach den Teppich über den Fleck, versteckte die Scherben in einem Lagerraum und trennte sich das versengte Haar mit dem Dochtschneider ab.

Miss Sarah läutete nur, wenn die Missus auf dem Weg zu uns war. Binah und ihre beiden Töchter Lucy und Phoebe sangen immer: »Der Stock kommt. Der Stock kommt.« Mit Miss Sarahs Alarmglocke wurde meine Leine etwas länger. Ich nutzte die Freiheit und wanderte durch den Korridor zum vorderen Alkoven. Von dort oben konnte ich sehen, wie das Wasser aus dem Hafen in das Meer floss und das Meer es weitertrug, bis es gegen den Himmel schwappte. Da kam das prächtigste Bild nicht mit.

Als ich das zum ersten Mal sah, hüpfte ich auf und ab und hob eine Hand über den Kopf. Ich tanzte. In diesem Moment hatte ich zu meiner wahren Religion gefunden. Damals hätte ich es nicht mit diesem Wort beschrieben, ich sagte morgens mein Amen und gut, aber etwas war in mich gefahren. Es ließ mich spüren, dass das Wasser mir gehörte. Es ließ mich sagen, das da draußen ist mein Wasser.

Ich sah es in all seinen Farben. Am einen Tag war es grün, dann braun, am nächsten so gelb wie Cider. Es war violett und schwarz und blau. Es war ruhelos, immer bewegt. Auf ihm kamen und gingen die Boote, und darunter waren die Fische.

Ich sang ihm ein kleines Lied:

Übers Wasser, übers Meer,
zieh ich hinter Fischen her.
Wenn das Wasser braucht zu lang,
zieht voran, zieht voran.

Nach ein oder zwei Monaten machte ich immer weniger falsch, aber selbst Miss Sarah wusste nicht, dass ich in manchen Nächten meinen Posten vor ihrer Tür verließ und die ganze Nacht lang das Wasser beobachtete, das im Mondschein zu Silber wurde. Die Sterne funkelten so groß wie Teller. Ich konnte bis nach Sullivan's Island sehen. Wenn es dunkel war, sehnte ich mich nach Mauma. Mir fehlte unser Bett mit dem Quilt-Rahmen, der über uns wachte. Dann stellte ich mir vor, dass Mauma ihre Quilts jetzt ganz alleine nähen musste. Ich dachte an unseren Jutesack mit den Federn, den roten Beutel mit unseren Garnen und Nadeln und meinen Fingerhut aus echtem Messing. In solchen Nächten lief ich weg, hin zu unserem Stallzimmer.

Wenn Mauma wach wurde und ich neben ihr lag, war sie stinksauer. Das würde großen Ärger geben, wenn die mich erwischen, sagte sie, und bei der Missus würde ich schon schlecht genug dastehen.

»Das wird nichts Gutes, wenn du dich davonstiehlst«, sagte

sie. »Du musst auf deinem Quilt bleiben. Tu's für mich, hast du gehört?«

Und ich tat es für sie. Wenigstens ein paar Nächte lang blieb ich auf dem Boden im Korridor und versuchte, bei all dem Durchzug nicht zu sehr zu frieren. Ich rutschte so lang rum, bis ich eine weiche Diele fand. Irgendwie ergab ich mich in mein Elend und fand Trost in meinem Meer.

Sarah

An einem trüben Morgen im März, vier Monate nach dem Desaster an meinem elften Geburtstag, wurde ich wach, und Hetty war nicht da. Das Lager auf dem Boden vor meinem Zimmer war zerwühlt. Um diese Zeit füllte sie für gewöhnlich schon mein Becken und erzählte mir eine ihrer vielen Geschichten. Es überraschte mich, dass ich ihre Abwesenheit als so schmerzlich empfand. Sie fehlte mir wie eine teure Gefährtin, und ich machte mir auch Sorgen. Mutter hatte ihren Stock schon einmal auf Hetty niedergehen lassen.

Weil ich sie im Haus nirgends fand, stellte ich mich vor die Hintertür, auf die oberste Treppenstufe, und sah mich auf dem Hof um. Ein feiner Nebel war vom Hafen herangetrieben, und hinter dem Schleier schimmerte die Sonne golden-matt wie eine Taschenuhr. Snow stand in der Tür zum Kutschhaus und flickte den Riemen an einem Hintergeschirr. Aunt-Sister saß rittlings auf einem Hocker neben dem Gemüsegarten und schuppte Fische. Da ich niemanden misstrauisch machen wollte, lief ich zur Veranda des Küchenhauses. Tomfry verteilte dort gerade Utensilien und Werkzeuge: Eli bekam Seife für die Marmorstufen, Phoebe zwei grobe Handtücher für das Kristall und Sabe eine Schaufel für die Kohlenschütte.

Während ich wartete, bis Tomfry fertig war, wanderte mein Blick zu der großen Eiche hinten im Hof. Dicke Knospen prangten an den Zweigen, und obwohl der Baum noch nicht sein sommerliches Antlitz zeigte, kehrte die Erinnerung an jenen längst vergangenen Tag zurück: ich, breitbeinig auf dem

Boden in der drückend heißen Stille, grün gewandete Schatten, Worte aus Murmeln, *Sarah gehen …*

Ich schaute zur gegenüberliegenden Seite des Hofes. Dort, neben dem Holzstapel, bückte sich Charlotte, Hettys Mutter. Sie las hier und da etwas vom Boden auf.

Leise trat ich näher. Was sie da aufhob, waren kleine flaumige Federn. »… Charlotte …«

Charlotte fuhr zusammen. Die Feder in ihren Fingern trieb mit dem Wind davon, bis auf die Höhe der Mauer, die den Hof umgab. Dort blieb die Feder in der Kletterfeige hängen.

»Miss Sarah!«, sagte sie. »Sie ham mich vielleicht erschreckt.« Ihr Lachen war schrill und zittrig vor Angst. Ihr Blick schnellte zum Stall.

»Ich wollte Sie nicht erschrecken … Ich wollte nur fragen, ob Sie wissen, wo …«

Sie fiel mir ins Wort und zeigte auf den Holzstapel. »Seh'n Sie mal, hier unten.«

Ich spähte in die Nische zwischen zwei Scheiten. Ein bräunliches Geschöpf mit spitzen Ohren schaute mir entgegen, über und über mit Flaum bedeckt. Es war eine Eule, kaum größer als ein Hühnerküken. Als ihre gelben Augen zwinkerten und sich in meine bohrten, wich ich zurück.

Charlotte lachte erneut, diesmal entspannt. »Die beißt nich.«

»Das ist ja noch ein Baby.«

»Hab' se vor'n paar Tagen entdeckt. Das arme Ding hat aufm Boden gehockt und geweint.«

»War es … verletzt?«

»Nee, nur allein. Seine Mauma is die Scheuneneule. Die is in ein Krähennest gezogen, aber nun is sie weg. Ich fürchte, die hat's erwischt. Ich fütter das Kleine mit Essensresten.«

Die Kleideranproben waren mein einziger Kontakt mit Charlotte, doch selbst bei diesen flüchtigen Gelegenheiten war mir aufgefallen, dass ihr etwas Leidenschaftliches anhaftete. Von allen Sklaven meines Vaters hielt ich sie für die Intelligenteste, wenn nicht die Gefährlichste, ein Urteil, das sich bewahrheiten sollte.

»Ich werde Hetty gut behandeln«, platzte es plötzlich – so reumütig wie hochmütig – aus mir heraus. Als ob eine Pustel voller Schuldgefühle aufgebrochen wäre.

Charlotte riss die Augen auf, dann wurden sie eng und klein, bohrend. Sie waren honigfarben, genau wie Hettys.

»Ich wollte sie nie besitzen … Ich habe versucht, ihr die Freiheit zu schenken, doch … ich durfte nicht.« Ich konnte mich nicht mehr bremsen.

Charlotte schob eine Hand in die Schürzentasche. Die Stille wurde unerträglich. Charlotte hatte meine Schuldgefühle gesehen und wusste sie raffiniert zu nutzen. »Schon gut«, sagte sie. »Ich weiß, eines Tages machen Sie es gut.«

Das *M* klammerte sich an meine Zunge. »… M-m-mache ich es gut?«

»Ich weiß, Sie werden ihr irgendwie helfen freizukommen.«

»Ja, das werde ich«, sagte ich.

»Das reicht nich, das müssen Sie schwören.«

Ich nickte und begriff doch kaum, wie geschickt ich zu diesem Pakt gedrängt wurde.

»Sie halten Wort«, sagte Charlotte. »Ich weiß, dass Sie das tun.«

Da erst fiel mir ein, weshalb ich zu ihr gegangen war. »Ich habe überall gesucht …«

»Handful is bei Ihnen, ehe Sie's merken.«

Auf dem Rückweg zum Haus zog sich die Schlinge dieser seltsam vertraulichen Begegnung immer fester um meinen Hals.

Hetty erschien keine zehn Minuten später. Ihr Gesicht bestand nur aus Augen, aus glühenden Eulenaugen. Ich saß mit dem Buch, das ich mir jüngst aus Vaters Bibliothek geliehen hatte, an meinem Schreibtisch. *Die Abenteuer des Telemachos*. Als Sohn von Penelope und Odysseus hatte er sich auf den Weg nach Sparta gemacht, um seinen Vater dort zu suchen. Ohne Hetty nach ihrem Verbleib zu fragen, begann ich, laut zu lesen. Hetty sank auf die Bettstufen, die zu meiner Matratze hochführten, stützte das Kinn ab und lauschte den ganzen Vormittag, wie Telemachos den Widrigkeiten der Antike trotzte.

Gerissene Charlotte. An jedem einzelnen Tag im März dachte ich an das Versprechen, das sie mir abgerungen hatte. Warum hatte ich ihr nicht gesagt, dass ich Hetty unmöglich die Freiheit schenken konnte? Dass ich sie bestenfalls gut behandeln konnte?

Ostern nahte, und ich brauchte ein neues Kleid. Mir graute vor der Vorstellung, Charlotte wiederzusehen, vor lauter Angst, sie könnte unser Gespräch erwähnen. Lieber hätte ich mich mit einer Nadel durchbohrt, als mich ihren stechenden Blicken auszusetzen.

»Ich brauche dieses Jahr kein neues Osterkleid«, erklärte ich Mutter.

Dennoch stand ich eine Woche später in einem halb fertigen Satinkleid auf der Anprobenkiste. Charlotte hatte mein Zimmer kaum betreten, da schickte sie Hetty schon zu einer fingierten Mission – lange bevor ich Worte herausbrachte, die dem Einhalt geboten hätten. Mein Kleid war in einem hellen Zimt, Charlottes Hautton verblüffend ähnlich, doch das ging mir erst auf, als sie mit drei Nadeln zwischen den Lippen vor mir stand. Sie roch nach Kaffeebohnen, die sie offenbar gerade gekaut hatte. Ihre Worte drängten sich um die Nadeln. »Sie werden doch Wort halten, oder?«

Ich muss zu meiner Schande gestehen, dass ich in diesem Moment mein Leiden zu meinem Vorteil nutzte und unnötig lange um eine Antwort rang. Ich tat einfach so, als würden die Worte im dunklen Schlund meiner Kehle stecken bleiben.

Handful

Am ersten schönen Samstag, als es aussah, als ob der Frühling wirklich bleiben wollte, stieg die Missus mit Miss Sarah, Miss Mary und Miss Anna in die Kutsche mit den Windlichtern. Aunt-Sister sagte, sie würden nach White Point fahren, zum Promenieren, wo jetzt alle Frauen und Mädchen mit ihren Sonnenschirmen wären.

Als Snow die Kutsche zum Hintertor rauslenkte, winkte Miss Sarah. Sabe, den sie mit einem grünen Gehrock und einer Livree-Weste herausgeputzt hatten, hielt sich hinten fest und grinste.

Aunt-Sister sagte: »Was glotzt ihr denn so, husch an die Arbeit, putzt und wienert die Zimmer. Ist die Katz aus dem Haus, scheuert Tische und Bänke die Maus.«

Ich ging hoch in Miss Sarahs Zimmer, breitete das Bettzeug aus und rieb an der Trübung vom Spiegel herum, die mit keiner Art von Soda-Asche wegging. Ich kehrte tote Motten fort, die sich an den Vorhängen fett gefressen hatten, wischte den Nachttopf aus und warf eine Prise Soda hinein. Dann schrubbte ich die Böden mit der Kalkseife aus der großen Flasche.

Das alles laugte mich ziemlich aus. Es wurde also Zeit zum Stöbern. Aber erst mal sah ich nach, ob jemand auf dem Flur war – manche Sklaven petzten ja schon bei der Missus, wenn man nur zwinkerte. Ich schloss die Tür und öffnete ein Buch, setzte mich an den Schreibtisch und blätterte eine Seite nach der anderen um. Für mich sah das alles aus, als würden sich Fetzen aus schwarzer Spitze über das Papier ziehen. Die Muster waren ja ganz schön, aber wie sollte man aus so was schlau werden?

Als Nächstes zog ich die Schublade auf. Ich stieß auf eine unfertige Stickarbeit mit holprigen Kreuzstichen, die aussah, als ob sie von einer Dreijährigen stammte. Dann waren da noch zarte, glänzende Garne auf hölzernen Spulen. Siegelwachs. Bräunliches Papier. Kleine Zeichnungen mit Tintenflecken. Ein langer Messingschlüssel mit einer Quaste dran.

Ich schaute mir die Garderobe an und berührte all die Kleider, die Mauma genäht hatte, durchstöberte die Schublade am Frisiertisch, zog Schmuck, Haarbänder, Fächer aus Papier, Fläschchen und Bürsten heraus. Ganz zum Schluss kam eine kleine Dose. Sie schimmerte so dunkel wie meine Haut, wenn sie nass ist. Ich löste den Haken. Im Innern lag ein großer silberner Knopf. Ich berührte ihn, dann schloss ich den Deckel, genauso langsam, wie ich Miss Sarahs Kleiderschrank geschlossen hatte, ihre Schubladen und ihre Bücher – mit einem Sehnen in der Brust. Auf dieser Welt gab es so vieles, was man haben oder nicht haben konnte.

Noch einmal öffnete ich die Schreibtischschublade und sah mir die Garne an. Was ich dann tat, war falsch, doch es war mir egal. Ich nahm die dralle Spule mit dem scharlachroten Garn und steckte sie in meine Tasche.

Am Samstag vor Ostern wurden wir alle ins Speisezimmer gerufen. Tomfry sagte, im Haus würden Dinge verschwinden. Ich betrat das Zimmer und dachte, *Gott, steh mir bei.*

Uns konnte nichts Schlimmeres passieren, als wenn irgendein läppisches Gar-Nichts fehlte. Ein verbeulter Becher aus der Küche oder ein Krümel Toast von Missus' Teller, und schon flogen die Fetzen. Aber diesmal war es kein läppisches Gar-Nichts. Die Missus vermisste einen Ballen nagelneuer grüner Seide.

Da standen wir, zu vierzehnt aufgereiht, während die Missus uns ihren Vortrag hielt. Sie sagte, dass Seide etwas ganz Besonderes wäre, dass sie vom anderen Ende der Welt kommen würde, dass Raupen in China die Fäden dazu gesponnen hätten. Ich hatte noch nie im Leben so viele Tollheiten auf einmal gehört.

Alle schwitzten und schlotterten, Hände fuhren in Hosentaschen und unter Schürzen. Ich nahm die Gerüche wahr, die unsere Leiber verströmten. Es war die nackte Angst.

Mauma wusste um all die Dinge, die draußen hinter der Mauer geschahen – die Missus gab ihr nämlich manchmal einen Passierschein, damit sie allein zum Markt gehen konnte. Mauma versuchte immer, mir die ganz schlimmen Sachen zu verschweigen, aber ich wusste von dem Folterhaus auf der Magazine Street. Die Weißen nannten es das Arbeitshaus. Als ob darin Sklaven Kleider nähen oder Ziegel machen oder Hufeisen hämmern würden. Noch bevor ich acht war, hatte ich davon gehört, von dem dunklen Loch, in das die einen steckten und dann dort wochenlang allein ließen. Ich wusste von den Auspeitschungen. Zwanzig Schläge waren die Grenze. Jeder Weiße konnte eine Runde Hiebe für einen halben Dollar kaufen, wann immer er das Gefühl hatte, er müsste einem Sklaven einmal zeigen, wo es langgeht.

Soweit ich wusste, hatte noch kein Grimké-Sklave das Arbeitshaus von innen gesehen, aber an diesem Morgen fragten wir uns alle, ob nun der Tag gekommen war.

»Einer von euch ist des Diebstahls schuldig. Wenn ihr den Stoffballen zurückgebt, so wie Gott es euch auftragen würde, werde ich Nachsicht zeigen.«

Äh äh.

Die Missus dachte wohl, wir wären übergeschnappt.

Was sollten wir denn mit smaragdgrüner Seide?

In der Nacht, nachdem der Stoff verschwunden war, schlich ich mich wieder aus dem Haus. Einfach durch die Hintertür. Ich musste an Cindie vorbei, sie lag vor der Tür von der Missus – und Cindie war nicht gerade eine Freundin von Mauma, in ihrer Nähe musste ich vorsichtig sein, aber sie schnarchte laut vor sich hin. Ich schlüpfte ins Bett zu Mauma. Nur lag sie gar nicht drin, sondern stand mit verschränkten Armen in der Ecke. Und sagte: »Was soll das?«

Diesen Tonfall kannte ich nicht.

»Steh auf, wir geh'n sofort wieder ins Haus. Das is das letzte Mal, dass du abhaust, das allerletzte Mal. Das is kein Spiel, Handful. Das wirst du bitter bezahlen.«

Sie wartete nicht einmal, bis ich mich rührte. Sie packte mich, als ob ich ein Stück Stroh wäre, das aus der Füllung gekrochen war. Mit mir unter dem Arm ging sie die Treppe nach unten und über den Hof. Meine Füße berührten kaum den Boden. Sie zerrte mich in die Aufwärmküche. Die war nie verschlossen. Ein Finger lag auf Maumas Lippen, damit ich keinen Mucks machte, dann zog sie mich zum Treppenhaus und wies mit dem Kinn nach oben. *Jetzt geh schon.*

Die Treppen waren laut. Ich schaffte keine zehn Stufen, da ging unten eine Tür auf. Mauma schnappte nach Luft.

Die Stimme vom Master kam aus der Dunkelheit. »Wer ist da? Wer ist da draußen?«

Ein Licht schoss über die Wände. Mauma rührte sich nicht.

»Charlotte?«, sagte er vollkommen ruhig. »Was machst du hier?«

Hinter dem Rücken machte mir Mauma ein Zeichen. Sie zeigte auf den Boden. Ich sollte mich auf die Stufen kauern. »Nichts, Massa Grimké. Nichts, Sir.«

»Es muss doch einen Grund für deine Anwesenheit im Haus zu dieser späten Stunde geben. Du solltest dich sogleich erklären, um Scherereien zu vermeiden.« Es klang beinah freundlich.

Mauma stand da. Nicht ein Wort. Mit Master Grimké war das immer so. *Sag doch was!* Wenn es die Missus gewesen wäre, hätte Mauma längst drei, vier Geschichten zum Besten gegeben. Sag doch, Handful ist krank und du siehst nach ihr. Sag, Aunt-Sister hat dich geschickt, damit du Arznei für Snow holst. Sag, du kannst nicht schlafen, weil du Sorge hast, ob die Osterkleider passen. Sag, du würdest schlafwandeln. Aber *sag* irgendwas.

Mauma wartete zu lange, denn schon kam die Missus aus ihrem Zimmer. Ich spähte über die Treppe. Ihre Schlafhaube war verrutscht.

In manchen Jahren meines Lebens gibt es Knoten, die sich nicht lösen wollen, und dieser ist einer der schmerzlichsten – die Nacht, in der ich etwas falsch gemacht habe und Mauma erwischt worden ist.

Ich hätte mich zeigen können. Ich hätte sagen können, wie es war, dass ich es war, aber ich rollte mich nur still auf den Stufen zusammen.

Die Missus sagte: »Bist du etwa der Langfinger, Charlotte? Willst du noch mehr holen? Stellst du es so an, indem du nachts ins Haus schlüpfst?«

Die Missus scheuchte Cindie auf und befahl ihr, Aunt-Sister zu holen und zwei Lampen anzuzünden. Sie würden Maumas Zimmer durchsuchen.

»Ja, Ma'am, ja, Ma'am«, sagte Cindie. Sie hatte eine diebische Freude daran.

Master Grimké stöhnte, als wäre er in einen Hundehaufen getreten. All diese lästigen Angelegenheiten zwischen Frauen und Sklaven. Er nahm seine Lampe und ging wieder ins Bett.

Ich folgte Mauma und den anderen mit großem Abstand und sagte Worte, die eine Zehnjährige nicht kennen sollte, denn ich hatte viel in den Ställen gelernt, wenn Sabe den Pferden etwas vorsang. *Ich verfluche den Tag, verfluche die Nacht, verfluche die Weißen und all ihre Pracht.* Ich sammelte Mut, um der Missus zu sagen, was wirklich geschehen war. *Ich habe meinen Platz vor der Tür von Miss Sarah verlassen und bin zurück in mein altes Zimmer geschlüpft. Mauma hat mich nur wieder ins Haus gebracht.*

Als ich am Türpfosten vorbei in unser Zimmer spähte, waren die Decken schon vom Bett gezogen, die Waschschüssel umgedreht und unser Jutesack kopfüber ausgeschüttelt. Überall lag Füllung für unsere Quilts herum. Aunt-Sister zog am Flaschenzug und ließ den Quilt-Rahmen nach unten. Das Oberteil eines Quilts mit seinen groben Rändern erschien, helle kleine Fäden flatterten.

Niemand sah zu mir, dort an der Schwelle, bis auf Mauma, deren Blicke mich immer fanden. Ihre Lider schlossen sich, und sie machte sie nicht wieder auf.

Die Rädchen an unserem Flaschenzug sangen, der Rahmen schwebte mit der quietschenden Musik nach unten. Dort, auf dem unfertigen Quilt, lag ein Ballen aus hellgrünem Stoff.

Ich schaute auf die Seide und dachte, wie schön sie doch war. Jedes Fältchen glänzte im Licht. Ich, Aunt-Sister und die Missus starrten auf den Stoff, als wären wir in einem Traum.

Dann hielt uns die Missus einen Vortrag, wie schwer es ihr fiel, eine Sklavin zu disziplinieren, der sie vertraute, aber blieb ihr eine Wahl?

Sie sagte zu Mauma: »Ich verschiebe deine Bestrafung auf Montag – morgen ist Ostern, und ich will nicht, dass dieser Tag durch so etwas getrübt wird. Ich werde dich zur Bestrafung nicht *fort*schicken, und dafür solltest du dankbar sein, aber ich versichere dir, deine Bestrafung wird deinem Vergehen angemessen sein.«

Sie hatte nicht *Arbeitshaus* gesagt, sie hatte *fort*schicken gesagt, aber wir wussten natürlich, was *fort* bedeutete. Wenigstens musste Mauma da nicht hin.

Als sich die Missus schließlich an mich wandte, fragte sie nicht, was ich in diesem Zimmer zu suchen hatte, und sie schickte mich auch nicht wieder auf die Bodendielen. Sie sagte nur: »Du kannst bis zur Bestrafung am Montag bei deiner Mutter bleiben. Ich wünsche, dass sie bis dahin ein wenig Trost findet. Schließlich bin ich keine herzlose Frau.«

Bis tief in die Nacht heulte ich bei Mauma meine Schuld und Reue aus. Sie rieb mir die Schultern und sagte, dass sie mir wirklich nicht böse wäre. Sie sagte, ich hätte mich nicht aus dem Haus stehlen dürfen, aber böse war sie mir nicht.

Ich war schon fast eingeschlafen, da sagte sie: »Ich hätte die grüne Seide in einen Quilt nähen sollen, dann hätten sie die nie gefunden. Dass ich sie gestohlen hab, tut mir nich leid, nur, dass ich erwischt worden bin.«

»Warum hast du sie überhaupt genommen?«

»Weil«, sagte sie, »weil ich konnte.«

Diese Worte setzten sich in mir fest. Mauma war es nicht um den Stoff gegangen, sie hatte nur ein wenig Ärger machen wollen. Sie würde niemals freikommen, und sie konnte der Missus auch nicht mit einem Stock auf den Hinterkopf schlagen, aber sie konnte ihr die grüne Seide nehmen. Ein jeder rebelliert, so gut er kann.

Sarah

Am Ostersonntag fuhren wir Grimkés unter dem dichten Persischen Flieder, der die Meeting Street zu beiden Seiten säumte, zur Episkopalkirche St. Philip. Ich hatte bei Vater im offenen Sulky sitzen wollen, aber dieses Privileg hatten Thomas und Frederick an sich gerissen, und so hockte ich mit Mutter in der heißen Kutsche. Die sogenannten Fenster, schmale Schlitze nur, ließen kaum Luft ins Innere, allenfalls hin und wieder einen zarten Windhauch. Ich drückte das Gesicht an einen Spalt und ließ Charleston in all seiner Pracht an mir vorüberziehen: helle, frei stehende Häuser mit ausladenden Veranden, Reihenhäuser mit üppigen Blumenkästen, zu Form und Gestalt gezwungene Urwälder aus tropischem Blattwerk – Oleander, Hibiskus, Bougainvilleen.

»Sarah, du hast dich gewiss auf deine erste Stunde vorbereitet«, sagte Mutter. Von diesem Tag an durfte ich an der Sonntagsschule für Farbige unterrichten. Dort lehrten eigentlich erst die dreizehnjährigen und noch älteren Mädchen, doch Mutter hatte Reverend Hall gedrängt, in meinem Fall eine Ausnahme zu machen, und so hatte ihre herrische Art einmal etwas bewirkt, das mir nicht gegen den Strich ging.

Ich wandte mich zu ihr. In meiner Nase brannte der Liguster. »... Ja ... Ich habe s-sehr fleißig gelernt.«

Mary musste mich natürlich nachmachen. Sie zog eine groteske Grimasse, riss die Augen auf und stammelte »s-sehr fleißig«, worüber Ben laut kicherte.

Meine Schwester war wirklich eine Plage. Doch gerade ließ das Stocken in meinen Worten wieder nach, und ich würde mich nicht von ihr entmutigen lassen. Endlich konnte ich mich nützlich machen. Und wenn ich mich durch den gesamten Unterricht hindurchräuspern und hindurchhüsteln müsste, nun, dann war das eben so. Weit größere Sorgen machte mir, dass ich mit Mary gemeinsam unterrichten musste.

Als sich die Kutsche dem Markt näherte, nahm der Lärm auf der Straße zu. Immer mehr Mulatten und Neger drängten sich auf dem Gehweg. Der Sonntag war der freie Tag der Sklaven, deshalb strömten sie alle auf die Straße – die meisten auf dem Weg in die Kirche ihres Besitzers, wo sie zu erscheinen und auf der Empore zu sitzen hatten –, doch selbst an gewöhnlichen Tagen dominierten sie das Straßenbild, wenn sie auf Geheiß ihrer Herren zum Markt gingen oder Einladungen zu Teegesellschaften und Dinnerpartys überbrachten. Sklaven, die von ihrem Herrn verliehen wurden, wanderten auf ihrem Weg zur Arbeit hin und her. Gewöhnlich stahlen sie sich bei solchen Gelegenheiten ein wenig Zeit zur Verbrüderung und trafen sich zuhauf an Straßenecken, an den Kais und in den Kneipen. Der *Charleston Mercury* wetterte schon über diese »zügellosen Horden« und verlangte nach neuen Bestimmungen, aber, wie Vater sagte, solange ein Sklave einen Passierschein oder eine Arbeitsmarke besaß, war gegen seine Anwesenheit auf der Straße juristisch nichts einzuwenden.

Snow war einmal festgenommen worden. Wir waren in die Kirche gegangen, und er hatte nicht bei der Kutsche gewartet, sondern war mit leerem Wagen durch die Stadt gekurvt – hatte sich eine kleine Ausfahrt gegönnt. Man hatte ihn ins Haus der Wache bei St. Michael gebracht, und Vater war außer sich vor Wut gewesen, nicht auf Snow, sondern auf die Stadtwache. Er war zum Magistratsgericht gestürmt, hatte die Strafe bezahlt und Snow vor dem Arbeitshaus bewahrt.

Das Gewimmel der Kutschen auf der Cumberland Street hinderte uns daran, direkt vor die Kirche zu fahren. Der Ansturm der vielen Menschen, die ausschließlich zu Ostern die Messe besuchten, empörte Mutter, denn sie sorgte dafür, dass die Grimkés an jedem öden Sonntag in der Kirchbank saßen. Snows raue Stimme drang vom Fahrersitz zu uns. »Missus, Sie müssen laufen von hier«, und schon riss Sabe die Tür auf und hob uns der Reihe nach aus der Kutsche.

Vater marschierte bereits voran. Auch wenn er nicht besonders groß war, war er dennoch eine imposante Erscheinung – dank seines grauen Mantels, des Zylinders und Halstuchs aus edelstem Surahgewebe. Vater hatte ein kantiges Gesicht mit einer langen Nase und üppigen Brauen, die sich quer über die Stirnfront zogen. Was ihn in meinen Augen attraktiv machte, war sein Haar, eine wilde Melange aus dunkel rotbraunen Wellen. Diesen kräftigen Kastanienton hatte Vater an Thomas vererbt, ebenso an Anna und den kleinen Charles, nur bei mir war er verwässert, als fahle Persimone angekommen, und meine Brauen und Wimpern waren so blass, als wären sie gar nicht vorhanden.

Die Sitzordnung im Inneren der Kirche war ein getreues Abbild der Charlestoner Gesellschaft. Die Elite der Stadt überbot sich darin, die vorderen Reihen anzumieten, während sich die weniger Begüterten weiter hinten und die vollkommen Mittellosen auf den freien Bänken an den Seiten drängen mussten. Wir saßen drei Reihen vom Altar entfernt, aber das kostete Vater auch dreihundert Dollar im Jahr.

Ich setzte mich neben ihn und hielt seinen Hut verkehrt herum auf dem Schoß. Mir strömte eine Woge Zitrusöl, mit dem er seine Wellen bändigte, entgegen. Über uns, in den oberen Galerien, setzte das Gequatsche und Gelächter der Sklaven ein. Es war ein stetes Problem, dieser Lärm. Auf dem Balkon wie auch der Straße machte ihre Überzahl sie kühn. Erst kürzlich war der Radau derart ausgeartet, dass auf den Balkonen nun Aufpasser Dienst taten, um dem Einhalt zu gebieten. Das

Getöse nahm allerdings dessen ungeachtet zu. Dann, *wumm*. Ein Schrei. Sämtliche Kirchgänger fuhren herum und schauten nach oben.

Als Reverend Hall die Kanzel bestieg, war ein Tumult unter dem Dachgebälk ausgebrochen. Etwas segelte nach unten. Ein schwerer Stiefel. Er traf eine Dame in einer der hinteren Reihen. Sie nahm an Hut und Haupt Schaden.

Während die verstörte Dame und ihre Familie das Gotteshaus verließen, wies Reverend Hall auf den äußeren linken Balkon und ließ seinen Zeigefinger langsam im Uhrzeigersinn kreisen. Als endlich Ruhe herrschte, zitierte er, auswendig, aus dem Brief an die Epheser: »Ihr Sklaven, gehorcht euren irdischen Herren mit Furcht und Zittern und mit aufrichtigem Herzen, als wäre es Christus.« Dann hob er zu der, wie viele, auch Mutter, urteilten, eloquentesten Abhandlung zum Thema Sklaverei an, die ihnen je zu Ohren gekommen war. »Sklaven, ich mahne euch, seid zufrieden mit eurem Los, denn es ist der Wille des Herrn! Euer Gehorsam wird in der Heiligen Schrift gefordert. Er wird durch Mose von Gott befohlen. Er wird durch Christus in Gestalt seiner Apostel erneuert und in seiner Kirche bewahrt. Höret diesen Rat, so möge Gott euch in seiner Gnade gewähren, dass dieser Tag euch demütig stimmt und ihr als treue Diener zu euren Herren zurückkehrt.«

Dann ging er zu seinem Sitz hinter der Kanzel. Ich schaute hinunter auf Vaters Hut, hinauf zu Vaters Gesicht, war verwirrt, geradezu fassungslos, weil ich nicht wusste, was ich denken sollte, doch seine Miene war eine leere, starre Maske.

Nach dem Gottesdienst stand ich in einem kleinen, schäbigen Klassenzimmer hinter der Kirche, in dem zweiundzwanzig Sklavenkinder wie toll umherrannten. Als ich in den düsteren, stickigen Raum gekommen war, hatte ich als Erstes die

Fenster aufgerissen, doch das hatte uns ein Meer aus Blütenpollen beschert. Nun musste ich ständig niesen, während ich mit meinem Fächer auf das Pult schlug, um für Ruhe und Ordnung zu sorgen. Mary saß auf dem einzigen Stuhl, einem schäbigen Windsor, und beobachtete mich mit einem exakt zwischen Langeweile und Belustigung bemessenen Ausdruck.

»Lass sie spielen«, riet sie mir. »So halte ich es immer.«

Ich war versucht. Seit der Predigt des Reverend war mir nicht mehr nach Unterricht.

In einer Ecke des Klassenzimmers stapelten sich verstaubte, ausgemusterte Bankkissen, deren bestickte Hüllen nicht mehr zu retten waren. Ich nahm an, dass die Kinder darauf sitzen sollten, denn im gesamten Raum gab es nicht ein Stück Möbel, von Pult und Stuhl für die Lehrerin abgesehen. Keine Unterrichtspläne, keine Bilderbücher, weder Tafel noch Kreide noch Schmuck für die Wände.

Ich legte die Kissen in Reihen auf dem Boden aus, woraufhin die Kinder sie wie Bälle durch das Zimmer traten. Mir war aufgetragen worden, die heutige Bibelstelle vorzulesen und zu erklären, doch als es mir endlich gelungen war, die Kinder auf die Kissen zu setzen, und ich in ihre Gesichter sah, erschien mir das wie Travestie. Wenn alle so darauf versessen waren, die Sklaven zu christianisieren, warum brachte ihnen dann niemand bei, selbst in der Bibel zu lesen?

Und so begann ich, ihnen das Alphabet vorzusingen. A B C D E F G … Mary schaute erstaunt auf, dann seufzte sie und versank erneut in Apathie. H I J K L M N O … Beim Singen hatte meine Stimme noch nie gezaudert. Die Augen der Kinder funkelten. P Q R S T U V W … X … Y und Z.

Ich forderte sie auf, die jeweiligen Partien mitzusingen. Ihre Aussprache ließ sehr zu wünschen übrig. Das *J* klang wie Jod, LM wie *Ellem*. Aber ihre Gesichter! Was für ein Grinsen. Beim nächsten Mal, nahm ich mir vor, würde ich eine Schiefertafel mitbringen und die Buchstaben aufschreiben, damit sie sahen, was sie sangen. Da kam mir Hetty in den Sinn. Ich hatte bemerkt, dass sie in meiner Abwesenheit meine Bücher erkundete, weil sie immer in Unordnung gerieten. Wie gern hätte sie diese sechsundzwanzig Buchstaben erlernt!

Nach mehreren Runden sangen die Kinder mit einer solchen Inbrunst, dass sie beinahe brüllten. Mary hielt sich die Ohren zu, aber ich sang aus voller Kehle mit, dirigierte und spornte die Kinder an. Reverend Hall, der im Türrahmen erschien, sah ich nicht.

»Welch verwerflich Unheil geht hier vor?«, fragte er.

Wir brachen schlagartig ab. Taumelnd sah ich noch immer, wie die Buchstaben wild über unseren Köpfen tanzten. Mein Gesicht nahm seine übliche flamboyante Färbung an. »... Wir haben nur gesungen, Reverend Sir.«

»Welches Grimké-Kind bist du?« Er hatte mich getauft, so wie alle meine Geschwister, aber man konnte kaum erwarten, dass er uns auseinanderhielt.

»Das ist Sarah«, sagte Mary und stand auf. »Ich habe mit diesem Gesang nichts zu tun.«

»... Es tut mir leid, dass wir so laut waren«, sagte ich.

Er runzelte die Stirn. »In der Sonntagsschule der Farbigen wird nicht *gesungen*, und ganz sicher nicht das Alphabet. Ist dir bewusst, dass es gegen das Gesetz verstößt, einen Sklaven das Lesen zu lehren?«

Ich wusste von dem Gesetz, doch hatte mein Gedächtnis es in einem fernen Wurzelkeller abgelegt. Nun kam es wie verschimmelte Marmelade aus dem Dunkel. Ja, gewiss, es gab dieses Gesetz, aber ich fand es beschämend. Der Reverend würde doch nicht behaupten wollen, auch dies sei Gottes Wille.

Er wartete auf meine Antwort, und als keine kam, sagte er: »Willst du die Kirche in einen Widerstreit mit dem Gesetz bringen?«

Plötzlich stand mir vor Augen, wie Hetty meiner Mutter getrotzt hatte, und so hob ich das Kinn und funkelte den Reverend an. Eine Antwort gab ich nicht.

Handful

Dann kam ein scharfer, bitterer Wind.

Als wir am Montag mit den Gebeten fertig waren, nahm Aunt-Sister Mauma beiseite. Sie sagte, die Missus hätte eine Freundin, die die Peitsche nicht mochte und sich daher die einbeinige Strafe ausgedacht hätte. Aunt-Sister ließ keine Mühe aus, uns ein Bild davon zu geben. Sie sagte, dass ein Ledergurt um den Knöchel des Sklaven geschlungen, dann der Fuß am Rücken hochgezogen und der Gurt schließlich um den Hals gebunden würde. Wenn der Sklave das Bein sinken ließ, würgte ihn der Gurt.

Wir wussten, was sie damit meinte. Mauma setzte sich auf die Stufen vor dem Küchenhaus und legte den Kopf auf die Knie.

Tomfry war derjenige, der kam, um sie zu binden. Es war ihm zuwider, das sah ich ihm an, doch er sagte nichts. Die Missus erklärte: »Eine Stunde, Tomfry. Das sollte reichen.« Dann ging sie ins Haus zu ihrem Fensterplatz.

Tomfry führte Mauma mitten auf den Hof, in die Nähe vom Garten, wo die ersten winzigen Sprösslinge durch die Erde brachen. Wir waren alle draußen und drängten uns unter den Wucherbaum, bis auf Snow, der war mit der Kutsche unterwegs. Rosetta begann zu wimmern. Eli tätschelte ihren Arm und versuchte, sie zu beruhigen. Lucy und Phoebe stritten sich über ein Stück Schinken, das vom Frühstück übrig war, und Aunt-Sister verpasste beiden eine kräftige Ohrfeige.

Tomfry drehte Mauma so, dass sie mit dem Gesicht zum Baum und dem Rücken zum Haus stand. Sie wehrte sich nicht. Sie stand so schlaff da wie das Moos an den Zweigen. Vom Hafen her stank es faulig nach Ebbe.

Tomfry sagte zu Mauma: »Halt dich an mir fest«, und sie legte eine Hand auf seine Schulter, während er einen alten Lederriemen um ihren Knöchel schlang. Er zog ihn hoch, sodass Mauma auf einem Bein stand, dann band er das andere Ende um ihren Hals und schnallte den Gürtel zu.

Als Mauma mich mit zitterndem Kinn und bebenden Lippen neben Binah entdeckte, sagte sie: »Sieh dir das nicht an. Mach die Augen zu.«

Aber ich konnte nicht.

Dann trat Tomfry beiseite, sodass Mauma sich nicht mehr an ihm festhalten konnte. Sie fiel der Länge nach hin. Riss sich die Stirn auf. Der Gurt spannte sich. Sie röchelte. Sie warf den Kopf nach hinten und rang um Atem. Ich lief zu ihr, doch da machte der Stock der Missus sein *Tapp-tapp*, *Tapp-tapp* ans Fenster. Tomfry zog mich fort und half Mauma auf.

Da schloss ich die Augen, doch was ich im Dunkeln sah, war noch schlimmer als die Wirklichkeit, und ich machte sie wieder einen Spalt breit auf. Mauma kämpfte dagegen, dass das Bein sank und ihr die Luft abschnürte, und mühte sich, stehen zu bleiben. Sie richtete den Blick auf die Krone der Eiche. Ihr Standbein zitterte. Von der Stirn lief ihr das Blut über die Wange. Es blieb an ihrem Kiefer hängen wie der Regen an der Traufe.

Lass sie nicht noch einmal stürzen. Das war das Gebet, das ich sprach. Die Missus hatte uns gesagt, Gott würde allen Gehör schenken, selbst ein Sklave bekäme von Gottes Ohr etwas ab. Für mich war Gott ein weißer Mann mit einem Stock wie die Missus, und manchmal ging er den Sklaven aus dem Weg, so wie Master Grimké, als hätte er eine Welt erschaffen, in der es keine Sklaven gab. Ich glaubte nicht, dass er auch nur einen Finger rühren würde, um uns zu helfen.

Mauma stürzte trotzdem kein zweites Mal. Vielleicht hatte Gott mir ja doch Gehör geschenkt, oder sein Ohr war nicht weiß. Vielleicht gab es auch einen farbigen Gott, oder vielleicht hatte Mauma sich aus eigener Kraft aufrecht gehalten, hatte sie mein Gebet mit der Stärke ihrer Glieder und der Kraft ihres Herzens erhört. Sie klagte nicht ein Mal, sie gab kein Geräusch von sich, nur ein Flüstern. Hinterher fragte ich sie, ob das Flüstern für Gott gewesen wäre, und sie sagte: »Es war für deine Omama.«

Als die Stunde vorüber war und Tomfry den Riemen um ihren Hals löste, sank sie auf die Erde und rollte sich zusammen. Tomfry und Aunt-Sister fassten sie an den Armen und zogen sie mit ihren tauben Gliedern über die Treppe zum Kutschhaus bis in ihr Zimmer. Ich lief hinterher und versuchte zu verhindern, dass ihre Knöchel an die Stufen schlugen. Sie warfen sie aufs Bett, als ob sie ein Mehlsack wäre.

Als wir allein waren, legte ich mich neben sie und schaute nach oben zum Quilt-Rahmen. Von Zeit zu Zeit fragte ich: »Willst du etwas Wasser? Tun dir die Beine weh?«

Sie nickte ihre Antworten mit geschlossenen Augen.

Am Nachmittag brachte Aunt-Sister Reisgebäck und Hühnerbrühe. Mauma rührte nichts an. Wir ließen die Tür offen, damit wir wenigstens etwas Licht hatten, und den ganzen Tag lang wanderten die Geräusche und Gerüche aus dem Hof in unser Zimmer. Es war der längste Tag in meinem Leben.

Später konnte Mauma ihre Beine wieder bewegen wie immer, aber in ihr drin war nichts mehr wie immer. Seit jenem Tag war es, als wäre ein Teil von ihr da draußen geblieben und würde darauf warten, dass der Riemen gelöst wurde. Es war, als ob an diesem Tag der Hass sein kaltes Feuer in ihr entzündet hätte.

Sarah

Auch am Morgen nach Ostern war Hetty nirgends zu sehen. Zwischen Frühstück und Abfahrt zu Madame Ruffins Schule auf der Legare Street sorgte Mutter noch dafür, dass ich in mein Zimmer ging und ihren Entschuldigungsbrief an Reverend Hall abschrieb.

Lieber Reverend Sir,
ich bitte Sie um Verzeihung, dass ich in meinen Pflichten als Lehrerin an der Sonntagsschule der Farbigen unseres lieben St. Philip gefehlt habe. Ich wünsche Vergebung für diese meine ungebührliche Missachtung des Lehrplans und Vergebung für meine Ungehörigkeit Ihnen und Ihrem heiligen Amt gegenüber.
Ihre reuige und büßende Seele,
Sarah Grimké

Ich hatte kaum unterschrieben, da scheuchte Mutter mich zur Vordertür. Snow wartete bereits mit der Kutsche, Mary saß schon im Innern. Für gewöhnlich mussten Mary und ich hinter dem Haus auf die Kutsche warten und verspäteten uns, weil Snow so bummelte.

»Warum holt er uns vorn ab?«, fragte ich, worauf Mutter entgegnete, ich solle mir ein Beispiel an meiner Schwester nehmen und nicht immer solch enervierende Fragen stellen.

Snow drehte sich um und sah mich an. Etwas Ahnungsschweres lag in seinem Blick.

Der ganze Tag stand unter der summenden Spannung eines nervösen Drahtes. Als ich mich nachmittags mit Thomas zum

Unterricht auf der Veranda traf – meinem *eigentlichen* Unterricht –, hatte mein Unbehagen seinen Höhepunkt erreicht.

Zweimal in der Woche vertieften wir uns in Vaters Bücher, in Fragen des Rechts, in Latein, in die Geschichte der europäischen Welt und seit Neuestem auch in die Werke Voltaires. Thomas war eigentlich der Meinung, ich sei für Voltaire zu jung. »Das übersteigt deinen Verstand.« So war es auch, aber selbstverständlich warf ich mich gleichwohl in die Voltairesche See. Doch womit ich auftauchte, waren einige wenige Aphorismen. »Jeder Mensch ist der guten Taten schuldig, die er unterlassen hat.« Wie sollte man mit einer solchen Devise das Leben genießen! Nicht minder verwirrend: »Wenn es Gott nicht gäbe, so müsste man ihn erfinden.« Aber wer hatte Gott erfunden, den von Reverend Hall oder meinen eigenen? Es waren quälende, verstörende Gedanken.

Ich lebte für diese Unterweisungen, doch als ich an jenem Tag mit dem Lateinbuch auf der Bank saß, konnte ich mich nicht konzentrieren. Es war ein Tag voll dumpfer Wärme und dem penetranten Geruch der Krabben, die aus den gelblichen Gewässern des Ashley River stammten.

»Na komm, weiter«, drängte Thomas und wies mit dem Finger in das Buch. »Wasser, Herr, Sohn – Nominativ, im Singular und Plural.«

»... *Aqua, aquae ... Dominus, domini ... Filius, filii* ... Oh, Thomas, irgendetwas stimmt doch nicht!« Wo war Hetty, warum war Mutter so sonderbar und Snow so düster? Alle waren mir seltsam missgelaunt erschienen – Aunt-Sister, Phoebe, Tomfry und Binah. Das musste Thomas doch ebenfalls bemerkt haben.

»Sarah, du schaust in mein Inneres«, sagte er. »Ich dachte, ich hätte es vor dir verborgen. Ich sollte es wohl besser wissen.«

»Was ist es denn?«

»Ich will nicht Anwalt werden.«

Er hatte meine Besorgnis missverstanden, doch das verriet

ich nicht – dies war das fesselndste Geheimnis, das er mir je offenbart hatte.

»... Nicht Anwalt werden?«

»Ich wollte niemals Anwalt werden. Es ist wider meine Natur.« Er schenkte mir ein müdes Lächeln. »*Du* solltest Anwalt werden. Vater hat doch selbst gesagt, du wärst der beste Anwalt in ganz South Carolina, weißt du noch?«

Natürlich wusste ich es noch, so sicher, wie Sonne, Mond und Sterne am Himmel stehen. Die Welt drängte zu mir, schillernd und wunderschön. Ich sah Thomas an und fühlte mich in meiner Vorsehung bestätigt. Ich hatte einen Verbündeten. Einen wahren, unbeugsamen Verbündeten.

Er fuhr sich mit der Hand durchs Haar, das sich so wild wie Vaters wellte, und ging auf der Veranda hin und her. »Ich möchte Priester werden«, sagte er. »In weniger als einem Jahr folge ich John nach Yale, doch ich werde behandelt, als wäre ich keiner eigenen Gedanken fähig. Vater glaubt, ich wüsste nicht, was ich will, doch ich *weiß* es.«

»Er gestattet dir nicht, Theologie zu studieren?«

»Erst gestern Abend habe ich seinen Segen erfleht. Er hat ihn mir verweigert. Ich habe ihn gefragt: ›Ist es dir gleichgültig, dass es der Ruf Gottes ist, dem ich folgen will?‹ Und weißt du, was er darauf gesagt hat? ›Solange Gott *mich* nicht von diesem Ruf in Kenntnis setzt, wirst du Recht studieren.‹«

Thomas sank in einen Stuhl. Ich ging zu ihm, kniete mich hin und legte die Wange an seinen Handrücken, auf dem Hitzepickel und Haare kratzten. Ich sagte: »Wenn ich könnte, würde ich alles tun, um dir zu helfen.«

Die Sonne senkte sich über den Hof, und von Hetty noch immer keine Spur. Ich konnte meine Besorgnis nicht länger zügeln und stellte mich vor das Fenster des Küchenhauses, wo sich die weiblichen Sklaven stets nach der letzten Mahlzeit eines Tages trafen.

Das Küchenhaus war ihr Allerheiligstes. Hier erzählten sie sich Geschichten, Klatsch und Tratsch, hier fand ihr heimliches Leben statt. Manchmal sangen sie auch, dann wanderten ihre Melodien über den Hof und fanden den Weg zu uns ins Haus. Am liebsten war mir ein Lied, das in seinem Verlauf immer derber wurde:

Bread done broken,
Let my Jesus go.
Feet be tired.
Let my Jesus go.
Back be aching.
Let my Jesus go.
Teeth done fell out.
Let my Jesus go.
Rump be dragging.
Let my Jesus go.

Oft ertönte abruptes Gelächter, ein Klang, der Mutter sehr willkommen war. »Was sind unsere Sklaven vergnügt«, brüstete sie sich in solchen Momenten. Es kam ihr nie in den Sinn, dass diese vorgebliche Heiterkeit keinem Wohlsein entsprang, sondern ein Mittel zum Überleben war.

An jenem Abend jedoch lag das Küchenhaus unter einem Bahrtuch. Rauch und Ofenhitze strömten durch das Fenster und färbten mir Hals und Wangen rot. Aunt-Sister, Binah, Cindie, Mariah, Phoebe und Lucy saßen in ihren Kattunkleidern dort, zu hören war jedoch allein das Scheppern der gusseisernen Töpfe.

Schließlich drang Binahs Stimme zu mir: »Sie isst den ganzen Tag nich, sagst du?«

»Nicht einen Happen«, entgegnete Aunt-Sister.

»Na, ich würd auch nich essen, wenn *ich* 'nen Riemen um den Hals hätt, so wie sie«, sagte Phoebe.

Eine kalte Hand griff nach meinem Magen. *Riemen um den Hals? Wer? Doch gewiss nicht Hetty.*

»Was soll denn sonst passieren, wenn sie lange Finger macht?« Das klang nach Cindie. »Was sagt denn sie?«

Dann meldete sich Aunt-Sister wieder. »Sie spricht nicht. Handful ist oben bei ihr im Bett und spricht für beide.«

»Arme Charlotte«, sagte Binah.

Charlotte! Sie hatten Charlotte einen Riemen um den Hals gelegt. Doch was hieß das? Aus meiner Erinnerung stieg Rosettas melodiöses Flehen auf. Ich sah ihre gefesselten Hände, wie ihr die Lederpeitsche den Rücken aufriss und die Blutblumen auf ihrer Haut erblühten und verwelkten.

Ich erinnere mich nicht, wie ich wieder ins Haus fand, doch plötzlich war ich in der Aufwärmküche und plünderte den Schrank, in dem Mutter die Arzneimittel aufbewahrte. Ich hatte ihn häufig öffnen müssen, um Vater ein Bromid zu holen, und so fand ich den Schlüssel ohne Mühen. Vorsichtig nahm ich die blaue Flasche mit dem Einreibemittel und ein Glas süßen Balsamtees und warf zwei Körnchen Laudanum hinein.

Als ich alles in einen Korb stellte, kam Mutter in den Korridor. »Was, bitte schön, machst du da?«

Ich schleuderte die Frage zurück. »Was hast *du* gemacht?«

»Junge Dame, halte deine Zunge im Zaum.«

Ich sollte meine Zunge im Zaum halten? Als ob ich das arme, gemarterte Ding nicht fast mein ganzes Leben lang im Zaum gehalten hätte.

Erneut fragte ich. »Was hast du gemacht?« Ich schrie beinahe.

Sie presste die Lippen zusammen und entwand mir den Korb.

Da kam eine fremde Wildheit über mich. Ich riss den Korb zu mir zurück und ging zur Tür.

»Du wirst mir das Haus nicht verlassen!«, drohte Mutter. »Ich verbiete es dir.«

Doch ich trat durch die Hintertür in eine sanfte Dämmerung, umflügelt vom Schrecken und der Schönheit des Ungehorsams. Der Himmel leuchtete in Kobaltblau. Vom Hafen her kam ein kräftiger Wind.

Mutter eilte mir nach und kreischte: »Ich verbiete es dir!« Ihre Worte flatterten mit dem Wind davon, an der Eiche vorbei und über die Mauer.

Auf der Veranda des Küchenhauses scharrten Schuhe, und als wir uns umwandten, standen dort Aunt-Sister, Binah und Cindie im Schatten der heranwogenden Dunkelheit.

Mutter verharrte mit fahlem Gesicht auf den Stufen.

»Ich werde nach Charlotte sehen«, sagte ich. Die Worte rauschten mir so mühelos wie ein Wasserfall über die Lippen, und da wusste ich, dass die nervöse Beeinträchtigung meiner Stimme in eine erneute Ruhephase trat. Es war immer so gewesen: Meine Sprachschwäche ließ in regelmäßigen Abständen nach, immer mehr, und irgendwann öffnete ich den Mund, und sie war fort.

Mutter hatte es ebenfalls bemerkt. Sie sprach kein Wort, und ich ging ohne einen Blick zurück zum Kutschhaus.

Handful

Als die Dunkelheit kam, fing Mauma an zu zittern. Ihr Kopf fiel schlaff zur Seite, und sie klapperte mit den Zähnen. Es war nicht wie bei Rosetta mit ihren Anfällen, wenn alle Glieder zuckten, es war, als ob Mauma von innen heraus frieren würde. Ich wusste nicht, was ich tun sollte, außer ihre Arme und Beine zu tätscheln. Nach einer Weile wurde sie ruhiger. Ihr Atem ging schwer, und irgendwann schlief ich ein.

Ich träumte, und auch in meinem Traum schlief ich. Ich lag unter einer Laube aus dichtem Grün, sie umhüllte mich ganz und gar. Weinranken streiften meine Arme. Trauben hingen mir ins Gesicht. Ich war das schlafende Mädchen und konnte mich dabei sehen, als ob ich eine Wolke wäre, die vorüberzog, und dann schaute ich nach unten und erkannte, dass die Laube keine richtige Laube war, sondern unser Quilt-Rahmen, der voller Ranken und Blätter hing. Ich schlief weiter und sah mir beim Schlafen zu, die Wolken trieben dahin, und ich betrachtete das dichte Grün. Dann lag Mauma darunter.

Was mich weckte, weiß ich nicht mehr. Das Zimmer war ruhig, das Licht erloschen.

Mauma fragte: »Bist du wach?« Es waren ihre ersten Worte, seit Tomfry sie gebunden hatte.

»Ich bin wach.«

»Gut. Ich will dir eine Geschichte erzählen. Hörst du zu, Handful?«

»Ich höre zu.«

Meine Augen gewöhnten sich an die Dunkelheit. Ich erkannte, dass die Tür zum Flur noch immer offen stand. Mauma, neben mir, machte ein ernstes Gesicht. Sie sagte: »Deine Omama is als Mädchen aus Afrika gekommen. Etwa so alt wie du jetzt.«

Mein Herz schlug lauter. Es dröhnte mir in den Ohren.

»Hier hat man ihr ihre Mauma und ihren Daddy genommen, und in der Nacht sind die Sterne vom Himmel gefallen. Man sollte meinen, dass die Sterne nicht fallen können, aber deine Omama hat es geschworen.«

Mauma machte eine Pause, damit wir uns vorstellen konnten, wie der Himmel ohne Sterne aussah.

»Sie hat gesagt, hier haben alle nur Blabla geredet. Das Essen hat wie Affenfraß geschmeckt. Sie hatte nichts außer dem alten, lumpigen Quilt, den ihre Mauma für sie gemacht hat. In Afrika war ihre Mauma Quiltmacherin, die beste von allen. Sie hat zum Volk der Fon gehört und auf alles Figuren genäht, so wie ich. Die haben Fische ausgeschnitten, Vögel, Löwen, Elefanten, jedes Tier, das sie kannten, alles haben sie aufgenäht. Aber der Quilt, den deine Omama mitgebracht hatte, auf dem waren keine Tiere, nur kleine Formen, so wie Dreiecke. So wie ich sie auf meine Quilts näh. Meine Mauma hat immer gesagt, das sind die Flügel von 'ner Schwarzdrossel.«

Im Flur knarrten die Dielen. Jemand atmete so flach und schnell wie Miss Sarah. Ich stützte mich auf den Ellbogen, verrenkte mir den Hals, und da war sie – ihr Schatten schwärzte das Fenster im Flur. Ich legte mich wieder auf die Matratze, Mauma erzählte ihre Geschichte, und Miss Sarah hörte zu.

»Deine Omama wurde für zwanzig Dollar an einen Mann verkauft, und der hat sie in die Felder bei Georgetown gesteckt. Da gab es morgens gekochte Schwarzaugenbohnen, und wer nich in zehn Minuten fertig war, hat den ganzen Tag nichts mehr gekriegt. Deine Omama sagt, dass sie immer zu langsam war.

Meinen Daddy kenn ich nich. Es war ein Weißer, mit Namen John Paul, nich der Master, sein Bruder. Als ich da war, haben sie uns verkauft. Mauma sagt, weil ich heller als braun bin und jeder weiß, was das heißt.

Ein Mann aus der Nähe von Camden hat uns gekauft. Er hat Mauma auf den Feldern gehalten, und ich war immer bei ihr, aber nachts hat sie mir alles beigebracht, was sie über Quilts wusste. Ich hab alte Hosenbeine und Schleppen von Kleidern zerrissen. Mauma sagt, in Afrika haben sie immer einen Zauber in ihre Quilts gewebt. Ich hab was von meinem Haar in meinen getan. Als ich zwölf war, hat Mauma vor der Missus in Camden geprahlt, dass ich alles nähen kann, und die Missus hat mich ins Haus geholt, damit ich von ihrer Schneiderin lerne. Die hatte es eilig, und ich war schnell.«

Mauma brach ab und bewegte die Beine. Mir wurde bange, dass das schon alles war, was sie zu sagen hatte. Ich hatte diese Geschichte noch nie gehört, und es war, als würde ich mich selbst beim Schlafen sehen, wie die Wolken treiben, und Mauma beugt sich über mich. Ich hatte vergessen, dass Miss Sarah draußen stand.

Ich wartete. Endlich erzählte Mauma, wie es weitergegangen war. »Sie hat meinen Bruder geboren, als ich im Haus war und genäht hab. Sie hat nie gesagt, wer sein Daddy war. Mein Bruder hat nich ein Jahr gelebt.

Als er tot war, hat deine Omama uns einen Seelenbaum gesucht. Es war nur eine Eiche, aber sie hat ihn Baobab genannt, wie es sie in Afrika gibt. Sie hat gesagt, die Fon haben einen Baum für ihre Geister und Seelen, und das ist immer ein Baobab. Deine Omama hat Garn um den Stamm gewickelt, das hatte sie erbettelt und gestohlen. Sie hat mich mitgenommen und gesagt: ›Wir geben dem Baum unsere Seelen, da sind sie sicher.‹ Wir knien uns also auf ihren Quilt aus Afrika, der is nur noch ein Fetzen, und geben unsere Seelen dem Baum. Sie sagt, unsere Seelen leben jetzt bei den Vögeln und lernen zu fliegen. Und sie hat auch gesagt: ›Wenn du diesen Ort verlässt, hol deine Seele und nehm sie mit.‹ Dann haben wir Blätter und Ästchen vom Boden gesammelt und in Beutel gesteckt. Die haben wir um den Hals getragen.«

Ihre Hand fasste an den Hals, als ob sie danach suchen würde.

Sie sagte: »Mauma ist in einem Winter an Krupphusten gestorben. Ich war sechzehn. Ich konnte alles nähen, was es gab. Zu der Zeit hatte der Master Schulden und hat uns alle verkauft. Mich hat Master Grimké gekauft, für sein Haus in Union. In der Nacht, bevor ich weg bin, hab ich mir meine Seele aus dem Baum geholt.

Du sollst wissen, dein Daddy hatte ein Herz aus Gold. Sein Name war Shanney. Er hat in den Feldern von Master Grimké gearbeitet. Eines Tages hat die Missus gesagt, ich soll nach Charleston und da für sie nähen. Ich sage, schön, aber nehmen Sie auch Shanney, das is mein Mann. Sie hat gesagt, Shanney ist ein Feldsklave, vielleicht kannst du ihn sehen, wenn du mal zu Besuch kommst. Da warst du schon in mir, aber das hat niemand gewusst. Shanney is an einem Schnitt ins Bein gestorben, da warst du noch nich ein Jahr. Er hat dich nie gesehen.«

Dann schwieg Mauma. Sie hatte alles gesagt. Sie schlief ein, und ihre Geschichte umhüllte mich ganz und gar.

Als ich am nächsten Morgen zum Klohäuschen wollte, stolperte ich über einen Korb. Er stand gleich neben der Tür. Darin waren eine große Flasche mit Einreibemittel und Medizintee.

An dem Tag nahm ich auch meinen Dienst bei Miss Sarah wieder auf. Als ich in ihr Zimmer huschte, las sie ein Buch. Sie scheute sich, über das zu sprechen, was mit Mauma passiert war, und darum sagte ich: »Wir haben den Korb bekommen.«

Ihr Gesicht entspannte sich. »Sag deiner Mutter, es tut mir sehr leid, wie sie behandelt worden ist, und ich hoffe, dass es ihr bald besser geht«, und da war keine Mühe in ihren Worten.

»Das bedeutet viel für uns«, sagte ich.

Sie legte das Buch weg und kam zu mir. Dann schloss sie ihre Arme um mich. Es war schwer zu sagen, wie es um uns stand. Es heißt, dass eine so große Kluft wie unsere jede Liebe vergällt. Ich war nicht sicher, ob es Liebe oder Schuldgefühle waren, was Miss Sarah bewegte. Ich war nicht sicher, ob es Liebe oder der Wunsch nach Sicherheit war, was mich bewegte. Sie liebte und bedauerte mich. Ich liebte und benutzte sie. Es war nie nur das eine oder das andere. An dem Tag aber waren unsere Herzen rein.

Sarah

Der Frühling wurde zum Sommer, und als Madame Ruffin den Unterricht bis zum Herbst aussetzte, bat ich Thomas, unsere privaten Unterweisungen auf der Veranda auszubauen.

»Ich fürchte eher, wir müssen sie ganz beschließen«, sagte er, »nun, da ich meinem Studium entgegensehe. Vater hat mich angewiesen, mich zur Vorbereitung auf Yale systematisch mit seinen Büchern zur Rechtswissenschaft zu befassen.«

»Ich könnte dir doch helfen!«, rief ich.

»Sarah, Sarah, mach's nicht ärger.« Den Satz gebrauchte er, wann immer seine Entscheidung unumstößlich und endgültig war.

Er ahnte ja nicht, inwieweit ich ihn bereits in meine Pläne eingewoben hatte. Auf der Broad Street, zwischen Börse und St. Michael, befanden sich mehrere Kanzleien, dort hatte ich uns schon als Partner gesehen, hinter einer Fassade mit dem stolzen Schild *Grimké & Grimké*. Natürlich würde es zu einem heftigen Gerangel mit dem Fußvolk kommen, aber mit Thomas an meiner Seite und Vater in meinem Rücken würde mich nichts und niemand aufhalten.

Und so beugte ich mich jeden Nachmittag allein über Vaters Bücher zur Rechtswissenschaft.

Morgens las ich hinter verriegelter Türe Hetty vor. Wenn es so heiß wurde, dass die Luft drinnen beinahe siedete, flohen wir auf die Veranda. Dort saßen wir Seite an Seite auf dem Schaukelsofa und sangen Lieder, die Hetty sich ausdachte und die fast immer von einer Reise über das Meer erzählten, auf einem Boot oder Wal. Ihre Beine schwangen wie kleine Taktstöcke vor und zurück. Manchmal saßen wir auch im zweiten Stockwerk vor den Fenstern des Alkovens und spielten Fadenspiele. Wundersamerweise hatte Hetty immer ein Knäuel roten Garns in der Tasche, und dort hakten wir unsere Finger viele Stunden lang hinein und webten komplizierte, blutgefärbte Labyrinthe in die Luft.

All das war bloß gewöhnlicher, harmloser Zeitvertreib unter Mädchen, doch für Hetty war es so neu wie für mich, und wir taten das meiste davon heimlich, damit Mutter ihm kein Ende setzte. Wir übertraten eine Grenze, Hetty und ich.

Eines Morgens, Charleston schmorte in der Gluthitze des Sommers, lagen Hetty und ich bäuchlings in meinem Zimmer auf dem Teppich. Ich las ihr aus *Don Quijote* vor. In der Vorwoche hatte Mutter, in Erwartung der Blutsaugersaison, die Moskitonetze aus dem Lager holen und über den Betten befestigen lassen, aber die Sklaven, ohne solcherlei Schutz, kratzten sich jetzt schon die Haut auf. Gegen den Juckreiz rieben sie sich mit Schmalz und Melasse ein und verströmten im ganzen Haus ihr Eau de Cologne.

Hetty grub die Nägel in einen entzündeten Stich an ihrem Unterarm und schaute stirnrunzelnd auf das Papier, als stünde dort ein unenträtselbarer Code. Sie sollte den Heldentaten Sancho Panzas und seines Ritters lauschen, doch unentwegt unterbrach sie mich, legte den Finger auf ein Wort und fragte: »Was steht da?«, woraufhin ich die Geschichte aussetzen und es ihr sagen musste. Nicht anders war es gewesen, als wir *Das Leben und die seltsamen Abenteuer des Robinson Crusoe* gelesen hatten. Vielleicht langweilten sie die Eskapaden der Männer, gleich, ob Schiffbrüchiger oder Edelmann.

Um Hetty wieder in den Erzählfluss zu locken, ließ ich

meine Stimme *über* dramatische Höhen und Tiefen wandern. Unterdessen kleidete ein nahendes Gewitter das Zimmer in düstere Farben. Durch das offene Fenster wehte der Wind. Er trug den schweren Geruch von Regen und Oleander herein und scheuchte die Schleier der Moskitonetze auf. Als der Donner kam und Regen auf das Fenstersims prasselte, beendete ich die Lektüre.

Hetty und ich sprangen gleichzeitig auf und zogen das Fenster zu. Wir sahen, wie sich die junge Eule, die Charlotte und Hetty so treulich während des Frühjahrs gefüttert hatten, durch das gelbe Zwielicht stürzte. Sie hatte ihr Flaumgefieder verloren, ihre Behausung im Holzstapel aber noch nicht aufgegeben.

Nun flog sie direkt auf uns zu, in einem Bogen über die George Street und die Mauer bis hin zum Wirtschaftshof. Ihr seltsames Eulengesicht war deutlich zu sehen. Als der Vogel unseren Blicken entschwand, zündete Hetty eine Lampe an. Ich jedoch war wie gebannt. Mir fiel der Tag ein, an dem mir Charlotte die kleine Eule gezeigt hatte, und mir kam der Schwur in den Sinn, Hetty die Freiheit zu schenken, mein unhaltbares Versprechen, das mich derart peinigte. Doch plötzlich klang es in mir glockenklar: Charlotte hatte gesagt, ich sollte Hetty *irgendwie helfen* freizukommen.

Als ich mich umwandte, trug Hetty die Lampe zu meinem Frisiertisch. Das Licht tanzte um ihre Füße. Als sie die Lampe abstellte, fragte ich: »Hetty, soll ich dir das Lesen beibringen?«

Gerüstet mit einer Fibel, zwei Exemplaren des *American Spelling Book*, einer Schiefertafel und einem Stück Kreide begannen wir den täglichen Unterricht in meinem Zimmer. Ich verriegelte nicht nur die Tür, ich verhängte auch das Schlüsselloch. Die morgendliche Unterweisung dauerte mindestens zwei Stunden. Wenn wir fertig waren, wickelten wir unsere Utensilien in einen Streifen groben Kattuns, sogenannten Negertuchs, und schoben das Bündel unter mein Bett.

Ich hatte noch nie einem anderen das Lesen beigebracht, aber von Thomas eine solche Menge Latein gelernt und so lang die Madame ertragen, dass ich mühelos dazu in der Lage war. Hetty erwies sich als ausgesprochen begabt. Nach nur einer Woche konnte sie das Alphabet aufsagen und auch schreiben. Nach zwei Wochen las sie erste Worte aus dem Lehrbuch vor. Niemals werde ich den magischen Moment vergessen, in dem sich ihr die Verbindung zwischen den Buchstaben und den Lauten erschloss und aus Sinnleere Bedeutung wurde. Von da an las sie immer flüssiger.

Als wir auf Seite vierzig der Fibel gelangten, umfasste ihr Wortschatz sechsundachtzig Begriffe. Ich vermerkte und nummerierte jeden einzelnen auf einem Blatt. »Wenn du hundert Worte kennst«, versprach ich ihr, »feiern wir das mit einer Teegesellschaft.«

Sie entzifferte erste Worte auf Arzneimittelfläschchen und Einmachgläsern. »Wie schreibt man *Hetty*?«, wollte sie wissen. »Wie schreibt man *Wasser*?« Ihr Wissenshunger war grenzenlos.

Einmal sah ich, wie sie im Wirtschaftshof mit einem Stock Worte in die Erde ritzte, und rannte sofort los. Dort stand W-A-S-S-E-R, ohne Fehler und für alle Augen sichtbar.

»Was machst du denn da?«, rief ich und verwischte die Buchstaben mit dem Fuß. »Wenn das jemand sieht!«

Sie war nicht minder wütend auf mich. »Ich hab selbst zwei *Füße*, ich kann die Buchstaben wegwischen, wenn jemand kommt!«

Am 13. Juli eroberte sie sich ihr hundertstes Wort.

Am Tag darauf begingen wir unser Fest auf dem Walmdach des Hauses, weil wir hofften, von dort aus die Feierlichkeiten zum Sturm auf die Bastille zu sehen. Charleston hatte eine nicht geringe Anzahl französischstämmiger Bewohner, die ursprünglich aus Saint-Domingue gekommen waren, ein französisches Theater und an jeder Straßenecke ein französisches Mädchenpensionat. Es war auch ein französischer Friseur, der Mutter und ihre Freundinnen kräuselte und puderte und mit Schilderungen der Guillotinierung Marie Antoinettes delektierte, der er angeblich beigewohnt hatte. Charleston war in seinen Grundfesten britisch, doch es zelebrierte den französischen Nationalfeiertag mit dem gleichen Eifer wie unsere eigene Unabhängigkeit.

Wir stiegen auf den Dachboden, mit zwei Porzellantassen und einer Kanne schwarzen Tees, der mit Ysop und Honig gewürzt war. Von dort aus erklommen wir eine Leiter, die zu einer Dachluke führte. Den geheimen Ausstieg hatte Thomas entdeckt, mit dreizehn Jahren, und mich zu Spaziergängen entlang der Schornsteine eingeladen. Bis Snow uns eines Tages entdeckte, als er Mutter von einer ihrer vielen wohltätigen Geselligkeiten heimfuhr. Ihr hatte er kein Wort verraten, doch er war gleich aufs Dach gestiegen und hatte uns heruntergeholt. Seither war ich nicht mehr dort gewesen.

Hetty und ich machten es uns in einer Rinne auf der südlichen Seite gemütlich, mit dem Rücken an die Dachschräge gelehnt. Hetty nahm hastige Schlücke, angeblich hatte sie noch nie aus einer Porzellantasse getrunken, während ich langsam nippte und in das Blau über unseren Köpfen schaute. Die Prozession, die durch die Broad Street marschierte, war zu weit entfernt, wir konnten die Menschenmenge nicht sehen, doch wir hörten die Marseillaise. Dann läuteten die Glocken von St. Philip, und es erklangen dreizehn Schuss Salut.

Auf dem Dach saßen oft Vögel, und hier und da lagen ihre

Federn. Hetty stopfte sich die Taschen voll. Ich kann nicht sagen, warum, doch der Anblick rührte mich sehr. Vielleicht war ich trunken von Ysop und Honig, von der ungewohnten Trausamkeit zweier Mädchen auf dem Dach. Was es auch war – mit einem Mal offenbarte ich Hetty meine Geheimnisse.

Ich verriet ihr, wie geschickt ich lauschen konnte und dass ich an jenem Abend, als Charlotte bestraft worden war, vor ihrem Zimmer gestanden und ihre Geschichte mitangehört hatte.

»Ich weiß«, sagte Hetty. »So geschickt, wie Sie glauben, sind Sie nicht.«

Ich breitete jedes nur denkbare Geheimnis vor ihr aus. Dass ich meine Schwester Mary verabscheute und Thomas schon immer mein einziger Freund gewesen war. Dass ich die Sklavenkinder nicht mehr unterrichten durfte, weil ich als untauglich galt, sie sich aber keine Sorgen machen müsse, denn meine Kompetenz stand nicht infrage.

Je mehr ich sprach, umso düsterer wurden meine Enthüllungen. »Einmal habe ich mitangesehen, wie Rosetta ausgepeitscht worden ist«, erzählte ich. »Ich war vier. Damals hat mein Problem mit dem Sprechen angefangen.«

»Im Moment scheint es, als könnten Sie ganz gut sprechen.«

»Es kommt und geht.«

»Hat es Rosetta schlimm erwischt?«

»Ich glaube, es war sehr schlimm.«

»Was hatte sie denn getan?«

»Das weiß ich nicht. Ich habe nie gefragt – danach konnte ich ja nicht mehr sprechen, und das mehrere Wochen lang.«

Wir verfielen in Schweigen, lehnten uns zurück und schauten auf zinnenbewehrte Wolken. Das Gespräch über Rosetta hatte uns weit mehr ernüchtert, als ich beabsichtigt hatte – viel zu sehr für eine Feier zum Einhundert-Worte-Sprachschatz.

Um die Stimmung wieder aufzuhellen, sagte ich: »Ich will später einmal Anwalt werden, so wie mein Vater.« Hinterher war ich fassungslos. Dass mir das herausgeplatzt war! Die Krönung meiner Geheimnisse. Ich fühlte mich entblößt. »Aber das darfst du niemandem erzählen.«

»Ich hab sowieso niemandem, dem ich was erzählen kann. Nur Mauma.«

»Nun, selbst ihr darfst du es nicht erzählen. Versprich es mir.«

Sie nickte.

Beruhigt dachte ich an die Granitschatulle und meinen Silberknopf. »Verstehst du, dass ein Gegenstand für etwas anderes als für seinen eigentlichen Zweck stehen kann?« Hetty schaute mich mit leerem Blick an. Ich überlegte, wie ich es ihr begreiflich machen konnte. »Es ist wie mit dem Stock meiner Mutter – eigentlich soll er ihr beim Gehen helfen, aber wir wissen ja alle, wofür er noch steht.«

»Für Schläge.« Nach einer Weile ergänzte sie: »Ein Dreieck auf einem Quilt, das steht für die Flügel von Schwarzdrosseln.«

»Ja, genau das meine ich. Also, ich bewahre in meinem Frisiertisch eine Granitschatulle auf, in der ein schöner Knopf liegt. Ein Knopf ist dazu da, um Kleider zu schließen, aber dieser Knopf ist so schön, so außergewöhnlich, und darum steht er für meinen Wunsch, Anwalt zu werden.«

»Ich weiß von dem Knopf. Ich hab ihn nicht angefasst, ich hab nur die Dose aufgemacht und reingeschaut.«

»Es macht mir nichts aus, wenn du ihn in die Hand nimmst«, erwiderte ich.

»Ich hab einen Fingerhut, der ist dafür da, damit mir der Finger nicht wehtut, wenn ich mich mit der Nadel steche, aber er könnte auch für was anderes stehen.«

Als ich fragte, wofür, sagte sie: »Ich weiß nich. Ich weiß nur, dass ich wie Mauma nähen will.«

Nun hatte Hetty Feuer gefangen. Sie erzählte mir die Geschichte, die ich an jenem Abend gehört hatte, die Geschichte ihrer Großmutter aus Afrika, die Dreiecke auf ihre Quilts appliziert hatte. Als Hetty auf den Seelenbaum zu sprechen kam, nahm ihre Stimme einen geradezu ehrfurchtsvollen Tonfall an, und bevor wir wieder durch die Luke stiegen, sagte sie: »Ich hab mir eine Spule Garn aus Ihrem Zimmer genommen. Sie hat so nutzlos in der Schublade gelegen. Es tut mir leid, ich geb sie Ihnen wieder, wenn Sie wollen.«

»Oh. Nun, behalt sie ruhig. Aber Hetty, bitte stiehl nichts mehr, nicht einmal eine Kleinigkeit. Du könntest entsetzliche Schwierigkeiten bekommen.«

Als wir die Leiter nach unten kletterten, sagte sie: »Mein richtiger Name ist Handful.«

Handful

Mauma legte sich ein Hinken zu. Wenn sie in ihrem Zimmer oder zum Essen im Küchenhaus war, war alles gut, aber kaum ging sie über den Hof, zog sie ihr Bein wie einen toten Stumpf hinter sich her. Aunt-Sister und die anderen schüttelten den Kopf. Ihnen gefiel die Nummer mit dem lahmen Bein nicht, und das sagten sie auch. Mauma erwiderte nur: »Wenn *ihr* die einbeinige Strafe mal hattet, könnt ihr sagen, was ihr wollt. Bis dahin haltet den Mund.«

Danach mieden sie Mauma. Sie hörten zu reden auf, wenn sie kam, und fingen wieder an, wenn sie ging. Mauma sagte, die meiden mich aus Hass.

Ihre Augen brannten vor Zorn. Manchmal fiel ihr finsterer Blick sogar auf mich. Und manchmal fiel er auf eine List. Eines Tages sah ich sie unten an der Treppe stehen, wo sie der Missus erklärte, wie schwer es ihr fiel, die Stufen zum Nähzimmer hochzugehen, und natürlich auch die Stufen zu ihrem Zimmer im Kutschhaus. Sie sagte: »Aber ich mach das schon irgendwie, keine Sorge.« Dann packte sie das Geländer, schleppte sich nach oben und flehte dabei die ganze Zeit Jesus um Hilfe an. Und siehe da, schon musste Prince auf Befehl der Missus einen großen Kellerraum leerräumen, an der Seite vom Haus, die an die Wand vom Wirtschaftshof grenzte. Dort stellte er Maumas Bett und alle ihre Sachen rein. Holte den Quilt-Rahmen von der alten Zimmerdecke und nagelte ihn an die neue. Die Missus erklärte, Mauma würde von nun an in ihrem neuen Zimmer nähen, und ließ Prince den Nähtisch aus Lackholz nach unten tragen.

Der Kellerraum war so groß wie drei Sklavenquartiere zusammen. Er war hell getüncht und hatte sogar ein winziges Fenster, oben bei der Decke, aber wenn man rausschaute, sah man nicht die Wolken, sondern die Mauer mit ihren Ziegeln. Mauma nähte trotzdem einen Vorhang. Aus Kattun. In einem aussortierten Buch hatte sie ein paar Bilder von Segelbooten gefunden und heftete sie an die Wand. Als Nächstes erschienen ein bemalter Schaukelstuhl und ein lädierter Toilettentisch, den sie mit schwerem Stoff behängte. Darauf kamen leere farbige Fläschchen, eine Kerzenschachtel, ein Stück Talkseife und eine Zinnschale mit Kaffeebohnen für ihren Kaugenuss. Keine Ahnung, woher sie all diese Schätze hatte. Auf dem Wandregal legte sie ihr Nähzeug aus: die Dose mit den Flicken, den Beutel mit Nadeln und Garn, das Säckchen mit der Füllung für die Quilts, Nadelkissen, Scheren, Kopierrad, Kohle, Schablonenpapier und Maßbänder. Etwas abseits lagen mein Fingerhut aus Messing und das rote Garn, das ich aus der Schublade von Miss Sarah gestohlen hatte.

Nachdem Mauma ihr Zimmer wie einen Palast ausgestattet hatte, fragte sie Aunt-Sister, ob sie nicht alle kommen und einen Segen über ihre »arme karge Kammer« sprechen wollten. Eines Abends kamen sie dann, voller Vorfreude darauf, zu sehen, wie arm und karg die Kammer war. Mauma bot jedem Gast eine Kaffeebohne an. Sie gab ihnen Zeit, sich nach Herzenslust umzuschauen, dann führte sie vor, wie sich die Tür mit einem eisernen Riegel verschließen ließ, und zog einen eigenen Nachttopf unter dem Bett hervor, den zu leeren mir zufiel, schließlich war sie beinah verkrüppelt. Und sie machte eine große Schau um den hölzernen Gehstock, den ihr die Missus gegeben hatte.

Als Aunt-Sister Maumas Fest verließ, spuckte sie vor der Tür auf den Boden, Cindie tat es ihr nach.

Das Beste an der Sache war, dass ich in Maumas neues

Zimmer gehen konnte, ohne das Haus zu verlassen. Fast jede Nacht schlich ich mich die zwei Stockwerke nach unten, aber ich mied die knarrenden Stufen. Mauma liebte den Riegel. Wenn sie in ihrem Zimmer war, hatte sie ihn immer vorgeschoben, und wenn sie schlief, musste ich so lange an die Tür klopfen, bis sie aufstand.

Mauma war es inzwischen egal, dass ich meinen Posten verließ. Sie löste den Riegel, zog mich hinein und schob ihn wieder vor. Unter ihrer Decke bat ich sie immer, mir noch mehr von dem Seelenbaum zu erzählen. Ich wollte alles an ihm kennen, jedes Blatt, jeden Zweig, jedes Nest. Wenn sie glaubte, ich schlief, stand sie auf, ging im Zimmer umher und summte leise ein Lied. In jenen Nächten war etwas Dunkles und Verwegenes in ihr am Werk.

Bei Tag saß sie in ihrem neuen Zimmer und nähte. Miss Sarah erlaubte mir jeden Nachmittag, nach unten zu gehen und bis zum Abendessen bei ihr zu bleiben. Manchmal wirbelte etwas Luft durch Maumas Fenster herein, aber meist war es bei ihr wie in einem Backofen. Mauma sagte immer: »Mach dich nützlich.« Und so lernte ich Heften und Kräuseln, Falten und Smoken, Abnäher und Zwickel. Jeden einzelnen Stich, den es gibt. Ich lernte, wie man ein Knopfloch und wie man Ösen macht. Wie man einen Stoff frei Hand zuschneidet, ohne Schnittmuster und Pauspulver.

In dem Sommer wurde ich elf, und Mauma sagte, das Lager, auf dem ich schlief, wäre für einen Hund noch zu mies. Eigentlich sollten wir neue Sklavenkleidung nähen. Jedes Jahr bekamen die Männer zwei braune und zwei weiße Hemden, zwei Hosen und zwei Jacken. Die Frauen drei Kleider, vier Schürzen und ein Kopftuch. Mauma sagte, das kann warten. Sie zeigte mir, wie man schwarze Dreiecke schnitt, grade so groß wie meine Daumenkuppe, dann applizierten wir zweihundert und mehr auf rote Quadrate, in einer Farbe, die

Mauma Ochsenblut nannte. Wir nähten winzige gelbe Kreise als Sonnensprenkel auf, kurbelten anschließend den Quilt-Rahmen nach unten und fügten alles zusammen. Ich selbst nähte die einfache Rückseite an, und das Innere füllten wir mit allem, was wir an Polsterung und Federn besaßen. Ich schnitt mir und Mauma ein Büschel Haare ab und legte sie als Zauber mit hinein. Wir brauchten sechs Nachmittage.

Mauma klaute nicht mehr. Sie hatte neue, sicherere Methoden, um für Unheil und Ärger zu sorgen. Angeblich vergaß sie, dass sie die Ärmel der Missus nur lose zusammengeheftet hatte. Irgendwann platzte dann die Naht in der Kirche oder sonst wo auf. Mauma ließ mich Knöpfe annähen, ohne den Faden zu verknoten, und natürlich fielen die Knöpfe beim ersten Tragen vom Busen der Missus. Alle, die Ohren hatten, hörten, wie die Missus mit Mauma wegen ihrer Nachlässigkeit schimpfte und wie Mauma rief: »Oh, Missus, beten Sie für mich, ich will mich doch bessern.«

Ich weiß nicht, wie viel Unheil Mauma wirklich anrichtete, aber allein was ich sah, war eine Menge. Sie zerbrach »versehentlich« jedes Porzellanteil und jede Figurine in ihrer Nähe. Sie stieß dagegen und ging einfach weiter. Wenn Aunt-Sister in der Aufwärmküche die Tabletts bereitgestellt hatte, die Cindie nach oben tragen musste, warf Mauma in die Teekanne, was sie Gemeines zu fassen bekam. Schmutz, Staub, Spucke. Ich sagte Miss Sarah immer, dass sie von diesem Tee besser nicht trinken sollte.

Dann kam der Tag vor dem Sturm. Auf allem lastete eine seltsame Ruhe. Es war, als ob man auf etwas warten würde, aber nicht wusste, worauf. Tomfry sagte, das wird ein Hurrikan, macht bloß alles dicht. Prince und Sabe schlossen die Läden, brachten die Werkzeuge vom Wirtschaftshof in den Schuppen und banden die Tiere fest. Wir rollten die Teppiche im ersten Stock zusammen und rückten alles, was zerbrechlich war, von den Fenstern weg. Die Missus befahl uns, die Vorräte aus dem Küchenhaus ins Haupthaus zu bringen.

Der Sturm kam in der Nacht, als ich neben Mauma im Bett lag. Er brüllte und warf sich gegen das Haus. Draußen im Dunkeln rasselten die Wedel so vieler Palmen, wir mussten uns anschreien, um ein Wort zu verstehen. Wir setzten uns im Bett auf und sahen zu, wie der Regen an unser hohes Fenster schlug und an den Rändern ins Zimmer floss. Unter der Tür kam Flutwasser durch. Um mich abzulenken, sang ich, so laut ich konnte, mein Lied.

Übers Wasser, übers Meer,
zieh ich hinter Fischen her.
Wenn das Wasser braucht zu lang,
zieht voran, zieht voran.

Als der Sturm endlich vorbei war, schwangen wir die Beine aus dem Bett. Das Wasser malte Kreise um unsere Knöchel. Maumas sogenannte arme karge Kammer war nun wirklich eine arme karge Kammer.

Mit der Ebbe am nächsten Morgen zog sich das Wasser zurück, und alle wurden in den Keller gerufen, um den Schlamm wegzuschaufeln. Auf dem Wirtschaftshof herrschte ein riesiges Durcheinander, dort lagen Stöcke und abgebrochene Palmwedel, Wassereimer und Pferdefutter, die Tür vom Klohäuschen – alles, was der Wind sich genommen und wieder abgeworfen hatte. In den Zweigen vom Wucherbaum hing sogar ein Teil von einem Segel.

Nachdem wir Maumas Zimmer gereinigt hatten, ging ich nach draußen, um mir das Segel anzusehen. Es sah komisch aus, wie es da oben wehte. Der Boden darunter war feucht, er glich einer Tafel aus Lehm. Ich nahm einen Stock und schrieb BABY BUBE BLAU BLAS DEIN HORN HETTY tief in den zähen Matsch, begeistert von meinen Schreibkünsten. Als mich Aunt-Sister ins Küchenhaus rief, fuhr ich eilig mit der Schuhspitze über die Worte.

Den ganzen restlichen Tag schien die Sonne und trocknete alles wieder.

Als Mauma und ich am nächsten Morgen im Speisezimmer auf die Betstunde warteten, eilte Miss Mary den Gang entlang, die Missus im Gefolge. Auf dem Weg zur Hintertür.

Mauma stützte sich auf ihren Stock und fragte: »Wohin rennen die denn?«

Wir schauten aus dem Fenster. Lucy, die Kammerzofe von Miss Mary, wartete unter dem Baum und dem Segel, das noch immer in den Ästen hing. Miss Mary führte die Missus über den Hof zu der Stelle, wo Lucy stand und auf den Boden sah. In meinem Magen entflammte ein Brennen, das sich bis in meine Brust ausbreitete.

»Was gucken die denn da?«, fragte Mauma, als alle drei in der Taille abknickten und sich zur Erde beugten.

Dann rannte Lucy in vollem Galopp zum Haus. Als sie näher kam, rief sie: »Handful! Handful! Die Missus sagt, du musst sofort kommen!«

Ich wusste, warum.

Meine Worte aus der Fibel waren in den Lehm gebacken. Die dünne Schicht, die ich mit dem Schuh über die tiefen Gräben geschmiert hatte, war geschmolzen und gerissen.

BABY BUBE BLAU BLAS DEIN HORN HETTY.

Sarah

Zwei Tage, nachdem ein September-Hurrikan das Gezeitenwasser über die East Bay hinweg bis in die Meeting Street geschoben hatte, klopfte Binah noch vor dem Frühstück an die Tür, der Blick voll Angst und Mitgefühl. Da wusste ich, es war eine Katastrophe über uns hereingebrochen.

»Ist jemand gestorben? Ist Vater ...«

»Nein, niemand is gestorben. Ihr Daddy sagt, Sie sollen in die Bibliothek kommen.«

Auf diese Weise hatte er mich noch nie herbeizitiert. Ein seltsam banges Gefühl fuhr mir in die Beine, und als ich zu meinem Frisiertisch ging, um den Sitz des elfenbeinfarbenen Bands zu prüfen, das ich mir ins Haar gebunden hatte, gaben meine Knie nach.

»Was ist denn passiert?«, fragte ich, zupfte an der Schleife, glättete mein Kleid und ließ die Hand einen Augenblick auf meinem bebenden Bauch verweilen.

Ich sah Binah im Spiegel. Sie schüttelte den Kopf. »Miss Sarah, ich kann nich sagen, was er will, aber rumbummeln hilft nich.«

Sie legte mir eine Hand auf den Rücken und schob mich aus dem Zimmer, an Handfuls neuem Quilt vorbei, dessen Dreiecke flügellahm am Boden hockten. Wir gingen die Stufen hinunter und machten vor der Bibliothek Halt. Dort sagte Binah einmal nicht ihr ständiges *Arme Miss Sarah*, sondern: »Hör'n Sie auf Binah. Bloß nich weinen, und auch nich weglaufen. Und jetzt Kopf hoch.«

Was mich beruhigen sollte, brachte mich nur noch mehr

aus der Fassung. Als ich an die Tür klopfte, meldete sich das bange Gefühl zurück. Vater saß an seinem Schreibtisch, das Haar mit Öl zurückgekämmt. Er schaute nicht auf. Seine Aufmerksamkeit galt einem Aktenstapel.

Als er den Kopf schließlich hob, traf mich ein harter Blick. »Du hast mich sehr enttäuscht, Sarah.«

Binahs Rat war überflüssig, denn ich war so fassungslos, dass ich weder weinen noch weglaufen konnte. »Ich würde dich niemals wissentlich enttäuschen, Vater. Ich will nur …«

Er hob eine Hand. »Ich habe dich zu mir bringen lassen, damit du zuhörst. Also schweig.«

Mein Herz schlug so wild, ich musste mir an die Rippen fassen, damit mein Brustkorb nicht zersprang.

»Wie ich erfahren habe, ist dein Sklavenmädchen auf einmal des Schreibens kundig. Wage ja nicht, das zu leugnen. Es hat im Hof Worte in die schlammige Erde geschrieben und sie namentlich gezeichnet.«

Oh, Handful, nein! Ich wandte mich von der harschen Klage seiner Augen ab und bemühte mich um einen kühlen Kopf. Handful war leichtsinnig gewesen. Wir waren erwischt worden. Aber mein ungläubiger Verstand wollte nicht hinnehmen, dass Vater, ausgerechnet Vater es für ein unverzeihliches Vergehen halten sollte, dass sie lesen konnte. Er würde mich bestrafen, wie in einem solchen Fall verlangt, gewiss auf Mutters Drängen hin. Dann aber würde er mir vergeben. Sein Gewissen würde ihm meine Handlungsweise begreiflich machen.

»Wie, glaubst du, wurde dem Mädchen diese Fähigkeit zuteil?«, fragte er ruhig. »Ist sie ihm aus heiterem Himmel zugefallen? Wurde es schreibkundig geboren? Oder hat es sich alles auf geniale Weise selbst beigebracht? Natürlich wissen wir, woher das Mädchen lesen kann – du hast es das gelehrt. Du hast dich deiner Mutter widersetzt, deinem Vater, den Gesetzen dieses Staates, sogar deinem Pfarrer, der dich deswegen schon einmal *expressis verbis* getadelt hat.«

Er erhob sich aus seinem Lederstuhl und kam auf mich zu. Auf Armeslänge blieb er stehen. Als er erneut das Wort ergriff, klang seine Stimme nicht mehr ganz so grimmig: »Ich habe mich gefragt, wieso du mit derartiger Leichtigkeit und Pflichtvergessenheit zum Ungehorsam fähig bist. Die Antwort muss wohl leider lauten, weil du ein verzogenes Mädchen bist, das seinen Platz in der Welt nicht kennt, und das ist zum Teil auch meine Schuld. Ich habe dir mit meiner Milde keinen Gefallen erwiesen. Meine Nachsichtigkeit hat in dir wohl die Vorstellung genährt, dass du jegliche Grenze übertreten darfst.«

Ein neues, kaltes Entsetzen griff nach mir, und aus Verzweiflung wagte ich zu sprechen. Meine Kehle verkrampfte sich in altvertrauter Weise, doch ich kniff die Augen zu und zwang die Worte aus mir heraus. »Es tut mir leid, Vater … Ich hatte nichts Unrechtes im Sinn.«

»Nichts *Unrechtes*?«

Er hatte nicht bemerkt, dass mein Stottern wieder da war, so grimmig ging er in dem stickigen Zimmer auf und ab und hielt mir unter George Washingtons gestrengem Blick eine Predigt. »Du glaubst, es bestünde kein Schaden darin, wenn ein Sklave zu lesen lernt? Diese unsere Welt kennt traurige Gewissheiten, und eine davon ist, dass Sklaven, die lesen können, eine Bedrohung darstellen. Sie erführen solcherart Nachrichten und Kunden, die sie auf Weisen entflammen würden, die wir nicht beherrschen könnten. Ja, es ist ungerecht, ihnen diese Fähigkeit vorzuenthalten, doch dabei geht es um den Schutz höherer Güter.«

»Aber Vater, das ist falsch!«, rief ich.

»Bist du so unverschämt, dass du mir selbst jetzt widersprichst? Als du dieses Dokument, mit dem du dein Sklavenmädchen befreien wolltest, auf meinem Schreibtisch hinterlassen hast, hätte ich dich gleich zur Räson bringen sollen, doch ich war viel zu nachsichtig. Ich hatte gedacht, wenn ich dieses alberne Etwas zerreiße und dir zurückgebe, würdest du begreifen, dass wir Grimkés nicht die Institutionen und Gesetze unterwandern, die unser Leben regeln, selbst wenn wir nicht mit ihnen einverstanden sind.«

Ich war verwirrt, wie vor den Kopf gestoßen. Vater hatte meinen Freibrief zerrissen. *Vater.*

»Täusche dich nicht in mir, Sarah. Ich werde unsere Lebensweise verteidigen. Ich werde in dieser Familie keinen Aufruhr tolerieren.«

Vater hatte vor Stolz gestrahlt und mich angespornt, wenn ich bei unseren Dinnerdebatten meine gegnerische Haltung zur Sklaverei erläutert hatte. Ich hatte geglaubt, er würde meine Ansicht gutheißen. Geglaubt, er würde sie *teilen*, doch nun ging mir schlagartig auf, dass ich nur der verkleidete Affe war, der zum Akkordeon seines Herrn zu tanzen hatte. Ich hatte zu Vaters Belustigung beigetragen. Vielleicht hatte er meine abweichlerische Meinung auch deshalb unterstützt, weil die anderen an mir ihre Gegenargumente schärfen konnten. Oder hatte er meine Ideen etwa toleriert, weil die Debatten eine aus Mitleid erwachsene Übung waren, einer sprachgehemmten Tochter das Reden zu erleichtern?

Vater verschränkte die Arme vor seinem weißen Hemd und schaute unter der Wucherhecke seiner Brauen auf mich herab. Seine Augen waren klar und braun und ohne Mitgefühl. In dem Moment sah ich zum ersten Mal, wer mein Vater wirklich war – ein Mann, dem Prinzipien über Liebe gingen.

»Du hast ein Verbrechen begangen, und dies im wahren Wortsinn«, sagte er und setzte sich wieder in Bewegung. Er umkreiste mich in einer weiten Bahn. »Ich werde dich nicht nach dem Gesetz bestrafen, doch du musst hieraus eine Lehre ziehen, Sarah. Von jetzt an ist dir der Zutritt zu diesem Raum verboten. Du wirst diese Schwelle nicht mehr übertreten, nicht bei Tag und nicht bei Nacht. Der Zugriff auf sämtliche dieser Bücher ist dir untersagt, und auch auf alle anderen, ganz gleich, an welchem Ort sie sich befinden, ausgenommen jene, die Madame Ruffin für ihren Unterricht tauglich nennt.«

Keine Bücher, lieber Gott. Bitte. Da gaben meine Beine nach. Ich sank auf die Knie.

Unbeirrt zog Vater seine Runde. »Du wirst dich ausschließlich mit dem Lehrstoff befassen, den Madame für gut geheißen hat. Die Lateinstunden mit Thomas sind ebenfalls vorüber. Du wirst diese Sprache nicht schreiben, nicht sprechen, nicht einmal Gedanken formulieren. Hast du mich verstanden?«

Ich hob die Hände bis zum Kopf, die Handflächen nach oben, das Inbild eines Bittstellers. »...Vater, ich flehe dich an... B-bitte nimm mir nicht die Bücher.... Das ertrage ich nicht.«

»Du hast für Bücher keinerlei Verwendung, Sarah.«

»... *V-Vater!*«

Er marschierte an den Schreibtisch zurück. »Es bereitet mir große Betrübnis, dich so elend zu sehen, Sarah, aber dies ist ein *fait accompli.* Nimm es nicht so schwer.«

Draußen vor dem Fenster rumpelten die Rollwagen und Kutschen, erklangen die Rufe der Straßenhändler – die alte Sklavin mit dem Korb auf dem Kopf kreischte: »Roote Roosen – To-maaa-ten!« Die Umtriebe des Handels gingen unbeeindruckt weiter. Als ich aus der Bibliothek kam, wartete Binah neben der Tür. Sie nahm meine Hand und führte mich nach oben in mein Zimmer. »Ich mach Ihnen Frühstück und bring es rauf auf 'nem Tablett«, sagte sie.

Als ich allein war, spähte ich unter das Bett. Die Tafel, die Lehrbücher, die Fibel – alles war fort. Wie die Bücher auf meinem Schreibtisch. Sie hatten mein Zimmer einer gründlichen Säuberung unterzogen.

Doch erst als Binah mit dem Tablett zu mir zurückkam, fiel mir ein zu fragen: »…Wo ist Handful?«

»Oh, Miss Sarah, denken Sie nur! Sie kriegt grade ihre Strafe, draußen im Hof.«

Ich erinnere mich nicht, dass meine Füße die Stufen berührten.

»Nur ein Hieb«, rief Binah, die mir nacheilte. »Ein Hieb, sagt die Missus. Mehr nich.«

Ich riss die Hintertür auf. Meine Blicke schossen über den Hof. Handfuls knochige Arme waren an das Geländer vor dem Küchenhaus gebunden. Zehn Schritte von ihr entfernt wartete Tomfry mit einem Riemen und schaute zu Boden. Charlotte stand in den Reifenspuren, die vom Kutschhaus zum Tor führten, die übrigen Sklaven hatten sich unter der Eiche versammelt.

Tomfry hob den Arm. »Nein!«, schrie ich. *»Neiiiiiin!«* Er drehte sich zu mir, zauderte, dann zog Erleichterung in sein Gesicht.

Da schlug Mutters Stock ans Fenster. Tomfry hob müde die Augen, hin zu dem Pochen. Er nickte und ließ den Riemen über Handfuls Rücken fahren.

Handful

Tomfry sagte, er hätte versucht, kaum Kraft in den Schlag zu legen, trotzdem hatte er mir die Haut aufgerissen. Miss Sarah machte mir einen Wickel mit Balsamstrauch-Knospen, die mit dem Rum von Master Grimké getränkt waren. Mauma reichte mir gleich die ganze Flasche: »Hier, komm, trink was.« Ich erinnere mich kaum an den Schmerz.

Meine Wunde heilte rasch, aber mit Miss Sarah wurde es von Tag zu Tag schlimmer. Ihre Stimme war wieder ins Stocken geraten, und sie vermisste ihre Bücher sehr. Sie war das reinste Häufchen Elend.

Lucy war es gewesen, die das mit meinen Worten unter dem Baum bei Miss Mary gepetzt hatte, und Miss Mary war gleich zur Missus gerannt und hatte mich da angeschwärzt. Ich hatte Lucy immer für dumm gehalten, dabei war sie vielmehr heuchlerisch und versuchte, sich mit allen Mitteln bei Miss Mary beliebt zu machen. Diese Sache würde ich ihr nie vergeben, und ich bin nicht sicher, ob Miss Sarah es konnte, denn durch die ganze Petzerei hatte das Leben von Miss Sarah keine gute Wendung genommen. Mit ihren Studien war es aus und vorbei.

Mit meinen Lesestunden auch. Immerhin hatte ich meine hundert Worte, und es kam noch eine ganze Menge dazu, indem ich meinen Verstand gebrauchte. Hin und wieder sagte ich für Mauma das Alphabet auf und las ihr von den bebilderten Buchseiten vor, die sie an ihre Wand geheftet hatte.

Eines Tages ging ich in den Keller, und da saß Mauma und nähte ein Babykleidchen aus Musselin, mit violetten Bändern. Als sie mein Gesicht sah, sagte sie: »So isses, wir kriegen *noch* einen Grimké. Irgendwann im Winter. Die Missus ist nich glücklich. Ich hab gehört, wie sie zum Master gesagt hat, das reicht, das ist das letzte.«

Als Mauma mit dem Saum fertig war, fasste sie in unseren Jutebeutel. Heraus kamen ein kleiner Stapel Papier, ein halb volles Tintenfass und eine Feder. Das war natürlich alles gestohlen. Ich sagte: »Warum tust du das immer noch?«

»Du musst was für mich schreiben. Schreib ›Charlotte Grimké hat die Erlaubnis, das Haus zu verlassen‹. Darunter den Monat, ohne den Tag, und unterschreib schön schnörkelig mit Mary Grimké.«

»Erstens weiß ich nicht, wie man *Charlotte* schreibt. Und das Wort *Erlaubnis* kenne ich auch nicht.«

»Dann schreib, ›Diese Sklavin darf das Haus verlassen‹.«

»Was hast du vor?«

Sie lächelte und entblößte die Lücke zwischen ihren Schneidezähnen. »Diese Sklavin wird das Haus verlassen. Aber keine Sorge, sie kommt jedes Mal zurück.«

»Und was machst du, wenn dich ein weißer Mann anhält und deinen Passierschein sehen will, und der sieht dann aus, als wenn ihn eine Elfjährige geschrieben hätte?«

»Dann schreib so, als wenn du keine elf wärst.«

»Und wie willst du über die Mauer kommen?«

Sie sah hoch zu ihrem Fenster unter der Decke. Es war kaum so groß wie eine Hutschachtel. Ich glaubte nicht, dass sie sich da durchquetschen konnte, aber notfalls hätte sie sich wohl mit Gänsefett eingeschmiert.

Ab da verschwand sie jede Woche an mindestens ein oder zwei Nachmittagen. Und blieb weg, bis es dunkel war. Sie sagte mir nicht, wohin sie ging. Nicht, wie sie aus dem Hof und wieder hinein kam. Aber ich konnte mir denken, wie sie es machte. Zwischen ihrem Fenster und der Mauer lagen nur ein paar Fuß, und wahrscheinlich zwängte sie sich erst durch das Fenster, stemmte dann die Füße gegen die Mauer, den Rücken gegen das Haus, schob sich hoch und sprang auf der anderen Seite runter.

Natürlich musste sie auf einem anderen Weg wieder ins Haus. Ich vermutete, durch das hintere Tor, durch das die Kutschen kamen und gingen. Mauma kehrte erst zurück, wenn es richtig dunkel war, damit sie ungesehen übers Tor klettern konnte. Sie schaffte es immer, bevor die Trommel die Ausgangssperre verkündete. Ich wollte mir nicht ausmalen, was wäre, wenn sie sich da draußen vor der Stadtwache verstecken müsste.

Eines Nachmittags machten wir zusammen den jährlichen Schwung Sklavenkleidung fertig, und da erklärte ich ihr, wie ihr meiner Meinung nach die Flucht gelang. Sie sagte nur: »Na, du bist ja schlau.«

Ich sah sie wieder vor mir, mit dem Gurt an Hals und Bein. Da konnte ich mich nicht mehr beherrschen. Ich flehte sie an: »Hör damit auf. Bitte. Hörst du? Eines Tages erwischen die dich.«

»Ich sag dir was, du kannst mir helfen – falls mich hier wer vermisst, stellst du den Eimer neben die Zisterne, da kann ich ihn vom Tor aus sehen. Das kannst du für mich tun.«

Da bekam ich noch größere Angst. »Und wenn du den Eimer siehst, was dann – läufst du weg? Und lässt mich allein?« Ich brach zusammen.

Sie rieb mir die Schultern, so wie immer. »Handful, Kind. Ich würde eher sterben, als dich allein lassen. Das weißt du. Wenn der Eimer an der Zisterne steht, weiß ich nur, was kommt. Mehr nich.«

Als es mit der gesellschaftlichen Saison für die über uns wieder losging und ich und Mauma mit den Kleidern und Gewändern sowieso kaum nachkamen, verdingte sich Mauma zusätzlich in anderen Häusern. Ohne Erlaubnis. Das erfuhr ich eines Abends nach dem Essen, als ich mit ihr auf dem Hof stand. Miss Sarah war an dem Tag sehr verzweifelt gewesen, und ich hatte geglaubt, meine größten Sorgen wären, dass es mit ihr *noch* schlimmer würde und dass Mauma heimlich aus dem Fenster schlüpfte. Aber dann zog Mauma eine Marke aus der Tasche. Wer einen seiner Sklaven verlieh, musste von der Stadt eine Marke kaufen, und ich wusste genau, Master Grimké hatte keine gekauft. Eine falsche Marke zu haben war noch schlimmer, als die grüne Seide zu stehlen.

Ich sah mir die Marke an. Es war ein kleines Rechteck aus Kupfer mit einem Loch, damit man sie an sein Kleid heften konnte. Und es waren ganz viele Worte reingeritzt. Ich buchstabierte laut, bis ich endlich begriff, was ich las. »Hausan… Haus-an-ge-stell-te. *Hausangestellte!*«, rief ich. »Nummer 133. Im Jahr 1805. Woher hast du das?«

»Na, ich war ja nicht zum Trinken und Trödeln da draußen – ich hab mir Arbeit gesucht.«

»Aber wir schaffen die Arbeit hier doch nicht mal.«

»Na und, springt da irgendwas bei raus?« Sie nahm mir die Marke weg und steckte sie sich wieder in die Tasche.

»Einer der Russell-Sklaven, Tom, hat 'ne Schmiede an der East Bay Street. Missus Russell lässt ihn den ganzen Tag für andere arbeiten, und sie nimmt nur drei Viertel von seinem Lohn. Er hat mir die Marke gemacht, is 'ne Kopie von 'ner echten.«

Ich war zwar erst elf, aber ich verstand schon, dass dieser Schmied nicht bloß ein netter Kerl war, der Mauma einen Gefallen tat. Warum sollte er sich auch in Gefahr begeben und ihr eine falsche Marke machen?

Mauma sagte: »Ich mach Hauben und Kleider und Quilts für 'ne Dame auf der Queen Street. Missus Allen. Ich hab ihr gesagt, mein Name ist Pearl, ich gehör Master Dupré von der Ecke George und East Bay. Und sie: ›Du meinst den französischen Schneider?‹, und ich: ›Ja, Ma'am, er hat nich mehr genug für mich zu tun, darum verleiht er mich.‹«

»Und wenn sie deine Geschichte nachprüft?«

»Das is 'ne alte Witwe, die prüft nichts nach. Die sagt bloß: ›Zeig mir deine Marke.‹«

Mauma war sehr stolz auf sich und ihre Marke.

»Missus Allen sagt, sie zahlt mich nach Kleidungsstück, und ihre zwei Töchter brauchen Kleider und Decken für ihre Kinder.«

»Wie willst du all die zusätzliche Arbeit schaffen?«

»Ich hab dich. Ich hab die ganze Nacht.«

Mauma brannte bei ihrer nächtlichen Arbeit so viele Kerzen ab, dass sie aus jedem Zimmer, in das sie kam, welche mopsen musste. Ihre Augen wurden zu Schlitzen, und daneben grub sich ein Muster aus Heftstichen ein. Sie war müde und fahrig, aber im Innern schien es ihr besser zu gehen.

Sie brachte Geld mit und stopfte es in unseren Jutebeutel, und ich half ihr Tag und Nacht beim Nähen, wenn ich nicht gerade das Zimmer von Miss Sarah putzen, mich um ihre Kleider und ihren Nachttopf kümmern musste. Wenn wir die Aufträge der Witwe erledigt hatten, wand sich Mauma aus dem Fenster und brachte die Pakete zur Tür, wo sie den Stoff für den nächsten Schwung bekam. Dann wartete sie, bis es dunkel war, und wand sich über das Tor. Mit der Zeit ging uns das gefährliche Hin und Her in Fleisch und Blut über.

Während einer erstaunlich warmen Phase Anfang Januar schickte die Missus Cindie eines Nachmittags zu Mauma in den Keller, denn es hatten sich Rosetten von ihrem neuen Empire-Kleid gelöst. Natürlich war Mauma fort. Wenn sie weg war, schob sie nie den Riegel vor, denn wenn jemand klopfen und sie nicht reagieren würde, würde die Missus ganz schnell Prince befehlen, die Tür aus den Angeln zu sägen. Und wie wollte Mauma ein leeres Zimmer hinter einem verschlossenen Riegel erklären?

Wenn ein Sklave vermisst wurde, verbreitete sich das wie ein Buschfeuer. Als ich davon hörte, rutschte mir das Herz in die Hose. Die Missus nahm ihre Klingel und versammelte alle bei der Hintertür im Hof. Sie legte die Hände auf ihren großen schwangeren Bauch und sagte: »Wenn ihr von Charlottes Verbleib wisst, so ist es eure Pflicht, es mir zu sagen.«

Niemand gab einen Mucks von sich. Die Missus heftete ihren Blick auf mich. »Hetty! Wo ist deine Mutter?«

Ich zuckte mit den Schultern und stellte mich dumm. »Ich weiß nicht, Missus. Ich wünschte, ich wüsste's.«

Die Missus wies Tomfry an, alles zu durchsuchen, Küchenhaus, Waschhaus, Kutschhaus, Stall, Lagerschuppen, Klohäuschen und die Sklavenquartiere. Sie sagte, du durchkämmst mir jeden Winkel im Hof, und schau auch in die Röhre, durch die Prince das Heu zu den Pferden rutschen lässt. Wenn Mauma dann noch immer nicht aufgetaucht wäre, sollte er im Haus, auf der Veranda und im Ziergarten nachsehen, unter jedem Stein.

Sie klingelte erneut, was hieß, zurück an die Arbeit. Ich eilte in Maumas Zimmer und sah in den Jutebeutel. Das Geld lag noch unter dem Füllmaterial. Dann schlich ich wieder nach draußen und stellte den Eimer neben die Zisterne. Die Sonne wanderte langsam nach unten und färbte den Himmel wie Aprikosen.

Während Tomfry Haus und Hof auf den Kopf stellte, nahm ich meinen Posten oben im Alkoven ein und wartete. Und, siehe da, beim ersten Zeichen der Dunkelheit kam Mauma um die Ecke. Sie ging direkt auf die Vordertür zu und klopfte.

Ich eilte die Treppe nach unten und erreichte mit Tomfry zusammen die Tür.

Als er öffnete, sagte Mauma: »Ich geb dir 'nen halben Dollar, wenn du mich sicher reinbringst. Du schuldest mir was, Tomfry.«

Er trat nach draußen auf den Treppenabsatz, ich mit ihm, und schloss die Tür. Ich schlang die Arme um Mauma. Sie sagte zu ihm: »Rasch, wie machen wir's?«

»Ich kann mit dir nirgendwohin«, sagte er. »Die Missus hat mich überall suchen lassen.«

»Nicht auf dem Dach«, warf ich ein.

Tomfry machte alles klar, und ich führte Mauma zum Dachboden und zeigte ihr Leiter und Luke. »Wenn sie kommen, sagst du, dir war warm, drum bist du hier raufgekommen und hast zum Hafen gesehen, und dann bist du eingeschlafen.«

In der Zwischenzeit ging Tomfry zur Missus und erklärte, dass er vergessen hätte, auf dem Dach nachzusehen, dabei wüsste er mit Sicherheit, dass Charlotte schon einmal dort gewesen wäre.

Die Missus wartete japsend mit ihrem dicken Bauch und ihrem Stock am Fuß der Stufen zum Dachboden. Ich lauerte in ihrem Rücken. Bebend vor Angst.

Mauma kam zitternd die Treppe herunter und gab meine haarsträubende Geschichte zum Besten. Die Missus sagte: »Ich hätte nicht gedacht, dass du so dämlich wie die anderen bist, Charlotte, aber offenbar habe ich mich geirrt. Auf dem Dach einzuschlafen! Du hättest auf die Straße fallen können. *Das Dach!* Du weißt doch, dass euch der Zugang strikt verboten ist.«

Sie hob den Stock und ließ ihn auf Maumas Hinterkopf sausen. »Geh auf dein Zimmer, und morgen früh gleich nach dem Gebet nähst du mir noch einmal die Rosetten an mein neues Kleid. Deine Achtlosigkeit mit der Nadel wird immer schlimmer.«

»Ja, Ma'am«, sagte Mauma, eilte die Treppen nach unten und scheuchte mich vor sich her. Hatte die Missus gemerkt, dass das ohne Stock und Humpeln ging? Sie sagte jedenfalls nichts.

Als wir in unser Zimmer kamen, schloss Mauma die Tür und schob den Riegel vor. Ich war völlig außer Atem, aber sie war ganz ruhig. Sie rieb sich den Hinterkopf und schob den Kiefer vor. »Ich bin 'ne 'merkenswerte Frau, und du 'n 'merkenswertes Mädchen, und vor dieser Frau werden wir nie zu Kreuze kriechen.«

Sarah

Für mich war das Kommen eines neuen Geschwisterchens keine frohe Botschaft. In der Abgeschiedenheit meines Zimmers vernahm ich die Kunde in bitterer Resignation. Wenn Mutter schwanger war, benahm sie sich noch verdrießlicher, und wer wollte das begrüßen? Mein wahres Entsetzen aber kam, als ich Papier und Feder nahm und rechnete: Mutter war von den zwanzig Jahren ihrer Ehe zehn Jahre schwanger gewesen. *Das war doch zum Gotterbarmen!*

Mit fast zwölf Jahren stand ich an der Schwelle zur Jungmädchenzeit, und ich wollte ja auch heiraten – ehrlich –, doch diese Zahlen schreckten mich. Und das, nachdem sie mir meine Bücher genommen hatten! Das Leben als Frau war mir vergällt.

Seit Vaters Standpauke verließ ich mein Zimmer nur zu den Mahlzeiten, zu Madame Ruffins Unterricht an drei Vormittagen in der Woche und zur Kirche am Sonntag. Handful leistete mir unentwegt Gesellschaft und stellte mir belanglose Fragen, nur, um mich aufzuheitern. Sie sah mir bei meinen kläglichen Versuchen mit dem Stickzeug zu und beim Schreiben, als ich mich an Geschichten über ein Mädchen versuchte, das wie Robinson Crusoe auf eine Insel verbannt worden war. Mutter forderte, ich solle mich endlich aus meiner Inmichgekehrtheit und Trübsal reißen. Ich versuchte es, doch das befeuerte meine Verzweiflung nur.

Mutter hatte sogar unseren Arzt, Dr. Geddings, herbeizitiert, der nach langen Sondierungen beschied, ich litte an einer schweren Form der Melancholie. Ich lauschte an der Tür, als er

Mutter berichtete, einen derartigen Fall habe er bei einem so jungen Menschen noch nie beobachtet, diese Art von Wahn käme bei Frauen eigentlich nur nach der Geburt oder dem Abebben der Menses vor. Er erklärte mich zu einem nervösen, sprunghaften Mädchen mit einer Neigung zur Hysterie, was sich überdies an meiner Sprechweise zeigen würde.

Einmal, kurz nach Weihnachten, ging ich an Thomas' Zimmer vorüber, und da lag der geöffnete Koffer. Ich konnte den Gedanken, dass Thomas uns verlassen würde, ohnehin kaum ertragen. Doch dass er nach Yale gehen und einen Traum wahrmachen würde, den auch ich träumte, dessen Verwirklichung mir jedoch versagt blieb, machte es noch schlimmer. Zerfressen von Neid ob seiner strahlenden Zukunft floh ich in mein Zimmer und heulte mich aus. Mein Kummer strömte in tiefschwarzen Wogen aus mir heraus. Offenbar aber hatte meine Verzweiflung da ihre äußerste Grenze erreicht. Jedenfalls verwandelte sie sich daraufhin in etwas, was ich heute nur als schmerzliche Hoffnung bezeichnen kann.

Alles geht vorüber, selbst die schlimmste Melancholie. Ich öffnete die Schublade an meinem Frisiertisch und nahm die Granitschatulle heraus. Ich betrachtete den Silberknopf, und mein Blick verklärte sich. Mut und Entschlusskraft kehrten wieder. Ich würde nicht aufgeben. Ich würde aus Kühnheit irren. So wie immer.

Und das tat ich, auf Thomas' Abschiedsfeier, die am Dreikönigstag im oberen Salon stattfand. Vater hatte mir im Verlaufe der Woche mehrfach am Esstisch zugelächelt, und auch sein Weihnachtsgeschenk – ein Druck, der Apollo und die Musen darstellte – hatte ich als Geste gedeutet, die das Ende seiner Geringschätzung anzeigte. An jenem Abend unterhielt er sich mit Thomas, Frederick und John, der aus Yale gekommen war. Ich saß mit Mary am Pembroke-Tisch und schaute sehnsüchtig hinüber, wie sie dort in ihren schwarzen wollenen Überziehern und farbig gestreiften Westen debattierten, Vater in einer flachsfarbenen. Ich hätte so gern gewusst, worum es ging. Anna und Eliza, die auch am Fest teilnehmen durften, saßen auf dem Teppich vor dem Kamin, ihre Weihnachtspuppen in den Händen, während Ben seine neuen Holzsoldaten mit einem steten »Attacke!«-Geschrei in den Kampf schickte.

Mutter lehnte an dem roten Samtpolster ihrer Palisander-Récamiere, die sie von ihrem Schlafzimmer hatte hochtragen lassen. Ich hatte fünf von Mutters Schwangerschaften erlebt, und dies war zweifellos die schwerste. Mutter war auf elefantöse Dimensionen angeschwollen. Sogar ihr Gesicht war aufgedunsen. Dennoch hatte sie uns eine exquisite Feier bereitet. Der Raum schimmerte im Licht, Spiegel und goldene Oberflächen warfen den Schein von Kerzen und Lampen zurück, und die Tische waren mit weißen Leinendecken und goldenen Brokatläufern farblich passend zum Dreikönigsfest geschmückt. Tomfry, Snow und Eli, die uns bedienten, trugen ihre dunkelgrünen Livreen und schleppten Tabletts mit Krabbenkeksen, Rindfleisch, gebratenem Weißfisch und Omelett-Soufflé heran.

Mein verloren geglaubter Appetit war wieder da. Ich sprach tüchtig dem Essen zu und lauschte dem Brummen der tiefen Stimmen. Es ging um die Wiederwahl von Präsident Jefferson, das mögliche Gelingen der Lewis-und-Clark-Expedition zur Pazifikküste und – diese Frage fesselte mich am meisten – die Folgen, welche die Abschaffung der Sklaverei in den Nordstaaten, jüngst in New Jersey, für den Süden hatte. *Ein Gesetz zur Abschaffung der Sklaverei?* Das war mir vollkommen neu. Ich verrenkte mir den Hals, damit mir ja kein Wort entging. Glaubten die Menschen im Norden etwa, Gott wäre gegen die Sklaverei?

Wir schlossen das Mahl mit Thomas' Lieblingsdessert ab, Macarons mit Mandeleis. Im Anschluss an das Essen schlug Vater mit einem Löffel an seinen Kristallkelch. Als alles schwieg, sprach er Thomas seine guten Wünsche aus und überreichte ihm Eine Kurzfassung von Lockes Essay *›Ein Versuch über den menschlichen Verstand‹*. Mutter hatte Mary und mir erlaubt, je ein halbes Glas Wein zu trinken. Ich hatte zum ersten Mal davon gekostet und blickte mit einem watteweichen Gefühl im Kopf auf das Buch in Thomas' Händen.

»Wer möchte Thomas einige Worte mit auf den Weg geben?«, fragte Vater und schaute in die Gesichter seiner Söhne. John, der Erstgeborene, zupfte bereits den Saum seiner Weste zurecht, aber ich, das sechstgeborene Kind und die zweite Tochter, ich war es, die aufsprang und eine Rede hielt. »Thomas, geliebter Bruder, du wirst mir fehlen … Möge Gott dich in deinen Studien sicher führen …« Ich machte eine Pause. Mut wallte in mir auf. »Denn eines Tages will ich in deine Fußstapfen treten … und ebenfalls Anwalt werden.«

Als Vater endlich seine Sprache wiederfand, klang er ausgesprochen amüsiert. »Habe ich das richtig verstanden? Hast du gerade gesagt, dass du deinem Bruder an das Gericht folgen willst?« John gackerte, Frederick lachte aus vollem Halse. Vater lächelte ihnen zu und ergänzte: »Gibt es heutzutage weibliche Anwälte? Falls dem so ist, meine Kleine, sei so gut und erhelle uns diese Tatsache.«

Da brach sich ihre Heiterkeit vollends Bahn, selbst Thomas lachte.

Ich begriff das Ausmaß seines Höhnens nicht, verstand nicht, dass diese Frage allein der Belustigung meiner Brüder diente.

»Wäre es nicht eine große Leistung, wenn *ich* die erste wäre?«

An dieser Stelle wandelte sich Vaters Heiterkeit in Unmut.

»Es wird ganz sicher *keine* erste geben, Sarah, und falls sich etwas so Ungeheuerliches eines Tages doch ereignen sollte, dann sicher nicht durch eine meiner Töchter.«

Dumm wie ich war, schwieg ich noch immer nicht. »... Vater, ich würde dich stolz machen. Ich würde alles tun.«

»Sarah, hör mit diesem Unfug auf! Du beschämst dich selbst. Du beschämst uns alle. Wie kommst du nur auf die Idee, dass du das Recht studieren könntest?«

Ich rang um meine Position, das letzte zähe bisschen meiner Selbst. »Du hast selbst gesagt, ich wäre der beste Anwalt ...«

»Wenn du ein Junge wärst, habe ich gesagt!«

Mein Blick irrte zu Anna und Eliza, die zu mir aufschauten, dann zu Mary. Sie senkte die Augen.

Ich wandte mich an Thomas. »... Bitte ... weißt du denn nicht mehr ... du hast doch auch bemerkt, *ich* sollte von uns beiden der Jurist sein!«

»Sarah, es tut mir leid, aber Vater hat recht.«

Seine Worte gaben mir den Rest.

Vater beschloss die Angelegenheit mit einer abweisenden Geste, dann ließen die verschworenen vier von mir ab und führten ihre Unterhaltung fort. Mutter sprach sehr ruhig meinen Namen. Sie hatte sich aufgesetzt und sah mich mitfühlend an. »Du darfst dich in dein Zimmer zurückziehen«, sagte sie.

Wie eine gebeutelte Kreatur schlich ich davon. Handful lag unter ihren roten Quadraten und schwarzen Dreiecken vor meiner Tür. »Ich habe Ihre Lampe angezündet und das Feuer angefacht. Brauchen Sie meine Hilfe mit dem Kleid?«

»Nein, bleib du nur liegen.« Meine Worte waren tonlos vor Schmerz.

Verunsichert musterte sie mich. »Was ist passiert, Miss Sarah?«

Ich konnte nicht antworten, ging nur in mein Zimmer, schloss die Tür und sank auf meinen Hocker. Ich fühlte mich fremd und leer. Ich hatte keine Tränen, keine Worte. Da war nur dieses hohle erloschene Gefühl in meiner Magengrube.

Wenige Augenblicke später klopfte es sanft. Im Glauben, es wäre Handful, sammelte ich meine letzten Krümel Energie und rief: »... Ich benötige dich nicht.«

Doch stattdessen trat Mutter ein, schwankend unter ihrer Last. »Es war mir keine Freude, mitanzusehen, wie deine Hoffnungen vereitelt wurden«, sagte sie. »Dein Vater und deine Brüder haben sich grausam verhalten, doch ich denke, ihr Spott gleicht dem Maß ihres Erstaunens. Anwalt, Sarah? Die Idee ist so abwegig, dass mich das Gefühl beschleicht, ich hätte bitter an dir gefehlt.«

Sie legte eine Hand auf den Bauch und schloss die Augen, so als wollte sie den Stoß eines Ellbogens oder Tritt eines Fußes lindern. Der sanfte Tonfall ihrer Stimme, allein ihre Gegenwart, verrieten mir, wie betrübt sie um meinetwillen war, dennoch schien sie die Grobheit der Männer zu verteidigen.

»Dein Vater glaubt, dass du als Mädchen völlig aus der Art schlägst, mit deinem Hunger nach Büchern und deinen Ambitionen, doch da irrt er.«

Ich schaute überrascht zu ihr. Aller Hochmut war von ihr gewichen. Sie vermittelte mir ein Bedauern, das ich so noch nie an ihr gesehen hatte. »Jedes Mädchen kommt mit gewissen Ambitionen auf die Welt«, sagte sie, »und wenn es nur die Hoffnung ist, dass es nicht mit Leib und Seele seinem Ehemann gehören muss. Auch ich war einst ein junges Mädchen, ob du es glaubst oder nicht.«

Sie erschien mir wie eine Fremde, ohne all die Narben und Panzerungen, wie sie mit den Jahren kamen. Dann aber sprach sie wieder ganz wie Mutter. »Tatsächlich aber«, sagte sie, »muss einem jeden Mädchen dieser Ehrgeiz zu seinem eigenen Besten ausgetrieben werden. Ungewöhnlich ist an dir nur die Entschlossenheit, mit der du gegen das Unvermeidliche angehst. Du hast dich widersetzt, und so kam es, dass du wie ein Pferd gebrochen wurdest.«

Sie beugte sich zu mir und nahm mich in den Arm. »Sarah, Liebes, du hast härter gekämpft, als ich erwartet hätte, aber auch du musst dich eines Tages in deine Pflichten und dein Schicksal fügen und dir dort dein kleines Glück suchen.«

Ihre aufgedunsene Wange lag auf meiner Haut. Ich wusste nicht, ob ich Mutter an mich zerren oder von mir stoßen wollte. Als sie ging, sah ich ihr nach. Beim Eintreten hatte sie die Tür nicht geschlossen, und Handful hatte alles mitangehört. Das tröstete mich. Es gibt keinen Schmerz auf dieser Welt, der sich nicht nach einem barmherzigen Zeugen sehnt.

Als Handful kam und mich mit ihren großen seelenvollen Augen ansah, nahm ich die Granitschatulle aus der Schublade, holte den Silberknopf heraus und warf ihn in den Ascheneimer. Der Knopf versank in einem Meer aus gräulich weißem Ruß.

Am nächsten Tag wurde das Gesellschaftszimmer für Mutters Niederkunft vorbereitet. Auch ihre sechs letzten Kinder hatte sie dort zur Welt gebracht, umgeben von Binah, Aunt-Sister, Dr. Geddings, einer angeheuerten Amme und zwei Cousinen. Es war unwahrscheinlich, dass sie mich empfangen würde, doch eine Woche, bevor die Wehen begannen, gewährte sie mir Zutritt.

Es war ein frostiger Februarmorgen. Am Himmel ballten sich die Winterwolken, und im Haus knisterten und zischten die Kamine. Das Feuer war die einzige Lichtquelle im Raum. Mutter, eine Woche vor ihrem vierzigsten Geburtstag, hatte sich auf ihrer Récamiere ausgebreitet und sah ausgesprochen elend aus.

»Ich hoffe, du hast nichts Ärgerliches zu berichten, denn ich habe nicht die Kraft, mich damit zu befassen«, sagte sie mit geschwollenen Lippen.

»... Ich habe eine Bitte.«

Sie richtete sich ein wenig auf und griff nach ihrer Tasse, die auf dem Teetisch stand. »Nun gut, was ist es denn? Welche Bitte ist so dringend, dass sie nicht warten kann?«

Ich hatte eine Rede vorbereitet, war wild entschlossen hergekommen, doch nun wirbelte die Angst in meinem Kopf alles durcheinander. Ich schloss die Augen und fragte mich, wie ich mich erklären sollte.

»Ich fürchte, du wirst sie augenblicklich von dir weisen.«

»Um Himmels willen, warum sollte ich so etwas tun?«

»Weil mein Wunsch nicht mit den Konventionen zu vereinen ist ... Ich möchte die Patin des neuen Babys werden.«

»Nun, damit hast du recht – das ist in der Tat nicht mit den Konventionen zu vereinen. Und es ist auch nicht machbar.«

Darauf war ich vorbereitet. Ich kniete mich vor sie. »Mutter, wenn ich dich anflehen muss, so will ich das tun. Ich werde ... Ich habe alles verloren, was mir kostbar ist. Was ich für den Sinn meines Lebens gehalten hatte, meine Hoffnung auf Bildung, die Bücher, Thomas ... Selbst Vater scheint mir verloren ... Bitte verweigere mir dieses eine nicht.«

»Aber Sarah, Patin dieses Babys? Ausgerechnet du. Das ist kein Spiel. Die religiöse Erziehung dieses Kindes läge in deinen Händen. Du bist erst zwölf. Was sollen denn die Leute sagen?«

»Ich werde *dieses Kind* zum Sinn und Inhalt meines Lebens machen ... Du hast selbst gesagt, dass ich mich von meinen Ambitionen verabschieden muss ... Sicher aber wirst du die Liebe und Fürsorge für ein Kind gutheißen ... Bitte, wenn du mich liebst ...« Mein Kopf sank in ihren Schoß. Endlich weinte ich die Tränen, die ich seit Thomas' Abschiedsfeier nicht hatte weinen können.

Ihre Hand legte sich auf meinen Kopf, und als ich mich endlich gesammelt hatte und zu ihr aufsah, waren ihre Augen feucht. »Na schön. Du sollst die Patin dieses Kindes werden. Aber sieh, dass du nicht an ihm fehlst.« Ich küsste ihre Hand und verließ das Zimmer mit dem seltsamen Gefühl, dass ich einen verlorenen Teil meiner selbst zurückgewonnen hatte.

Handful

Ich wickelte rotes Garn um den Stamm des Wucherbaums, bis die Spule völlig leer war. Mauma schaute zu. Es war allein meine Idee, uns einen Seelenbaum zu machen, so wie damals Omama. Ich sah Mauma an, dass sie das nur mir zuliebe mitmachte. Sie fasste sich an die Ellbogen und stieß Atemwolken aus. »Bist du bald fertig? Hier draußen isses so kalt wie 'n toter Fisch.«

Es war so kalt, wie es in Charleston nur werden konnte. Auf den Fenstern lag Reif, auf den Pferden lagen Decken, und Sabe und Prince hackten von morgens bis abends Holz. Ich warf Mauma einen Blick zu und breitete meinen rot-schwarzen Quilt auf der Erde aus – ein Flecken Fröhlichkeit zwischen all der Kahlheit.

Ich sagte: »Zuerst müssen wir uns hinknien und unsere Seelen dem Baum übergeben. Ich möchte, dass wir es so tun, wie Omama es damals getan hat.«

Mauma sagte: »Na gut, dann los.«

Wir sanken auf die Knie und schauten auf den Stamm, die Ärmel unserer Mäntel berührten sich. Der Boden war hart und voller Eicheln, die Kälte drang durch die Vierecke und Dreiecke. Stille sank auf uns nieder. Ich schloss die Augen. Meine Finger berührten Miss Sarahs silbernen Knopf in der Manteltasche. Er fühlte sich wie ein Eisklumpen an. Ich hatte ihn aus der Asche gerettet. Mir tat es leid, dass sie ihre Pläne aufgeben musste, aber deshalb warf man keinen guten Knopf weg.

Mauma rutschte auf dem Quilt herum. Sie wollte das mit dem Seelenbaum schnell hinter sich bringen, ich dagegen wollte die Minuten in die Länge ziehen: »Erzähl mir doch noch mal, wie du und Omama das gemacht habt.«

»Na gut. Also, wir haben uns auf den Quilt gekniet, so wie jetzt, und sie hat gesagt: ›Wir geben unsere Seelen dem Baum, wo sie sicher sind, wo sie bei den Vögeln leben und fliegen lernen.‹ Dann haben wir ihm einfach unsere Seelen übergeben.«

»Und hast du was gemerkt, als das passiert ist?«

Sie zog sich das Kopftuch über die kalten Ohren und verkniff sich ein Lächeln. »Mal schaun, ob ich mich erinner. Ja, ich hab gemerkt, wie mich meine Seele hier verlassen hat.« Sie berührte den Knochen zwischen ihren Brüsten. »Sie is gegangen wie ein Windhauch, und ich hab zu einem Ast geschaut. Meine Seele hab ich nicht gesehen, aber ich hab gewusst, dass sie da oben ist und mich beobachtet.«

Das war reine Erfindung. Doch das machte nichts, denn ich sah keinen Grund, warum es nicht hier und jetzt genau so passieren sollte.

Ich rief: »Ich übergebe meine Seele dem Baum.«

Mauma tat dasselbe. Dann erklärte sie: »Nachdem deine Omama den Seelenbaum gemacht hat, hat sie gesagt: ›Wenn du diesen Ort verlässt, geh und hol dir deine Seele zurück.‹ Dann hat sie Eicheln, Zweige und Blätter aufgehoben und Beutel dafür gemacht, und die ham wir um den Hals getragen.«

Also sammelten wir Eicheln und Zweige und gelbe Blätterkrümel vom Boden auf. Ich musste die ganze Zeit an den Tag denken, als die Missus mich Miss Sarah zum Geschenk gemacht und Mauma zu mir gesagt hatte: *Ab jetzt wird es hart für dich, Handful.*

Seit diesem Tag war ein Jahr vergangen. Ich hatte in Miss Sarah eine Freundin gefunden und von ihr gelernt, wie man liest und schreibt, aber der Weg war bitter und beschwerlich, wie Mauma gesagt hatte, und ich wusste nicht, was vor uns lag.

Womöglich mussten wir den Rest unseres Lebens unter diesem vermauerten Himmel verbringen, aber Mauma hatte den Teil in sich gefunden, der sich weigerte zu katzbuckeln, und wenn man den mal gefunden hat, wird man den Ärger nicht mehr los.

ZWEITER TEIL

Februar 1811–Dezember 1812

Sarah

Ich saß vor dem Spiegel und musterte mein Gesicht, während Handful und die sechsjährige Nina meinen Pferdeschwanz in Zöpfe flochten, die sie kranzförmig im Nacken winden wollten. Zuvor hatte ich mir das Gesicht mit Mutters Geheimwaffe gegen Tintenflecken abgerieben: Salz und Zitronenessig. Die Tinktur löschte meine Sommersprossen zwar nicht aus, hellte sie aber auf. Den Rest erledigte ich mit der Puderquaste.

Es war Februar, der Höhepunkt der gesellschaftlichen Saison von Charleston. Seit Tagen quoll der Empfangstisch neben der Vordertür vor Einladungen und Visitenkarten über. Mutter hatte die elegantesten und opportunsten Angelegenheiten ausgewählt. An diesem Abend war es ein Walzerfest.

Ich hatte vor zwei Jahren, mit sechzehn, debütiert und fand mich seitdem inmitten eines vornehmen Treibens aus Bällen, Teegesellschaften, musikalischen Salons, Pferderennen und Picknicks, was laut Mutter hieß, dass mir nun alle Türen Charlestons offen standen und mein Leben als Frau begann. Mit anderen Worten, nun konnte ich mich meiner wahren Bestimmung widmen und mir einen Ehemann suchen. Wie hochgeboren und begütert dieser Mann sein würde, hing allein davon ab, wie bezaubernd mein Gesicht, wie zart meine Gestalt, wie kunstfertig meine Schneiderin und wie charismatisch ich tête-à-tête war. An meiner Näherin lag es nicht, dass ich durch die prächtigen Portale wie ein Lamm auf dem Weg zur Schlachtbank schritt.

»Jetzt sieh nur, was für ein Wirrwarr du gemacht hast«, sagte

Handful zu Nina, die einen meiner Zöpfe in ein, wie wir es nannten, Rattennest verwandelt hatte. Handful beharkte die Stelle mit der Bürste, was an meiner Kopfhaut deutlich zu spüren war, dann teilte sie das Haar in drei gleich breite Strähnen und erklärte zwei davon zu Kaninchen und eine zu einem Holzscheit. Nina schmollte, weil wir ihr Werk zerstört hatten, doch die Aussicht auf ein Spiel heiterte sie wieder auf.

»Gib gut acht«, sagte Handful. »Dieses Kaninchen schlüpft unter den Scheit, und dieses hüpft darüber. Sie müssen bis zum Ende springen. Siehst du, so wird geflochten – drüber hüpfen, drunter schlüpfen.«

Nina übernahm Kaninchen und Holzscheit und schuf einen erstaunlich akzeptablen Zopf. Handful und ich ooohten und aaahten daraufhin, als hätte sie eine florentinische Statue gemeißelt.

Es war ein winterlicher Abend wie so viele andere, sein Lauf ruhig und vorhersehbar: Mein Zimmer funkelte im Lampenlicht, auf dem Kaminrost flackerte ein Feuer, draußen legte sich eine frühe Dunkelheit an die Fenster, und meine beiden Gefährtinnen machten sich vor dem Frisiertisch an mir zu schaffen.

Meine Schwester und Patentochter Angelina – kurz Nina – hatte bereits das ovale Gesicht und die anmutigen Züge, mit denen auch meine Schwester Mary gesegnet war. Ihre Augen waren braun, ihr Haar und ihre Wimpern so dunkel wie die Granitschatulle, der ich einst meinen Knopf anvertraut hatte. Meine teure Nina war von auffallender Schönheit. Aber noch schöner war, dass sie einen lebhaften Geist besaß und sich als reichlich furchtlos erwies. Sie glaubte, ihr würde alles möglich sein, und natürlich nährte ich diese Überzeugung nach Kräften, trotz des Unheils, das mir aus *meiner* furchtlosen Überzeugung erwachsen war.

Ich hatte mein Bestreben, Jurist zu werden, auf dem Friedhof der Gescheiterten Hoffnungen begraben, der allein uns Frauen vorbehalten war. Mein Kummer war verblichen, doch das Bedauern blieb, und ich fragte mich immer häufiger, ob die Schicksalsgöttinnen zu einem *anderen* Mädchen womöglich milder wären. Während meiner Kindertage hatten die drei Parzen mit Spinnrad, Sanduhr und Schere in einem Rahmen über der Treppe gehangen und mich im Blick gehabt. Ich war davon überzeugt, dass sie mir gegenüber eine persönliche Abneigung hegten, aber vielleicht würden sie mit dem Lebensfaden meiner Schwester ein wenig sanfter verfahren.

Mutter hatte ich geschworen, dass Nina zum Sinn und Inhalt meines Lebens würde, und so war es auch. In ihr hatte ich eine Stimme, die nicht zagte, und ein Herz, das unversehrt war. Es ist sicher nicht zu leugnen, dass ich einen Teil meines Lebens durch sie lebte, und ja, gewiss verwischte ich die Grenzen zwischen ihrem Selbst und meinem, doch es gab niemanden, der Nina mehr geliebt hätte als ich. Sie wurde zu meiner Rettung, und ich möchte gern glauben, dass ich auch zu ihrer wurde.

Seit sie sprechen konnte, nannte sie mich Mutter. Es war ganz natürlich, und ich verwehrte es ihr nicht, war aber immerhin so klug, sie daran zu hindern, es in Mutters Gegenwart zu tun. Schon an ihrer Wiege hatte ich mit missionarischem Eifer gegen das Übel der Sklaverei angepredigt. Ich hatte Nina alles beigebracht, was ich erfahren hatte und woran ich glaubte, und obwohl Mutter sicher eine Ahnung hatte, dass ich sie nach meinem Bilde formte, war ihr nicht bewusst, in welchem Maße.

Als Nina ihren Zopf zu Ende geflochten hatte, kletterte sie mir in den Schoß, und das übliche Gequengel begann. »Geh nicht! Bleib hier.«

»Oh, ich muss aber, das weißt du doch. Binah wird dich ins Bett bringen.« Nina zog einen Flunsch, und so sagte ich rasch:

»Wenn du nicht weinst, darfst du das Kleid aussuchen, das ich heute anziehe.«

Sogleich sprang sie auf und lief zum Schrank, wo sie das prachtvollste Ensemble von allen wählte: ein weinrotes Samtkleid, dessen Rock mit drei Lagen Satin versehen war, jede mit einer Spange aus Diamantsplittern verziert. Es war eine von Handfuls kunstvollen Kreationen. Mit ihren siebzehn Jahren vollbrachte sie wahre Wunder mit der Nadel, noch mehr als ihre Mutter. Inzwischen nähte sie fast alle meine Kleider.

Als sie sich auf die Zehenspitzen stellte, um das Kleid aus dem Schrank zu holen, fiel mir auf, wie unterentwickelt sie war – ihr Körper war so sehnig und knochig wie der eines Knaben. Sie maß nicht einmal einen Meter fünfzig, und das würde wohl auch so bleiben. Doch so zierlich sie war, ihre Augen zogen noch immer alle Blicke auf sich. Einmal hatte ein Freund von Thomas sie die schöne gelbäugige Negerin genannt.

Wir standen uns nicht mehr so nahe wie zu Kinderzeiten. Vielleicht war ich zu sehr von Nina in Beschlag genommen oder Handful von ihren zusätzlichen Aufgaben als Schneiderlehrling, vielleicht hatten wir auch bloß ein Alter erreicht, in dem unsere Wege zwangsläufig auseinanderstrebten. Dennoch redete ich mir ein, dass wir Freundinnen *waren*.

Als Handful mit dem Kleid in den Armen am Kamin vorüberging, bemerkte ich erneut das Stirnrunzeln, das sich in der letzten Zeit in ihre Züge gegraben hatte. Es war, als würde sie die Augen zusammenkneifen, um die Welt ein wenig von sich fernzuhalten. Offenbar empfand sie die Grenzen ihres Lebens sehr viel stärker noch als früher, war an einen Punkt gelangt, an dem sie eine erste Bilanz zog. In der Vorwoche hatte Mutter ihr aus einem lächerlichen Grund den Passierschein für den Markt verweigert, und das hatte Handful schwer getroffen. Die Ausflüge zum Markt waren für sie der Höhepunkt ihres Daseins, und ich hatte versucht, sie zu trösten: »Es tut mir leid, Handful. Ich kann mir vorstellen, wie du dich fühlst.«

Mir war, als wüsste ich *wirklich*, was es hieß, wenn man in seinen Freiheiten beschnitten wurde, doch Handful hatte mich angefaucht: »Ach, dann sind wir beide gleich, Sie und ich? Deshalb sind Sie auch diejenige, die in den Topf scheißt, und ich die, die ihn leeren muss?«

Ihre Worte hatten mich fassungslos gemacht, und ich hatte mich zum Fenster drehen müssen, weil ich ihr nicht zeigen wollte, wie verletzt ich war. Sie hatte wütend in meinem Rücken geatmet, war aus dem Zimmer gestürzt und den ganzen Tag nicht mehr zurückgekehrt. Wir hatten den Vorfall nie wieder erwähnt.

Nun half sie mir, in mein Kleid zu steigen und es über das Korsett zu ziehen, das ich so lose wie möglich schnürte. Ich war von durchschnittlicher Statur und sah daher keinen Grund, mir das Atmen unnötig zu erschweren. Nachdem Handful mich verhüllt hatte, steckte sie mir eine schwarze Mantilla aus Peau de Soie ins Haar, und Nina reichte mir meinen schwarzen Fächer. Ich schlug ihn auf und tänzelte für Handful und Nina durch das Zimmer.

Mutter kam genau in dem Moment herein, als ich eine Pirouette drehte, auf meinen Saum trat und nach vorn stolperte – die Anmut in Person. »Ich hoffe sehr, du wirst derlei Ungeschicklichkeiten bei Mrs Alston unterlassen«, sagte sie spitz.

Mit ihren sechsundvierzig Jahren war sie ganz auf ihren Stock angewiesen. Ihre Schultern krümmten sich bereits zu einem Witwenbuckel. Seit einem Jahr nun musste ich mir ihre Schreckensgeschichten über das Dasein von Junggesellinnen im Allgemeinen und das trostlose jungfräuliche Leben ihrer Tante Amelia Jane im Besonderen anhören. Mutter verglich ihre Tante mit einer gepressten Blume, vertrocknet und vergessen zwischen den Deckeln eines alten Buches – als ob sie mir damit Selbstvertrauen und Schönheit einängstigen könnte. Ich fürchtete schon, Mutter würde sich erneut über ein Dasein in Verdörrtheit äußern, doch sie fragte nur: »Hast du dieses Kleid nicht erst vor zwei Tagen getragen?«

»Ja, aber …« Ich sah zu meiner kleinen Schwester, die auf dem Hocker vor dem Frisiertisch kauerte, und schenkte ihr ein Lächeln. »Nina hat es ausgesucht.«

»Es ist unbesonnen, es schon wieder zu tragen.« Mutter schien mehr zu sich selbst zu sprechen, und so erlaubte ich mir, sie zu ignorieren.

Ihr Blick fiel auf Angelina, ihr jüngstes Kind, und sie versuchte sie heranzuwinken. Sie schaufelte eine Weile durch die Luft, dann sagte sie: »Na komm, ich bringe dich ins Kinderzimmer.«

Doch Nina rührte sich nicht. Ihr Blick wanderte zu mir, als ob ich die höhere Autorität wäre und den Befehl aussetzen könnte, und das entging Mutter natürlich nicht. »Angelina! Ich habe gesagt, du sollst kommen. Auf der Stelle!«

Wenn ich ein Stachel in Mutters Fleisch gewesen war, dann würde sich Angelina zu einer Dornenhecke auswachsen. Sie schüttelte den Kopf mitsamt der Schultern, ihr ganzer Körper schwankte trotzig hin und her, und obwohl sie genau wusste, was sie tat, verkündete sie laut: »Ich will aber bei Mutter bleiben.«

Der Ausbruch, für den ich mich schon wappnete, blieb aus. Mutter legte bloß die Finger an die Schläfen, bewegte sie im Kreis und machte ein Geräusch, Stöhnen, Seufzen und Tadel zugleich. »Mich hat ein bösartiger Kopfschmerz befallen«, zischte sie. »Hetty, schick Cindie in mein Zimmer.«

Handful verdrehte die Augen und machte sich auf den Weg, Mutter folgte wenig später. Das dumpfe Pochen ihres Stocks hallte durch den Korridor.

Ich kniete mich vor Nina hin, wobei ich in meinem Rock versank, der so ausladend war, dass ich mich wie das Staubblatt in einer monströsen roten Blume fühlte. »Wie oft habe ich es dir schon gesagt? Du darfst mich nicht Mutter nennen, es sei denn, wir sind allein.«

Ninas Kinn zitterte. »Aber du bist meine Mutter.« Ich ließ sie in den Samt meines Kleides weinen. »*Bist* du, *bist* du, *bist* du.«

Bei Mrs Alston auf der King Street glühte der Kristallleuchter im oberen Salon wie ein kleines Inferno von der Decke. Unter ihm wogte eine Menschenmenge. Man tanzte den Schottischen, und das Gelächter übertönte die Violinen.

Meine Tanzkarte war leer, nur Thomas hatte sich für zwei Sätze der Quadrille eingetragen. Er hatte im Jahr zuvor die Zulassung bei Gericht erhalten und mit einem Mr Langdon Cheves eine Kanzlei eröffnet. Ich hatte das Gefühl, dass Mr Cheves meinen Platz eingenommen hatte, so wie ich Mutters Platz bei Nina. Thomas hatte mir voller Bedauern aus Yale geschrieben und sich dafür entschuldigt, dass er an jenem Abend meine Ambitionen so verlacht hatte, von seiner Position jedoch war er nicht abgerückt. Wir hatten trotzdem Frieden geschlossen, und in vielerlei Hinsicht war er in meinen Augen immer noch eine Art Halbgott. Nun sah ich mich suchend nach ihm um. Ich musste bloß nach Sally Drayton Ausschau halten, die er sehr bald ehelichen würde. Auf der Verlobungsfeier hatte Vater erklärt, die Heirat zwischen einem Grimké und einer Drayton würde »eine neue Dynastie« begründen. Das hatte Mary sehr pikiert, denn auch sie war eine passende Verlobung eingegangen, an die Vater aber offenbar keinen Herrschaftsanspruch knüpfte.

Madame Ruffin hatte mir angeraten, den Fächer zu meinem Vorteil zu nutzen und mit ihm »mein kräftiges Kinn und meine rötlichen Wangen« zu verbergen, und das tat ich, im Wissen um meine Makel, mit großer Besessenheit. Vorsichtig spähte ich über den gezackten Rand. Ich kannte viele der anwesenden jungen Frauen aus dem Unterricht der Madame, der Kirche oder der Vorjahressaison, doch für keine konnte ich das Etikett einer Freundin reklamieren. Sie verhielten sich höflich, aber aus dem wärmenden Kreis ihrer Geheimnisse und Tratschereien war ich ausgeschlossen. Ich nahm an, mein Gestotter machte sie ebenso verlegen wie das Unbehagen, das ich in ihrer Gegenwart verspürte. Neuerdings trugen alle Turbane aus schwerem Brokat, so groß wie Sofakissen und besetzt mit Nadeln, Perlen und kleinen Pailletten mit dem Konterfei unseres neuen Präsidenten Madison. Ihre armen überlasteten Köpfchen wackelten auf den Hälsen. Ich fand die neue Mode albern, die jungen Beaus jedoch umschwärmten die derart ausstaffierten Damen.

Und so musste ich Abend um Abend allein die festlichen Zerstreuungen ertragen – meine einzigen Begleiter waren meine Verachtung und mein Widerwillen. Mich grämte, dass wir Frauen Kunstobjekte waren und die bessere Gesellschaft grässlich hohl, und dennoch, es war mir unerklärlich, hätte ich gern dazugehört.

Die Sklaven bewegten sich mit Tabletts voller Hugenottentorte und Vanillesauce durch die Menge, hielten Türen auf, nahmen Mäntel ab, fachten Feuer an, doch niemand würdigte sie eines Blickes, niemand erwähnte sie, selbst der Ausdruck *Sklaverei* galt in vornehmer Gesellschaft als unpassend. Wenn, dann sprach man von der »besonderen Institution«.

Als ich mich abrupt umwandte, um den Saal zu verlassen, rannte ich mit dem Kopf voran in einen Sklaven, der einen Kristallkrug voller Dragoon Punch trug. Es folgte eine mächtige Explosion von Tee, Whiskey, Rum, Kirschen, Orangenscheiben, Zitronenspalten und Glassplittern, die sich über Teppich, Gehrock des Sklaven, meinen Rock und die Hosen eines großen jungen Mannes ergossen, der im Moment der Kollision vorbeigegangen war.

In den ersten Schocksekunden hielt der junge Mann meinen Blick fest. Ich hob reflexhaft die Hand an das Kinn, als wollte ich es hinter meinem Fächer verbergen, bis mir aufging, dass er mir bei dem Tumult aus der Hand gefallen war. Der Fremde lächelte mir zu. Dann schwoll der Lärm wieder an, Gäste schnappten nach Luft und stießen leise entsetzte Schreie aus. Die Gefasstheit des Fremden beruhigte mich. Ich lächelte zurück. Auf seiner Wange prangte eine winzige Geschwulst aus Fruchtfleisch.

Da rauschte Mrs Alston in ihrem silbergrauen Kleid heran. Sie trug keinerlei Kopfschmuck, bis auf einen kleinen juwelenbesetzten Haarreif, der in ihren lockigen Stirnfransen saß. Mit großem Aplomb erkundigte sie sich, ob sich jemand verletzt hatte, scheuchte mit einer einzigen Geste den Sklaven, der starr vor Schreck war, davon und orderte einen anderen herbei, um den Schaden zu beseitigen. Dabei lachte sie unentwegt, um der Situation ihre Peinlichkeit zu nehmen.

Noch bevor ich mich entschuldigen konnte, sagte der junge Mann an den ganzen Saal gerichtet: »Ich bitte um Verzeihung. Ich fürchte, ich bin ein gar ungeschickter Flegel.«

»Aber doch nicht Sie …«, setzte ich an.

Er fiel mir ins Wort. »Der Fehler liegt ganz und gar bei mir.«

»Ich bestehe darauf, dass Sie keinen Gedanken mehr daran verschwenden«, sagte Mrs Alston. »Kommen Sie, alle beide, wir wollen dafür sorgen, dass Sie getrocknet werden.« Sie begleitete uns zu ihrem Zimmer und übergab uns der Obhut ihrer Zofe, die mein Kleid sogleich mit einem Handtuch betupfte. Der junge Mann stand wartend daneben. Impulsiv streckte ich den Arm aus und wischte ihm das Fruchtfleisch von der Wange. Wie keck diese Geste war, wurde mir erst später bewusst.

»Da stehen wir wie die begossenen Pudel«, sagte er. »Darf ich mich vorstellen? Ich bin Burke Williams.«

»Sarah Grimké.«

Der einzige Gentleman, der je Interesse an mir gezeigt hatte, war ein unattraktiver Bursche mit vorstehender Stirn und Schrumpelaugen gewesen. Als Mitglied des Jockey Clubs hatte er mich im Vorjahr auf dem Höhepunkt der Rennwoche über den New Market Course begleitet, und nachdem er mich an der Damentribüne abgeliefert hatte, wo ich allein den Pferden nachschauen musste, ward er nie mehr gesehen.

Mr Williams nahm das Handtuch und tupfte über seine Hose, dann erkundigte er sich, ob ich ein wenig frische Luft bräuchte. Ich nickte, ganz benommen ob der Frage. Er hatte blondes Haar, in das sich etwas Braun mischte, als wäre es der weiche Sand an den Ufern von Sullivan's Island, grünliche Augen, ein markantes Kinn und fein ziselierte Wangen. Ich merkte selbst, dass ich ihn anstarrte, als wir zum Balkon vor dem Salon schritten, und dass ich mich wie ein törichtes kleines Mädchen benahm – was ich auch war. Meine Blicke entgingen ihm nicht. Ein Lächeln wanderte über seinen Mund, und ich schalt mich still für so viel Durchschaubarkeit, den Verlust meines kostbaren Fächers und die Verwegenheit, mit einem Fremden in die einsame Dunkelheit eines Balkons zu entfliehen. *Was war mit mir los?*

Der Abend war kühl. Wir stellten uns an das girlandengeschmückte Geländer und schauten auf die Gestalten, die sich hinter den Fenstern bewegten. Ich fühlte mich so fern von alledem. Vom Meer wehte eine Brise heran. Ich zitterte. Mein Stottern hatte fast ein ganzes Jahr pausiert, doch im vergangenen Winter hatte es sich just am Vorabend meines gesellschaftlichen Debüts zurückgemeldet. Es hatte mich durch die Saison begleitet und sie mir gründlich verleidet. Dass ich nun zitterte, lag nicht nur an der kalten Luft. Es war auch die Angst vor der Rückkehr meines Stotterns.

»Sie frieren«, sagte Mr Williams, zog seinen Rock aus und legte ihn mir galant über die Schultern. »Wie kann es sein, dass wir einander noch nicht vorgestellt wurden?«

Williams. Der Name sagte mir nichts. Die aristokratischen Pflanzer, die an der Spitze von Charlestons sozialer Pyramide standen – die Middletons, Pinckneys, Heywards, Draytons, Smiths, Manigaults, Russells, Alstons, Grimkés und so weiter –, verteidigten gnadenlos ihre Stellung. Unter ihnen drängte sich die Schicht der Kaufmannsfamilien, denen eine gewisse soziale Mobilität möglich war. Vermutlich entstammte Mr Williams dieser Stufe und hatte durch eine Lücke in den Kreis der besseren Gesellschaft schlüpfen können – oder er war ein Besucher.

»Sind Sie in Charleston zu Besuch?«, fragte ich.

»Mitnichten, das Haus meiner Familie befindet sich auf der Vanderhorst Street. Aber ich kann Ihre Gedanken lesen. Sie wissen nicht, wo Sie meinen Namen unterbringen sollen. *Williams, Williams, warum denn Williams?*« Er lachte. »Wenn Sie wie die anderen sind, dann fürchten Sie, ich wäre Handwerker oder Arbeiter oder, weit schlimmer noch, ein *Parvenu*.«

Ich hielt den Atem an. »Oh, ich wollte nicht … Ich bin wegen solcher Dinge nicht besorgt.«

»Es sollte auch ein Scherz sein – ich sehe Ihnen doch an, dass Sie nicht wie die anderen sind. Es schreckt Sie also hoffentlich nicht, dass meiner Familie die Silberschmiede auf der Queen Street gehört. Die ich eines Tages erben werde.«

»Es schreckt mich gar nicht, überhaupt nicht«, versicherte ich und fügte hinzu: »Ich kenne Ihr Geschäft.«

Ich erwähnte nicht, dass mir der Kauf von Silberware, wie

fast alles, was ich im Rahmen meiner Ausbildung als zukünftige Ehefrau zu absolvieren hatte, ganz und gar zuwider war. Oh, jene Tage, in denen Mutter mich gezwungen hatte, Nina der Obhut Binahs zu überlassen, mich zu Mary zu setzen und Muster zu sticken, Rahmen für Rahmen Weiß auf Weiß, in Kreuzstich oder Crewel-Technik, und wenn ich keine Handarbeit erdulden musste, dann war es Malerei, und wenn es keine Malerei war, dann waren es Besuche, und wenn es keine Besuche waren, dann waren es Einkäufe in den düsteren Läden der Silberschmiede, wo meine Mutter und meine Schwester über Muskatnussreiben aus Silber oder ähnliche Dinge schier in Verzückung gerieten.

Die Wendung, die unser Gespräch genommen hatte, war mir peinlich. Ich verfiel in Schweigen und schaute in die schwarzen Schatten. Die Birnbäume waren kahl, ihre Äste gespreizt wie das Gerippe eines Sonnenschirms. Unter uns, in der Dunkelheit, erstreckten sich die Häuser und Villen in engen, geraden Reihen bis an die Spitze der Halbinsel.

»Ich habe Sie beleidigt«, sagte er. »Dabei hatte ich die Absicht, Sie zu verzaubern, nicht, Sie zu verspotten. Sie müssen wissen, dass meine gesellschaftliche Position ein heikles Thema für mich ist. Ich fühle mich damit sehr unwohl.«

Ich wandte mich ihm wieder zu. Es erstaunte mich, dass er seine Gedanken derart freimütig äußerte. Ich hatte noch nie erlebt, dass sich ein junger Mann so verletzlich zeigte. »Ich bin nicht beleidigt. Ich bin – verzaubert, wie Sie sagten.«

»Dann schulde ich Ihnen Dank.«

»Nein, ich schulde Ihnen Dank. Die Ungeschicklichkeit im Salon – das war meine Schuld. Und Sie …«

»Ich könnte behaupten, dass ich mich ritterlich verhalten wollte, doch in Wahrheit wollte ich Sie beeindrucken. Ich hatte Sie beobachtet und wollte mich Ihnen gerade vorstellen, da wirbelten Sie herum, und schon regnete es Punsch.«

Ich lachte, eher verblüfft als amüsiert. Junge Männer beobachteten mich in der Regel nicht.

»Sie haben ein großartiges Spektakel inszeniert«, sagte er. »Finden Sie nicht?«

Unglücklicherweise drifteten wir auf das gefährliche Terrain des Flirtens zu. Und das war gar nicht meine Stärke.

»Nun ja, i-ich bemühe mich.«

»Inszenieren Sie derartige Spektakel des Öfteren?«, fragte er.

»Wann immer es mir gelingt.«

»Es ist Ihnen trefflich gelungen. Die Damen auf der Tanzfläche sind derart entsetzt zurückgewichen, dass ich schon fürchtete, ein Turban würde heruntersegeln und einen Gast verletzen.«

»Nun ja, aber – dieses Opfer hätte man *Ihnen* vor die Füße gelegt, nicht mir. Schließlich haben Sie die Verantwortung für den Vorfall beansprucht.« *Woher kam das denn?*

Er verbeugte sich anerkennd.

»Wir sollten zum Fest zurückkehren«, sagte ich und nahm seinen Gehrock von meinen Schultern. Ich wollte unsere Tändelei mit dieser gelungenen Pointe beschließen, doch ich hatte auch Sorge, dass man uns vermissen würde.

»Wenn Sie darauf bestehen. Ich hingegen würde es vorziehen, Sie nicht mit den anderen zu teilen. Sie sind die reizendste junge Dame, der ich in dieser Saison begegnet bin.«

Seine Worte klangen beliebig, und ich traute ihnen nicht. Indes – warum sollte er mich nicht reizend finden? Vielleicht hatten die Schicksalsgöttinnen aus dem Treppenhaus ihre Haltung ja geändert. Vielleicht hatte er hinter meinem gewöhnlichen Äußeren eine tiefere Schönheit erblickt. Oder ich war gar nicht so gewöhnlich, wie ich glaubte.

»Darf ich Sie beehren?«

»Sie wollen mich beehren?«

Er nahm meine Hand und zog sie an die Lippen. Dann

küsste er sie. Ohne den Blick von meinem abzuwenden, presste er seine Lippen heiß und weich auf meine Haut. Sein Ausdruck war seltsam konzentriert, und die Wärme wanderte von seinem Mund über meinen Arm in meine Brust.

Handful

An dem Tag, als Mauma mit ihrem Story-Quilt anfing, saßen wir mit unseren Handarbeiten bei unserem Seelenbaum. Wir machten die einfachen Arbeiten immer da draußen – Säume, Knöpfe, Besatz und auch die winzigen Stiche, die in dem düsteren Zimmer für die Augen zu anstrengend sind. Kaum war das Wetter schön, breiteten wir einen Quilt aus und brachten die Nadeln zum Glühen. Der Missus gefiel das gar nicht, sie hatte Angst, dass die Kleider dreckig würden. Mauma sagte: »Also, ich brauch die frische Luft zum Arbeiten, aber ich versuch es gern mal ohne.« Sofort sank ihre Quote. Es wurde kaum etwas Neues zum Anziehen fertig, und darum gab die Missus nach: »Na gut, dann nähst du eben draußen, aber du sorgst mir dafür, dass die Stoffe schön sauber bleiben.«

Es war am Anfang des Frühjahrs, an den Bäumen sprangen die Knospen auf. In jenen Tagen hatte ich mich viel gegrämt und geärgert. Ich musste mitansehen, wie Miss Sarah auf Gesellschaften ging, ihren Putz trug und tat, was immer ihr beliebte. Sie wollte möglichst bald einen Ehemann finden und ihr Elternhaus verlassen. Vor ihr lag die Welt wie ein endloser Korridor, vor mir hatten sich alle Türen verschlossen. Doch nicht einmal das traf wirklich zu – sie hatten mir niemals offen gestanden. Ich war alt genug, um zu verstehen, dass das niemals anders würde.

Die Missus beförderte uns immer noch jeden Morgen zum Beten ins Esszimmer und predigte: »Seid zufrieden mit eurem Los, denn es ist der Wille des Herrn.« Am liebsten hätte ich ihr gesagt: *Stecken Sie sich Ihr Los doch dahin, wo die Sonne niemals scheint.*

Und dann war da die kleine Nina. Für Miss Sarah war sie mehr Tochter als Schwester. Ich liebte Nina auch, man musste sie einfach lieben, aber sie hatte das Herz von Miss Sarah ganz und gar in Beschlag genommen. So sollte es ja auch sein, aber in meinem war nun ein Loch.

An jenem Tag unter dem Baum hatten ich und Mauma unser ganzes Nähzeug auf den Wurzeln ausgebreitet – Fäden, Nadelbeutel, Nadelkissen, Scheren und eine kleine Dose Bienenwachs, mit dem wir unsere Nadeln einfetteten. Eine gewachste Nadel glitt fast wie von selbst durch den Stoff, und mittlerweile konnte ich ohne den Geruch gar nicht mehr nähen. An meiner Hand saß der Messingfingerhut. Ich machte eine Decke für den Frisiertisch der Missus und bestickte sie an den Rändern mit Weinranken. Mauma sagte, ich würde sie in den Schatten stellen – ich nahm kein Kopierrad, so wie sie, und meine Abnäher saßen immer perfekt.

Zwei Jahre vorher, als ich fünfzehn geworden war, hatte die Missus gesagt: »Ich mache dich zu unserem Schneiderlehrling, Hetty. Du musst lernen, was du kannst, und es in deine Arbeit einfließen lassen.« Ich hatte von Mauma Nähen gelernt, seit ich eine Nadel halten konnte, aber damit wurde es offiziell und nahm Mauma einen Teil der Last von ihren Schultern.

Neben Mauma lagen ihre hölzerne Flickenschachtel und ein Stapel neu zugeschnittener roter und brauner Vierecke. Mauma durchwühlte die Schachtel und zog ein Stück schwarzen Stoff hervor. Daraus schnitt sie, allein nach Augenmaß, drei Figuren aus. Man darf nicht zögern, das ist der Trick. Sie heftete die Figuren auf ein rotes Viereck und nähte sie darauf. Dabei hatte sie den Rücken gekrümmt, die Beine von sich gestreckt, und ihre Hände bewegten sich wie Musik in der Luft.

Als wir unseren Seelenbaum gemacht hatten, hatte ich für

jede von uns ein Beutelchen aus altem Drillich genäht. Ihres, voller kleiner Teile von dem Baum, lugte aus ihrem Ausschnitt hervor. Ich fasste an mein Beutelchen. Neben den Baum-Talismanen war da auch der Knopf von Miss Sarah drin.

»Was für einen Quilt machst du da?«, fragte ich.

»Das wird ein Story-Quilt«, sagte sie, und das war das erste Mal, dass ich von so etwas hörte. Sie erzählte, dass ihre Mauma einen gemacht hatte, und auch deren Mauma. Alle aus ihrem Volk, den Fon, bewahrten ihre Geschichte in einem Quilt.

Ich legte meine Stickerei beiseite und betrachtete die Figuren, die sie gerade aufnähte – einen Mann, eine Frau, dazwischen ein kleines Mädchen. Sie hielten sich an den Händen. »Wer soll das sein?«

»Wenn ich fertig bin, erzähl ich dir die Geschichte Quadrat für Quadrat.« Sie grinste und entblößte die große Lücke zwischen ihren Zähnen.

Nachdem sie die drei Leute aufgenäht hatte, schnitt sie ein winziges Quiltoberteil mit schwarzen Dreiecken aus und nähte es zu Füßen des kleinen Mädchens. Sie machte winzige Fesseln und Ketten für ihre Beine und dann eine Reihe von Sternen, die sie rings darum aufnähte. Manche Sterne hatten Schweife aus Licht, andere lagen auf der Erde. Es war die Geschichte von der Nacht, als ihre Mauma – meine Omama – verkauft worden war und die Sterne vom Himmel gefallen waren.

Mauma arbeitete wie gehetzt, sie musste ihre Geschichte erzählen, aber je mehr sie schnitt und stichelte, umso trauriger wurde sie. Nach einer Weile wurden ihre Finger langsamer, und sie legte den Quilt beiseite. »Das wird wohl 'ne Weile dauern.« Dann nahm sie sich einen halb fertigen Quilt mit Blumenapplikationen. Er war milchweiß und zartrosa und zum Verkauf bestimmt. Sie arbeitete ziemlich lustlos. Sonnenlicht tropfte durch die Blätter, und über Mauma wanderten die Schatten hinweg.

Um ein wenig zu tratschen, erzählte ich ihr: »Miss Sarah hat auf einem Fest einen jungen Mann kennengelernt, sie redet von nichts anderem.«

»Ich hab auch so wen«, sagte sie.

Ich sah sie an, als ob ihr der Kopf abgefallen wäre, und legte den Stickrahmen beiseite. Die weiße Decke für den Frisiertisch fiel in den Dreck. »Was? Wer ist das? Woher kennst du ihn?«

»Beim nächsten Gang zum Markt zeig ich ihn dir. Ich sag nur: Is 'n freier Schwarzer, und das is einer wie keiner.«

Es gefiel mir gar nicht, dass sie Geheimnisse vor mir hatte. Ich fauchte: »Und, wirst du Mr Freier Schwarzer Einer-wie-keiner heiraten?«

»Nein, werd ich nich. Der is schon verheiratet.«

Klar.

Mauma wartete, bis sich mein Groll wieder legte, dann sagte sie: »Er is zu Geld gekommen und hat sich freikaufen können. Er hat 'n Vermögen gekostet, aber sein Master hatte Spielschulden, drum hat er ihm nur fünfhundert Dollar geben müssen. Und dann war immer noch Geld da, für ein Haus in der Bull Street. Er wohnt drei Straßen von da, wo der Governor lebt.«

»Und woher hatte er das Geld?«

»Das hat er in der East Bay Street Lotterie gewonnen.«

Ich musste laut lachen. »*Das* hat er dir erzählt? Na, das muss der größte Glückspilz sein, der je unter den Sklaven gelebt hat.«

»War vor zehn Jahren, das weiß jeder. Er hat ein Ticket gekauft, und dann is seine Nummer gekommen. So was passiert.«

Das Büro der Lotterie lag in einer Nebenstraße vom Markt, nicht weit von den Docks. Ich war mit Mauma vorbeigekommen, als sie mich mit nach draußen genommen hatte, um mir zu zeigen, wie man Besorgungen macht. Die Leute, die sich da ein Los kauften, waren bunt gemischt: Kapitäne, Stadtwächter, weiße Arbeiter, freie Schwarze, Sklaven, Mulatten, Kreolen. Und immer standen da auch zwei oder drei Männer mit seidenen Halstüchern, auf die eine Kutsche wartete.

Ich sagte: »Und warum kaufst *du* kein Los?«

»Soll ich 'ne Münze bei so 'ner windigen Chance vertun?«

In den letzten fünf Jahren war alle Kraft, die Mauma von der Näherei für die Missus blieb, in ihre Dollar-Sammlung geflossen. Seit ich elf war, hatte sie regelmäßig für andere gearbeitet, aber inzwischen nicht mehr heimlich, unserem lieben Herrn Jesu sei Dank. Mir waren von der Sache mit der falschen Marke und den heimlichen Fluchten, und das über ein Jahr lang, schon weiße Haare gewachsen. Die hatte ich ihr oft gezeigt und geschimpft: »Guck mal, was du mir antust«, und sie hatte immer gesagt: »Guck mich an, ich spar, damit wir uns freikaufen können, und du jammerst über dein Haar.«

Als ich dreizehn wurde, hatte die Missus endlich nachgegeben und Mauma verliehen. Ich weiß nicht, wieso. Vielleicht war sie es einfach leid, *Nein* zu sagen. Vielleicht war es das Geld – Mauma brachte der Missus im Jahr gut hundert Dollar ein – aber sicher ist, dass der Patchwork-Quilt, den Mauma der Missus in jenem Jahr gemacht hatte, auch nicht geschadet hat. Er hatte ein Quadrat für jedes ihrer Kinder, aus deren Stoffresten. Mauma hatte zur Missus gesagt: »Ich weiß, das is nich viel, aber ich hab Ihnen 'nen Quilt zur Erinnerung an Ihre Familie gemacht, da können Sie sich drin einwickeln, wenn alle weg sind.« Die Missus hatte jedes einzelne Quadrat berührt: »Oh, das ist von dem Kleid, das Mary als Debütantin getragen hat … Das ist die Taufdecke von Charles … Meine Güte, das ist Thomas' erstes Reithemd.«

Mauma hatte keine Zeit verschwendet und die Missus gleich an Ort und Stelle gefragt, ob sie sie ausleihen würde. Einen Monat später wurde sie ganz offiziell an eine Frau auf der Tradd Street verliehen. Mauma behielt zwanzig Cent von jedem Dollar. Der Rest ging an die Missus, aber ich wusste, dass Mauma auch unter der Hand verkaufte – gerüschte Hauben, Quiltoberteile, Bettbezüge mit Candlewick-Stickerei, lauter Sachen, die man nicht anprobieren musste.

Sie ließ mich das Geld regelmäßig zählen, hundertneunzig Dollar. Ich wollte Mauma nicht sagen, dass die Missus uns niemals verkaufen würde, und erst recht nicht an uns selbst, und wenn Maumas Geldstapel bis zum Dach reichen würde.

Als ich darüber nachdachte, sagte ich: »Wir nähen zu gut, die Missus lässt uns nicht gehen.«

»Na, wenn sie nich will, wird unsere Näherei sehr schlecht, und das sehr schnell.«

»Wieso glaubst du, dass sie uns aus Wut nicht an jemand anders verkauft?«

Mauma unterbrach ihre Arbeit. Sie wirkte müde, fast, als hätte sie ihr Kampfgeist verlassen. »Das is 'ne Chance, und wir müssen sie packen, sonst enden wir noch wie Snow.«

Der arme Snow war eines Nachts im letzten Sommer gestorben. War einfach im Klohäuschen umgefallen. Aunt-Sister hatte seinen Kiefer festgebunden, damit seine Seele ihn nicht verließ, und dann hatte er zwei Tage lang auf einem Kühlbrett im Küchenhaus gelegen, bevor er endlich in einen Sarg kam. Der Mann hatte sein ganzes Leben damit verbracht, die Grimkés quer durch die Stadt zu fahren. Sabe nahm seinen Platz als Kutscher ein, und der Master holte einen neuen Lakaien, einen Jungen aus den Plantagen. Sein Name war Goodis, und er hatte ein träges Auge, das immer zur Seite schaute. Mit diesem Auge sah er mich so oft an, dass Mauma schon sagte: »Der hat sein Herz an dich verloren.«

»Ich will nicht, dass er sein Herz an mich verliert.«

»Das is gut«, hatte sie gesagt. »Ich kann nämlich nur dich und mich freikaufen. Nimmst du dir 'nen Mann, is das sein Ding.«

Ich zurrte einen Knoten fest, legte den Stickrahmen fort und sagte zu mir: *Ich will keinen Ehemann, und ich werde auch nicht wie Snow auf einem Kühlbrett im Küchenhaus enden.*

»Was wird das wohl kosten, uns beide freizukaufen?«, fragte ich.

Mauma rammte die Nadel in den Stoff. »Das findest du raus.«

Sarah

Es hatte mich nie gelockt, ein Tagebuch zu führen, bis zu jenem Tag, an dem ich Burke Williams begegnet war. Ich glaubte, wenn ich meine Gefühle zu Papier brächte, könnte ich sie vielleicht besser kontrollieren und womöglich auch das zügeln, was Reverend Hall einen »Anfall von Fleischeslust« nannte.

Jedoch bezwingt es die Leidenschaft, wenn man sie in ein kleines Büchlein schreibt, das man in einer Hutschachtel in einem Kleiderschrank verbirgt, keineswegs.

20. Februar 1811

Ich hatte mir die romantische Liebe als Schwelgen in süßen Zukunftsträumen vorgestellt, aber doch nicht als Heimsuchung! Vor Wochen noch glaubte ich, der Erstickungstod meines Verstandes wäre meine schwerste Prüfung. Nun kennt auch mein Herz eine Qual. Mr Williams, Sie peinigen mich. Es ist, als ob ich mir ein tropisches Fieber zugezogen hätte. Und ich weiß nicht einmal, ob ich eine Heilung will.

Mein Tagebuch triefte von derlei schwülstigen Ergüssen.

3. März

Mr Williams, warum suchen Sie mich nicht auf? Es ist so ungerecht, dass ich auf Ihr Handeln warten muss. Warum muss ich, als Frau, Ihnen zur Verfügung stehen? Warum kann nicht ich Ihnen eine Karte schicken? Wer hat diese ungerechten Regeln ersonnen? Natürlich die Männer. Gott hat uns Frauen als Gefolgsleute erdacht. Ach, wie ist es mir zuwider!

9. März

Es ist nun einen Monat her, und endlich begreife ich. Das, was zwischen Mr Williams und jener naiven Person auf dem Balkon geschah, war eine Farce. Schamlos hat er nur mit mir gespielt. Ich wusste es doch selbst in jenem Moment! Was für ein wankelmütiger Schuft. Nun würde ich mit ihm nicht eher reden als mit dem Teufel.

Wenn ich nicht gerade meine Gefühle aus mir herausströmen ließ, mich um die kleine Nina kümmerte oder Mutters Versuche abwehrte, mich an die pflichtgemäßen Aufgaben einer Frau zu begeben, durchwühlte ich die Einladungen und Visitenkarten, die auf dem Tisch neben der Eingangstür lagen. Und wenn Nina ihren Mittagsschlaf hielt, ließ ich Handful die kupferne Badewanne in mein Zimmer rollen und mit dampfendem Wasser aus dem Wäschehaus füllen.

Die Kupferwanne war ein modernes Wunderding, das von Frankreich her über Virginia importiert worden war, und *das* Thema in ganz Charleston. Die Wanne stand auf geräuschvollen kleinen Rollen und wanderte von Zimmer zu Zimmer, als wäre sie eine fahrbare Getränkebar. Doch vor allem: Man *saß* darin! Man stand nicht etwa über einer Schüssel und benässte sich – nein, man tauchte vollständig ein! Und, das war die Krönung, an der Seite besaß die Wanne ein Ventil, das sich öffnen ließ, um nach dem Bad das Wasser abzulassen. Mutter hatte die Sklaven instruiert, die Wanne hinaus auf die Veranda zu rollen und vom Geländer aus in den Garten zu entleeren. So signalisierten die Wasserfälle, die sich regelmäßig vor unserem Haus ergossen, allen Nachbarn, dass die hygienischen Grimkés schon wieder gebadet hatten.

Als an den Iden des März, kurz vor Mittag, eine Nachricht in krakeliger Handschrift eintraf, schnappte ich sie mir vor Mutter.

15. März

Burke Williams entrichtet seine Grüße an Sarah Grimké und erbittet das Vergnügen ihrer Gesellschaft am kommenden Abend. Falls er ihr bis dahin in irgendeiner Weise zu Diensten sein könnte, würde er sich sehr geehrt fühlen.

PS. Verzeihen Sie bitte das geborgte Papier.

Ich stand eine Weile reglos da, dann legte ich die Nachricht wieder auf den Stapel. *Warum sollte sich irgendjemand daran stören, dass das Briefpapier geborgt war?* In diesem Moment fiel jegliche Benommenheit von mir ab. Von einer plötzlichen Euphorie erfasst, eilte ich die Stufen zu meinem Zimmer hinauf und tanzte wie ein trunkenes Vögelchen umher. Ich hatte Nina und Handful vergessen, die das Puppenservice auf dem Boden vor dem Fenster ausgebreitet hatten, und als ich mich umwandte, schauten sie mit winzigen Tässchen unsichtbaren Tees zu mir.

»Sie haben bestimmt von diesem Jungen gehört«, sagte Handful. Sie war die Einzige, die von ihm wusste.

»Welcher Junge?«, wollte Nina wissen, und da war ich gezwungen, auch ihr von Mr Williams zu erzählen. Währenddessen würde Mutter sicher schon die Zusage versenden und dabei ein *Gelobt sei Gott in der Höhe* jubeln. In ihr würden derart laute Hallelujas klingen, dass ihr gar nicht in den Sinn kommen *würde*, die Tauglichkeit von Mr Williams zu hinterfragen.

»Wirst du heiraten, so wie Thomas?«, fragte Nina. Seine Hochzeit sollte in zweieinhalb Monaten stattfinden, und alles Denken war nur auf diesen Tag hin ausgerichtet.

»Ich glaube schon«, erwiderte ich. Der Gedanke erschien mir plausibel. Nun würde ich doch nicht als Trockenblume in ein Buch gepresst.

Wir hatten Mr Williams für 20 Uhr erwartet, doch um zehn nach acht war er noch immer nicht da. Der Affront fleckte Mutters Hals, und Vater, der sich zu Mutter und mir in den Salon gesellt hatte, hielt seine Uhr in der Hand. Wir saßen dort, als müsste jeden Augenblick eine Beerdigungsprozession vorüberziehen. Ich fürchtete schon, Mr Williams würde gar nicht mehr erscheinen, und falls doch, sein Besuch ein ausgesprochen kurzer würde, da die Sperrstunde der Sklaven – 21 Uhr im Winter, 22 Uhr im Sommer – allen Herrenbesuch aus den Salons vertrieb. Wenn die Stadtwache die Trommel schlug, um die Sklaven von der Straße zu befehlen, erhoben sich wie aufs Stichwort die Verehrer.

Eine Viertelstunde nach der verabredeten Zeit klopfte es an die Tür. Als Tomfry unseren Gast ins Zimmer führte, hisste ich den Fächer – ein opulenter Strauß aus Hühnerfedern –, meine Eltern erhoben sich höflich kühl und offerierten den Duncan Phyfe-Stuhl, rechts neben dem Kamin. Mir war der Stuhl auf der linken Seite zugewiesen worden, wodurch uns der Schirm vor dem Kamin trennte, und wir mussten uns den Hals verrenken, wollten wir einen Blick aufeinander erhaschen. Es war eine Schande – Mr Williams sah noch attraktiver aus, als ich ihn in Erinnerung hatte. Sein Gesicht war von der Sonne gebräunt, sein Haar länger und hinter den Ohren gelockt. Als der Geruch von Kalkseife in meine Richtung trieb, zog sich alles in mir zusammen – ein ausgewachsener Anfall von Fleischeslust.

Nachdem genügend Entschuldigungen und Höflichkeitsfloskeln ausgesprochen waren, kam Vater zur Sache. »Sagen Sie uns doch, Mr Williams, welchem Beruf geht Ihr Vater nach?«

»Sir, meinem Vater gehört die Silberwerkstatt auf der Queen Street. Sie wurde von meinem Großvater gegründet und ist heute die größte Silberwerkstatt im Süden.«

Er sprach mit unverhohlenem Stolz, dennoch senkte sich

das steife Schweigen, das seiner Ankunft vorausgegangen war, von Neuem auf uns. Eine Grimké-Tochter war dazu bestimmt, einen Sohn aus der Schicht der Plantagenbesitzer zu heiraten, der sich mit einem Studium des Rechts, der Medizin oder Architektur die Zeit vertrieb, bis er sein Erbe antrat.

»Eine Werkstatt, sagen Sie?«, fragte Mutter, die Zeit gewinnen wollte, um den Schock zu verdauen.

»Das ist korrekt, Madame.«

Sie wandte sich an Vater. »Eine Silberwerkstatt, John.«

Vater nickte, und ich konnte geradezu sehen, was er dachte: *Kaufleute*. Der Gedanke hing wie eine düstere Wolke vor seiner Stirn.

»Wir waren schon oft in dem Geschäft«, sagte ich und strahlte, als wären dies die Höhepunkte meines Lebens gewesen.

Mutter kam mir zu Hilfe. »Das waren wir allerdings. Es ist ein sehr schönes Geschäft, John.«

Mr Williams rutschte auf seinem Stuhl vor und wandte sich an Vater: »Sir, es war der Wunsch meines Großvaters, unsere Stadt mit einem Silbergeschäft zu beehren, das dem Ihres Großvaters John Paul Grimké gleichkommen würde. Dieses befand sich, so glaube ich, an der Ecke Queen und Meeting Street, nicht wahr? Mein Großvater hielt ihn für den größten Silberschmied des Landes, größer noch als Mr Revere.«

Ach, war dieser Mann gerissen! Ich ruckte auf meinem Stuhl umher, damit ich ihn besser sah. Unter der Maske eines Kompliments hatte er uns kundgetan, dass er nicht als Einziger in diesem Raum einer Kaufmannsfamilie entstammte. Allerdings hatte John Paul Grimké die Erträge seiner Werkstatt in Baumwollunternehmen und große Ländereien im Lowcountry investiert. Er hatte sich den Weg in Charlestons Aristokratie mit Ehrgeiz, Bedacht und harter Arbeit geebnet. Dennoch hatte Mr Williams seinen Schlag gelandet.

Vater beäugte ihn und sagte nur zwei Worte. »Ich verstehe.«

Und ich glaube, er hatte verstanden. In dem Moment hatte Vater Mr Williams verstanden.

Tomfry servierte Hyson-Tee mit Gebäck, und das Gespräch wandte sich unverfänglichen Themen zu. Dieses friedliche Intermezzo nahm ein jähes Ende, als die Trommeln schlugen. Mr Williams stand auf. Ich fiel in mich zusammen. Zu meinem Erstaunen bat Mutter Mr Williams um einen weiteren Besuch, wozu Vater eine seiner üppigen Augenbrauen hob.

»Darf ich ihn zur Tür bringen?«, fragte ich.

»Selbstverständlich, Liebes, aber Tomfry wird dich begleiten.«

Wir folgten Tomfry, doch kaum hatten wir den Raum verlassen, blieb Mr Williams stehen und legte mir eine Hand auf den Arm. »Sie sehen bezaubernd aus«, flüsterte er sehr nah an meinem Gesicht. »Es würde das Bedauern über meinen Abschied lindern, wenn Sie mir eine Locke Ihres Haars gewähren würden.«

»Meines Haars?«

»Als Zeichen Ihrer Zuneigung.«

Ich hob die Hühnerfedern vor meine heißen Wangen.

Mr Williams drückte mir ein weißes Taschentuch in die Hand. »Legen Sie die Locke in mein Tuch, dann werfen Sie es über den Zaun zur George Street. Ich werde dort warten.« Dieser prickelnden Anweisung folgte ein Grinsen, ach, *was* für ein Grinsen, und er schritt zur Tür, wo Tomfry ihn schon, peinlich berührt, erwartete.

Als ich zum Salon zurückkehrte, um mich dem Urteil meiner Eltern zu stellen, sprachen sie über mich. Ich blieb vor der Tür stehen und lauschte.

»John, wir müssen Vernunft walten lassen. Dieser Mann ist womöglich ihre einzige Chance.«

»Du hältst die Aussichten unserer Tochter für derart gering, dass sie nichts Besseres als *so etwas* finden soll?«

»Seine Familie ist keinesfalls arm. Sie ist recht gut gestellt.«

»Aber Mary, eine Kaufmannsfamilie!«

»Er ist ein ernsthafter Verehrer, und vermutlich ist dieser Mann das Beste, was sie zuwege bringt.«

Wütend floh ich in mein Zimmer, doch meine geheime Mission ließ mir keine Zeit, verletzt zu sein. Handful, die bereits die Lampen angezündet und das Bett aufgeschlagen hatte, saß an meinem Schreibtisch und mühte und murrte sich durch *Leonidas*, eine nahezu unleserliche Ode an die Männer und ihre Kriege. Wie immer trug sie ihren kleinen Beutel mit Rinde, Blättern, Eicheln und sonstiger Hofspreu um den Hals.

»Rasch!«, platzte ich los. »Hol die Schere aus dem Frisiertisch und schneide mir eine Locke ab.«

Sie blinzelte mich an. Kein Muskel rührte sich. »Und wieso soll ich das tun?«

»Tu es einfach!« Ich bebte vor Ungeduld, doch da sie mein Tonfall sichtbar verstimmte, erklärte ich ihr den Grund.

Handful schnitt mir eine fingerlange Locke ab und sah zu, wie ich das Haar in dem Schnupftuch verbarg. Sie folgte mir nach unten in den Ziergarten. Durch den Palisadenzaun erahnte man eine schattige Gestalt, die vor dem eleganten Haus der Duprés auf der gegenüberliegenden Straßenseite lehnte.

»Ist er das?«, fragte Handful.

Ich legte die Finger an die Lippen, damit er uns nicht hörte, und warf das amouröse Bündel über den Zaun. Es landete auf den zerstoßenen Muscheln, die unsere Straßen puderten.

Am nächsten Morgen verkündete Vater den sofortigen Aufbruch nach Belmont. Da Thomas' Hochzeit näherrückte, sollte Vater in diesem Frühjahr allein auf die Plantage fahren. Aber nun drängte er die gesamte Familie zu einem plötzlichen Massenexodus. Glaubte er tatsächlich, niemand von uns würde begreifen, dass es dabei allein um den nicht standesgemäßen Sohn eines Silberschmieds ging?

Ich schrieb einen eiligen Brief und übergab ihn Tomfry zur Versendung.

17. März

Lieber Mr Williams,
leider muss ich Sie informieren, dass meine Familie Charleston noch an diesem Vormittag verlassen wird. Ich werde nicht vor Mitte Mai zurückkehren. Ein derartiges Impromptu nimmt mir jede Gelegenheit, Ihnen persönlich Auf Wiedersehen zu sagen, was ich sehr bedaure. Ich hoffe, ich darf Sie erneut in unserem Haus an der East Bay Street willkommen heißen, sobald ich in die Zivilisation zurückkehre. Sie haben hoffentlich Ihr Taschentuch samt Inhalt gefunden und halten beides in Ehren.

Ich entsende Ihnen meine herzlichsten Grüße,
Ihre Sarah Grimké

Die sieben Wochen der Trennung von Mr Williams waren eine grausame Pein. Um mich abzulenken, richtete ich auf der Plantage eine Krankenstation für die Sklaven ein. Es hatte früher schon eine Krankenstube in einem Winkel des Webhauses gegeben, doch sie war im Laufe der Zeit verkommen, und nun lagerte Peggy, die Sklavin, die für die Weberei zuständig war, die kardierte Wolle dort auf dem alten Feldbett. Nina half mir, den Raum zu schrubben und eine Apotheke aus Medizin, Salben und Kräutern zusammenzustellen, die ich im Küchenhaus erbettelte oder eigenhändig mischte. Es dauerte nicht lang, und die Kranken und Siechen erschienen, und das so zahlreich, dass sich der Aufseher bei Vater beschwerte. Mein Heilunternehmen kollidierte mit der Feldarbeit. Ich rechnete damit, dass Vater mir Einhalt gebieten würde, doch er ließ mich gewähren, allerdings belehrte er mich gründlich über die zahllosen Wege und Weisen, auf die die Sklaven meine Bemühungen ausnutzen würden.

Es war Mutter, die der Operation beinahe ein Ende machte. Als sie erfuhr, dass ich eine Nacht in der Krankenstation verbracht hatte, um mich um eine Fünfzehnjährige zu kümmern, die an Kindbettfieber litt, schloss sie die Station. Zwei Tage später aber ließ sie sich erweichen. »Dein Benehmen ist auf beklagenswerte Weise unbeherrscht«, sagte sie, und mit ihrer anschließenden Bemerkung kam sie der Wahrheit ein wenig zu nahe: »Vermutlich ist es nicht Mitgefühl, das dich treibt, sondern der Versuch, deine Gedanken von Mr Williams abzubringen.«

Meine Nachmittage wurden, in Marys Gesellschaft, an Handarbeit, Teestunden und Landschaftsmalerei vergeudet, während Nina zu meinen Füßen spielte – und all das in einem stickigen und düsteren Salon, vor dessen Fenstern Samtdrapierungen so bräunlich wie Vaters Portwein hingen. Luft holen konnte ich nur während der Ausritte auf meinem temperamentvollen schwarzen Hengst Hiram. Ich hatte den Rappen mit vierzehn bekommen, und ihm konnte ich bedenkenlos meine Liebe schenken, da er weder zur Kategorie Sklave noch Sklavenbesitzer noch attraktiver Galan gehörte. Wann immer es mir gelang, mich aus dem Salon zu stehlen, galoppierten Hiram und ich in berauschendem Tempo durch eine Landschaft, aus der dieselbe hartnäckige Wildheit sprach, die ich in mir verspürte. Die Himmel waren helles Coelinblau und entfesselten brausende Winde, vor den Wolken tummelten sich Stockenten und Brautenten. Die Wege waren gesäumt von gelbem Jasmin, der sein süßlich beißendes Aroma verströmte. Ich ritt mit derselben trunkenen Sinnlichkeit, mit der ich in die Kupferwanne sank, bis sich das Tageslicht davonstahl, und kehrte erst mit Anbruch der Dunkelheit wieder.

Mutter erlaubte mir nur ein Mal, an Mr Williams zu

schreiben. Mehr, so beharrte sie, wäre *auf beklagenswerte Weise unbeherrscht.* Ich erhielt keine Antwort. Auch Mary hörte nichts von ihrem Zukünftigen und schalt die Post fürchterlich, daher hielt sich meine Besorgnis in Grenzen, aber im Stillen fragte ich mich doch tagtäglich, ob mich Mr W. und sein Grinsen in Charleston noch erwarten würden. All meine Hoffnung setzte ich auf die behexende Wirkung meines roten Haars in seinem Tuch und unterschied mich darin kaum von Handful, die ihr Vertrauen auf die Rinde und die Eicheln in ihrem Beutel setzte, doch das hätte ich natürlich niemals zugegeben.

Ich dachte kaum an Handful während meiner Verbannung nach Belmont, doch einen Tag, bevor wir aufbrachen, kehrte die fünfzehnjährige Sklavin, um die ich mich gekümmert hatte, in die Station zurück. Sie war vom Kindbettfieber geheilt, hatte nun aber Furunkel am Hals. Da begriff ich endlich, dass Handful und mich nicht nur die räumliche Entfernung trennte. Und auch nicht das, was ich mir eingeredet hatte: meine Hinwendung zu Nina, Handfuls Pflichten, die natürliche Entwicklung, die mit dem Alter kam. Vielmehr trennte uns ein stetig wachsender Graben, der schon lang vor meiner Abreise aufgebrochen war.

Handful

Nachdem die Grimkés zu ihrer Plantage aufgebrochen und die wenigen Sklaven, die auf dem Anwesen blieben, in ihren Quartieren waren, schickte mich Mauma in die Bibliothek. Ich sollte herausfinden, wie viel sie und ich kosten würden. Sie selbst hielt Ausschau nach Tomfry. Ich sagte, Tomfry macht uns keinen Ärger, hüten musst du dich vor Lucy, vor Miss Schauen-Sie-mal-was-da-unter-dem-Baum-ist.

Im vergangenen Winter war ein Mann gekommen und hatte aufgeschrieben, was Master Grimké besaß und was es wert war. Mauma war dabei gewesen, als er den Nähtisch aus Lackholz, den Quilt-Rahmen und jede einzelne ihrer Gerätschaften in einem braunen Lederbuch vermerkt hatte, das mit einer Kordel zugebunden wurde. Sie sagte: »Wenn wir in dem Buch stehen, steht da unser Preis. Das Buch muss in der Bibliothek sein.«

Das war machbar, fand ich, bis ich die Tür hinter mir geschlossen hatte. Dann sah ich, dass es Wahnsinn war. Sie würden mir nicht glauben, wie viele Bücher Master Grimké hatte, und die Hälfte davon aus braunem Leder. Endlos öffnete ich Schubladen und stöberte durch die Regale, bis ich endlich ein Buch mit einer Kordel fand. Ich setzte mich an den Schreibtisch und schlug es auf.

Seit ich bei meinem Vergehen erwischt worden war, gab mir Miss Sarah keinen Unterricht mehr, aber sie legte mir Gedichtbände hin – mehr durfte sie nun nicht mehr lesen – und sagte: »Es dauert nicht lang, ein Gedicht zu lesen. Aber mach die Tür zu, und wenn da ein Wort steht, das du nicht entziffern kannst, zeig es mir, dann flüstere ich es dir zu.« Ich hatte auf diese Weise eine Legion von Wörtern gelernt, unter anderem auch *Legion*. Nicht alle Worte, die ich gelernt hatte, konnte ich in ein Gespräch einfließen lassen: pardauz, O nahet, leider Gottes, frei und froh, Jupiters Nektar. Ich prägte sie mir trotzdem ein.

Die Worte in dem Lederbuch waren nicht für Gedichte geeignet. Und die Schrift war das reinste Gekrakel. Ich musste jedes Wort einzeln zerlegen und den Klang herausschälen, wie bei den Blaukrabben, aus denen wir im Herbst das Fleisch herauslösen mussten, bis uns die Finger bluteten. Es ging nur bröckchenweise.

Zu Charleston, um zu … Wir, der Unterzeichnende … Nach bestem Wissen und Gewissen … Das persönliche Inventar … Hab und Gut …

2 Mahagoni-Kartentische … 20,50.
Bildnis General Washingtons und Abschrift Rede … 30.
2 Brüssel-Teppiche & Schoner … 180.
Cembalo … 29.

Auf dem Gang waren Schritte zu hören. Mauma hatte gesagt, sie würde singen, falls ich mich verstecken müsste, doch kein Lied erklang, und so ließ ich den Finger weiter über die Seiten gleiten. Sechsunddreißig Seiten! Seidene dies und elfenbeinerne das. Goldene dies und silberne das. Aber keine Hetty und keine Charlotte Grimké.

Dann blätterte ich auf die letzte Seite, und da standen wir Sklaven, gleich unter dem Wassertrog, der Schubkarre, dem Tischlerhammer und dem Scheffel Hartmais.

Tomfry, 51 J., Butler, Kammerdiener … 600.
Aunt-Sister, 48 J., Köchin … 450.
Charlotte, 36 J., Näherin … 550.

Ich las es zwei Mal – Charlotte, meine Mauma, ihr Alter, was sie tat, was sie wert war – und spürte den Stolz eines verwirrten Mädchens. Stolz, weil Mauma so viel wert war, mehr als Aunt-Sister.

Binah, 41 J., Kindermädchen … 425.
Cindie, 45 J., Kammerzofe … 400.
Sabe, 20 J., Kutscher, Hausdiener … 600.
Eli, 50 J., Hausdiener … 550.
Mariah, 34 J., Wäscherin, Büglerin, Stärkerin … 400.
Lucy, 20 J., Kammerzofe … 400.
Hetty, 16 J., Kammerzofe, Näherin … 500.

Mein Atem ging flach. *Fünfhundert Dollar!* Ich fuhr mit dem Finger über die Zahl, über die Schlacke trockener Tinte. Ich staunte, dass sie *in Ausbildung* weggelassen hatten, dass dort klar und deutlich Näherin stand und dass ich mehr wert war als jede andere Sklavin, von Mauma abgesehen. *Fünfhundert Dollar.* Ich war gut im Rechnen und zählte mich und Mauma zusammen. Wir hatten einen Sklavenwert von eintausendundfünfzig Dollar. Ich lächelte, als ob wir dadurch plötzlich jemand wären, blind wie ein Pferd, das Scheuklappen trägt. Dann las ich, wie die Übrigen bewertet wurden.

Phoebe, 17 J., Küchenhilfe … 400.
Prince, 26 J., Hofhilfe … 500.
Goodis, 21 J., Diener, Ausmister, Hofhilfe … 500.
Rosetta, 73 J., unbrauchbar … 1.

Ich legte das Buch zurück, verließ die Bibliothek und erzählte Mauma, was ich herausgefunden hatte. Eintausendundfünfzig Dollar. Sie sank auf die unterste Stufe und hielt sich am Geländer fest. »Wo soll ich denn so viel Geld herkriegen?«

Es würde zehn Jahre dauern, so viel Geld zu sparen. »Ich weiß nicht«, sagte ich. »Manche Dinge sind unmöglich – so ist das halt.«

Sie stand auf, ging in Richtung Keller und drehte mir den Rücken zu. »Sag mir nich – *das is unmöglich.* Das is verdammtes Weißengerede, so sieht's aus.«

Ich ging in die andere Richtung, die Treppe hoch, zu meinem Alkoven. Neben dem Baum war das mein Lieblingsort, von dem ich das Wasser sah. An dem Tag war ich die Einzige dort. Ich blieb an meinem Fensterplatz, bis alles Licht aus dem Himmel wich und sich das Wasser schwärzte. *Übers Wasser, übers Meer, zieh ich hinter Fischen her.* Ich hatte noch immer die Lieder im Kopf, die ich gesungen hatte, als ich in den Besitz von Miss Sarah gekommen war, aber das Gefühl, dass mich das Wasser forttragen würde, war vergangen.

Leise murmelte ich: *Fünfhundert Dollar.*

Hab und Gut. Die Worte aus dem Lederbuch kamen mir in den Sinn. Wir waren wie ein Spiegel mit Blattgold oder ein Pferdesattel. Wir waren keine vollwertigen Menschen. Ich hatte es nie geglaubt, ich hatte es nicht einen Tag in meinem Leben geglaubt, aber wenn man lange genug auf die Weißen hört, siegt irgendwann das Traurige, Entmutigte in einem selbst und man zweifelt. Nun verließ mich der Stolz auf unseren Wert. Zum ersten Mal empfand ich Schmerz und Scham über das, was ich war.

Nach einer Weile ging ich runter in den Keller. Als Mauma meine wunden Augen sah, sagte sie: »Was du wert bist, das kann niemand in ein Buch schreiben.«

Sarah

Unsere Karawane aus zwei Kutschen, zwei Fuhrwerken und siebzehn Menschen kehrte im Mai, auf dem Höhepunkt des Frühlings, nach Charleston zurück. Der Regen hatte die Stadt gereinigt und mit frischer Myrthe, Liguster und Chinesischen Talgbäumen beduftet. Die Bougainvilleen hatten in großer Zahl die Gartentore überwunden, und an einem klaren Himmel schäumten zarte Wirbelwolken. Ich war voller Überschwang. Endlich war ich daheim.

Als wir durch das hintere Tor in einen leeren Hof rumpelten, eilte Tomfry mit dem Gang eines alten Mannes aus dem Küchenhaus. »Massa, Sie sind früh!« Eine Serviette hing in seinem Kragen, und er war so verängstigt, als hätten wir ihn der Sabotage durch Essen überführt.

»Nur um einen Tag«, erwiderte Vater und kletterte vom Landauer. »Du solltest die anderen wissen lassen, dass wir hier sind.«

Ich drängte mich an allen vorbei, ließ sogar meine Nina stehen, stürmte ins Haus und durchwühlte die Karten auf dem Empfangstisch. Da war es – das geborgte Briefpapier.

3. Mai

Burke Williams erbittet die Gesellschaft von Sarah Grimké bei einem (begleiteten) Reitausflug auf Sullivan's Island, im Anschluss an ihre Rückkehr nach Charleston.

Ihr ergebener Freund und Diener.

Ich keuchte vor Erleichterung und ging nach oben.

Ich erinnere mich noch sehr deutlich, dass ich auf dem Podest vor dem zweiten Stockwerk stehen blieb und befremdet auf meine Tür sah. Sie war als einzige verschlossen, alle anderen standen offen. Zögernd trat ich näher, mit einem ahnungsschwangeren Gefühl, ließ die Hand eine Weile auf dem Knauf ruhen und spitzte die Ohren. Als ich nichts hörte, drehte ich ihn. Die Tür war verriegelt.

Ich drehte erneut am Knauf, entschieden diesmal, dann ein drittes und viertes Mal. Da hörte ich von innen zaghaft eine Stimme.

»Bist du das, Mauma?«

Handful? Die Vorstellung, dass sie hinter der verschlossenen Tür sein sollte, war so abwegig, dass es mir die Sprache verschlug.

Sie rief: »Komme!« Dabei klang sie gereizt, unwillig und heiser. Wasser plätscherte, dann wurde ein Schlüssel in die Tür gesteckt. *Klick. Klick.*

Handful stand vor Nässe triefend auf der Schwelle, nackt, bis auf ein weißes Leinentuch, das sich um ihre Taille schlang. Ihre Brüste standen wie zwei kleine violette Pflaumen vor der Brust. Mein Blick war wie gebannt von ihrer nassen schwarzen Haut, der kompakten Kraft ihres kleinen Körpers. Sie hatte die Zöpfe gelöst, und ihr Haar formte einen wilden Kranz, in dem Wassertropfen schillerten.

Sie trat zurück. Ihre Lippen teilten sich. Hinter ihr, mitten im Zimmer, stand das Wunder Kupferwanne. Dampf stieg auf. Die Kühnheit dessen, was Handful getan hatte, raubte mir den Atem. Wenn Mutter davon erfuhr, hätte das rasche und böse Folgen.

Ich trat eilig ins Zimmer und schloss die Tür. Selbst jetzt trieb mich mein Instinkt, Handful zu schützen. Sie machte keine Anstalten, sich zu bedecken. Trotz stand in ihren Augen und der Art, wie sie ihr Kinn nach hinten schob, als ob sie sagen wollte: *Ja, ich. Ich habe in Ihrer kostbaren Wanne gebadet.*

Das Schweigen war entsetzlich. Wenn Handful glaubte, meine Zurückhaltung wäre durch Zorn bedingt, hatte sie allerdings recht. Am liebsten hätte ich sie geschüttelt. Ihre Dreistigkeit war mehr als eine Tollerei im Bade, sie erschien mir wie ein Akt der Rebellion, des Umsturzes. Was war bloß in sie gefahren? Sie hatte nicht nur den Privatbereich meines Zimmers und den Intimbereich unserer Badewanne verletzt, sie hatte auch mein Vertrauen missbraucht.

Ich erkannte nicht, dass in mir die Stimme meiner Mutter geiferte.

Handful wollte sprechen, doch ich fürchtete das, was sie sagen würde, ihren Hass und ihre Rechtfertigung, doch seltsamerweise fürchtete ich ihre Beschämung und Abbitte nicht minder. Ich kam ihr zuvor. »Schon gut. Kein Wort. Tu wenigstens das für mich, ich will kein Wort hören.«

Ich wandte ihr den Rücken zu, während sie sich abtrocknete und ihr Kleid anzog. Als ich wieder zu ihr sah, band sie sich ein Tuch um den Kopf. Es war blassgrün, wie die kleinen ausgebleichten Sprenkel auf dem Kupfer. Handful bückte sich, um die Pfützen auf dem Boden aufzuwischen.

Dann fragte sie: »Soll ich die Wanne jetzt leeren oder warten?«

»Machen wir es lieber jetzt. Bevor Mutter kommt und es sieht.«

Unter großer Anstrengung half ich ihr, die schwappende Wanne durch die Tapetentür auf die Veranda und ans Geländer zu rollen. Ich konnte nur hoffen, dass inzwischen alle im Haus waren und das rauschende Wasser nicht hörten. Handful drehte das Ventil auf, dann ergoss sich der Schwall durch den langen, silbernen Schnabel in den Garten. Ich schmeckte ihn förmlich, den Geruch der Mineralien.

»Ich weiß, du bist wütend, Sarah, aber ich habe nichts Schlimmes darin gesehen, die Wanne zu benutzen, so wie du.«

Nicht *Miss* Sarah, sondern Sarah. Nicht *Sie*, sondern du. Und von jenem Tag an sollte kein einziges *Miss* mehr aus ihrem Mund kommen.

Mir war in jenem Moment, als hätte Handful sich erklärt. Mein Zorn verrauchte, und ich sah ihr rebellisches Bad in einem anderen Licht. Ja, sie hatte ihren Leib in verbotene Privilegien eingetaucht, doch vor allem hatte sie geglaubt, dass sie dieser Privilegien wert war. Dies war keine Revolte, dies war eine Taufe.

Und da endlich sah ich, wofür ich so blind gewesen war, dass ich die Sklaverei sehr gut im Abstrakten, in den entfernten und anonymen Massen schmähen konnte, es mir jedoch an Verachtung fehlte, wenn die Sklaverei greifbar, verkörpert von diesem Mädchen, vor mir stand. Ich hatte mich mit den konkreten Auswüchsen dieses Übels versöhnt. Im Herzen aller unsäglichen Dinge haust ein abscheuliches Schweigen, und auch ich hatte mir dieses zu eigen gemacht.

Als Handful die Wanne wieder in mein Zimmer schieben wollte, versuchte ich zu sprechen. »... Warte ... ich ... helfe ... dir ...«

Sie drehte sich zu mir. Wir wussten beide Bescheid. Meine Zunge hatte wieder einmal den Dienst quittiert.

Handful

Die Missus schickte Mauma und mich auf den Markt, damit wir feine Baumwolle kauften. Nina wuchs aus allem heraus und brauchte ein neues Kleid. Die Missus sagte, diesmal nehmt ihr Pastellfarben, und besorgt auch einen schlichten Stoff, um Tomfry und den anderen Westen zu machen.

Der Markt setzte sich aus einer Reihe von Buden zusammen, die sich von der East Bay bis zur Meeting Street zogen. Dort gab es nichts, was es nicht gab. Die Missus nannte den Markt einen vulgären Basar, genau das waren ihre Worte. Geier umkreisten die Fleischstände, als wären sie Stammkunden. Ständig musste jemand dastehen und sie mit einem Palmwedel verscheuchen. Natürlich flogen die Geier nur bis auf die Dächer, warteten und kamen wieder.

Die Gerüche auf dem Markt hauten selbst den Stärksten um. Ochsenschwanz, Ochsenherz, rohes Schweinefleisch, lebende Hühner, geöffnete Austern, Blaukrabben, Fisch, und noch mehr Fisch. Dagegen kamen die süßen Erdnusstörtchen nicht an. Ich hatte mir auf dem Markt immer die Nase zugehalten, bis Mauma mir Eukalyptusblätter besorgte, die man sich über die Oberlippe rieb.

Die Sklaven, die als fliegende Händler arbeiteten, priesen lauthals ihre Ware an und versuchten, sich gegenseitig zu übertönen. Die Männer riefen ihr »Jimmie« (so nannten wir die männlichen Krebse), die Frauen antworteten mit ihrem »Sook« (das waren die weiblichen). »Jimmieeee … Soooook … Jimmieeee … Soooook.« Eigentlich hätte man einen Schutz für Nase *und* Ohren gebraucht.

Es war schon September, und ich hatte den Mann noch immer nicht gesehen, von dem mir Mauma erzählt hatte, den Glückspilz von einem freien Schwarzen, der in der Lotterie gewonnen und sich freigekauft hatte. Er betrieb hinter seinem Haus eine Zimmermannswerkstatt, und mir war sehr klar, dass Mauma jedes Mal, wenn sie ausgeliehen oder ohne mich zum Markt geschickt wurde, mit ihm rummachte. Ein, zwei Mal in der Woche roch sie, wenn sie wiederkam, nach Sägespänen und hatte hinten lauter Sägemehl am Kleid.

Als wir zu den Ständen mit dem Nähbedarf kamen, bemerkte ich, dass sie ihn sicher nur erfunden hätte. »Also gut«, sagte Mauma. Sie griff nach dem ersten Stück pastellfarbenem Stoff, das sie sah, und einer trostlosen braunen Wolle, und schon gingen wir mit vollen Körben nach draußen. Einen Block weiter wurden die Sklaven direkt an der Straße verkauft, darum gingen wir auf die andere Seite zur King Street. Drei Mal befühlte ich den Passierschein in meiner Tasche und prüfte, ob Mauma ihre Marke noch sichtbar am Kleid trug. Draußen auf der Straße hatte ich immer das ungute Gefühl, dass etwas passieren würde, eine Hinterlist drohte. Auf der Coming Street sahen wir, wie ein Stadtwächter, er wirkte kaum älter als ich, einen alten Mann anhielt, der seinen Passierschein vor lauter Angst fallen ließ. Der Wächter trat auf das Papier und hatte seinen Spaß.

Wir eilten die Straße entlang, schneller als die Kutschen. Mauma benutzte ihren Gehstock nicht mehr, nur noch bei besonderen Anlässen, die es immer dann gab, wenn sie eine Pause von der Missus brauchte. Dann hieß es: »Die Heilung, die ich für mein Bein erbetet hab, is wohl erschöpft. Ich muss ein paar Tage ruhen und beten« – und hervor kam der Stock.

Maumas freier schwarzer Mann wohnte in der Bull Street 20, in einem weißen Holzhaus, an dem die Farbe abblätterte, mit ungepflegten Sträuchern rings um die Veranda. Mauma schüttelte den Muschelstaub von ihrem Rocksaum und sagte: »Wenn ich hier steh, sieht er mich und kommt raus.«

»Dann sollen wir hier stehen, bis er aus dem Fenster sieht?«

»Soll ich vielleicht an seine Tür klopfen? Und wenn seine Frau kommt, soll ich dann sagen: ›Sagen Sie Ihrem Mann, seine Freundin is da‹?«

»Warum treibst du es überhaupt mit jemandem, der eine Frau hat?«

»Die sind nicht vorm Gesetz verheiratet, die is nur so seine Frau. Er hat noch zwei. Alles Mulattinnen.«

Gerade als sie *Mulattinnen* sagte, kam er aus dem Haus, stellte sich auf die Veranda und sah zu uns. Ein Bulle von einem Mann. Ich hätte am liebsten gesagt: *Na, der wohnt wirklich in der richtigen Straße.* Er war gedrungen und kräftig, mit breiter Brust und hoher Stirn.

Als er zu uns trat, sagte Mauma: »Das is meine Tochter, Handful.«

Er nickte. Er wirkte ernst und sehr stolz. »Ich bin Denmark Vesey.«

Mauma drängte sich dicht neben ihn und sagte zu meiner Erklärung: »Denmark heißt nach einem Land neben Frankreich, das is ein echt schönes Land.« Sie lächelte ihn an, dass ich wegschauen musste.

Seine Hand glitt an ihrem Arm hoch, und ich machte mich aus dem Staub. Wenn sie rummachen wollten, bitte, aber ich musste ja nicht danebenstehen und zusehen.

Im diesem Jahr gingen wir öfter in die Bull Street 20, als ich sagen kann. Die beiden Turteltauben verschwanden dann immer in seiner Werkstatt, und ich hockte draußen und wartete. Wenn sie fertig waren, kam er raus und redete. Und er konnte reden, große Güte, was konnte dieser Mann reden. Denmark war nie in dem Land gewesen, nach dem er hieß, nur in Dänisch-Westindien. Angeblich aber war er überall sonst gewesen. Sein Besitzer, Kapitän Vesey, war auf einem Sklavenschiff gesegelt. Denmark sprach Französisch, Dänisch, Kreolisch, Gullah und King's English. Ich habe ihn wirklich in all diesen Sprachen reden hören. Er kam aus dem Land Barbados und sagte gerne, dass die in Charleston den Sklaven von da nicht trauen würden, die hätten den Ruf, anderen die Kehle aufzuschlitzen. Er sagte, die in Charleston wollten nur die Schwarzen von der Küste Afrikas, weil die was vom Reisanbau verstehen.

Das Schlimmste, was er mir erzählte, war, dass sein Nachbar ein paar Häuser weiter – ein freier Schwarzer namens Robert Smyth – auch drei Sklaven besaß. Was soll man denn dazu sagen? Ich konnte mir nicht vorstellen, dass an der Geschichte etwas dran war, bis Mr Vesey mit mir zu dem Haus ging, damit ich es selbst sehen konnte. Keine Ahnung, ob sich dieser Mr Smyth bloß wie ein Weißer aufführen wollte oder ob sich darin zeigte, dass in jedem Menschen etwas Widerwärtiges steckt.

Denmark Vesey hatte auch die Bibel rauf und runter gelesen. Gab man ihm fünf Minuten, erzählte er die Geschichte, wie Moses die Sklaven aus Ägypten führt. Er teilte das Meer, ließ Frösche vom Himmel regnen und erdolchte die Erstgeborenen in ihren Betten. Einen Vers aus Jesaja sagte er mir so oft auf, dass ich ihn noch immer auswendig kann. *Also gewannen sie die Stadt und verbannten alles, was in der Stadt war, mit der Schärfe des Schwerts: Mann und Weib, jung und alt, Ochsen, Schafe und Esel.* Der Mann war schlau und furchtlos. Er jagte mir eine Heidenangst ein.

Wir waren gleich an dem Tag, als wir uns begegnet waren, aneinandergeraten. Ich hatte mich, wie schon gesagt, aus dem Staub gemacht, damit sie begriffen, dass ich mir ihr Treiben nicht ansehen wollte. Auf der Bull Street war immer viel los, dort wohnte alles, vom freien Schwarzen bis hin zum Bürgermeister und sogar Governor, und als mir eine weiße Frau entgegenkam, tat ich, was man eben tat – ich trat zur Seite, damit sie vorbeigehen konnte. Das war Gesetz, auf der Straße hatten wir Platz zu machen, aber da stürmte Denmark Vesey direkt auf mich zu, schnaubend vor Wut, Mauma mit panischem Blick hinterher. Er packte mich am Arm und brüllte: »Willst du zu diesen Menschen gehören? Zu denen, die zur Seite treten? Die auf der Straße im Staube kriechen?«

Ich hätte am liebsten zu ihm gesagt: *Nehmen Sie Ihre Hände weg, Sie wissen gar nichts von mir, ich bade in einer Kupferwanne, und Sie stehen da und stinken zum Himmel.* Mir blieb die Luft weg. Es schnürte mir die Kehle zu. Ich brachte nur hervor: »Lassen Sie mich los.«

Mauma, in seinem Rücken, sagte ein wenig zu lieblich für meinen Geschmack: »Nimm die Hand weg.«

Er löste den Griff. »So etwas will ich nie wieder sehen.« Dann lächelte er. Und Mauma, Mauma lächelte auch.

Wir gingen ohne ein Wort zurück.

Als wir ins Haus kamen, stand die Tür zur Bibliothek offen. Es war niemand drin, also ging ich rein und drehte den Globus. Er quietschte, wie ein Nagel, der über eine Schiefertafel fährt. Binah sagte immer, das ist der Zehennagel vom Teufel. Ich schaute mir auf dem Globus die Länder an, alle Länder auf der ganzen Welt. Dänemark lag nicht neben Frankreich, sondern oben bei Preußen, aber als ich auf die ganze Welt sah, verstand ich, warum Mauma diesen Mann gewählt hatte. Er war viel herumgekommen, und er entflammte in Mauma die Vorstellung, dass auch ihr das möglich war.

Sarah

Nina war, um meine Sprachstörung zu heilen, auf die Idee verfallen, meine Zunge wie Teig zu kneten. Wenn dieses Kind eines war, dann originell. Sie hatte meinen qualvollen Sätzen den ganzen Sommer lang bis in den Herbst gelauscht und war zu dem Entschluss gekommen, dass der störrische Auswuchs in meinem Mund in eine andere Form gebracht werden müsse, damit die Worte wie Hefe aufgehen konnten. Nina war gerade sechseinhalb.

Wenn es ein Problem gab, das sie fesselte, ruhte dieses Mädchen nicht, bis sie eine Lösung ersonnen und ausprobiert hatte. Ihre Vorschläge waren mitunter befremdlich, Einfallsreichtum aber konnte man ihnen nicht absprechen. Und da ich keinesfalls vorhatte, Nina und ihre erstaunliche Neigung zu bremsen, streckte ich die Zunge heraus und gestattete ihr, sie mit einem – hoffentlich sauberen – Geschirrtuch anzufassen.

Unser Experiment vollzog sich auf der Veranda im zweiten Stock – ich auf dem Schaukelsofa, Kopf im Nacken, Mund geöffnet, Augen aufgerissen wie ein gieriges Vogeljunges, obwohl es vermutlich eher ausgesehen hat, als würde ein Wurm aus mir herausgeholt und nicht in mich hineingestopft.

Die Herbstsonne erhob sich über den Hafen und verquirlte hinter den Wolken ihr Eigelb. Aus dem Winkel meines tränenden Auges sah ich, dass einige Strahlen direkt auf Sullivan's Island schienen. Ich war mit Mr Williams an der Küste entlanggaloppiert, eine insgesamt eher verdrießliche Unternehmung. Aus Furcht, mein jüngst zurückgekehrtes Stottern würde seinem Werben ein Ende bereiten, hatte ich kaum den

Mund geöffnet. Mr Williams indes blieb unbeirrt und suchte mich weiterhin auf – fünf Mal, seit ich im Juni aus Belmont gekommen war. Nach jedem dieser Male hatte ich geglaubt, es gäbe nun kein nächstes mehr. Die emotionale Nabelschnur, die Nina und mich verband, nährte nicht nur Gutes, und mittlerweile glaube ich, dass meine Angst zu ihrer geworden war. Sie wirkte jedenfalls, selbst für ihre Verhältnisse, ungewöhnlich stark entschlossen, mir zu helfen.

Und so drückte und zog sie an meiner Zunge. Die sich wie der Tentakel eines Kraken wand.

Nina seufzte. »Deine Zunge ist aber renitent.«

Renitent! Woher kannte dieses kleine Genie nur solche Worte? Ich brachte ihr das Lesen bei, so wie einst Handful, aber mit dem Wort *renitent* hatte ich sie nicht vertraut gemacht.

»Und du hältst ja die Luft an«, fügte sie hinzu. »Lass sie raus. Versuch, dich zu entspannen.«

Recht bestimmend war sie zudem. In ihrem zarten Alter verkörperte sie bereits mehr Autorität und Selbstbewusstsein als ich. »Ich versuche es«, sagte ich, obwohl das, was dann passierte, wohl eher ein zufälliges Nicht-Versuchen war. Ich schloss die Augen, atmete tief ein und sah im Geiste das flimmernde Wasser im Hafen und dann Handfuls Badewasser, das wie ein rieselndes Band von der Veranda rauschte, und tatsächlich entknotete und entspannte sich meine Zunge in Ninas Fingern.

Ich weiß nicht, wie lang sie mit ihren Anstrengungen fortfuhr, so sehr hatte ich mich im Fließen des Wassers verloren. Irgendwann sagte sie: »Sprich mir nach – *Fischers Fritz fischt frische Fische.*«

»*Fischers Fritz fischt frische Fische*«, sagte ich ohne das geringste Stottern.

Dieses seltsame Zwischenspiel auf der Veranda brachte mir

zwar keine Heilung, aber etwas, das dem Zustand einer Heilung für alle Zeit am nächsten kommen sollte. Das war allerdings nicht die Folge von Ninas erfinderischer Zungenmassage. Es war das Resultat meines entspannten Atmens und der Vision von Wasser.

Und so blieb es auch – sobald ein Stotteranfall kam, schloss ich die Augen, atmete tief durch und rief mir das Bild von Handfuls Badewasser ins Gedächtnis. Es strömte und strömte, und wenn ich die Augen wieder öffnete, sprach ich ohne Mühen, und das manchmal über Stunden.

Im November kam mein neunzehnter Geburtstag. Niemand nahm ihn zur Kenntnis, nur Mutter mahnte mich beim Frühstück, dass ich nun im besten heiratsfähigen Alter sei. Im Vorfeld der Wintersaison gab es nun wöchentliche Anproben. Sie waren mein einziger Kontakt zu Handful, die entweder in Charlottes Kellerraum saß und nähte oder, wenn es mild genug war, draußen unter der Eiche. Auch nach den langen Monaten belastete ihr rebellisches Bad noch unser Verhältnis, obwohl mir Handful deswegen nicht im Mindesten beschämt vorkam. Im Gegenteil. Auf mich wirkte sie wie jemand, der sich entfaltet hatte. Wenn sie mir während der Anproben halb fertige Kleider ansteckte, sang sie. Und während ich mich dabei auf der Anprobenkiste langsam im Kreis drehte, fragte ich mich, ob sie das nur tat, damit sie nicht mit mir reden musste. So oder so, ich war erleichtert.

Dann, eines Tages im Januar, sah ich meinen Vater mit meinen älteren Brüdern in der Bibliothek. Der erste winterliche Frost hatte sich bei Nacht über die Stadt gelegt, und Tomfry hatte die Kamine angezündet. Vater rieb sich die Hände vor dem Feuer, während Thomas, John und Frederick wild gestikulierten und Vater wie einen Mottenschwarm umflatterten.

Frederick, der gerade erst aus Yale zurückgekehrt und Thomas ans Gericht gefolgt war, schlug die Faust in seine Hand. »Wie können die so etwas wagen, wie *können* die so etwas wagen!«

»Wir werden eine Verteidigung etablieren«, sagte Thomas. »Mach dir keine Sorgen, Vater, wir lassen uns nicht bezwingen, das verspreche ich dir.«

Jemand hatte Vater Unrecht getan? Ich schlich mich so nah an die offene Tür, wie mein Mut es zuließ, konnte dem Gespräch jedoch nur wenig Sinnvolles entnehmen. Sie sprachen von einem Skandal, doch sie nannten keine Einzelheiten. Sie schworen Widerstand, doch wogegen? Sie gingen zum Schreibtisch und scharten sich um ein Dokument, wiesen auf einzelne Absätze, stießen mit dem Finger darauf, debattierten leise und entschlossen. Bei ihrem Anblick wurde mein unbändiger alter Hunger wach. Auch ich wollte einen Platz in dieser Welt, auch ich wollte etwas gelten. Wie viele Jahre war es her, dass ich den Silberknopf fortgeworfen hatte?

Ich trat von der Tür zurück. Plötzlich war ich voller Wut. Vater tat mir leid. Natürlich. Ihm war ein Unrecht widerfahren. Doch alle eilten sie zu seiner Rettung, setzten Himmel und Hölle in Bewegung, ihre Frauen aber, ihre Mutter und ihre Schwestern hatten keine Rechte, nicht einmal das Recht auf ihre Kinder. Wir durften weder wählen noch vor Gericht aussagen noch ein Testament aufsetzen – wie auch, wir besaßen ja nichts, was wir anderen hinterlassen konnten! Warum sammelten sich die Grimké-Männer nicht zu *unserer* Verteidigung?

Meine Wut verflog, meine Unwissenheit jedoch schwelte eine ganze Woche. Mutter blieb während dieser endlos langen Tage mit Kopfschmerzen in ihrem Zimmer, und Thomas verweigerte sich meinen Fragen. Es sei an Vater und nicht an ihm, das

Vorgefallene zu offenbaren. Am Ende erfuhr ich es bei einem Salonkonzert auf einer Plantage im Nordwesten Charlestons.

Als ich mit Mary eintraf, hüllte sich der Nachmittag bereits in graues Zwielicht. Eine Pfauenschar, die allein zur Zierde auf dem Anwesen umherstolzierte, empfing unsere Kutsche. In dem schwindenden Licht schimmerten ihre Federn ganz prachtvoll, doch in meinen Augen boten die Vögel ein trauriges Spektakel. Immer wieder stürmten sie los und erhoben sich doch niemals in die Luft.

Als ich den Salon erreichte, war das Konzert bereits in vollem Gange. Burke glitt von seinem Platz und grüßte mich auf ungewöhnlich herzliche Weise. Verwegen sah er aus in seiner langen kirschroten Weste und dem Anzug. »Ich fürchtete schon, Sie würden nicht kommen«, flüsterte er und führte mich rasch zu dem leeren Stuhl an seiner Seite. Als ich das smaragdgrüne Jäckchen ablegte, das Handful so kunstvoll gearbeitet hatte, deponierte er einen Brief in meinem Schoß. Ich zog fragend die Augenbrauen hoch. Sollte ich das Siegel brechen und lesen, während Miss Parodi und ihr Cembalo um unsere Aufmerksamkeit buhlten? »Später«, bedeutete er mir.

Eine Nachricht auf diesem Wege zu übermitteln war wahrlich unkonventionell, und ich fürchtete mich während des ganzen Konzerts vor ihrem Inhalt. Als Mrs Drayton, Thomas' Schwiegermutter, sich zum letzten Stück an die Harfe setzte, begaben wir uns in das Speisezimmer. Auf dem Tisch wartete eine Charlotte à la parisienne mit einer Auswahl an französischen Weinen, Brandy und Madeira, doch ich konnte nichts zu mir nehmen. Dazu war ich viel zu rastlos. Burke kippte einen Brandy hinunter, dann schleuste er mich zur Vordertür.

»... Wohin gehen wir?«, fragte ich aus Sorge um die Schicklichkeit.

»An die frische Luft.«

Wir traten unter die Kuppelleuchte der Veranda und schauten zum Himmel. Er war violett, wie tiefe Wasser. Über den Bäumen stieg der Mond auf. Ich konnte nur an den Brief in meiner Tasche denken. Hastig zog ich ihn hervor und brach das Siegel.

Mein teuerster Liebling,
ich erbitte das Privileg, zu Deinem hingebungsvollen und treuen Verlobten zu werden. Mein Herz gehört Dir.
In Erwartung Deiner Antwort,
Burke

Ich las den Brief, dann las ich ihn ein zweites Mal. Diese Worte konnten unmöglich an mich gerichtet sein. Sicher hatte Mr Williams das Schreiben, das er mir im Salon zugesteckt hatte, versehentlich gegen dieses ausgetauscht. Burke schien meine Verwirrung zu belustigen. »Deine Eltern werden gewiss erwarten, dass du dich erst mit ihnen berätst, ehe du eine Antwort gibst.«

»Ich nehme deinen Antrag an«, sagte ich und lächelte ihm zu, überwältigt von einer seltsamen Mischung aus Jubel und Erleichterung. Ich würde heiraten! Ich würde nicht wie Tante Amelia Jane enden.

Trotzdem hatte Burke recht. Mutter wäre entsetzt, wenn sie wüsste, dass ich ohne ihr Plazet eingewilligt hatte, auch wenn ich an ihrer Antwort keinen Zweifel hegte. Wenn meine Eltern ihr Missfallen erst einmal überwunden hätten, würden sie den Antrag als ein Wunder ansehen, das Heilung von einer anstößigen Krankheit bot.

Wir gingen, Arm in Arm, den Kutschweg entlang. Ein kleiner Schauder wanderte mir den Rücken hinunter. Plötzlich führte mich Burke zu einem Kamelienhain, mitten in die lauernden Schatten zwischen dem Gebüsch. Ohne Vorwarnung küsste er mich auf den Mund. Ich wich zurück. »Oh … Oh, du überraschst mich.«

»Meine Liebe, wir sind verlobt, solche Freiheit ist uns nun gestattet.«

Er zog mich an sich und küsste mich erneut. Seine Finger wanderten an meinem Dekolleté entlang, strichen über meine Haut. Ich gab nicht alle Widerstände auf, doch ich gewährte Burke Williams bei diesem sündigen Intermezzo im Kamelienhain so manches Vorrecht. Als ich mich schließlich sammelte und seinem Arm entzog, sagte er, ich würde ihm seine Inbrunst hoffentlich nicht vorhalten. Das tat ich nicht. Doch ich richtete mein Kleid und stopfte die losen Strähnen zurück an ihren Platz. *Solche Freiheit ist uns nun gestattet.*

Auf dem Rückweg zum Haus hielt ich die Augen auf den Pfad gesenkt. Er war übersät mit Pfauenexkrementen und Kieselsteinen, die im Mondlicht schimmerten. Diese Ehe, sie würde doch ein Leben tragen, oder? Gewiss. Burke sprach von einer langen Verlobungszeit. Ein Jahr sei nötig, sagte er.

Als wir uns der Veranda näherten, wieherte ein Pferd, dann trat ein Mann aus der Tür und entzündete seine Pfeife. Es war Mr Drayton, Thomas' Schwiegervater.

»Sarah?«, fragte er. »Sind Sie das?« Sein Blick wanderte zu Burke und dann zurück zu mir. An meiner Schulter kitzelte schuldig eine Strähne. »Wo sind Sie gewesen?« Ich vernahm den vorwurfsvollen, alarmierten Unterton. »Ist alles in Ordnung?«

»… Ich bin … Wir sind verlobt.« Meine Eltern waren noch nicht informiert, und doch überbrachte ich die Neuigkeit Mr Drayton, den ich kaum kannte, in der Hoffnung, sie würde rechtfertigen, was immer wir seiner Vorstellung nach im Garten getan hatten.

»Wir haben eine kleine Runde in der Abendluft gedreht«, sagte Burke in dem Bemühen, der Situation einen Anstrich von Normalität zu geben.

Mr Drayton war kein Dummkopf. Er musterte mich, die durchschnittliche Sarah, die erhitzt und mit derangiertem Haar und in Begleitung eines bemerkenswert gut aussehenden Mannes von einer »Runde in der Abendluft« zurückkehrte. »Nun dann, die besten Wünsche. Ihr Glück wird Ihrer Familie in diesen Zeiten und in Anbetracht der unerfreulichen Vorkommnisse um Ihren Vater gewiss willkommen sein.«

Waren die unerfreulichen Vorkommnisse um Vater etwa jedem bekannt?

»Hat Richter Grimké ein Unheil ereilt?«, fragte Burke.

»Sarah hat es Ihnen nicht erzählt?«

»Ich war wohl zu bekümmert, um es anzusprechen«, sagte ich. »Aber bitte, Sir, informieren Sie Mr Williams an meiner Stelle. Sie würden mir einen Dienst erweisen.«

Mr Drayton zog an seiner Pfeife und blies den würzigen Rauch in die Nacht. »Ich bedaure sagen zu müssen, dass die Feinde des Richters versuchen, ihn des Gerichtes zu verweisen. Es wurde ein Amtsenthebungsverfahren eingeleitet.«

Ich keuchte auf. Konnte ich mir eine größere Demütigung für meinen Vater vorstellen?

»Auf welcher Grundlage?«, fragte Burke, gehörig empört.

»Angeblich ist er parteiisch in seinem Urteil und unerträglich anmaßend.« Er zögerte. »Der offizielle Vorwurf lautet auf Inkompetenz. Aber, ach, reine Politik.« Er machte eine abfällige Handbewegung, und der Wind fachte seine Pfeife an.

Das Verfahren gegen meinen Vater schluckte jeden Funken Freude, den ich mir aufgrund meiner Verlobung für die Familie erhofft hatte, ebenso wie jede Strafe, die ich gefürchtet, weil ich den Antrag ohne Erlaubnis angenommen hatte. Mutters Kommentar war ein schlichtes »Gut gemacht, Sarah«, als würde sie eine Stickarbeit beurteilen. Vater zeigte gar keine Reaktion.

Er zog sich den ganzen Winter über, bei Tag und Nacht, mit Thomas, Frederick und Mr Daniel Huger, einem befreundeten Anwalt, in die Bibliothek zurück. Mr Huger war bekannt dafür, dass er seine Gegner mit der Waffe des Gesetzes niedermachte. Mein Gehör war nach den vielen Jahren heimlichen Lauschens schon beinahe übernatürlich, und so fing ich manchen Gesprächsfetzen auf, wenn ich im Korridor am Kartentisch saß und zu lesen vorgab.

John, Sie haben weder Geld noch Gefälligkeiten angenommen. Nichts, was man Ihnen vorwirft, erreicht den Grad eines schweren Vergehens.

Wiegt der Vorwurf der Inkompetenz nicht schwer genug? Man beschuldigt mich, ich sei parteiisch! Es ist das Thema auf der Straße und in den Zeitungen. Ich bin ruiniert, so oder so.

Vater, du hast doch Freunde unter den Abgeordneten!

Sei kein Narr, Thomas, was ich habe, sind Feinde. Diese intriganten Bastarde aus dem Upcountry, die selbst nach dem Richterstuhl streben.

Die werden unmöglich eine Zweidrittelmehrheit erringen.

Mach Hackfleisch aus ihnen, Daniel, hörst du? Wirf sie den Hunden zum Fraß vor.

Als im Frühjahr das Verfahren im Repräsentantenhaus zu Columbia eingeleitet wurde, ging Mr Huger mit aller Macht gegen Vaters Feinde vor und deckte den politischen Hinterhalt mit einer solchen Verve auf, dass Vater binnen eines Tages für unschuldig erklärt wurde. Doch der Schiedsspruch fiel erschreckend knapp aus. Vater kehrte zwar mit einem Freispruch heim, doch sein Name war beschmutzt.

Mit neunundfünfzig war er plötzlich ein sehr alter Mann. Sein Gesicht wurde hager, seine Kleidung hing an ihm herab, als würde er darin verwelken. Seine rechte Hand begann zu zittern.

Im Laufe dieser Monate suchte Burke mich jede Woche im

Salon auf, wo wir uns ohne Aufsicht sehen durften. Er zeigte bei diesen Stelldicheins dieselbe Leidenschaft wie damals im Kamelienhain, und ich gab nach und setzte Grenzen, wo es ging. Ich hielt es für ein Wunder Gottes, dass uns niemand ertappte, aber vermutlich lag das weniger an Gott als an den vielen Dingen, die unsere Familie in jenen Tagen beschäftigten. Vater schlurfte wie ein Schatten umher und verkümmerte immer mehr, die Hand in seine Tasche geschoben, um das Zittern zu verbergen. Er wurde zu einem einsamen, verhärmten Mann. Und ich, ich wurde zu einer lasterhaften sittenlosen Frau.

Handful

Mauma konnte nicht schlafen und irrte wie üblich durch den Kellerraum. Den Ausdruck *mucksmäuschenstill* kannte sie nicht.

Ich lag in unserem Strohbett und fragte mich, was sie diesmal beschäftigte. Längst schon schlief ich nicht mehr auf dem Boden vor Sarahs Zimmer. Ich hatte das einfach beschlossen, und niemand verlor ein Wort darüber, nicht einmal die Missus. In jenen Jahren war ihre Bosheit ausgesprochen willkürlich.

Mauma zog den Stuhl an ihr hohes Fenster und verrenkte sich den Hals, damit sie ein Stück vom Himmel oben über der Mauer sah. Ich beobachtete, wie sie dort saß und den Himmel betrachtete.

In ihren durchwachten Nächten zündete sie meist eine Lampe an und nähte an ihrem Story-Quilt. Sie arbeitete jetzt seit zwei Jahren an seinen Vierecken. »Wenn's mal brennt und ich bin nich da, dann packst du die hier«, sagte sie immer. »Du rettest die Vierecke, das sind Teile von mir, so wie das Fleisch an meinen Knochen.«

Ich drängte sie die ganze Zeit, mir die fertigen Quadrate zu zeigen, doch sie hielt sie unter Verschluss. Mauma liebte Überraschungen. Sie hatte vor, ihren Quilt wie eine Marmorstatue zu enthüllen. Irgendwann würde sie mir alles auf einmal zeigen, und nicht stückchenweise.

Am Vortag hatte sie zu mir gesagt: »Wart's ab. Ich bin fast dran, den Rahmen runterzulassen und alles zusammenzuquilten.«

Ihre Vierecke verschloss sie in einer Holztruhe, die sie aus einem Lagerraum im Keller herbeigeschleift hatte. Die Truhe roch unangenehm muffig. Als wir sie geöffnet hatten, waren Schimmel, tote Motteneier und ein kleiner Schlüssel darin gewesen. Mauma hatte sie mit Leinsamenöl ausgewischt und dann die Vierecke, in Musselin gewickelt, darin eingeschlossen. Ich nahm an, dass sie da drin auch unser Freiheitsgeld aufbewahrte, denn die Scheine lagen nicht mehr in unserem Jutebeutel.

Bei meiner letzten Zählung waren es genau vierhundert Dollar gewesen.

Ich rechnete noch einmal nach – wir brauchten noch sechshundertundfünfzig Dollar, um uns beide freizukaufen.

Da durchbrach ich die Stille. »Willst du das die ganze Nacht lang tun – da im Dunkeln sitzen und auf ein Loch in der Wand starren?«

»Is wenigstens was zu tun. Schlaf weiter.«

Schlaf weiter – das war doch völliger Quatsch.

»Wo ist der Schlüssel zu deiner Truhe?«

»Das tust *du* die ganze Nacht? Liegst da und überlegst, wie du auf meinen Quilt linsen kannst. Der Schlüssel is im Nichts und Nirgends.«

Ich ließ es auf sich beruhen. Meine Gedanken wanderten weiter zu Sarah.

Mir gefiel dieser Mr Williams nicht. Das Einzige, was er je zu mir gesagt hatte, war: »Rasch, hinfort mit dir.« Ich hatte im Salon ein Feuer gemacht, damit er sich aufwärmen konnte, und ihm war nichts dazu eingefallen außer *rasch, hinfort mit dir.*

Ich sah Sarah genauso wenig als seine Frau wie ich mich als Frau von Goodis sah. Er stellte mir immer noch nach und wollte Sie wissen schon was. Mauma sagte immer, schick ihn dahin, wo der Pfeffer wächst.

Am Vortag hatte Sarah gefragt: »Wenn ich heirate, würdest du dann mit mir kommen?«

»Und Mauma allein lassen?«

Rasch hatte sie angefügt: »Oh, du musst nicht … Ich dachte nur … Nun ja, du wirst mir fehlen.«

Wir hatten uns nicht mehr viel zu sagen, trotzdem gefiel mir der Gedanke gar nicht, dass wir uns trennen würden. »Du wirst mir wohl auch fehlen«, hatte ich gesagt.

Mauma fragte in ihrer Ecke: »Was glaubst du, wie alt ich bin?« Sie kannte ihr genaues Alter nicht, und sie hatte auch kein Dokument. »Ich hab dich wohl bekommen, als ich so alt war wie du jetzt, und du bist neunzehn. Wie alt bin ich dann?«

Ich musste nicht rechnen. Ich wusste es aus dem Buch. »Du bist achtunddreißig.«

»Das is noch nicht zu alt«, sagte sie.

Wir verharrten eine Weile schweigend. Mauma starrte aus dem Fenster und grübelte über ihr Alter nach. Ich war inzwischen hellwach. Plötzlich schrie sie: »Komm, Handful, komm her!« Sie sprang auf, wippte in den Knien. »Da, der Nächste!«

Ich stürzte aus dem Bett.

»Die Sterne«, sagte sie. »Sie fallen, genau wie bei deiner Omama. Komm! Schnell!«

Wir sprangen in Schuhe und Mäntel, griffen nach einem alten Quilt und eilten aus der Tür. Mauma rannte über den Hof, ich zwei Schritte hinter ihr.

Wir breiteten den Quilt hinter dem Seelenbaum aus und legten uns darauf. Als ich nach oben schaute, öffnete sich die Nacht, und es regnete Sterne.

Jedes Mal, wenn ein Stern vorüberzog, lachte Mauma tief und kehlig.

Als die Sterne nicht mehr stürzten und sich der Himmel beruhigt hatte, rieb sie mit den Händen über eine kleine Wölbung an ihrem Bauch.

Da wusste ich, wofür sie noch nicht zu alt war.

Sarah

Sarah, du solltest dich setzen. Bitte.«

So hatte Thomas das Gespräch eröffnet. Er wies auf die beiden Stühle neben dem Fenster, doch ich allein setzte mich. Es war halb eins, und vor mir stand mein Bruder, einer der gefragtesten Anwälte von Charleston, und unterbrach die Juristerei, um mit mir in meinem Zimmer ein privates Wort zu reden. Er war bleich, vor Bestürzung, wie ich vermutete.

Selbstverständlich galt mein erster Gedanke Vater. Man konnte ihn dieser Tage kaum ansehen, ohne sich um ihn zu sorgen, um diesen schmalen, ausgezehrten Mann mit dem unsicheren Gang und der unfolgsamen Hand. Dennoch hatte es in jüngster Zeit eine leichte Besserung gegeben, sodass er seinen Pflichten auf dem Richterstuhl wieder nachkommen konnte.

In der Vorwoche war ich Vater begegnet, als er sich mit seinem Stock durch den Korridor mühte. Der Anblick hatte ein Bild aus meinem alten Katechismus heraufbeschworen, Lazarus stolpert aus dem Grab, das Leichentuch schlängelt sich um seine Knöchel. Vaters linke Hand hatte gezittert, als wollte sie einem Passanten zuwinken. Er hatte sie wütend ergriffen und versucht, sie zu bezwingen. Als er mich bemerkt hatte, war ihm entfahren: »Oh, Sarah. Gott kennt keine Gnade mit dem Alter.« Ich hatte ihn bis zur Hintertür begleitet, entsprechend langsam, was die Aufmerksamkeit erst recht auf seine Schwäche gelenkt hatte.

»Also, sag mir, wann wirst du heiraten?« Ich hörte immer nur diese eine Frage, doch dass sie von Vater kam, hatte mich abrupt innehalten lassen. Seit Februar war ich Burke versprochen, doch Vater hatte es nicht ein Mal erwähnt. Ich hatte ihm auch keinen Vorwurf daraus gemacht, dass er der Verlobungsfeier ferngeblieben war, die Thomas und Sally so großzügig ausgerichtet hatten – er war bettlägerig gewesen –, aber seither waren viele Monate des Stillschweigens vergangen.

»Ich weiß nicht«, hatte ich erwidert. »Burke wartet darauf, dass ihm sein Vater das Geschäft überschreibt. Er möchte erst eine entsprechende Position innehaben.«

»Ach ja?« Das hatte so sarkastisch geklungen, dass ich keinen Versuch gemacht hatte zu antworten.

Es war schwer, sich an die Zeiten zu erinnern, in denen ich Vaters Bibliothek plündern und unter seinen stolzen Blicken debattieren durfte. Damals hatte uns ein unsichtbares Band geeint, und ich konnte nicht einmal sagen, wann genau es zerrissen war. An dem Tag, als er mir die Bücher verboten hatte? Bei Thomas' Abschiedsfeier, als er mir die hässlichen Worte entgegengeschleudert hatte? *Du beschämst dich selbst. Du beschämst uns alle. Wie kommst du nur auf die Idee, dass du das Recht studieren könntest?*

»Lass dir ins Gedächtnis rufen, Sarah, unser Staat kennt kein Gesetz, das eine Scheidung vorsieht«, hatte er gesagt. »Ist die Ehe geschlossen, ist der Vertrag unauflöslich. Bist du dir dessen bewusst?«

»Ja, Vater, das bin ich.«

Er hatte genickt und sich offenbar in die Tatsachen ergeben.

Dorthin war mein Geist gewandert, in jenen Momenten vor der großen Verkündigung, zu meiner letzten Begegnung mit Vater, zu seiner Gebrechlichkeit.

»Du warst mir immer die liebste Schwester«, sagte Thomas. »Das weißt du. In Wahrheit warst du mir sogar immer die Liebste unter all meinen Geschwistern.«

Er stockte und schaute durch das Fenster auf die Veranda

und den Garten. Ein Schweißtropfen lief ihm die Schläfe hinunter und verfing sich in seinen ersten Falten. Mich überkam eine seltsame Resignation. *Was es auch war, geschehen war geschehen.*

»Bitte, ich bin nicht so zart, wie es dir erscheinen mag. Sag es ohne Umschweife.«

»Du hast recht. Ich sollte es einfach sagen. Ich fürchte, Burke Williams hat sich dir gegenüber in einem falschen Licht dargestellt. Mir ist zu Ohren gekommen, dass er auch mit anderen Frauen Bekanntschaft pflegt.«

Für seine diskrete Zweideutigkeit hatte ich kein Gespür. »Nun, das ist sicher kein Verbrechen.«

»Sarah, diese Frauen – sind ebenfalls mit ihm verlobt.«

Mit einem Mal wusste ich, dass er die Wahrheit sagte. So vieles machte plötzlich Sinn. Das Hinauszögern des Hochzeitstermins. Die ständigen Reisen, aus geschäftlichen oder familiären Gründen. Die erstaunliche Tatsache, dass sich ein so gutaussehender und charmanter Mann für mich entschieden hatte.

Meine Augen wurden feucht. Thomas zog sein Taschentuch hervor und wartete, während ich sie mir trocken tupfte.

»Wie hast du das erfahren?«, fragte ich gefasst, zweifellos noch in Schockstarre.

»Franny, Sallys Cousine aus Beaufort, schrieb, sie habe kürzlich eine Soiree besucht und gesehen, wie Burke dort einer jungen Frau den Hof gemacht hat. Sie hat ihn natürlich nicht darauf angesprochen, sondern die junge Frau diskret befragt und so von ihr gehört, Burke hätte ihr jüngst einen Antrag gemacht.«

Ich sah in meinen Schoß und versuchte, das Gehörte zu erfassen. »Aber wieso? Wieso sollte er so etwas tun? Das verstehe ich nicht.«

Thomas setzte sich und nahm meine Hände. »Er ist einer von

den Männern, die auf Beutezug nach jungen Damen gehen. So etwas kommt neuerdings wohl vor. Es gibt einige junge Männer, die sich Verlobte zulegen, um…« Er machte eine Pause. »Um Frauen zu einer unkeuschen Beziehung zu verlocken. Dabei versichern sie den Frauen, derlei Zugeständnisse seien in Hinblick auf die versprochene Ehe vertretbar.« Er konnte mich kaum ansehen. »Ich gehe nicht davon aus, dass er bei dir…«

»Nein«, sagte ich. »Hat er nicht.«

Thomas stieß einen derart erleichterten Seufzer aus, dass es mich beschämte.

»Du sagtest eben Frau*en*. Gibt es außer der Bekanntschaft in Beaufort noch eine andere Verlobte?«

»Ja, soweit ich weiß, in Savannah.«

»Und wie hast du *das* erfahren? Nicht von einer weiteren Cousine, hoffe ich.«

Er schenkte mir ein schwaches Lächeln. »Nein, von dieser Frau weiß ich durch Burke persönlich. Ich habe ihn gestern Abend zur Rede gestellt. Er hat das Verhältnis zu beiden Frauen eingestanden.«

»Du hast ihn zur Rede gestellt? Warum hast du mich nicht…?«

»Ich wollte dir den Schmerz und die Schmach ersparen. Unsere Eltern sind der Meinung, dass wir dich heraushalten sollten. Es gibt keinen Grund, warum du ihn wiedersehen solltest. Ich habe die Verlobung bereits in deinem Namen gelöst.«

Wie konntest du? Er hatte mir jede Chance, Vergeltung zu üben, vereitelt. Dass Thomas mich wie ein Kleinkind behandelte, erzürnte mich in dem Moment weit mehr als Burke und seine Grausamkeit. Ich sprang auf und wandte Thomas den Rücken zu. Wirre, wüste Worte stiegen in mir auf. Ich musste beinahe würgen.

»Ich weiß, wie du dich fühlen musst«, sagte er hinter mir. »Aber es ist besser so.«

Wie konnte *er* wissen, wie ich mich fühlte? Am liebsten hätte ich ihn angeschrien ob seiner anmaßenden Bemerkung, doch als ich herumfuhr, standen Tränen in seinen Augen. Da zwang ich mich zur Höflichkeit. »... Ich wäre jetzt gern allein. Bitte.«

Er stand auf. »Eines noch. Du musst dich für eine Weile aus der Öffentlichkeit zurückziehen. Mutter glaubt, drei Wochen sollten genügen, damit das Gerede abebben kann. Dann darfst du in die Gesellschaft zurückkehren.«

Er ließ mich allein, im Griff von Zorn und Schmach, und es gab niemanden, dem ich meine Gefühle entgegenschleudern konnte, außer mir. Wie hatte ich einer derart lasziven Person zum Opfer fallen können? War ich so berauscht, so bedürftig, so blind gewesen, dass ich mir eingebildet hatte, er würde *mich* lieben? Ich sah mich doch gerade im Blendlicht des Fensters, mein gerötetes rundes Gesicht. Vaters lange Nase, die blassen Augen, das fehlfarbene Haar. Und von diesem Haar hatte ich ihm eine Strähne abgeschnitten. Sicher hatte er gelacht.

Ich ging zu meinem Schreibtisch und zog den Brief mit dem Heiratsantrag hervor. Ohne ihn noch einmal zu lesen, zerriss ich ihn in so viele Teile, wie mir möglich war. Die Fetzen fielen auf den Schreibtisch und den Teppich, krochen in die Falten meines Rockes.

Es war die Jahreszeit, zu der die Wanderkrähen hoch am Himmel kreisten, gewaltige Schwärme, die wie ein einziger Schleier wogten. Ihr wildes Kreischen durchschnitt die Luft. Ich wandte mich zum Fenster und sah zu, wie die Vögel den Himmel schwärzten, ehe sie entschwanden. Als wieder Stille herrschte, besah ich mir die Leere, die sie hinterlassen hatten.

Handful

Sarah saß oben in ihrem Zimmer. Ihr Herz war so schlimm gebrochen, dass es beim Gehen rasselte, wie Binah sagte. Thomas hatte noch nicht einmal den Hut aufgesetzt, da wusste es schon das ganze Haus. Mr Williams hatte noch zwei Verlobte. Na, für *wen* hieß es nun, rasch, hinfort mit dir?

Als es Zeit für den Tee wurde, sagte die Missus zu Tomfry: »Sarah wird in den kommenden drei Wochen niemanden empfangen. Richte allen Besuchern aus, dass sie indisponiert ist. *Indisponiert*, Tomfry. Genau dieses Wort wirst du benutzen.«

»Ja, Ma'am.«

Dann fiel der Blick der Missus auf mich. »Steh hier nicht so herum, Hetty, bring Sarah ein Tablett hinauf.«

Obwohl sie bestimmt keinen Bissen anrühren würde, bereitete ich alles vor. Ich machte den Ysop-Tee, den sie so mochte, und musste an den Tag denken, an dem wir den Tee auf dem Dach getrunken hatten und sie mir von dem silbernen Knopf und ihren großen Plänen erzählt hatte. Seit sie den Knopf weggeworfen hatte, trug ich ihn fast jeden Tag in meinem Beutel.

Ich huschte in die Aufwärmküche und zog den Knopf hervor. Das Silber war stark angelaufen, und der Knopf sah wie eine große, verschrumpelte Traube aus. Ich betrachtete ihn eine Weile, dann holte ich die Politur und rieb ihn, bis er wieder glänzte.

Sarah saß an ihrem Schreibtisch und schrieb irgendetwas in ihr Tagebuch. Ihre Augen waren so rot geweint, dass ich mich fragte, ob sie überhaupt sah, was sie schrieb. Ich stellte ihr das Tablett hin und sagte: »Sieh mal, was da auf der Untertasse liegt.«

Sie hatte den Knopf so viele Jahre nicht gesehen, aber sie erkannte ihn auf der Stelle. »Wie hast… Aber, Handful, du hast ihn gerettet?«

Sie berührte ihn nicht. Sie sah ihn nur an.

Ich sagte: »Also bitte, da ist er«, und ging zur Tür.

Sarah

Am nächsten Morgen schickte Mutter Nina trotz meines Einspruchs zu den Smiths, wo sie den Tag mit der jüngsten Tochter beim Spiel verbringen sollte. Die Smiths wohnten in der Nähe des Arbeitshauses, und bei ihrem letzten Besuch hatte Nina Schreie gehört. Sie war entsetzt aufgesprungen und hatte ihre Spielsteine über die ganze Veranda verstreut. Damals hatte meine kleine Schwester noch nichts von Charlestons Folterkammer gewusst – ich hatte versucht, diese Dinge von ihr fernzuhalten –, doch die Smith-Jungen hatten da weniger Skrupel. Umgehend hatten sie ihr erklärt, dass die Schreie von einem Sklaven aus der Peitschenkammer stammten, und ihr die Vorgänge in allen grässlichen Einzelheiten geschildert. Offenbar gab es dort einen Kran mit Flaschenzügen, mit dem den Sklaven die gebundenen Hände über den Kopf gezogen wurden, während die Füße an ein Brett gekettet waren. Die Jungen hatten ihr auch von anderen Widerwärtigkeiten berichtet, die Nina mir unter Tränen erzählte, von abgeschnittenen Ohren und gezogenen Zähnen, von Halsbändern mit Nägeln und einer Art Vogelkäfig, der um den Kopf eines Sklaven geschlossen wurde.

Ich hatte Nina zugesichert, dass sie nie mehr zu diesen Leuten gehen müsste. Doch nun, wo Vater beruflich in solche Bedrängnis geraten war, hatte Mutter keine Hemmungen, eine Siebenjährige als Türöffner zum Haus der politisch einflussreichen Smiths zu nutzen.

Unmittelbar nach Ninas Aufbruch begann es zu regnen. Während die Flut ihren Höhepunkt erreichte, ergossen sich regelrechte Sturzbäche vom Himmel und verwandelten Charlestons Straßen in Kanäle aus Schlamm. Am frühen Nachmittag hatte sich das Unwetter über dem Meer ausgetobt. Ich hielt es nicht mehr aus. Wild entschlossen, meine kleine Schwester um jeden Preis aus diesem Haus zu holen, setzte ich Marys alten verschleierten Reithut auf und schlüpfte durch die Hintertür.

Im Stall war Goodis, nicht Sabe, was mir nicht unrecht war, denn ich hatte das Gefühl, er wäre vertrauenswürdiger. »Ich nur Diener, ich darf die Kutsche nich fahren«, erklärte er. Es kostete mich einiges an Überredungskraft, doch am Ende überzeugte ich Goodis, dass diese Ausfahrt in höchstem Maße notwendig war, und wir fuhren in dem neuen Einspänner los.

An jenem Tag herrschte großer Aufruhr in der Stadt, wegen eines sonderbaren himmlischen Ereignisses – ein Kometensturm, wie es hieß. Selbst verständige Menschen wie Vater und Thomas hatten an die Apokalypse gemahnt, ich jedoch war überzeugt, dass in den Salons mein Skandal mit Burke mit größerer Inbrunst erörtert wurde als das nahende Ende der Welt. Doch der Einspänner war neu und sein Anblick nicht vertraut, und da wir überdacht fuhren und ich Marys Hut trug, bliebe ich wohl unerkannt. Mit etwas Glück würde Mutter nie erfahren, dass ich aus meiner Quarantäne ausgebrochen war.

In meiner Sorge um Nina schloss ich die Augen und malte mir aus, wie ich sie in meine Arme schließen würde. Plötzlich gab es einen fürchterlichen Ruck, dann kam die Kutsche auf der Coming Street holpernd zum Stehen. Das rechte Rad versank in einem Schlammloch.

Goodis beschwor das Pferd mit der Peitsche, dann stieg er vom Bock und zog an Zügel und Zaumzeug. Die Stute, für ihren hitzigen Rachegeist berühmt, riss den Kopf hoch und trat nach hinten, worauf das Rad nur noch tiefer einsank. Goodis fluchte leise.

Er ging um die Kutsche herum und drückte und schob von hinten. Sie schaukelte ein wenig. Mehr geschah nicht. »Bleiben Sie, wo Sie sind«, sagte er. »Ich hol Hilfe.«

Als er davonstapfte, blickte ich mich auf der Straße um. Obwohl alles durchweicht war, flanierten die Damen und diskutierten die Männer, trugen die farbigen Straßenhändler ihre Tröge voller Krabben und ihre Körbe mit französischen Kokospasteten. Nervös fasste ich an meinen Schleier. In dem Moment sah ich Charlotte, die in Richtung Bull Street ging.

Sie bahnte sich ihren Weg wie eine Seiltänzerin über den schmalen Rasenstreifen, der entlang einer Ziegelmauer verlief. Ihr rotes Kopftuch war tief in die Stirn gezogen, während sie einen Korb trug, aus dem Wäsche quoll, und so nahm sie weder mich noch die vornehme Dame mit der weißen Haut wahr, die ihr auf der grasigen Planke entgegenkam. Eine der beiden würde umkehren und den ganzen Weg zurückgehen oder aber auf die schlammige Straße ausweichen müssen. Konfrontationen dieser Art gab es so regelmäßig auf Charlestons Straßen, dass die Stadt eine Verfügung erlassen hatte, die von den Sklaven Rücksicht forderte. Wäre es eine andere Sklavin gewesen – Binah, Aunt-Sister, Cindie, ja, selbst Handful –, ich hätte mir nicht solche Sorgen gemacht, aber Charlotte…

Die beiden Frauen blieben wenige Schritte voneinander entfernt stehen, und die weiße Frau stupste mit dem Sonnenschirm an Charlottes Arm. *Geh zur Seite. Mach schon Platz.*

Charlotte zeigte keine Regung. Wie angewurzelt stand sie dort an ihrem Platz. Der Schirm traf sie erneut. *Husch husch.*

Sie wechselten Worte, die ich nicht verstand. Die Stimmen wurden grober und verkeilten sich. Hektisch sah ich mich nach Goodis um.

Da hielt ein Uniformierter der Stadtwache sein Pferd mitten auf der Straße an. »Geh zur Seite, Negerin!«, rief er. Er stieg von seinem Pferd und gab die Zügel einem Sklavenjungen, der zufällig mit einem Rollwagen vorbeigekommen war.

Bevor der Wächter den Ort des Geschehens erreichte, schwang Charlotte ihren Korb. Er beschrieb einen Bogen, spuckte eine große Menge Hauben aus, traf die Frau am Arm und stieß sie seitwärts. Der Schlamm war breiig wie Pudding, braun wie Tapioka. Als die Dame darin landete, in perfektem Sitz, warf der Matsch Wellen rings um sie.

Ohne nachzudenken, sprang ich aus der Kutsche und lief los. Der Wächter packte Charlotte am Arm. Ein zweiter Mann, den die Wache herbeizitiert hatte, kam ihm zu Hilfe. Gemeinsam zerrten sie eine spuckende und kratzende Charlotte die Straße entlang.

Ich jagte ihnen nach, bis zur Beaufain Street. Dort nahmen die Männer ein Fuhrwerk in Beschlag und zwangen Charlotte hinein, mit dem Gesicht zu Boden. Der Wächter setzte sich auf sie. Der Fahrer zog an den Zügeln, die Pferde trabten los, und ich, von oben bis unten mit Schlammpudding bespritzt, konnte ihnen nur noch hilflos nachsehen.

Da warf ich die Schleier an meinem Hut zurück und rief ihren Namen. *»Charlotte!«*

Ihre Augen fanden mich. Sie gab keinen Laut von sich, doch sie löste nicht den Blick von mir, als der Wagen mit ihr ins Ungewisse rumpelte.

Handful

Mauma verschwand zwei Tage, nachdem die Sterne gefallen waren.

Wir standen auf dem Wirtschaftshof am hinteren Tor. Sie trug das rote Tuch auf dem Kopf und ihr gutes Kleid, das in Indigoblau. Ihre gestärkte Schürze raschelte. Mauma hatte sich die Lippen geölt und Binahs Kauri-Armreifen geliehen, um sich die Gelenke zu schmücken. Ihre Haut schimmerte golden im Sonnenschein, und ihre Augen glänzten wie Flusskiesel. So, wie sie an jenem Tag ausgesehen hatte, sehe ich sie in meinen Träumen. Beinahe glücklich.

Eilig steckte sie sich die Marke an. Sie hatte die Erlaubnis, neue Hauben auszuliefern, aber ich wusste, noch bevor die erste Haube ihren Korb verließ, hätte sie diesen Mann, diesen Mr Vesey, in die Pflicht genommen.

Ich sagte: »Pass bloß auf, dass deine Marke hält.«

Mauma hasste meine ständigen Ermahnungen. »Die ist dran, Handful. Die kommt schon nich weg.«

»Was ist mit deinem Beutel?« Unter ihrem Kleid sah ich keine Beule. Ich steckte immer frische Zweige in unsere Beutel, und ich wollte, dass Mauma ihren trug, wo ich mir schon all die Mühe machte und sie jeden Schutz brauchte, den sie kriegen konnte.

Sie zog den Beutel zwischen ihrem Busen hervor. An ihren Fingern waren Reste von dem Kohlepulver, mit dem sie ihre Muster auf die Hauben zeichnete.

Ich wollte sie so viel fragen. *Warum trägst du bei dem Schlamm da draußen dein gutes Kleid? Wann hast du vor, mir von dem Baby zu erzählen? Müssen wir jetzt für drei die Freiheit erkaufen?* Aber ich verschob alles auf später.

Ich wartete, während Tomfry das Tor aufschloss und sie nach draußen ließ. Als sie auf die Straße trat, wandte sie sich um und sah mich an, dann ging sie fort.

Als Mauma gegangen war, machte ich das Übliche. Ich schnitt Ärmel und Kragen für die Arbeitshemden der Sklaven zu und begab mich dann an die Spritztücher für die Missus, die rechteckigen Stoffe, die hinter den Waschtischen aufgehängt wurden, damit um Himmels willen kein Wasser an die Wände kam. Und jedes einzelne musste bis zum Gehtnichtmehr bestickt sein.

Am Nachmittag ging ich zum Klohäuschen. Die Sonne hatte sich durchgesetzt, der Himmel war so blau wie Kornblumen. Aunt-Sister war in der Küche und machte »Vogelnest-Pudding«, Äpfel mit Vanille-Sauce, und als ich von der Latrine kam, roch es auf dem ganzen Hof danach. Ich war auf dem Weg ins Haus und freute mich über den Duft, da rasten Nina und Sarah in der Kutsche durchs Tor. Die beiden sahen aus, als hätten sie eine Heidenangst. Und wer fuhr die Kutsche? Goodis. Als sie zum Stehen kam, rannten die zwei in Windeseile los und ohne ein Wort an mir vorbei ins Haus. Das kleine graue Ausgehcape, das ich Nina genäht hatte, flatterte wie Taubenflügel hinter ihr her.

Goodis warf mir einen tiefen, mitfühlenden Blick zu, dann führte er das Pferd in den Stall.

Als die langen Schatten kamen, setzte ich mich auf die Stufen vor dem Küchenhaus und schaute zum Tor. Goodis stand mit dem Schnitzmesser und einem Stück Holz an der Stalltür und hielt mit mir Wache. Er wusste etwas, das ich nicht wusste.

Als Aunt-Sister und Phoebe aufräumten und die Lampen ausbliesen, hingen die Apfel-Eier noch immer in der Luft. Dann kam die Dunkelheit, und mit ihr kein Mond.

Sarah fand mich, als ich auf den Stufen kauerte. Sie setzte sich neben mich. »… Handful«, sagte sie, »… ich wollte diejenige sein, die es dir sagt.«

»Es ist Mauma, oder?«

»Sie ist in einen Streit mit einer weißen Dame geraten … Die Dame wollte, dass sie ihr auf der Straße ausweicht. Sie hat deine Mutter mit einem Schirm angestupst, und … Du kennst deine Mutter, sie ist nicht zur Seite getreten. Sie … sie ist auf die Dame losgegangen.« Sarah seufzte in die Dunkelheit und nahm meine Hand. »Die Stadtwache war in der Nähe. Sie haben deine Mutter mitgenommen.«

Ich hatte die ganze Zeit darauf gewartet, dass Sarah mir sagte, Mauma wäre tot. Plötzlich kehrte die Hoffnung zurück. »Wo ist sie?«

Sarah schaute weg. »… Das versuche ich ja herauszufinden … Wir wissen es nicht … Man hat sie zum Haus der Wache gebracht, aber als Thomas hingegangen ist, um die Strafe zu bezahlen, hat es geheißen, Charlotte wäre es gelungen zu entkommen … Offenbar ist sie geflohen … Die Wächter sind ihr wohl nachgejagt, haben sie dann aber aus den Augen verloren. Sie suchen nach ihr.«

Ich hörte nur noch ein einziges Atmen – Sarah, Goodis drüben im Hof, die Pferde im Stall, die Tiere im Gebüsch, die Weißen in ihren Federbetten, die Sklaven auf ihren kleinen, oblatendünnen Pritschen, alles atmete, alles, außer mir.

Sarah brachte mich in den Keller. »Möchtest du vielleicht ein wenig warmen Tee? Ich könnte auch etwas Brandy hineingeben.«

Ich schüttelte den Kopf. Sie wollte mich tröstend an sich ziehen, das sah ich, doch sie hielt sich zurück. Dafür legte sie sanft die Hand auf meinen Arm und sagte: »Sie kommt sicher wieder.«

Diese Worte sprach ich mir die ganze Nacht lang vor.

Ich wusste nicht, wie ich ohne sie in der Welt sein sollte.

Sarah

Charlottes Verschwinden war mir eine Last, doch auch eine grausame Gnade, denn in den qualvollen Wochen, die auf Burkes Verrat folgten, gab es für mich keinen Augenblick des Zweifels, welches Ereignis das wirklich tragische und welches das lediglich unselige war.

Irgendjemand – Mutter, Vater, vielleicht auch Thomas – hatte eine Anzeige in den *Charleston Mercury* gesetzt.

Sklavin vermisst

Mulattin. Lücke zwischen oberen Vorderzähnen. Sporadisches Hinken. Hört auf den Namen Charlotte. Bekleidet mit rotem Kopftuch und dunkelblauem Kleid. Talentierte Näherin von Wert aus dem Besitz des Richters John Grimké. Bei Wiederbeschaffung hohe Belohnung.

Niemand meldete sich.

Jeden Tag verfolgte ich von meinem Fenster aus, wie Handful im Hof ihren immergleichen Pfad abschritt, manchmal den ganzen Vormittag lang. Ihr Weg blieb stets derselbe. Los ging es hinter dem Haus, vorbei an Küchenhaus und Wäscherei, hinüber zur Eiche, dort berührte sie im Vorübergehen den Stamm, dann über Stall und Kutschhaus zurück zum Haupthaus. Wenn sie die Stufen der Veranda erreicht hatte, begann ihre Wanderung von Neuem. Ihre Runden waren von einer solch präzisen ritualisierten Trauer, dass niemand eingriff. Selbst Mutter ließ zu, dass Handful ihre Spur der Verzweiflung in den Hof grub.

Meine Trauer um Burke und die abgesagte Hochzeit war gar nicht so groß. Mein Herz gar nicht so schwer. War das nicht seltsam? Ich weinte ganze Fässer voll, aber hauptsächlich aus Scham. Ich brach kein zweites Mal aus meiner Quarantäne aus. Ich ergab mich in sie.

Beinahe täglich erreichten mich mitfühlende Worte in Schnörkelschrift. Ein jeder betete für mich. Alle hofften, dass meine Reputation nicht zu sehr leiden würde. Wusste ich im Übrigen, dass Burke die Stadt verlassen hatte und auf unbestimmte Zeit bei seinem Onkel in Columbia weilte? War es nicht bitter, dass seine Mutter einen Schlaganfall erlitten hatte? Wie erging es meiner Mutter? Man vermisste mich bei den Teegesellschaften, mein Fernbleiben war jedoch angeraten. Und ich solle nicht verzweifeln, denn sicher würde bald ein junger Mann in mein Leben treten, den meine Schmach nicht schrecken würde.

Ich schrieb Tadel und Tiraden in mein Tagebuch, dann riss ich die Seiten heraus und verbrannte sie, gemeinsam mit den älteren schwülstigen Einträgen. Allmählich erlosch mein innerer Vulkan, und zurück blieb eine junge Frau, deren Lebensweg in Trümmern lag. Im Gegensatz zu Handful wusste ich nicht, welchen Pfad ich nehmen sollte.

Einen Monat nach Charlottes Verschwinden fegte ein kühler Wind fast alle Blätter von der Eiche. Handful machte noch immer wie besessen ihre Runde, doch meist nur einmal rasch am Morgen. In der Vorwoche hatte Mutter dem erbitterten Marsch nämlich ein Ende gesetzt und sie wieder an ihre Pflichten beordert. Die gesellschaftliche Saison näherte sich dem Höhepunkt und damit die Anzahl nötiger Abendroben – und die Näherei fiel nun Handful ganz allein zu. Charlotte war fort. Niemand glaubte an ihre Wiederkehr.

Mir war es gelungen, aus meinen drei Wochen des Rückzugs vier zu machen, doch damit endete die Gnadenfrist. Auch mich nahm Mutter wieder in die Pflicht: Ich hatte mir einen Ehemann zu suchen. Sie hatte mir erklärt, dass ein Ruderboot, das den Atlantik überquert, irgendwann von einem Schiff gerettet wird, aber *nur*, wenn sich der Ruderer tapfer in das offene Gewässer wagt – so ihre unglückliche Metapher für meine Aussichten auf eine Eheschließung. Meine Schwester Mary kam mit einer ähnlichen Ermutigung zu mir: »Reck das Kinn nach vorn, Sarah. Verhalte dich, als wäre nichts geschehen. Sei fröhlich und selbstbewusst. Du wirst schon einen Ehemann finden, so Gott will.«

So Gott will. Wie seltsam mir das nun erscheint.

An dem Abend, der das Ende meiner Abgeschiedenheit einläuten sollte, gab ich mir selbst einen Schubs und nahm in der zweiten presbyterianischen Kirche an einem öffentlichen Vortrag von Reverend Henry Kollack teil, einem gerühmten Prediger. Selbstredend waren das nicht die Gewässer, an die Mutter dachte. Die anglikanische Episkopalkirche mochte gerade noch als gesellschaftliches Parkett durchgehen, aber das Umfeld der Presbyterianer mit ihrer Erweckungslehre und ihren Rufen nach Umkehr und nach Buße keinesfalls – doch Mutter äußerte keine Einwände. Immerhin, ich saß im Ruderboot, oder etwa nicht?

Zunächst hörte ich dem Reverend kaum zu, wie ich so neben der frommen Bekannten saß, die mich zu dem Vortrag eingeladen hatte. Worte wie *Sünde, moralische Verkommenheit, Vergeltung* drangen mir nur flüchtig ins Bewusstsein, doch mit einem Mal ergriff es mich.

Der Blick des Reverend fand meinen – auf mir unerklärliche Weise. Und als er sprach, schaute er nicht weg. »Seid ihr der lasterhaften Geschöpfe, die ihr geworden seid, nicht müde? Seid ihr nicht entsetzt über eure Tollheit, müde der Ballsäle mit ihrem vergoldeten Flitter? Wolltet ihr nicht den Eitelkeiten und oberflächlichen Freuden dieses Lebens zum Behufe eurer Seele entsagen?«

Mir war, als spräche er allein zu mir, unmittelbar, übersinnlich. Woher wusste er, was mich quälte? Woher wusste er, was ich selbst erst in diesem Moment erkannte?

»Gott ruft euch!«, dröhnte er. »Gott, euer geliebter Herr, drängt euch, Ihm zu antworten!«

Seine Worte packten mich. Sie rissen das kunstvolle Blendwerk nieder. Es durchfuhr mich still in meiner Bank, während Reverend Kollack mich nun ohne besondere Aufmerksamkeit und mit mäßigem Interesse ansah. Vielleicht war es auch vorher so gewesen, doch das spielte keine Rolle. Er war Gottes Sprachrohr. Er hatte mich an den Abgrund geführt, an dem es nur noch die Wahl zwischen Lähmung und Verzicht gab.

Als der Reverend ein langes, feierliches Gebet für unsere Seelen sprach, schwor ich mir, nicht in die Gesellschaft zurückzukehren. Und ich würde auch nicht heiraten, niemals. Sollten die anderen sagen, was sie wollten, ich würde mein Leben Gott schenken.

Zwei Wochen später, an meinem zwanzigsten Geburtstag, betrat ich den Salon. Die Familie hatte sich versammelt, um mir ihre Wünsche zu überbringen. Nina klammerte sich an meine Hand. Als Mary sah, dass ich keinen Schmuck angelegt hatte und eines meiner schlichten Kleider trug, lächelte sie mich so traurig an, als wäre ich im Habit einer Nonne erschienen. Mutter hatte meinen Schwestern also offenbart, dass ich zur Religion gefunden hatte, womöglich auch Vater und meinen Brüdern.

Aunt-Sister hatte meinen Lieblingskuchen gebacken, einen zweistöckigen Hartford Election Cake mit Johannisbeeren und Zucker. Es war ein Brauch vom Wahltag, den Kuchen gab es dann, wenn die Hefe ihre Wahl traf aufzugehen, und unser Kuchen hatte seine bürgerliche Pflicht aufs Prächtigste erfüllt. Nina sprang so ungeduldig um die Torte herum, dass Mutter Aunt-Sister signalisierte, es wäre an der Zeit, den Kuchen endlich in Scheiben zu schneiden.

Vater saß, in eine Debatte vertieft, bei meinen Brüdern. Ich näherte mich unauffällig. Thomas, so erfuhr ich, hatte den Zorn der anderen erregt, weil er sich für die Kolonisation aussprach. Soweit ich es erfassen konnte, betraf dies nicht die britische Besatzung im vergangenen Jahrhundert, sondern die Sklaven.

»Worum geht es denn dabei?«, fragte ich. Alle wandten sich um, als wäre eine lästige Fliege ins Haus gedrungen, die sie dreist umschwirrte.

»Um eine neue und sehr fortschrittliche Idee«, erwiderte Thomas. »Aus der, auch wenn viele von euch anderes glauben, bald eine nationale Bewegung werden wird. Denkt an meine Worte.«

»Aber *worum* geht es?«, fragte ich.

»Vorgesehen ist, die Sklaven zu befreien und zurück nach Afrika zu schicken.«

Auf so einen radikalen Plan war ich nicht gefasst. »Aber, das ist grotesk!«

Meine Reaktion war für alle eine Überraschung. Selbst Henry und Charles, nun dreizehn und zwölf, sahen mit offenem Mund zu mir. »Grundgütiger«, sagte John. »Sarah ist dagegen.«

Natürlich musste er annehmen, dass ich meiner Rebellion entwachsen und wie sie alle geworden war – zu einer Hüterin der Sklaverei. Ich konnte ihm keinen Vorwurf machen. Wann hatte ich mich zuletzt gegen die besondere Institution gestellt? Ich hatte mich dem Taumel der Romanze ergeben, im Griff der schlimmsten Plage, die eine Frau auf Erden ereilen konnte: dem Zwang, sich nach fremden Erwartungen zu formen.

John lachte. Auf dem Rost flackerte das Feuer. Vaters Gesicht war gerötet und verschwitzt. Er wischte es trocken und fiel in die allgemeine Heiterkeit ein.

»Ja, ich *bin* gegen die Kolonisation«, begann ich. In dem Moment stockte meine Stimme nicht, und ich zwang mich weiterzusprechen. »Ich bin dagegen, aber nicht aus dem Grund, den ihr vermutet. Wir müssen die Sklaven befreien, doch sie sollen hierbleiben. Als Gleichberechtigte in unserer Mitte.«

Ein seltsames Intermezzo folgte. Alles schwieg. In jüngster Zeit vertraten einige Geistliche und frömmlerische Frauen die Ansicht, man solle die Sklaven mit christlichem Mitgefühl behandeln, und hier und da äußerte eine einsame Seele gar, man solle ihnen die Freiheit schenken. Aber Gleichheit? Lachhaft!

Per Gesetz galt ein Sklave nur zu drei Fünfteln als Person. Demzufolge hätte ich ebenso gut auf der Gleichwertigkeit von Gemüse und Tieren, Tieren und Menschen oder Frauen und Männern bestehen können. Ich stellte die Ordnung der Schöpfung auf den Kopf. Am seltsamsten aber erschien mir, dass mir der Gedanke der Gleichheit in dieser Situation zum allerersten Mal gekommen war. Das konnte ich wohl nur Gott zuschreiben, mit dem ich neuerdings regelmäßig verkehrte und der sich als erstaunlich rebellisch und keinesfalls gesetzeskonform erwies.

»Meine Güte, lernst du so etwas bei den Presbyterianern?«, fragte Vater. »Heißt es *dort* etwa, die Sklaven sollten als Gleiche in unserer Mitte leben?« Die Frage war, in all ihrem Sarkasmus, an meine Brüder gerichtet. Sie verlangte keine Antwort. Ich gab dennoch eine.

»Nein, Vater, *ich* sage das.«

Und während ich die Worte sprach, rauschte mir ein Strom

von Bildern durch den Kopf. In allen sah ich Handful. Die zierliche Handful mit dem violetten Band um den Hals. Handful, die das Haus verräucherte. Lesen lernte. Mit mir auf dem Dach Tee trank. Ausgepeitscht wurde. Gestohlenes Garn um die Eiche wickelte. In der Kupferwanne badete. Mit der Nadel die herrlichsten Kunstwerke schuf. Ihre kummervollen Runden machte. Da sah ich alles, wie es wirklich war.

Handful

Mauma war fort. Das war so sicher, wie ich hier sitze, und ich konnte nur noch versuchen, mir auf dem Hof meinen Kummer aus dem Leib zu laufen. Doch das kann man bis zum Jüngsten Tage tun, bis die Füße Blasen haben, seinem Schmerz entgeht man nicht. Und als der Dezember kam, hörte ich damit auf. Ich unterbrach meine Runde neben dem Holzstapel, wo wir damals die kleine Eule gefüttert hatten, und sagte laut: »Verdammt sei dein Entschluss. Wie konntest du mich allein zurücklassen, mit meiner Liebe und meinem Hass. Das wird mich eines Tages umbringen, und das weißt du.«

Dann machte ich kehrt, ging wieder in den Kellerraum und griff zur Nadel.

Denken Sie nicht, Mauma wäre nicht in jedem Stich gewesen. Sie war im Wind und im Regen und im Quietschen von unserem Schaukelstuhl. Sie saß mit den Vögeln auf der Mauer und sah mich an. Und wenn die Dunkelheit hereinbrach, brach sie mit ihr.

An dem Tag, bevor die oben im Haus Weihnachten einläuteten, schaute ich auf die Holztruhe, die Mauma hinter ihren Jutesack geschoben hatte.

»Also, wo hast du den Schlüssel hingetan?«, fragte ich sie.

Ich sprach ständig mit ihr. Aber da ich keine Antwort hörte, hatte ich den Verstand noch nicht verloren. Ich stellte das ganze Zimmer auf den Kopf, doch kein Schlüssel. Vielleicht war er in ihrer Tasche gewesen, als sie verschwunden war. Im Schuppen gab es eine Axt, aber ich wollte die Truhe nicht kaputt schlagen. Stattdessen sagte ich: »Wenn ich du wäre, wo würde ich den Schlüssel verstecken, der meine größten Schätze sichert?«

Ich stand eine Weile herum. Dann sah ich zur Decke. Zum Quilt-Rahmen. Die Rädchen am Flaschenzug waren frisch geölt. Sie machten keinen Pieps, als ich den Rahmen nach unten kurbelte. Und da war er. Der Schlüssel lag in einer Kerbe.

In der Truhe war ein dickes Bündel, das in Musselin gewickelt war. Ich schlug es auf, und ich roch Mauma, ihren salzigen Geruch. Da musste ich weinen. Ich drückte ihre Quilt-Vierecke an mich und dachte an ihre Worte, dass die Vierecke das Fleisch an ihren Knochen wären.

Es waren zehn ziemlich große Vierecke. Ich legte sie auf dem Rahmen aus. Die Farben übertrafen sogar noch Gott und seinen Regenbogen. Rottöne, Violett, Orange, Rosa, Gelb, Schwarz und Braun. Sie drangen mir mehr noch ins Ohr als in die Augen, denn sie klangen, als ob sie im gleichen Atemzug lachen und weinen würden. Es war die kunstvollste Arbeit, die sie je mit ihrer Hand geschaffen hatte.

Das erste Viereck zeigte Mauma als kleines Mädchen, wie sie die Hände von ihrer Mauma und ihrem Daddy hielt, und um sie herum fielen die Sterne zu Boden – das war die Nacht, in der meine Omama verkauft worden war, die Nacht, in der die Geschichte begann.

Der Rest war ein einziges Kuddelmuddel, einige Vierecke verstand ich, andere nicht. Da war eine Frau, die auf einem Feld hackte – das war wohl meine Omama –, mit einem roten Kopftuch, und ein Baby, meine Mauma, lag zwischen den Pflanzen. Über ihren Köpfen flogen Sklavenmenschen durch die Lüfte und verschwanden hinter der Sonne.

Daneben saß ein kleines Mädchen auf einem dreibeinigen Hocker, das schwarze Dreiecke auf einen roten Quilt applizierte, ein paar Dreiecke lagen auf dem Boden. Ich sagte: »Das bist wahrscheinlich du, aber das könnte auch ich sein.«

Auf dem vierten Viereck war ein Seelenbaum, mit rotem Garn um den Stamm, auf den Zweigen saßen Geier. Mauma hatte eine Frau und ein Baby auf den Boden gelegt – es war ein Junge, das sah man an seinem Gemächt. Das waren bestimmt meine Omama, als sie starb, und der Sohn, der nicht überlebt hatte. Beide waren in blutige Stücke gerissen. Danach musste ich erst mal nach draußen an die kalte Luft. Man stammt von seiner Mauma, schläft mit ihr im selben Bett, bis man beinah zwanzig ist, und weiß trotzdem nicht, was bei ihr in dunkler Tiefe lauert.

Dann ging ich wieder ins Haus und sah mir das nächste Viereck an – ein Mann auf einem Feld. Er trug einen braunen Hut, und am Himmel waren Wolken, und darin lauter Augen, große gelbe Augen, und roter Regen fiel von ihren Lidern. *Das ist mein Daddy, Shanney.*

Auf dem Quadrat danach waren Mauma und ein kleines Mädchen, das auf einem Quilt-Rahmen lag. Das Mädchen war ich, unsere Körper waren in Stücke geschnitten, helle Flicken, die man neu zusammensetzen musste. Als ich das sah, wurde mir übel.

Auf einem anderen Viereck nähte Mauma ein zutiefst violettes Kleid mit vielen Monden und Sternen, dabei saß sie in einem Mauseloch, und die Wände ragten über sie.

Als ich von Bild zu Bild sah, war mir, als würde ich in einem Buch blättern, in dem ihre letzten Worte standen. Irgendwann empfand ich gar nichts mehr, so wie wenn man komisch auf seinem Arm liegt, und wenn man wach wird, ist er eingeschlafen. Ich sah auf die Applikationen, an denen Mauma zwei Jahre lang genäht hatte, als hätten sie nichts mit mir zu tun, denn anders konnte ich es nicht ertragen, sie anzuschauen. Ich ließ sie wie Lichtstrahlen an mir vorüberziehen.

Mauma im Hof, bei ihrer einbeinigen Strafe, als man ihr mit dem Gurt das Bein nach oben gebunden hatte. Ein weiterer Seelenbaum, so wie der andere, aber das war unserer, und da waren auch keine Geier, sondern grüne Blätter, und darunter ein Mädchen mit einem Buch und eine Peitsche, die nach ihm schlug.

Auf dem letzten Viereck war ein Mann, ein bulliger Mann mit einer Zimmermanns-Schürze – Mr Denmark Vesey –, und neben ihn hatte sie vier Zahlen gestickt, so groß wie er: 1884. Ich hatte keine Ahnung, was das bedeuten sollte.

Ich fing sofort an zu nähen. Zur Hölle mit der Missus und ihren Kleidern. Den ganzen Tag, bis tief in die Nacht, fügte ich Maumas Vierecke mit kleinen Stichen, die man kaum sehen kann, zusammen. Dann nähte ich die Rückseite an und füllte den Quilt mit dem besten Stopfmaterial, das wir hatten, und unserer gesamten Federsammlung. Danach griff ich zur Schere und schnitt mir die Haare ab, bis nur noch etwas Flaum auf meinem Schädel war. Mein Haar gab ich auch in die Füllung.

Da fiel mir das Geld ein. Das Ersparte aus acht Jahren. Ich ging zur Truhe, doch sie war leer wie Luft. Vierhundert Dollar, verschwunden, so wie Mauma. Und es gab keinen Ort mehr, wo ich suchen konnte. Ich hatte keinen Atem mehr.

Nachdem ich etwas geschlafen hatte, nähte ich am nächsten Tag den Quilt mit einem Heftstich zu. Dann wickelte ich mich darin ein, als wäre es ein Prachtmantel. Ich ging nach draußen auf den Hof, wo Aunt-Sister hockte, Zuckerrohr in Stücke schnitt und sagte: »Mädchen, was hast du da an? Was hast du mit deinem Kopf gemacht?«

Ich sagte kein Wort und ging an ihr vorbei zum Baum. Mein Atem folgte mir in kleinen Wolken. Dort wickelte ich frisches Garn um den Stamm.

Dann kam ein Rauschen aus dem Himmel. Krähen flogen über mich hinweg, und aus den Schornsteinen stieg Rauch auf.

»Nur für dich«, sagte ich. »Nur für dich.«

DRITTER TEIL

Oktober 1818 – November 1820

Handful

Wenn ich an manchen Tagen die East Bay Street hinunterging, blitzte irgendwo ein rotes Kopftuch auf, eine Frau mit zimtfarbener Haut huschte um die Ecke, und dann sagte ich: *Da bist du ja.* Ich war mittlerweile fünfundzwanzig und sprach immer noch mit ihr.

Jeden Oktober, am Jahrestag von Maumas Verschwinden, setzten wir Sklaven uns in die Küche und tauschten Erinnerungen aus. Ich hasste es, wenn dieser Tag näherrückte.

Am sechsten Jahrestag tätschelte Binah mein Bein und sagte: »Deine Mauma is weg, aber wir sin noch da, der Himmel is noch nich gefallen.«

Das nicht, aber mit jedem Jahr brach ein weiteres Stück von ihr weg.

Auch an diesem Abend kramten sie Geschichten über Mauma hervor, bis nach dem Abendessen. Wie sie die grüne Seide gestohlen hatte. Die Missus mit ihrem Hinken hereingelegt hatte. Sich den Kellerraum erstritten hatte. Sich als Näherin verdingt hatte. Die Jesus-Masche. Tomfry erzählte von dem Tag, als er für die Missus das ganze Grundstück absuchen musste und Mauma nirgends war, und wie wir sie dann durch die Vordertür aufs Dach geschmuggelt und uns ausgedacht hatten, dass sie da eingeschlafen war. Die üblichen Geschichten. Das übliche Gelächter und Getratsche.

Nun, wo sie verschwunden war, mochten die anderen sie ein wenig mehr.

»Du hast ihre Augen«, sagte Goodis und himmelte mich an, wie üblich.

Ich hatte ihre Augen, aber alles andere hatte ich von meinem Daddy. Mauma hatte immer gesagt, dass er ein ungewöhnlich kleiner Mann gewesen war, und schwärzer als die Rückseite vom Mond.

Um mich zu schonen, sparten sie sich die Geschichten von ihrem Leid und ihren Nöten. Auch kein Wort davon, was sie jetzt wohl tat. Alle, selbst Goodis, glaubten, sie wäre abgehauen und würde irgendwo das süße Leben der Freiheit leben. Ich konnte mir noch eher vorstellen, dass sie die ganze Zeit auf dem Dach lag und schlief.

Draußen ging der Tag dahin. Tomfry sagte, Zeit, im Haus die Lampen anzuzünden, doch niemand rührte sich. Ich hatte plötzlich den Drang, ihnen zu erzählen, was für eine Frau Mauma in Wirklichkeit gewesen war, damit die anderen nicht nur ihre listige, clevere Seite kannten, sondern auch die andere. Die eiserne, unbeugsame Mauma, die nachts umhergewandert war und zu meiner Omama gebetet hatte. Die an einem Tag mehr Sehnsucht verspürt hatte als sie alle zusammen in einem Jahr. Die etwas Besseres gewollt und sich dafür bis auf die Knochen abgerackert und Gefahren in Kauf genommen hatte. Diese Frau sollten sie endlich einmal kennenlernen. Denn diese Frau hätte mich niemals im Stich gelassen.

Ich sagte: »Sie ist nicht abgehauen. Glaubt, was ihr wollt, aber sie ist nicht abgehauen.«

Die anderen saßen nur da und schauten mich an. Ich sah regelrecht, wie sich die kleinen Rädchen in ihren Köpfen drehten: *Armes irres Mädchen, armes irres Mädchen.*

Tomfry ergriff das Wort. »Handful, denk mal nach. Wenn sie nicht weggelaufen ist, muss sie tot sein. Was von beidem sollen wir denn glauben?«

So deutlich hatte es noch niemand ausgesprochen. Auf Maumas Story-Quilt flogen Sklaven durch die Lüfte und lagen Sklaven tot am Boden, aber ich hatte mir immer vorgestellt, dass sich Mauma irgendwo zwischen dem einen und dem anderen befand. Zwischen Auf-und-Davon und Tot-und-Vorbei.

Was von beidem? Es herrschte eine Luft wie Stärke.

»Keins von beiden«, sagte ich, stand auf und ging in mein Zimmer.

Dort legte ich mich aufs Bett, auf den Story-Quilt, und schaute auf den Rahmen, der noch immer an der Decke hing. Ich ließ ihn nicht mehr runter, aber ich schlief jede Nacht unter Maumas Geschichten, nur im Sommer und in heißen Herbsttagen nicht. Diese Geschichten kannte ich vorwärts, rückwärts, seitwärts. Mauma hatte genäht, woher sie kam, wer sie war, was sie liebte, was sie erlitten und worauf sie gehofft hatte. Sie hatte einen Weg gefunden, all das zu erzählen.

Nach einer Weile hörte ich über mir Schritte – Tomfry, Cindie und Binah entzündeten die Lampen. Sarahs Lampe war nicht mehr meine Sorge. Ich hatte nur noch Nähpflichten. Vor einiger Zeit hatte Sarah mich an die Missus zurückgegeben, offiziell und mit Papier. Weil sie nicht am Besitz eines Menschen beteiligt sein wollte. Sie war extra in mein Zimmer gekommen, um es mir zu sagen, so ein Nervenbündel, dass sie die Worte kaum herausbekommen hatte. »... Ich würde dir die Freiheit schenken, wenn ich könnte ... Aber das neue Gesetz ... Das erschwert es den Besitzern sehr, ihre Sklaven zu befreien ... Sonst hätte ich ... Du weißt das ... oder?«

Damit war es mir so klar wie Sarahs Sommersprossen vor meinen Augen – ich würde der Missus nur entkommen, wenn ich tot umfiel, verkauft würde oder das Versteck entdeckte, in dem Mauma war. An manchen Tagen wünschte ich das Geld herbei, das sie gespart hatte – es war nie mehr aufgetaucht. Wenn ich diese Summe gefunden hätte, hätte ich zumindest den Versuch wagen können, mir meine Freiheit zu erkaufen, so wie wir es damals geplant hatten. Dann hätte ich eine Chance gehabt – eine pissdünne Chance, aber daran hätte ich mich hochziehen können.

Sechs Jahre. Ich drehte mich zum Fenster. »Mauma, was ist bloß mit dir passiert?«

Als das neue Jahr kam und ich auf dem Markt besorgte, was Aunt-Sister mir aufgetragen hatte, erzählte der Sklave, der den Fleischerstand sauber machte, von einer afrikanischen Kirche. Sein Name war Jesse, er war ein guter, sanfter Mann. Den Kindern machte er immer Ballons, dafür füllte er die Schweineblasen, die übrig geblieben waren, mit Wasser. Ich achtete sonst nicht groß auf ihn – er redete ohne Punkt und Komma, und es verging kein Satz ohne ein *Lobet den Herrn* –, doch an dem Tag, warum auch immer, hörte ich mir an, was er zu sagen hatte.

Aunt-Sister hatte gepredigt, ich sollte schnell zurückkommen, weil es sicher graupeln würde, aber ich blieb in der fauligen Luft stehen und hörte mir an, was er über die Kirche zu erzählen hatte. Und so erfuhr ich, dass sie Afrikanisch-Methodistische Episkopalkirche hieß und nur für Farbige, Sklaven und freie Schwarze war. Die Gemeinde traf sich in einer großen Hütte beim Friedhof für die Schwarzen, wo man früher den Leichenwagen abgestellt hatte. Dort, so berichtete Jesse, wäre es jeden Abend voll bis an die Dachsparren.

Neben mir sagte ein Sklave, der eine abgetragene Livree trug: »Seit wann ist die Stadt denn so verrückt, dass sie den Sklaven eine eigene Kirche erlaubt?«

Alle lachten, als ob das ein Witz über Charleston gewesen wäre.

Jesse sagte: »Ja, so ist es, lobet den Herrn. In der Kirche gibt es einen Mann, der von Moses spricht und davon, wie er die Sklaven aus Ägypten geführt hat, lobet den Herrn. Und er sagt, Charleston ist unser Ägypten. Lobet den Herrn.«

Mein Kopf begann zu kribbeln, und ich fragte: »Wie heißt denn dieser Mann?«

»Denmark Vesey.«

All die Jahre hatte ich mich geweigert, an Mr Vesey zu denken, den Mauma auf das letzte Viereck genäht hatte. Mir gefiel nicht, dass er auf dem Quilt war, der ganze Mann gefiel mir nicht. Punkt. Nie wäre mir in den Sinn gekommen, dass er etwas über Mauma wissen könnte, wie auch, doch in diesem Moment ertönte in mir eine Glocke und sagte, einen Versuch ist es wohl wert. Vielleicht konnte ich Mauma dann zur Ruhe betten.

Und da entschied ich mich für die Religion.

Bei der nächstbesten Gelegenheit erzählte ich Sarah, dass mich der Wunsch nach Erlösung umtrieb und Gott mich in die afrikanische Kirche rief. Dazu betupfte ich mir leicht die Augen.

Ich war aus demselben Holz geschnitzt wie Mauma.

Am nächsten Tag rief mich die Missus in ihr Zimmer. Sie saß mit aufgeschlagener Bibel am Fenster. »Wie ich höre, möchtest du der neuen Kirche beitreten, die für deinerlei gegründet wurde. Sarah hat mir berichtet, dass du zu den abendlichen Zusammenkünften gehen willst. Ich werde dir erlauben, zwei Mal in der Woche und am Sonntag hinzugehen, solange sich das nicht auf deine Arbeit auswirkt und auch sonst keine Probleme verursacht. Sarah wird dir einen Passierschein ausstellen.«

Sie schaute mich durch ihre kleinen Brillengläser an. »Sieh zu, dass du diesen Gefallen nicht verspielst.«

»Ja, Ma'am.« Und für alle Fälle fügte ich hinzu: »Lobet den Herrn.«

Sarah

Ich konnte mir nicht vorstellen, warum ich mit Nina in den Salon im ersten Stock gerufen wurde – doch etwas Gutes bedeutete das nie. Als wir eintraten, saß auf der gelben Seidencouch bereits Reverend Gadsden in all seiner Korpulenz, und neben ihm, an den Rand gequetscht, Mutter, die ihren Stock umklammerte, als wollte sie ihn in den Boden bohren. Ich schaute auf zu Nina, die mit ihren vierzehn Jahren schon größer war als ich. Unter den dichten, dunklen Wimpern blitzten ihre Augen. Trotzig schob sie das Kinn vor, ein wenig nur, doch in dem Moment tat mir der Reverend, wenn auch nur kurz, leid.

»Schließ die Tür«, sagte Mutter. Vater hatte sich am anderen Ende des Korridors in sein Zimmer zurückgezogen. Inzwischen war er zu krank, um zu arbeiten. Dr. Geddings hatte ihm Ruhe verordnet, und die Sklaven schlichen seit Wochen schon nur noch umher, sprachen im Flüsterton und sorgten in Todesangst dafür, dass nicht einmal ein Tablett klapperte. Wenn ein Arzt Ruhe verschreibt, dazu einen Sirup aus Meerrettichwurzel, hat er den Patienten aufgegeben.

Ich sank neben Nina auf den Zweisitzer den anderen beiden gegenüber. Die Anschuldigung würde zweifelsohne lauten, dass ich als Ninas Patin versagt hatte. Wie üblich.

Am vergangenen Sonntag hatte sich meine Schwester geweigert, sich in St. Philip konfirmieren zu lassen, und arg war nicht allein die Tatsache als solche, sondern auch die Art und Weise, wie es vonstattengegangen war. Nina hatte ein regelrechtes Drama veranstaltet. Als die Mitkonfirmanden ihre

Stühle auf dem Podium verlassen hatten und zur Kommunionbank gegangen waren, damit der Bischof seine Hände auf ihre frommen Häupter legte, war Nina demonstrativ an ihrem Platz geblieben. Meine Familie war, bis auf Vater, geschlossen angetreten, und ich hatte mit Scham und Stolz zugleich verfolgt, wie Nina mit verschränkten Armen dagesessen hatte, das glänzende dunkle Haar auf den Schultern, die Wangen gerötet.

Der Bischof war zu ihr getreten und hatte auf sie eingeredet, doch sie hatte nur den Kopf geschüttelt. Mutter, neben mir, war zu einem Eisklotz erstarrt, die Luft ringsum drückte schwer. Der Bischof hatte sich in weiteren Beschwörungen, Nina in Sturheit geübt, bis er resigniert mit der Messe fortgefahren war.

Ich hatte keine Ahnung gehabt, dass Nina so etwas geplant hatte, doch auf irgendetwas hätte ich gefasst sein müssen – schließlich ging es hier um Nina, die Verkörperung feuriger Ansichten und rebellischer Handlungen. Im letzten Winter hatte sie ihre Klasse damit skandalisiert, dass sie die Schuhe ausgezogen hatte, weil der Sklavenjunge, der die Tafeln putzen musste, barfuß war. Längst schon konnte ich die Entschuldigungsbriefe nicht mehr zählen, die Mutter Nina diktiert hatte. Doch statt nachzugeben, verharrte meine Schwester tagelang vor dem leeren Blatt, bis Mutter schließlich kapitulierte. Und an ihrem elften Geburtstag hatte Nina ihr menschliches Geschenk mit solcher Vehemenz verweigert, dass Mutter aus reiner Erschöpfung aufgegeben hatte.

Selbst wenn ich versucht hätte, Ninas Spektakel in der Kirche zu verhindern – sie hätte mir bloß entgegengehalten, dass auch ich den Anglikanern einen Korb gegeben hatte. Ja, das hatte ich, aber zugunsten der Presbyterianer, denen Nina, wäre sie in die Verlegenheit gekommen, ebenfalls einen Korb gegeben hätte. Die Presbyterianer mit ihrem »Giftkraut und Wermut«, wie sie immer sagte, gingen ihr vollkommen gegen den Strich.

Wenn es etwas gab, das einen Keil zwischen mich und meine Schwester trieb, dann war es die Religion.

In den letzten Jahren hatte mein Leben aus einem steten Wechsel von Askese und Genuss bestanden. In Folge des Burke-Williams-Vorfalls hatte ich allen gesellschaftlichen Vergnügungen entsagt, doch ich war chronisch rückfällig und in jeder Saison bei irgendeinem Fest oder Ball doch wieder schwach geworden, wonach ich, innerlich leer und kränkelnd, auf Knien zu Gott zurückgekrochen war. Nina hatte meine flehentlichen Bitten um Vergebung, meine qualvollen Anfälle von Selbstverachtung oft genug mitangesehen. »Warum tust du dir das an?«, rief sie dann.

Ja, warum?

Charleston hatte Mr Williams wie eine fleckige Serviette aus dem Schoß geschüttelt. Er hatte seine Cousine geheiratet und führte in Columbia die Kurzwarenhandlung seines Onkels. Ihn hatte ich längst hinter mir gelassen, doch es gelang mir nicht, meinen Frieden mit der Tatsache zu machen, dass ich bis ans Ende meiner Tage in diesem Haus verbleiben sollte. Noch hatte ich Nina. Doch mit ihrem Charisma und ihrer Schönheit würde sie bald schon Dutzende von Verehrern anziehen und mich mit Mutter allein lassen. Dieser Gedanke kam mir auf Schritt und Tritt, und er hatte auch den Anstoß zu meinen Rückfällen gegeben. Doch selbst das hatte nun ein Ende – mit sechsundzwanzig war ich zu alt für die kommende Saison. Es war also endgültig vorbei. Ich fühlte mich elend und verloren, Giftkraut und Wermut wucherten in mir, und ich konnte nichts dagegen tun.

Reverend Gadsden fühlte sich unbehaglich. Sein Mund spitzte und löste sich in einem fort. Nina saß so aufrecht neben mir, als wollte sie sagen: *Also gut, ich bin für die Geißelung bereit*, doch unter dem Schutz unserer Röcke hatte sie nach meiner Hand gegriffen.

»Ich bin gekommen, weil deine Mutter mich gebeten hat, mit dir zu sprechen. Was du gestern getan hast, war für uns alle ein Schock. Es ist eine schwerwiegende Angelegenheit, die Kirche und ihre rettenden Sakramente abzuweisen …«

Sein Gerede plätscherte dahin, während Ninas Hand in meiner schwitzte.

Nina kannte meine Pein, doch ich kannte auch die ihre. Tief in ihr war ein Ort, an dem manches in Trümmern lag. Die Schreie, die sie als Kind aus dem Arbeitshaus gehört hatte, verfolgten sie noch immer, und oft wurde sie nachts wach und schrie selbst in die Dunkelheit. Sie gab sich unbesiegbar, doch unter der Oberfläche war sie verletzlich und verletzt. Wenn Mutter sie streng tadelte, verschwand Nina stundenlang in ihrem Zimmer und tauchte mit geröteten Augen wieder auf.

Die ebenso sanfte wie betäubende Ansprache des Reverend drang mir nur flüchtig ins Bewusstsein. »Ich muss dich darauf hinweisen«, hörte ich ihn sagen, »dass du deine Seele ernstlich in Gefahr bringst.«

Da ergriff Nina zum ersten Mal das Wort. »Verzeihen Sie, Reverend Sir, ich werde mich nicht beugen, selbst wenn Sie mir die Hölle prophezeien.«

Mutter ließ die Lider sinken. »Oh, Angelina, um Gottes willen.«

Nina hatte das Wort *Hölle* in den Mund genommen. Selbst ich war leicht schockiert. Der Reverend lehnte sich resigniert zurück. Er war fertig.

Mutter selbstverständlich nicht. »Dein Vater ist schwer krank. Und wie du sicher weißt, ist es sein Wunsch, dass du in der Kirche konfirmiert wirst. Es könnte dies sein letzter Wunsch sein. Willst du ihm das verweigern?«

Nina drückte meine Hand und rang mit sich.

»Soll sie ihrem Gewissen oder ihrem Vater entsagen?«, fragte ich.

Mutter wich zurück, als ob ich sie geschlagen hätte. »Willst du deine Schwester in ihrem Ungehorsam etwa unterstützen?«

»Ich unterstütze sie darin, auf ihre Skrupel zu hören.«

»*Ihre* Skrupel?« An Mutters Hals erschienen Flecken in der Farbe Roter Bete. Sie wandte sich an den Reverend. »Wie Sie ja selbst sehen, steht Angelina vollkommen unter Sarahs Einfluss. Was Sarah denkt, denkt Angelina. Wo Sarah Skrupel hat, hat sie sie auch. Doch ich bin selbst schuld – ich habe Sarah zu ihrer Patin gemacht, und von Anbeginn bis zum heutigen Tage führt sie dieses Kind auf Abwege.«

»Mutter!«, rief Nina. »Ich kann selbst denken.«

Mutters ruhiger, mitleidloser Blick wanderte vom Reverend zu Nina. Dann stellte sie die eine Frage, die immer zwischen uns stehen würde: »Nur damit ich Klarheit habe, als du gerade ›Mutter‹ sagtest, hast du da mich gemeint – oder Sarah?«

Pfarrer Gadsden wand sich und griff nach seinem Hut, doch Mutter ließ sich nicht beirren. »Wie ich bereits sagte, Reverend, ich weiß nicht, wie man diesem Übel begegnen soll. Solange die beiden unter einem Dach leben, besteht wohl wenig Hoffnung für Angelina.«

Als Mutter den Reverend nach unten an die Tür begleitete, ging draußen ein Regenschauer nieder. Nina sank an meine Seite. Ich zog sie hoch, und wir eilten die Treppe in mein Zimmer hoch.

Ich schlug das Laken zurück, und Nina schlüpfte in mein Bett. Verstört und starr lag sie auf dem Leinenkissen. Sie schaute mit glühendem Blick zum Fenster, das von Regen verhangen war, ihr Rücken hob und senkte sich unter meiner Hand.

»Glaubst du, Mutter wird mich fortschicken?«, fragte sie.

»Das werde ich nicht zulassen«, erwiderte ich, obwohl ich nicht wusste, wie ich es verhindern sollte, falls sich Mutter wirklich vornahm, meine Schwester von mir zu entfernen. Es war ein Leichtes, ein rebellisches Mädchen in ein Internat zu schicken oder nach North Carolina auf die Plantage unseres Onkels zu verbannen.

Handful

Hat denn nicht Gott, unser Herr, auch Daniel erlöst?«, rief Denmark Vesey.

Und die gesamte Gemeinde antwortete: »Nun errettet er mich.«

Bestimmt zweihundert von uns drängten sich in der Kirche. Ich saß ziemlich weit hinten, an meinem üblichen Platz. Inzwischen hielten ihn die anderen für mich frei. »Das ist Handfuls Platz«, hieß es dann. Und auf dem saß ich seit vier Monaten und hatte nicht das Geringste über Mauma erfahren, aber inzwischen wusste ich besser als die Missus, wen Gott so alles erlöst hatte.

Abraham, Moses, Samson, Petrus und Paulus – Mr Vesey sang sie uns einen nach dem anderen vor. Alle standen, klatschten, schwenkten die Arme und riefen: »Nun errettet er mich«, und ich, mittendrin, machte meinen Hüpftanz, so wie früher im Alkoven, wenn ich das Wasser besungen hatte.

Unser Reverend war ein freier Schwarzer namens Morris Brown, und er sagte immer, wenn wir so außer uns gerieten, wäre der Heilige Geist in uns gefahren. Mr Vesey, einer seiner vier wichtigsten Helfer, sagte, das ist nicht der Heilige Geist, sondern die Hoffnung. Was es auch war, es brannte einem ein Loch in die Brust.

In der Kirche war es unerträglich heiß. Unsere Gesichter und Kleidung waren nass vor Schweiß, und ein paar Männer standen auf und öffneten die Fenster. Frische Luft strömte herein und unsere Rufe hinaus.

Als Mr Vesey in der Bibel niemanden mehr fand, den Gott

erlösen konnte, ging er durch die Reihen und rief unsere Namen auf.

Möge Gott, unser Herr, Rolla erlösen.

Möge Gott, unser Herr, Nancy erlösen.

Möge Gott, unser Herr, Ned erlösen.

Wenn er einen Namen rief, war es, als würde der direkt zum Himmel fliegen und Gott da oben voll erwischen. Reverend Brown sagte, gebt acht, der Himmel ist das, was ihr euch vorstellt. Für ihn war es Afrika vor der Versklavung – Essen und Freiheit im Überfluss, und nirgendwo ein Weißer, der Verderben brachte. Falls Mauma tot war, hätte sie da ein schönes großes Haus und die Missus zur Magd.

Mr Vesey mochte das Gerede über den Himmel gar nicht. Er sagte immer, nur Feiglinge würden sich nach dem Leben im Jenseits sehnen und sich benehmen, als ob das Leben auf Erden nichts bedeuten würde. Darin musste ich ihm zustimmen.

Selbst wenn ich mit den anderen sang und hüpfte, blieb ein Teil von mir geduckt und ruhig und sah ganz genau, was Mr Vesey tat und sagte. Ich war der Vogel, der beobachtete, wie die Katze um den Baum schlich. Mr Vesey hatte mittlerweile weiße wollene Knötchen im Haar, aber davon abgesehen sah er aus wie früher. Derselbe finstere Gesichtsausdruck, derselbe messerscharfe Blick. Die Arme noch immer dick und die Brust so breit wie eine Regentonne.

Den Mut, mit ihm zu sprechen, hatte ich noch nicht gesammelt. Alle fürchteten Denmark Vesey. Langsam fand ich, dass das echt ein Witz war – am Ende würde ich in der afrikanischen Kirche doch noch Gott finden. Was hatte ich denn gehofft, hier über Mauma rauszukriegen?

Die Pferde hörte niemand. Mr Vesey hatte ein neues Lied begonnen – *Josua kämpft um Jericho. Und die Mauern stürzen ein.* Gullah Jack, Mr Veseys rechte Hand, schlug die Trommel, und alle stampften auf den Boden. *Jericho, Jericho.*

Dann flogen die Türen auf, Gullah Jacks Hände hörten auf zu trommeln, und das Lied erstarb. Wir schauten uns verwirrt um. Die Stadtwache stellte sich entlang der Wände und im Gang auf, einer an jedem Fenster, vier verbarrikadierten die Tür.

Der oberste Wächter marschierte nach vorne, ein Papier in der einen und eine Muskete in der anderen Hand. Denmark Vesey sagte mit seiner dröhnenden Stimme: »Was hat das zu bedeuten? Das ist das Haus des Herrn, Sie haben hier nichts zu suchen.«

Der Wächter wirkte, als ob er sein Glück kaum fassen könnte, und rammte Mr Vesey den Kolben von seinem Gewehr mitten ins Gesicht. Eben noch hatte Mr Vesey *Jericho* gerufen, nun lag er am Boden, das Hemd voll Blut.

Alle fingen an zu schreien. Einer der Wächter feuerte in die Dachsparren, es regnete Holzspäne und Rauch. In meinen Ohren dröhnte es. Als der oberste Wächter die richterliche Anordnung verlas, klang es, als ob seine Stimme vom Grund eines trockenen Brunnens hallen würde. Die Nachbarn fühlten sich durch die Kirche belästigt. Uns wurde ungebührliches Verhalten vorgeworfen.

Er schob das Papier in seine Tasche. »Ihr werdet zur Wache gebracht und morgen früh eurer gerechten Strafe zugeführt.«

Einer Frau ganz am Rand entfuhr ein Schluchzen, dann machten sich Angst und Gemurmel breit. Wir wussten von der Wache – da wurden die Gesetzesbrecher festgehalten, schwarz wie weiß, bis man wusste, was mit ihnen zu tun war. Die Weißen blieben bis zu ihrer Anhörung, die Schwarzen bis ihre Besitzer die Strafe zahlten. Also konnte man nur zu Gott beten, dass man keinen geizigen Besitzer hatte, denn wenn der sich weigerte zu zahlen, kam man ins Arbeitshaus und musste seine Schulden abarbeiten.

Draußen schien ein schwacher Mond vom Himmel. Wir wurden in vier Herden eingeteilt und die Straße entlanggetrieben. Ein Sklave sang, *Hat denn nicht Gott, unser Herr, auch Daniel erlöst?*, doch ein Wächter rief Ruhe. Von da an war es still, bis auf das Hufgeklapper der Pferde und das Wimmern eines Babys, das auf den Rücken seiner Mutter gebunden war und wie ein kleines Kätzchen maunzte. Ich verrenkte mir den Hals nach Mr Vesey, aber ich konnte ihn nirgendwo entdecken. Dann sah ich die dunklen, nassen Spritzer auf dem Boden. Er war ganz vorne.

Wir verbrachten die Nacht auf dem Fußboden im Flur und in den Gefängniszellen. Alles drängte durcheinander, Männer und Frauen, und alle mussten wir in einer Ecke in denselben Eimer pinkeln. Eine Frau hustete die halbe Nacht, und zwei Männer gerieten in ein Handgemenge, aber die meiste Zeit saßen wir im Dunkeln und starrten mit leeren Blicken vor uns hin oder dösten hin und wieder ein. Einmal wurde ich wach und hörte, wie das kleine Baby maunzte.

Beim ersten Licht des Morgens brachte ein Wächter mit ungepflegtem Haar bis auf die Schultern einen Eimer Wasser und einen Schöpflöffel. Wir tranken der Reihe nach, während unsere Mägen laut nach Essen verlangten. Danach blieb uns nur die Frage, was nun kommen würde. In unserer Zelle war ein Mann, der schon sechs Mal von der Wache aufgegriffen worden war, und er nannte uns Fakten und Zahlen. Die Strafe betrug fünf Dollar, und wenn der Master nicht zahlte, bekam man zwölf Peitschenhiebe im Arbeitshaus oder, schlimmer noch, die Tretmühle. Ich wusste nicht, was die Tretmühle war, und er sagte es auch nicht, er riet uns nur, um die Peitsche zu flehen. Dann hob er sein Hemd. Sein Rücken hatte Furchen wie die Haut von einem Alligator. Bei dem Anblick wanderte mir die Galle in den Magen. »Mein Massa zahlt nie«, sagte er.

Der Morgen zog sich. Wir warteten und warteten, und die

ganze Zeit sah ich diesen Rücken vor mir. Ich fragte mich, wohin sie Mr Vesey wohl gesteckt hatten und was mit seinem zertrümmerten Gesicht geschehen war. Es war schrecklich heiß. Die Luft kochte und roch säuerlich, und das Baby fing wieder an zu wimmern. Irgendjemand fragte: »Warum stillst du dein Kind denn nicht?«

»Bei mir kommt keine Milch«, sagte seine Mauma, und dann eine Frau, deren Kleid vorne Flecken hatte: »Komm, gib mir das Baby. Meins ist zu Hause, ich hab so viel Milch, und niemand säugt dran.« Sie zog eine braune Brust hervor, aus der Warze kam die pure Milch, und das Baby schloss den Mund darum.

Als der langhaarige Wächter wiederkam, sagte er: »Achtet auf eure Namen. Wenn ich euch aufrufe, seid ihr frei und könnt zu euren Herren und dem gehen, was euch da erwartet.«

Alle standen auf. Ich sagte mir: *Noch nie wurde ein Grimké-Sklave ins Arbeitshaus geschickt. Noch nie.*

»Seth Ball, Ben Pringle, Tinnie Alston, Jane Brewton, Apollo Rutledge ...« Er las und las, bis nur noch ich, der narbige Mann, die Mauma mit dem Baby und ein paar andere übrig waren. »Wenn ihr noch hier seid«, sagte der Wächter, »hat euer Besitzer beschlossen, dass das Arbeitshaus eurer Einstellung zuträglich sein wird.«

Ein Mann sagte: »Ich bin ein freier Schwarzer, ich habe keinen Besitzer.«

»Wenn du Papiere hast, die das belegen, kannst du selbst die Strafe zahlen«, erklärte ihm der Wächter. »Wenn du nicht an Ort und Stelle zahlen kannst, gehst du mit den anderen ins Arbeitshaus.«

Ich war ernstlich verwirrt. Ich sagte: »Mister. Mister? Sie haben meinen Namen vergessen. Ich bin Hetty. Hetty Grimké.«

Seine Antwort war ein Türenschlagen.

Die Tretmühle kaute und knirschte mit den Zähnen – man hörte sie schon, bevor man in den Raum kam. Der Aufpasser führte uns zu zwölft zur oberen Galerie und stieß uns mit einem Stock voran. Denmark Vesey war gleich hinter mir. Seine eine Gesichtshälfte war so schlimm geschwollen, dass das Auge zu war. Er hatte als Einziger Ketten an Füßen und Händen und machte kleine Schlurfschritte. Die Kette schlug und rasselte.

Als er zur Treppe kam, sagte ich nach hinten: »Vorsicht hier.« Dann flüsterte ich: »Wieso haben Sie die Strafe nicht bezahlt? Sie müssen doch Geld haben.«

»Was ihr getan habt einem von diesen meinen geringsten Brüdern, das habt ihr mir getan«, sagte er.

Ich dachte bei mir: *Mr Vesey gefällt sich bestimmt darin, wie Jesus das Kreuz zu tragen, aber wahrscheinlich hat er bloß die fünf Dollar nicht dabei.* Doch inzwischen kannte ich ihn ja, und es konnte sehr wohl sein, dass er es für uns tat. Er war eingebildet und stolz, aber er hatte auch ein großes Herz.

Als wir auf die Galerie kamen und vom Geländer aus sahen, welche Qual auf uns wartete, klappten wir zusammen und sanken auf den Boden.

Einer der Aufseher schloss Mr Veseys Kette an einen Eisenring und sagte, wir sollten das Rad aufmerksam beobachten, damit wir wussten, was wir später zu tun hatten. Die Mauma mit dem Baby auf dem Rücken fragte: »Wer passt auf mein Baby auf, wenn ich da unten bin?«

Er sagte: »Glaubst du etwa, dass wir hier Leute haben, die sich um dein Baby kümmern?«

Ich musste mich abwenden, so verzweifelt ließ sie den Kopf nach unten sinken. Das Baby schaute mit großen Augen über ihre Schulter.

Die Tretmühle war eine kreisende Trommel mit Stufen, doppelt so groß wie ein Mann. Daran kraxelten zwölf Menschen, so schnell es ging, und trieben damit das Rad an. Sie hingen an einer Stange, am Gelenk mit Gurten festgezurrt, falls ihr Griff sich lockerte. Die Mühle ächzte, unten knackte das Getreide. Zwei – schwarzhäutige – Aufseher liefen mit ihren Peitschen – die sie neunschwänzige Katze nannten – hin und her, und wenn das Rad langsamer wurde, schlugen sie die armen Menschen an Rücken und Beinen, bis sich rosa Fleisch wellte.

Mr Vesey musterte mich mit seinem heilen Auge. »Ich kenn dich doch irgendwoher?«

»Aus der Kirche.«

»Nein, woandersher.«

Ich hätte in dem Moment mit der Wahrheit rausrücken können, doch wir waren beide in der Löwengrube, und Gott hatte uns unserem Schicksal überlassen. Also sagte ich: »Wo bleibt denn Gott und die versprochene Erlösung?«

Er grunzte. »Ganz recht, es gibt nur eine Erlösung, und die kommt von uns selbst. Der Herr hat nur unsere *Hände und Füße.«*

»Das spricht nicht für den Herrn.«

»Das spricht auch nicht für uns.«

Unten läutete eine Glocke, die Kiefer von dem Rad hörten auf zu mahlen. Die Aufseher lösten die Gelenke, und dann kletterten alle über eine Leiter nach unten. Manche Sklaven waren so erschöpft, dass sie gezogen werden mussten.

Der Aufseher löste die Kette von Mr Veseys Bodenring. »Steh auf. Du bist dran.«

Sarah

Handful hatte ihren zermalmten Fuß auf ein Kissen gebettet. Aunt-Sister legte ein Wegerichblatt auf die Wunde. Es roch, als wäre sie eben noch mit Pottasche und Essig versorgt worden.

»Miss Sarah ist da«, sagte Aunt-Sister. Handful rollte den Kopf auf der Matratze hin und her, doch sie öffnete die Augen nicht. Laudanum hatte sie beruhigt, der Apotheker hatte schon nach ihr gesehen.

Ich kämpfte blinzelnd gegen die Tränen – Handful so entstellt zu sehen war mir eine Qual. Mein schlechtes Gewissen war es nicht minder. Ich hatte nicht gewusst, dass sie verhaftet worden war und Mutter entschieden hatte, dass sie die Konsequenzen im Arbeitshaus erdulden sollte. Ich hatte Handfuls Fehlen nicht einmal bemerkt. All das wäre nie geschehen, wenn ich Handful nicht wieder an Mutter übereignet hätte. Mir hätte doch bewusst sein müssen, dass es ihr bei Mutter schlecht ergehen würde, und trotzdem hatte ich sie ihr zurückgegeben. Meine widerliche Selbstgerechtigkeit.

Als Sabe Handful in der Kutsche nach Hause gebracht hatte, war ich beim Bibelstudium gewesen. Beim *Bibelstudium.* Ich schämte mich beim Gedanken an die Verse, die ich betrachtet hatte, ausgerechnet aus dem dreizehnten Kapitel der Korintherbriefe – *Und wenn ich alle Erkenntnis besitze und wenn ich allen Glauben habe, habe aber die Liebe nicht, so bin ich nichts.*

Mit einiger Überwindung sah ich über das Bett hinweg zu Aunt-Sister. »Wie schlimm steht es um sie?«

Anstelle einer Antwort entfernte Aunt-Sister bloß das grüne

Blatt, damit ich mir selbst ein Bild machen konnte. Der Fuß war unnatürlich verrenkt und nach innen gedreht, und vom Gelenk bis zum kleinen Zeh verlief eine Wunde, die bis aufs rohe Fleisch ging. Ein Streifen hellen Blutes war durch den Umschlag gesickert. Aunt-Sister betupfte die Stelle mit einem Handtuch und legte das Blatt zurück.

»Wie ist das passiert?«, fragte ich.

»Sie haben sie auf die Tretmühle gestellt und sagen, sie is runtergefallen und ihr Fuß is unters Rad gekommen.«

Im *Mercury* war neulich erst eine Zeichnung dieser neuen Monstrosität mit der Bildunterschrift *Der fortschrittliche Strafvollzug* erschienen. In dem Artikel wurde spekuliert, dass der Stadt daraus innerhalb des ersten Jahres ein Gewinn von fünfhundert Dollar entstehen dürfte.

»Der Apotheker sagt, der Fuß is nich gebrochen«, erklärte Aunt-Sister. »Aber die Bänder, die die Knochen halten, sind gerissen. Sie wird zum Krüppel, das is bei dem Anblick klar.«

Handful stöhnte, dann äußerte sie etwas, unverständlich, lallend. Ich nahm ihre Hand und staunte, wie leicht sie war, wieso ihr Fuß nicht zu Staub zerrieben war. Sie sah zierlich aus, doch kindlich war sie längst nicht mehr. Das Haar hatte sie bis auf wenige struppige Zentimeter abgeschnitten. Unter ihren Augen wölbten sich kleine Beulen. Die Stirn legte sich in Falten. Handful war zu einem schmächtigen kleinen Mütterchen gealtert.

Ihre Lider flatterten, doch sie öffneten sich nicht, als sie erneut um Worte rang. Ich beugte mich über ihre Lippen.

»Geh weg«, zischte sie. *»Geh. Weg.«*

Ich redete mir ein, dass die Opiate ihren Verstand umnebelt hatten. Dass sie nicht wusste, was sie sagte. Dass sie ein Bild in ihrem Inneren gesehen hatte.

Handful blieb zehn Tage lang in ihrem Zimmer. Aunt-Sister und Phoebe brachten ihr Essen und versorgten ihren Fuß, und Goodis drückte sich unentwegt an der hinteren Treppe herum und wartete auf Neuigkeiten. Ich blieb fern, aus Angst, dass ihre Worte doch für mich bestimmt gewesen waren.

Meine Verbannung aus Vaters Studierzimmer war nie offiziell aufgehoben worden, und so setzte ich selten einen Fuß hinein, doch als Handful genas, holte ich ihr heimlich zwei Bücher – *Die Pilgerreise zur seligen Ewigkeit* von John Bunyan und Shakespeares *Sturm*, da sie das Meer so liebte –, legte sie vor ihre Tür, klopfte und eilte davon.

An dem Morgen, als Handful wieder auftauchte, saßen wir Grimkés beim Frühstück. Nur vier Kinder waren noch im Haus, die nicht verheiratet oder in der Schule waren: Charles, Henry, Nina und natürlich ich, die rothaarige jungfräuliche Tante. Mutter saß am Kopfende, vor dem Seidenschirm mit dem handgemalten Jasmin, der sich einem Heiligenschein gleich um ihr Haupt wand. Sie sah zum Fenster, als ihr Mund vor Verblüffung aufklappte. Handful ging zur Eiche, mit einem Stock, der viel zu groß für sie war. Sie kam nur voran, indem sie sich unnatürlich vorbeugte und den rechten Fuß nachzog.

»Sie kann gehen!«, rief Nina.

Ich stieß den Stuhl zurück und verließ den Tisch, Nina jagte mir nach.

»Ihr seid noch nicht entschuldigt!«, rief Mutter.

Wir wandten nicht einmal den Kopf in ihre Richtung.

Handful stand auf einem Flecken smaragdgrünen Mooses unter dem knospenden Baum. Am Boden waren Schleifspuren, und ich trat darum herum, als wären sie sakrosankt. Als wir näher kamen, sahen wir, dass Handful rotes Garn um den Stamm wickelte.

Wir warteten. Handful zog eine Schere aus der Tasche und schnitt das alte, verwitterte Garn ab. Einige rosa Fäden blieben an der Rinde hängen, und als Handful sie abzupfte, fiel der Stock zu Boden. Sie musste sich am Baum abstützen.

Nina hob den Stock auf und reichte ihn ihr. »Tut es weh?«

Handful schaute an Nina vorbei zu mir. »Nicht mehr ganz so schlimm.«

Nina kauerte sich auf den Boden und sah sich Handfuls Fuß ganz unbekümmert an, die Einwärtskrümmung, den seltsamen Klumpen oberhalb der Wunde, den aufgeschnittenen Schuh, ohne Schnürsenkel, damit der Fuß hineinpasste.

»Es tut mir leid, dass so etwas passiert ist«, sagte ich. »Es tut mir so leid.«

»Ich habe von deinen Büchern gelesen, was ich konnte. Da hatte ich wenigstens was zu tun, als ich da gelegen habe.«

»Darf ich den Fuß berühren?«, fragte Nina.

»Nina«, sagte ich, doch dann verstand ich – das war der Alptraum, der sie seit Kindertagen verfolgte, der unsichtbare Schrecken aus dem Arbeitshaus.

Vielleicht verstand Handful auch, dass Nina dem begegnen musste. »Es macht mir nichts aus«, sagte sie.

Nina fuhr mit dem Finger über die krustige Wunde. Die Stille rings um uns gelierte. Ich sah auf die Blätter, die wie kleine Federfarne an den Zweigen sprossen. Handful, das spürte ich, sah zu mir.

»Brauchst du irgendetwas?«, fragte ich.

Sie lachte. »*Brauch ich etwas?* Also, was könnte das wohl sein?« Ihre Augen brannten gelb und hart wie Glas.

Sie hatte Grausamkeiten erduldet, die ich mir nicht einmal vorstellen konnte, und die Narbe, die sie davongetragen hatte, reichte tief und weit über den entstellten Fuß hinaus. In ihrem unbarmherzigen Lachen hatte etwas Radikales mitgeklungen. Plötzlich erschien sie mir gefährlich, so wie einst ihre Mutter. Doch Handful war bedächtiger und methodischer, und auch argwöhnischer, was ich noch beunruhigender fand. Mich überrollte ein ungutes Gefühl, eine düstere Vorahnung, dann verflog sie wieder. »Ich meinte nur …«

»Ich weiß, was du gemeint hast«, sagte sie schon etwas sanfter. Aus ihrer Miene wich die Wut, und einen Augenblick lang glaubte ich, sie würde weinen, was ich noch nie erlebt hatte, nicht einmal, als ihre Mutter verschwunden war.

Doch Handful wandte sich ab und machte sich auf zum Küchenhaus. Ihr Körper neigte sich beim Gehen stark nach links. Die Entschlossenheit, die daraus sprach, schmerzte mich nicht weniger als ihre Lahmheit, doch erst als Nina den Arm um meine Taille legte und mich an sich zog, bemerkte ich, dass ich mich mit Handful auf die Seite geneigt hatte.

Wenige Tage später klopfte Cindie mit einer Nachricht bei mir an, die mich auf die Veranda im ersten Stock befahl. Dorthin, in die frische Brise, zog sich Mutter fast jeden Nachmittag zurück. Es war ungewöhnlich, dass sie eine Order auf Papier überbrachte, aber Cindie war mittlerweile über die Maßen vergesslich. Sie ging in ein Zimmer und konnte sich nicht mehr erinnern, warum, brachte Mutter eine Bürste anstelle eines Kissens, ihr unterlief eine solche Fülle eigenartiger Fehler, dass Mutter Cindie sicher bald durch eine Jüngere ersetzen würde.

Als ich die Stufen nach unten ging, kam mir zum ersten Mal der Gedanke, dass sie auch Handful ersetzen könnte, deren Findigkeit und Fähigkeit, zum Markt zu gehen und dort Stoff und Zubehör zu kaufen, nun sehr in Zweifel stand. Ich hielt auf dem Treppenabsatz inne. Wie immer grinsten die Parzen spöttisch von der Wand. Entsetzt verkrampfte sich mein Magen. Hatte Mutter mich aus diesem Grund herbeizitiert?

Es war noch früh im Mai, doch die Hitze regierte schon mit klebriger Feuchtigkeit. Mutter saß auf dem Schaukelsofa und versuchte, sich mit ihrem Elfenbeinfächer zu kühlen. Sie wartete nicht einmal, bis ich Platz genommen hatte. »Seit einem Jahr nun sehen wir bei deinem Vater keinen Fortschritt. Der Tremor wird immer schlimmer, und hier kann man nichts mehr für ihn tun.«

»Was willst du damit sagen? Wird er … ?«

»Nein. Hör einfach zu. Ich habe mit Dr. Geddings gesprochen, und wir sind übereingekommen – uns steht nur noch ein Weg offen, er muss nach Philadelphia. Dort lebt ein Chirurg von beträchtlicher Reputation. Ich habe ihm geschrieben, und er hat eingewilligt, deinen Vater zu empfangen.«

Ich ließ mich in einem Sessel nieder.

»Er wird mit dem Schiff reisen«, sagte sie. »Diese Reise wird sicher anspruchsvoll für ihn, und es steht zu erwarten, dass er den ganzen Sommer im Norden verbleiben muss, oder länger noch, bis er Heilung findet, doch diese Aussicht hat ihm neue Hoffnung geschenkt.«

Ich nickte. »Nun, ja, gewiss. Er sollte alle Möglichkeiten ausschöpfen.«

»Ich freue mich, dass du das auch so siehst. Denn du wirst ihn begleiten.«

Ich sprang auf. »Ich? Du willst doch gewiss nicht sagen, dass ich Vater ganz allein nach Philadelphia begleiten soll. Was ist mit Thomas oder John?«

»Sei vernünftig, Sarah. Sie können nicht ohne Weiteres von Beruf und Familie fort.«

»Aber ich?«

»Muss ich dich daran erinnern, dass du weder Beruf noch Familie hast, um die du dich sorgen musst? Du lebst unter dem Dach deines Vaters. Deine Pflichten gelten ihm.«

Vater zu betreuen, über viele Wochen, wenn nicht sogar Monate, allein an diesem fernen Ort – mir war, als würde sich das Leben von mir zurückziehen.

»Aber was wird aus …« Ich wollte sagen, *Was wird dann aus Nina?* doch das unterließ ich.

»Ich werde mich um Nina kümmern, falls das deine Sorge ist.«

Sie lächelte. Das kam selten vor. Da erinnerte ich mich an das Gespräch mit dem Reverend: Mutters kalter Blick, als ich Ninas Recht verteidigt hatte, ihrem Gewissen treu zu bleiben. Ich hatte ihre Drohung nicht ernst genug genommen. *Solange die beiden unter einem Dach leben, besteht wohl wenig Hoffnung für Angelina …* Nicht Nina hatte Mutter aus dem Haus verbannen wollen, sondern mich.

»Du wirst in drei Tagen abreisen.«

Handful

Mauma hatte so getan, als ob sie hinken würde, und ich hinkte nun wirklich. Ich nahm ihren alten Stock, doch der reichte mir bis zur Brust – mehr Krücke als Stock.

Eines Tages, als es in Strömen goss und Goodis nicht im Garten arbeiten konnte, sagte er zu mir: »Gib mir den Stock.«

»Wieso?«

»Gib ihn mir einfach«, sagte er.

Den restlichen Tag saß er im Stall und schnitzte. Als er zurückkam, hielt er den Stock hinter seinem Rücken verborgen. Er sagte: »Ich hoff, du magst Kaninchen.«

Dieser Mann hatte nicht nur das untere Ende abgeschnitten, damit der Stock die richtige Höhe hatte, er hatte auch den Griff in einen Kaninchenkopf verwandelt. Mit einer runden, gesprenkelten Nase, großen Augen und zwei langen Ohren, die sich nach hinten legten. Sogar das Holz hatte er eingekerbt, damit es wie Fell aussah.

Ich sagte: »*Jetzt* mag ich Kaninchen.«

Es war eines der nettesten Dinge, die jemand je für mich getan hatte. Ich hatte Goodis einmal gefragt, woher er seinen Namen hatte, und er hatte gesagt, den hätte ihm seine Mauma gegeben, als er zehn war, weil er das guteste ihrer Kinder war.

Jetzt sauste ich wie der Blitz mit dem Stock herum. Als Cindie sah, wie ich abends zum Essen ins Küchenhaus kam, sagte sie, ich würde ja wie ein Kaninchen über den Hof springen. Darüber musste ich sehr lachen.

Einen Tag später wurde Cindie weggebracht. Wir sollten sie nie wiedersehen. Aunt-Sister sagte, ihr Geist wäre erschöpft, die Missus hätte sie mit Thomas auf die Plantage geschickt, da würde Cindie ihre letzten Tage verbringen. Neuerdings kümmerte sich Thomas um die Plantage, und klar holte er auch von da eine neue Zofe für die Missus. Minta.

Gott steh dem Mädchen bei.

Dass sie Cindie einfach so weggeschickt hatten, jagte uns allen einen Heidenschrecken ein. Ich saß schneller wieder an meinen Näharbeiten, als man Kaninchen sagen konnte. Ich zeigte der Missus, wie gut ich die Stufen hochkam. Ich ging rasch und sicher bis nach oben, und als ich angekommen war, sagte sie: »Sehr schön, Hetty. Du weißt ja sicher, welchen Gram es mir bereitet hat, dich in das Arbeitshaus zu schicken.«

Ich nickte, damit sie wusste, dass ich ihre schwere Last verstand.

Dann sagte sie: »Bedauerlicherweise ist so etwas hin und wieder notwendig, und offenbar ist es dir ja gut bekommen. Was deinen Fuß angeht … nun, der Unfall dauert mich, aber sieh dich an. Du bist doch fast wieder gesund.«

»Ja, Ma'am.« Ich machte auf der obersten Treppe einen demütigen Knicks und dachte dabei an einen Satz, den Mr Vesey einmal in der Kirche gesagt hatte: *Es gibt ein Denken, das man den Master sehen lässt. Und ein Denken, das einem sagt, wer man ist.*

An einem späten Nachmittag machte es *Tapp-tapp* an meiner Tür, und da stand Sarah mit ihrem sommersprossigen Gesicht, weiß wie eine Eierschale. Ich hatte an den Hosen von Master Grimké gearbeitet – die Missus hatte mir jede Menge nach unten bringen lassen, weil sie ihm alle zu weit geworden waren. Als Sarah ins Zimmer kam, humpelte ich gerade um den Schneidetisch herum. Ich hatte eine Hose daraufgelegt und wollte sehen, was sich daran ändern ließ. Jetzt legte ich die Schere fort.

»… Ich wollte nur sagen … Nun, ich muss verreisen … In den Norden … Ich weiß nicht, wann ich heimkehren kann.«

Sie redete wieder mit ganz vielen Pausen und erzählte mir von dem Arzt in Philadelphia und dass sie ihren Daddy pflegen musste und von Nina getrennt würde und wie lästig ihr das Packen war. Ich hörte zu und dachte: *Die Weißen meinen auch, dass man sich für alles interessiert, was sie so tun, und wenn sie sich den kleinen Zeh stoßen.*

»Da trägst du ja einen Mühlstein«, sagte ich zu ihr. »Das tut mir leid.« Das kam aus meinem wahren Denken, nicht dem Denken für den Master. Sie tat mir wirklich leid. Sarah hatte sich in mein Herz geschlichen, aber gleichzeitig hasste ich ihr eierschalenfarbenes Gesicht und den hilflosen Blick, mit dem sie mich immer ansah. Sie war gütig zu mir, aber sie war auch ein Teil von dem, was mir mein Leben stahl.

»… Pass gut auf dich auf, wenn ich fort bin«, sagte sie.

Als sie zur Tür ging, traf ich einen Entschluss. »Erinnerst du dich noch, dass du mich vor einer Weile gefragt hast, ob ich etwas brauche? Nun, ich brauche etwas.«

Sie drehte sich um. Ihr Gesicht leuchtete auf. »Natürlich … Ich tue, was ich kann.«

»Ich brauche ein unterschriebenes Papier.«

»… Was für ein Papier?«

»Eins, das mir erlaubt, auf der Straße zu sein. Falls mich jemand draußen anhält.«

»Oh.« Das war alles, was sie sagte. Dann: »… Mutter möchte nicht, dass du aus dem Haus gehst, zumindest im Moment nicht … Sie hat Phoebe mit den Marktbesuchen betraut. Davon abgesehen, die afrikanische Kirche wurde geschlossen – da kannst du sowieso nicht mehr hingehen.«

Es war ja klar, dass die Kirche dem Untergang geweiht war, trotzdem war es hart, das zu hören. »Ich brauche trotzdem einen Passierschein.«

»…Wieso? Wo willst du denn hin?… Das ist gefährlich, Handful.«

»Ich habe fast mein ganzes Leben lang für dich geackert und gerackert, und nie habe ich um irgendwas gebeten. Ich habe Dinge zu erledigen, und das ist meine Sache.«

Da wurde sie laut. Zum allerersten Mal. »…Und wie hast du vor, vom Grundstück zu kommen?«

Das kleine Fenster, durch das Mauma immer geklettert war, sah auf uns herab. Es lag sehr hoch, doch ich sagte mir: *Wenn Mauma das geschafft hat, schaffe ich das auch. Und wenn es lahm, blind und rückwärts sein muss.*

Ich erklärte es ihr nicht, sondern wies mit dem Kinn auf ein Stück Papier auf dem Regal, neben Feder und Tintenfass. Ich sagte: »Wenn du nicht bereit bist, mir diesen Passierschein für meine Sicherheit auszustellen, dann werde ich es eben selbst tun und mit deinem Namen unterschreiben.«

Sie holte tief Luft und sah mich einen Augenblick lang an, dann ging sie zum Regal und tauchte die Feder in die Tinte.

Sarah war schon eine Woche fort, als ich das erste Mal durchs Fenster und über die Mauer kletterte. Das Schwierigste war, von der Wand aus auf die andere Seite zu springen, und die einzige Deckung war der weiße Oleander. Ich hatte mir den Kaninchen-Stock und ein dickes Jutebündel auf den Rücken gebunden, was mich sehr behinderte, und als ich auf der Erde landete, kam ich mit dem schlimmen Fuß auf. Ich musste warten, bis der Schmerz nachließ, dann huschte ich aus dem Gebüsch und ging auf die Straße, so wie all die anderen Sklaven, die den Anweisungen eines Weißen folgten.

Ich hatte diesen Tag gewählt, weil die Missus Kopfschmerzen hatte. Wir lebten für ihre Kopfschmerzen. Dann ging sie nämlich ins Bett und überließ uns selig uns selbst. Ich versuchte, nicht darüber nachzudenken, wie ich wieder auf den Hof kommen sollte. Mauma hatte immer auf die Dunkelheit gewartet und war dann über das hintere Tor geklettert, was die beste Lösung war, aber es war Sommer und die Dunkelheit kam spät, und damit hatten alle sehr viel Zeit, sich zu fragen, wo ich war.

Eine Kreuzung von der East Bay Street entfernt stieß ich auf einen Wächter. Er sah mich direkt an und verfolgte, wie ich humpelte. *Stetig gehen. Nicht zu schnell. Nicht zu langsam.* Ich drückte meine Kaninchenohren und atmete erst wieder, als ich um die Ecke biegen konnte.

Ich brauchte doppelt so lang wie früher bis zur Bull Street 20. Dort stellte ich mich auf die andere Straßenseite und sah auf das Haus, das noch immer einen Anstrich brauchte. Ich wusste nicht, ob Denmark Vesey dem Arbeitshaus entkommen oder was ihm zugestoßen war. Die letzte Erinnerung, die ich aus diesem Höllenloch hatte, war seine Stimme: »Helft dem Mädchen da unten, helft dem Mädchen.«

Ich hatte mir nicht erlaubt, daran zu denken, aber hier auf der Straße kam die Erinnerung so deutlich, als würde ich auf ein Gemälde sehen. *Ich bin auf der Tretmühle, fasse mit aller Kraft die Stange. Ich trete das Rad und trete das Rad. Niemals wird das enden. Mr Vesey ist still, nicht ein Grunzen, die anderen aber stöhnen und rufen Jesus an, die Peitsche durchschneidet die Luft. Meine Hände schwitzen, rutschen an der Stange ab. Der Knoten, der meine Gelenke bindet, löst sich. Ich sage mir, schau nicht zur Seite, schau nach vorne, mach weiter, aber die Frau mit dem Baby auf dem Rücken heult. Die Peitsche trifft ihre Beine. Das Kind weint. Da schau ich hin. Ich seh, wie sein kleiner Kopf blutet. Rot und feucht. Und dann wird es ringsum schwarz. Ich falle, meine Hände lösen sich vom Seil. Ich falle, und aus meinen Schulterblättern wachsen keine Flügel.*

Hinter dem Fenster stand eine Frau und bügelte. Sie hatte mir den Rücken zugedreht, aber ich sah ihre Gestalt, die helle

Haut, das leuchtende Kopftuch, den Arm, der über den Stoff glitt, hin und her. In meiner Brust entstand ein Knoten.

Als ich zur Veranda ging, hörte ich das Singen. *Way down yonder in the middle of the field, see me working at the chariot wheel.* Ich spähte in das offene Fenster. Sie schwenkte die Hüften im Takt. *Now let me fly, now let me fly, now let me fly up high.*

Ich klopfte. Der Gesang brach ab. Sie öffnete die Tür, das Bügeleisen in der Hand, der Geruch von Holzkohle in ihrem Gefolge. Mauma hatte immer gesagt, dass er überall in der Stadt Mulatten-Frauen hätte, seine Hauptfrau aber mit ihm unter einem Dach leben würde. Sie schob das Kinn vor und runzelte die Stirn. Hielt sie mich etwa für die neue Braut?

»Wer bist du?«

»Ich bin Handful, ich möchte zu Denmark Vesey.«

Sie starrte mir ins Gesicht, dann auf meinen verkrümmten Fuß. »Nun, ich bin Susan, seine Frau. Was willst du von ihm?«

Ich spürte die Hitze, die von dem Eisen ausging. Diese Frau hatte sehr viel mitgemacht, und ich konnte ihr nicht verübeln, dass sie eine Fremde nicht einlassen wollte. »Ich will nur mit ihm reden. Ist er nun da oder nicht?«

»Ich bin da«, sagte eine Stimme. Er stand hinter ihr an den Türrahmen gelehnt, die Arme vor der Brust verschränkt, als wäre er Gott und würde betrachten, was die Welt so macht. Dann sagte er seiner Frau, sie solle sich irgendwo nützlich machen. Ihre Augen wurden zu kleinen Schlitzen. »Und nimm das Eisen mit«, bat er. »Das verqualmt das ganze Zimmer.«

Sie verschwand, und er beäugte mich. Er hatte im Gesicht an Masse verloren. Man konnte den Ansatz seiner Wangenknochen sehen. Er sagte: »Du hast Glück, dass du in dem Fuß keine Wundfäule bekommen hast und gestorben bist.«

»Ich hab's gepackt. Sie doch auch, so wie es aussieht.«

»Du bist aber nicht hier, um zu sehen, wie es mir geht.«

Er wollte also nicht um den heißen Brei herumreden. War

mir recht. Mir tat der Fuß von meinem Marsch weh. Ich nahm das Bündel von meinem Rücken und legte es auf einen Stuhl. In dem Zimmer gab es keine einzige Rüsche, nur Rohrsessel und einen Tisch mit einer Bibel drauf.

Ich sagte: »Ich war früher mit meiner Mauma hier. Ihr Name war Charlotte.«

Der übliche hochmütige Ausdruck rutschte ihm aus dem Gesicht. »Ich wusste doch, dass ich dich irgendwoher kenne. Du hast ihre Augen.«

»Das sagen alle.«

»Und auch ihren Mumm.«

Ich drückte das Jutebündel an meine Brust. »Ich will wissen, was mit ihr passiert ist.«

»Es ist lange her.«

»Beinah sieben Jahre.«

Als er nichts weiter sagte, öffnete ich das Bündel und breitete Maumas Story-Quilt auf dem Tisch aus. Die leuchtenden Vierecke reichten fast bis auf den Boden. Sie entzündeten ein Feuer in dem dunklen Raum.

Es heißt, er hätte nie gelächelt, doch als er die Sklaven sah, die an der Sonne vorbei und durch die Lüfte fliegen, da hat er gelächelt. Er sah auf Omama und die fallenden Sterne, auf Mauma, die meinen Daddy in den Feldern lassen musste, auf mich und sie, zerschnitten auf dem Quilt-Rahmen. Er sah den Seelenbaum und die einbeinige Strafe. Er fragte nicht ein einziges Mal, was all das zu bedeuten hatte. Er wusste, dass es ihre Geschichte war.

Ich schaute eilig auf das letzte Viereck, auf den Mann mit der Zimmermannsschürze und den Zahlen 1884. Aufmerksam verfolgte ich, ob er sich erkannte.

»Du glaubst, das bin ich, oder?«, fragte er.

»Ich weiß, dass Sie das sind, aber ich weiß nicht, was die Zahlen bedeuten.«

Er kicherte. »Eins, acht, acht, vier. Das waren die Zahlen auf meinem Lotterie-Los. Die Zahlen, die mir die Freiheit gebracht haben.«

In dem Zimmer war es drückend heiß. An meinen Schläfen perlte der Schweiß. *Das also waren ihre letzten Worte. Darauf lief alles hinaus – auf eine Chance freizukommen. Eine windige Chance.*

Ich faltete den Quilt zusammen, wickelte ihn wieder in die Jute und band ihn mir auf den Rücken. Dann griff ich nach meinem Stock. »Sie war schwanger, wussten Sie das? Als sie verschwunden ist, ist Ihr Baby auch verschwunden.«

Er zuckte nicht mal mit der Wimper, doch da gab es kein Vertun. Er hatte es nicht gewusst.

Ich sagte: »Sie hatte kein Glück mit den Zahlen, oder?«

Sarah

Die Schiffsreise war eine Tortur. Wir pflügten fast zwei Wochen lang die Küste hoch und litten in den wütenden Wellen vor Virginia, bis wir uns endlich einen Weg durch den Delaware nach Penn Landing bahnten. Bei unserer Ankunft in Philadelphia wäre ich am liebsten auf die Knie gesunken und hätte den festen Boden geküsst. Da Vater so schwach war, dass er kaum reden konnte, fiel mir die Aufgabe zu herauszufinden, wie man seine Koffer zurückbekam und eine Kutsche mietete.

Als wir uns Society Hill näherten, dem Viertel, in dem der Doktor residierte, wurde die Stadt immer schöner. Bäume und Kirchtürme, Reihenhäuser aus Ziegeln und prächtige Anwesen säumten unseren Weg. Mir fiel auf, dass man auf den Straßen keine Sklaven sah. Die plötzliche Erkenntnis löste einen Druck in mir, den ich bis zu diesem Moment nicht einmal wahrgenommen hatte.

In einer Quäker-Pension nahe der Fourth Street fand ich uns ein Quartier. Vater hatte sich mir völlig ausgeliefert – was er essen und was er anziehen sollte, welche Medikamente er zu nehmen hatte, all das überließ er mir. Er übereignete mir sogar die Geldbörsen und die Kontobücher. Jeden zweiten oder dritten Tag navigierte ich uns in einer Mietkutsche zum Haus des Doktors, doch nach drei Wochen fruchtloser Bemühungen kam Vater immer erst wenige Meter voran, langsam und unter Mühen und Schmerzen. Er hatte sogar noch mehr abgenommen. Er war gänzlich ausgedörrt.

Eines Morgens saß ich allein im Sprechzimmer und schaute

auf Dr. Physick mit seinem weißen Haar und seiner Adlernase, die der Vaters so sehr ähnelte. Der Doktor sagte: »Zu meinem Bedauern kann ich weder die Ursache für den Tremor des Richters noch für die Verschlechterung seines Zustandes finden.«

Vater war nicht als Einziger verdrossen. Auch ich war erschöpft davon, bei jedem Besuch voller Optimismus herzukommen und entmutigt wieder fortzufahren. »Es wird gewiss doch etwas geben, das Sie ihm verordnen können.«

»Ja, natürlich. Ich bin der Meinung, die Seeluft würde ihm bekommen.«

»Seeluft?«

Er lächelte. »Sie sind skeptisch, aber die Methode – man spricht von der Thalassotherapie – gilt als weidlich anerkannt. Sie hat schon Schwerkranken neue Gesundheit geschenkt.«

Ich konnte mir vorstellen, was Vater dazu sagen würde. *Seeluft.*

»Meine Verordnung«, sagte der Doktor, »lautet, bringen Sie ihn den Sommer über nach Long Branch. Das ist ein kleiner, ziemlich abgelegener Flecken an der Küste von New Jersey, der bekannt ist für seine Seekuren. Ich werde Ihnen Laudanum und Schmerzmittel mitgeben. Ihr Vater sollte so viel Zeit wie möglich im Freien verbringen. Ermuntern Sie ihn, im Meer zu waten, falls er dazu in der Lage ist. Vielleicht ist er mit Beginn des Herbstes genügend genesen, um die Heimreise anzutreten.«

Ich könnte im Herbst wieder zu Hause sein, bei Nina.

Long Branch als klein zu bezeichnen war eine Übertreibung. Der Ort war nicht klein, und auch nicht winzig, er war kaum vorhanden, bestand er doch lediglich aus vier Farmhäusern, einer winzigen Methodistenkirche mit Schindelwänden und einer Kurzwarenhandlung. Auch war er nicht »ziemlich abgelegen«, sondern furchtbar abgelegen. Wir mussten sechs Tage lang mit einer privaten Kutsche von Philadelphia her anreisen, und am letzten Tag holperten wir nur noch über einen Fußweg. Nachdem wir am Kurzwarenladen angehalten hatten, um Toilettenartikel zu erstehen, setzten wir den Weg zum einzigen Hotel, dem Fish Tavern, fort. Es kauerte auf einer Klippe hoch über dem Meer – ein imposantes Gebäude, gegerbt von Wind und Wetter. Als es am Empfang hieß, dass sich nach dem Abendessen im Speisesaal zum Gebet versammelt wurde, nahm ich das als Zeichen, dass Gott uns an diesen Ort geführt hatte.

Vater war bereitwillig mitgekommen, etwas zu bereitwillig für meinen Geschmack. Ich hatte erwartet, dass er auf der Rückkehr nach South Carolina bestehen und scherzen würde: »Gibt es in Charleston etwa keine Seeluft?« Doch als ich ihm gleich nebenan in Dr. Physicks Untersuchungsraum von den neuen Plänen berichtet und vorsichtig das Wort *Thalassotherapie* erwähnt hatte, hatte er mich nur lang und seltsam angeschaut, und ein Schatten war über sein Gesicht gewandert. Ich hatte darin einen Boten der Enttäuschung gesehen. Am Ende hatte er beschlossen: »Fahren wir also nach New Jersey. So werden wir es halten.«

An unserem ersten Nachmittag brachte ich Vater noch vor der Dämmerung eine Kabeljausuppe ins Zimmer. Seine Hand zitterte so heftig, dass die Suppe löffelweise auf dem Laken landete. Vater lehnte sich an das Bettgestell und ließ sich von mir füttern. Ich plauderte unentwegt vor mich hin, über den tosenden Ozean, die Stufen, die serpentinenartig vom Hotel zum Strand führten, fast schon panisch versuchte ich, uns von dem eigentlichen Geschehen abzulenken. Von dem Mund, der sich wie der Schnabel eines Vogeljungen öffnete und schloss. Der farblosen Brühe, die ich dort hineinlöffelte. Der Hilflosigkeit.

Während ich Vater fütterte, dröhnte der Lärm der Wellen durch das Zimmer. Das Fenster rahmte einen Teil des Wassers ein. Es hatte die trübe Farbe von Zinn, und der Wind peitschte es zu einer schäumenden Brandung auf. Schließlich hob Vater die Hand, um mir zu bedeuten, dass er genug von Suppe und Geplapper hatte.

Ich stellte den Nachttopf in seiner Nähe auf den Boden. »Gute Nacht, Vater.«

Seine Augen waren schon geschlossen, doch seine Hand griff nach meinem Arm. »Es ist gut, Sarah. Lassen wir es geschehen, wie es kommt.«

17. Juli 1819

Liebe Nina,
nun haben wir uns also in der Fish Tavern eingerichtet. Mutter würde das Hotel zweifelsohne schäbig nennen, auch wenn es früher sicher elegant war, und es hat Charakter. Fast alle Zimmer sind belegt, dennoch habe ich erst zwei der anderen Gäste kennengelernt, zwei betagtere Schwestern aus New York, beide verwitwet, die jeden Abend zu den Gebetstreffen in den Speisesaal kommen. Die Jüngere mag ich recht gut leiden.
Vater verlangt all meine Aufmerksamkeit. Er hat sein Zimmer bisher nicht verlassen, dabei sind wir doch wegen der Seeluft hierhergekommen. Wenn ich das Fenster morgens öffne, verstimmt ihn schon das Gekreische der Möwen, und zur Mittagszeit verlangt er, dass ich es wieder schließe. Aber ich bin listig – ich lasse es immer einen Spalt weit offen und sage ihm, es sei geschlossen. Ein Grund mehr, in den Speisesaal zu gehen und mit den Schwestern zu beten.
Mit fünfzehn bist Du nun alt genug, dass ich mit Dir von Schwester zu Schwester sprechen kann. Vaters Schmerzen werden immer schlimmer. Das Laudanum beschert ihm einen langen, unruhigen Schlaf, und wenn ich darauf bestehe, dass er einige

Übungen im Zimmer macht, lehnt er sich schwer an mich. Ich muss ihn bei fast jeder Mahlzeit füttern. Dennoch, Nina, das weiß ich, gibt es Hoffnung. Wenn der Glaube Berge versetzen kann, dann wird Gott unseren Vater bald genesen lassen. Jeden Tag sitze ich an seinem Bett und bete und lese ihm die Bibel über viele Stunden vor. Verüble mir nicht meine Frömmigkeit. Ich bin nun einmal Presbyterianerin. Und wir halten es, wie du weißt, mit Giftkraut und Wermut.
Ich gehe davon aus, dass Du Mutter nicht allzu sehr verstimmst. Mäßige Dich, wenn möglich, bis zu meiner Heimkehr. Ich bete, dass es Handful gut geht. Halte ein Auge auf sie. Wenn sie aus irgendeinem Grund Schutz benötigt, tue Dein Bestes.
Ich vermisse Dich. Ich mag ein wenig einsam sein, doch ich habe Gott. Du kannst Mutter sagen, es ist alles gut.
Deine Dich liebende Schwester
Sarah

Jeden Tag, zu festgelegten Zeiten, hisste und senkte ein Hotelangestellter nahe den Stufen, die hinunter an den Strand führten, eine rote oder eine weiße Fahne. Um Punkt neun ging die rote Fahne hoch und signalisierte den Herren, den Strand in Besitz zu nehmen. Ich beobachtete gern, wie sie sich in die Fluten stürzten, über Brecher sprangen und ins Wasser tauchten. Wenn sie wieder an die Oberfläche kamen, standen sie hüfttief im Meer, die Hände in die Seiten gestemmt, und schauten gen Horizont. Zurück am Strand balgten sie sich oder rauchten gemeinsam Zigarren. Um elf Uhr wanderte die weiße Fahne am Mast empor. Dann erklommen die Männer die Stufen zum Hotel, wollene Handtücher um den Hals geschlungen.

Als Nächstes erschienen die Damen. Selbst wenn ich mitten im Gebet war, murmelte ich ein hastiges Amen und eilte zum Fenster, um mir anzusehen, wie sie in ihren Badekostümen und Badehauben aus Wachstaffet die Stufen hinunterstiegen. Ich hatte noch nie zuvor Damen beim Bad gesehen. Bei uns gingen die Frauen nicht in eleganter Gewandung ins Meer. Es gab zwar abseits der East Battery im Hafen ein schwimmendes Badehaus mit einem separaten Bereich für die Damen, doch Mutter hielt das Baden für unschicklich. Einmal sah ich zu meinem großen Erstaunen, wie auch die beiden älteren Schwestern vorsichtig mit den anderen zum Strand hinuntertrippelten. Althea, die jüngere, erkundigte sich immer ausführlich nicht nur nach Vater, sondern auch nach mir. »Wie geht es Ihnen, meine Liebe? Sie sehen arg blass aus. Kommen Sie auch genügend an die frische Luft?« Als ich sie an jenem Tag unter den Badenden entdeckt hatte, hatte sie mich am Fenster gesehen und mir bedeutet, mich ihnen anzuschließen. Obwohl mir nichts größere Freude bereitet hätte, hatte ich den Kopf geschüttelt.

Die Frauen gingen auf völlig andere Weise ins Wasser als die Männer – sie hielten sich an schweren Tauen fest, die am Ufer verankert waren. Manchmal watete ein ganzes Dutzend am sicheren Seil hinaus ins Meer, alle in einer Reihe. Sie kreischten häufig und wandten der Brandung den Rücken zu. Wenn Vater schlief, stellte ich mich ans Fenster und schaute mit einem Knoten in der Brust zu, bis die weiße Fahne am Mast wieder nach unten wanderte.

Auch am Morgen des achten August stand ich am Fenster und vernachlässigte mein Gebet, als Vater plötzlich nach mir rief. *»Sarah!«* Doch als ich an seiner Seite war, bemerkte ich, dass er schlief. *»Sarah!«*, rief er erneut und warf den Kopf unruhig hin und her. Ich legte eine Hand auf seine Brust, um ihn zu beruhigen, und er wurde schnell und heftig atmend wach.

Er sah mich mit dem fiebrigen Blick eines Menschen an,

der aus einem Alptraum mühsam in die Wirklichkeit stolpert. Es machte mich traurig, dass ich in diesem schlechten Traum gewesen war. Vater war in den Wochen in Long Branch sehr liebevoll gewesen. *Wie ergeht es dir, Sarah? Isst du genug? Du scheinst mir sehr abgespannt. Leg die Bibel beiseite und geh ein wenig spazieren.* Seine Zärtlichkeit hatte mich geradezu schockiert. Dennoch blieb er reserviert und sprach nie von den wesentlichen Dingen.

Ich legte ihm ein kühles Tuch auf die Stirn. »... Vater, ich weiß, dass es eine Prüfung war herzukommen und die Fortschritte ... sich nur langsam zeigen.«

Er lächelte, ohne die Augen zu öffnen. »Es ist an der Zeit, die Wahrheit auszusprechen. Es gibt keine Fortschritte.«

»Wir dürfen die Hoffnung nicht verlieren.«

»Warum nicht?« Die Haut an seinen Wangen war so dünn und durchsichtig wie Papier. »Ich bin hergekommen, um zu sterben, das musst du doch wissen.«

»Nein! Das weiß ich sicher nicht!« Ich war fassungslos, geradezu verärgert. Es war, als hätte der Alptraum Risse in Vaters Fassade geschlagen, und plötzlich wünschte ich mir, sie würde wieder stehen. »... Wenn du glaubst, dass du sterben musst, warum hast du nicht darauf bestanden, nach Hause zu fahren?«

»Das wirst du gewiss nur schwer verstehen, doch die letzten Jahre daheim waren eine Last für mich. Es schien mir eine Erleichterung, fort zu sein, mit dir, und in aller Stille zu gehen. Ich hatte das Gefühl, hier könnte ich mich leichter von den Dingen lösen, die ich mein ganzes Leben lang gekannt und geliebt habe.«

Meine Hand fuhr vor den Mund. Tränen trübten meinen Blick.

»Sarah. Mein liebes Mädchen. Geben wir uns nicht vergeblichen Hoffnungen hin. Ich erwarte nicht, mich zu erholen, noch wünsche ich es.«

Sein Gesicht glühte. Ich nahm seine Hand. Nach und nach entspannten sich seine Züge, und dann sank er wieder in den Schlaf.

Um drei Uhr nachmittags wurde er wach. Die weiße Fahne war gehisst – ich sah sie im Viereck des Fensters. Sie schlug gegen einen transparenten Himmel. Ich hielt Vater ein Glas Wasser an die Lippen und half ihm zu trinken. Er sagte: »Wir hatten unsere Dispute, oder nicht?«

Ich wusste, was nun kommen würde, und wollte es ihm ersparen. Mir ersparen. »Das spielt jetzt keine Rolle.«

»Du hattest immer einen starken, eigensinnigen Verstand, wenn nicht einen radikalen, und ich war manches Mal recht harsch zu dir. Vergib mir.«

Ich konnte mir nicht vorstellen, was es ihn gekostet haben mochte, diese Worte auszusprechen. »Das tue ich«, sagte ich. »Aber vergib auch du mir.«

»Was soll ich dir vergeben, Sarah? Dass du deinem Gewissen folgst? Glaubst du etwa, ich würde die Sklaverei nicht minder verabscheuen, als du es tust? Glaubst du, ich wüsste nicht, dass allein die Gier mich daran gehindert hat, meinem Gewissen zu folgen, so wie du? Die Plantage, das Haus, unser ganzer Lebensstil beruht auf der Sklaverei.« Er verzog das Gesicht und fasste sich kurz an die Seite, dann fuhr er fort. »Oder sollte ich dir vergeben, dass du deinem Verstand natürlichen Ausdruck verleihen wolltest? Du bist klüger als Thomas und John, aber du bist eine Frau, eine weitere Grausamkeit, der ich hilflos gegenüberstand.«

»Vater, bitte, ich trage dir gegenüber keinen Groll in mir.« Das stimmte zwar nicht ganz, trotzdem sagte ich es.

Gekicher, das sich im Wind verfangen hatte, wehte zu uns herauf. »Du solltest nach draußen gehen und deinen Geist erfrischen«, riet mir Vater.

Ich protestierte, doch er gab nicht nach. »Wie willst du dich um mich kümmern, wenn du dich nicht um dich selbst kümmerst? Tu es für mich. Ich komme zurecht.«

Ich hatte lediglich vorgehabt, ein wenig in den Wellen zu waten, als ich die Schuhe auszog und sie neben das tragbare Umkleidehaus stellte, das bei Bedarf in den Sand geschoben wurde. In dem Moment warf Althea, die jüngere der Schwestern, die Wand aus Stoff zurück und trat in einem rot-schwarz gestreiften Badekleid mit Rüschen-Schößchen und Ballonärmeln ins Freie. Wenn Handful das gesehen hätte!

»Wie schön. Werden Sie endlich mit uns baden?«, fragte sie.

»Oh, nein. Ich habe leider nicht die nötige Kleidung.«

Sie erforschte mein Gesicht. Offenbar verströmte meine Miene mein Bedauern in alle Himmelsrichtungen, denn plötzlich verkündete Althea, es reize sie nicht mehr zu baden, doch es wäre ihr das allergrößte Vergnügen, wenn ich ihr Kostüm anziehen und ins Wasser hüpfen würde. Nach der Unterhaltung mit Vater fühlte ich mich wund, als läge mein rohes Fleisch offen da. Ich wollte mich zurückziehen, dennoch sah ich auf die Perlenschnur aus Frauen, die hinaus ins Wasser reichte, auf die grünen Wellen, so grenzenlos und ungezähmt. Da nahm ich das Angebot an.

Als ich aus der Umkleidekabine kam, lächelte Althea. Sie besaß keine Kappe, und ich hatte mein Haar gelöst, sodass es im Wind züngelte. Althea sagte, ich sähe aus wie eine Meerjungfrau.

Ich ergriff eines der Seile und folgte ihm behände in die Wellen, bis ich an die Stelle kam, an der die anderen Damen standen. Das Wasser klatschte an unsere Schenkel, es wogte uns hin und her, als würde es ein sanftes Tauziehen mit uns spielen, und dann, ohne jeden Gedanken, ließ ich los und ging von der Gruppe fort. Ich stürmte durch das tosende Wasser, und als ich ein Stück entfernt war, drehte ich mich auf den Rücken und ließ mich treiben. Es war ein Schock zu fühlen, wie mich das Wasser trug. Wie ich auf Wellen lag und mein Vater dort oben im Sterben.

9. August 1819

Liebe Mutter,
die Worte der Bibel versichern uns, dass Gott all unsere Tränen trocknen wird …

Ich ließ die Feder sinken, wusste nicht, wie ich es ihr sagen sollte. Es war seltsam, dass ich diejenige sein sollte, die ihr diese Nachricht überbringen musste. Ich hatte mir immer vorgestellt, dass sie eines Tages uns, ihre Kinder, im Salon versammeln und uns sagen würde: *Euer Vater ist heim zu seinem Schöpfer gegangen.* Wie konnte mir diese Aufgabe zugefallen sein?

Anstelle eines prachtvollen Begräbnisses, wie Vater es in Charleston gehabt hätte – mit dem Pomp von St. Philip, einer beeindruckenden Prozession über die Meeting Street, voran sein Sarg auf einer Kutsche voller Blumen und im Gefolge die halbe Stadt –, würde er anonym auf dem verwucherten Friedhof bei der winzigen Methodisten-Kirche beerdigt, an der wir auf dem Weg hierher vorbeigekommen waren. Den Sarg würde das Fuhrwerk eines Farmers ziehen. Und folgen würde ich, ganz allein.

Aber von alledem würde ich Mutter nichts erzählen. Auch nicht, dass ich in der Stunde seines Todes frei im Ozean getrieben war, über mir nur die kreischenden Möwen und die weiße Fahne an der Spitze des Mastes. Allein mit mir auf eine Weise, an die ich mich ein Leben lang erinnern sollte.

Handful

Die Augen der Missus waren vor lauter Weinen ganz verschwollen. Es war schon später Vormittag, und sie lag immer noch mit ihrer Schlafkleidung im Bett. Die Moskitonetze waren vor das Bett, die Vorhänge vor die Fenster gezogen, doch ich sah trotzdem, dass ihre Lider aufgequollen waren. Minta, das neue Mädchen, versuchte, in einer Ecke zu verschwinden.

Als die Missus mit mir sprechen wollte, brach sie weinend zusammen. Sie tat mir leid. Ich wusste ja, wie es war, wenn man jemanden verloren hatte. Was ich nicht wusste, war, warum ich in ihr Zimmer kommen sollte. Also musste ich warten, bis sie sich wieder im Griff hatte.

Nach einer Weile schrie sie Minta an: »Bringst du mir jetzt ein Taschentuch oder nicht?«

Sofort wühlte das Mädchen in einer Schublade im Wäscheschrank, und die Missus wandte sich an mich. »Du musst sofort mit meinem Kleid beginnen. Ich will schwarzen Samt. Mit Perlenbesatz. Mrs Russell hatte auf ihrem Kleid schwarze Jettperlen. Dazu brauche ich eine Schutenhaube mit einem langen Kreppschleier im Nacken. Und schwarze Handschuhe, aber mach wegen der Hitze fingerlose. Kannst du dir das alles merken?«

»Ja, Ma'am.«

»Es muss in zwei Tagen fertig sein. Und makellos, Hetty, verstehst du mich? Makellos. Notfalls musst du die Nächte durcharbeiten.«

Offenbar hatte sie sich wieder sehr fest im Griff.

Sie schrieb mir einen Passierschein für den Markt und schickte mich mit Tomfry in der Kutsche los. Tomfry sollte die Trauerkarten kaufen. Die Missus sagte, wenn ich den ganzen Weg zum Markt und wieder zurück humpeln müsste, würde das viel zu lange dauern. So kam ich zu der ersten Kutschfahrt in meinem Leben. Auf halber Strecke sagte Tomfry: »Wisch dir das Grinsen aus dem Gesicht, wir müssen trauern.«

Als ich auf dem Markt an den vornehmen Ständen nach den Perlen suchte, die die Missus so dringend haben wollte, stieß ich auf Susan, Mr Veseys Frau. Ich hatte sie nicht mehr gesehen, seit ich im Frühsommer in die Bull Street gegangen war.

»Ach, hat heut das Ungeziefer Ausgang«, sagte sie. Sie war immer noch ziemlich wütend.

Ich fragte mich, wie viel sie wusste. Ob sie damals gelauscht hatte, als ich mit Mr Vesey gesprochen hatte. Vielleicht wusste sie ja von Mauma, von dem Baby und all dem.

Ich sah keinen Sinn darin, die Fehde fortzuführen. »Ich such keinen Streit mit Ihnen. Ich werd Sie auch nicht mehr belästigen.«

Das nahm ihr den Stachel. Ihre Schultern sanken herab, und ihr Gesicht wurde weich. Da erst bemerkte ich das Tuch auf ihrem Kopf. Rot. Mit einem perfekten Kettenstich gesäumt. Und kleinen Ölflecken am Rand. »Das ist das Kopftuch meiner Mauma!«

Ihre Lippen gingen auf, als ob ein Pfropfen aus einer Flasche gesprungen wäre. Ich wartete, doch sie stand nur mit offenem Mund da.

»Ich erkenne doch ihr Tuch«, sagte ich.

Da stellte sie ihren Korb mit Baumwollware ab und zog das Tuch vom Kopf. »Hier, nimm es.«

Ich fuhr mit dem Finger über den fein gestichelten Saum, über die Falten, die über ihrem Haar gelegen hatten. Dann löste ich das Tuch auf meinem Kopf und band mir Maumas um. Tief in die Stirn, so wie sie es immer getragen hatte.

»Woher haben Sie das?«, fragte ich.

Sie schüttelte den Kopf. »Du solltest es wohl wissen. In der Nacht, als deine Mauma verschwunden ist, war sie bei uns. Denmark hat gesagt, die Wache würde nach einer Frau mit einem roten Tuch suchen, also habe ich ihres genommen und ihr meines gegeben. Ein schlichtes braunes, auf das niemand achten würde.«

»Sie haben ihr geholfen? Sie haben ihr bei der Flucht geholfen?«

Doch sie gab nicht wirklich eine Antwort, sagte nur: »Ich tu das, was Denmark sagt.« Dann stolzierte sie mit bloßem Haupt davon.

Ich nähte den ganzen Tag und die ganze Nacht und den ganzen nächsten Tag und die ganze nächste Nacht, und dabei trug ich ständig Maumas Kopftuch. Immer wieder musste ich daran denken, dass sie in jener Nacht zu Mr Vesey gegangen war und dass er viel mehr wusste, als er sagte.

Jedes Mal, wenn ich mit dem Kleid zur Anprobe nach oben ging, kam ich wegen der Vorbereitungen durch das reinste Tollhaus. Die halbe Stadt würde kommen, sagte die Missus. Aunt-Sister und Phoebe machten Beerdigungskuchen und kümmerten sich ums Teegeschirr. Binah verhüllte Gemälde und Spiegel mit schwarzen Tüchern, Eli musste putzen. Minta hatte den schwersten Part, sie musste der Missus die Taschentücher reichen. Das war am schlimmsten.

Tomfry stellte ein Porträt von Master Grimké in den Salon und bereitete einen Tisch mit Andenken vor: mit dem Biberhut, den Anstecknadeln und den Rechtsbüchern, die der Master verfasst hatte. Thomas brachte ein Stoffbanner, auf dem *Tot, aber nicht vergessen* stand, und auch das legte Tomfry auf den Tisch, zusammen mit einer Uhr, die auf die Stunde von seinem Tod gestellt wurde. Die Missus kannte den genauen Zeitpunkt nicht, denn Sarah hatte nur geschrieben, er wäre am späten Nachmittag gestorben, und so hatte die Missus gesagt, stell sie einfach auf 16.30 Uhr.

Wenn sie nicht weinte, tobte sie, weil Sarah nicht die Geistesgegenwart besessen hatte, Master Grimké eine Locke abzuschneiden und in den Brief zu legen. So hatte die Missus nichts für ihre goldene Trauerbrosche. Was ihr auch nicht gefiel, war der Nachruf, der im *Mercury* erschienen war. Da stand nämlich, dass der Richter im Norden zur Ruhe gebettet worden wäre, ohne Familie und Freunde, und dass dies für einen berühmten Sohn aus dem Staate South Carolina gewiss ein großes Ungemach bedeuten würde.

Ich weiß nicht, wie es mir gelungen ist, das Kleid rechtzeitig zu schaffen. Es war das schönste Kleid, das ich je gefertigt habe. Ich hatte Hunderte schwarzer Glasperlen aufgefädelt und zu einem Kragen vernäht, der wie ein Spinnennetz aussah. Den machte ich am Halsansatz fest und ließ ihn bis auf die Brust fallen. Als die Missus das Kleid sah, kam das einzig Nette aus ihrem Mund, das ich ihr nie vergessen habe. Sie sagte: »Also wirklich, Hetty, deine Mutter wäre stolz auf dich.«

Am Sonntag kletterte ich, nachdem die Kondolenzbesucher fort waren, durchs Fenster und über die Mauer. Der Sonntag war unser freier Tag, Diener und Zofen lümmelten herum, die Missus hatte sich in ihr Zimmer zurückgezogen. Ich musste immer erst ein kurzes Stück am Haus vorbeigehen, ehe ich mich sicher fühlen konnte, und als ich um die Ecke bog, stand Tomfry auf der Vordertreppe und feilschte mit dem Sklavenjungen, der den Fisch verhökerte. Sie beugten sich über einen

Fünfzig-Pfund-Korb voller Flundern. Ich senkte den Kopf und ging weiter.

»Handful! Bist du das?«

Als ich aufsah, starrte Tomfry mich von der obersten Stufe aus an. Er war schon alt und hatte Milch in den Augen, und darum kam mir in den Sinn zu sagen, *nein, bin ich nicht*, aber wenn er den Stock gesehen hatte, war es ihm klar. »Ja, bin ich. Ich geh zum Markt.«

»Wer hat dir das erlaubt?«

Ich hatte Sarahs Passierschein in der Tasche, aber den würde er sicher anzweifeln – sie war immer noch im Norden. So stand ich wie angewurzelt da.

Er fragte: »Was machst du da draußen? Antworte mir.«

In meinem Hinterkopf ratterte die Tretmühle.

Da bewegte sich ein Schatten an der Haustür. *Nina*. Die Tür ging auf. »Was ist denn, Tomfry?«

»Handful ist da draußen. Ich will nur rausfinden, was sie da macht.«

»Oh. Sie macht eine kleine Besorgung in meinem Auftrag. Aber sag Mutter nichts, ich will sie damit nicht behelligen.« Dann rief sie in meine Richtung: »Nun geh schon.«

Tomfry wandte sich wieder dem Fischhändler zu. Meine Beine waren gar nicht schnell genug. Erst in der George Street blieb ich stehen und drehte mich um. Nina stand noch immer vor der Tür und sah mir nach. Sie hob die Hand und winkte.

In der Nähe der Bull Street 20 spielte eine kleine Jug-Band – drei Jungs bliesen in große Krüge, und Gullah Jack, Mr Veseys Mann, schlug seine Trommel. Eine Gruppe von Farbigen hatte sich versammelt, und zwei Frauen begannen mit einem Tanz, den wir Stepping nannten. Ich blieb stehen und sah zu, denn sie machten eine große Schau. Vor allem behielt ich Gullah Jack im Auge. Er hatte einen dicken Schnurrbart und hüpfte auf seinen kurzen Beinen wild herum. Als das Stück zu Ende war, klemmte er sich die Trommel unter den Arm und machte sich auf den Weg zu Mr Vesey. Ich eilte hinterher.

Aus dem Küchenhaus kam Rauch, also ging ich gleich dahin und klopfte. Susan ließ mich rein und rief: »Na, da staun ich aber, dass du erst jetzt kommst.« Sie sagte, ich könnte ihr helfen, die Männer wären im Vorderzimmer, bei einem Treffen.

»Was für ein Treffen?«

Sie zuckte mit den Schultern. »Ich weiß es nicht und will es auch nicht wissen.«

Ich half ihr, Kohl und Möhren für das Abendessen klein zu schneiden, und als sie den Männern eine Flasche Madeira brachte, folgte ich. Während sie die Gläser füllte, wartete ich vor der Tür, aber ich konnte sehen, wer da alles um den Tisch versammelt war: Mr Vesey, Gullah Jack, Peter Poyas, Monday Gell und zwei Männer, die dem Governor gehörten, Rolla Bennett und Ned Bennett. Ich kannte sie alle aus der Kirche. Und bis auf Mr Vesey waren sie alle Sklaven. Später sollte er sie seine Leutnants nennen.

Ich wich in den Korridor zurück, folgte Susan aber nicht wieder zum Küchenhaus. Dann schlich ich zur Tür, so nah es ging.

Es klang, als ob Mr Vesey sämtliche Sklaven im Staate aufteilen würde: »Ich nehme die Französischen Neger am Santee River, du, Jack, nimmst die Sklaven an den Sea Islands. Wer schwer zu rekrutieren sein wird, sind die Sklaven draußen auf dem Land, auf den Plantagen. Peter, du und Monday, ihr kennt sie am besten. Rolla, dir überlasse ich die Stadtsklaven, und dir, Ned, die am Neck.«

Er senkte die Stimme, und ich schlich mich noch ein wenig näher. »Schreibt alle, die ihr rekrutiert, auf eine Liste. Und schützt diese Liste unter Einsatz eures Lebens. Sagt ihnen, habt Geduld, der Tag wird kommen.«

Er war wohl aus dem Nichts gekommen, denn plötzlich stand Gullah Jack hinter mir. Er packte mich und stieß mich ins Zimmer. Mein Kaninchen-Stock flog in hohem Bogen davon. Ich prallte gegen die Wand und schlug mit dem Rücken auf dem Boden auf.

Er stellte mir einen Fuß auf die Brust und drückte mich nach unten. »Wer bist du?«

»Nimm deinen widerlichen Fuß da weg!«, spuckte ich ihm entgegen, aber die Spucke fiel zurück auf mein Gesicht.

Er hob eine Hand, doch als er zuschlagen wollte, sah ich aus den Augenwinkeln, wie Denmark Vesey ihn am Kragen packte und durch das halbe Zimmer schleuderte. Dann zog er mich hoch. »Alles in Ordnung?«

Ich konnte meine Arme nicht stillhalten, so sehr zitterten sie.

»Du wirst alles, was du hier gehört hast, für dich behalten«, sagte er.

Ich nickte wieder, und er legte den Arm um mich, damit das Zittern aufhörte.

An Gullah Jack und die Übrigen gewandt, erklärte er: »Das ist die Tochter von meiner Frau und die Schwester von meinem Kind. Sie gehört zur Familie, und das heißt, keiner hier legt Hand an sie.«

Dann sagte er den Männern, sie sollten nach hinten in seine Werkstatt gehen. Wir warteten, bis sie mit den Stühlen gescharrt und sich verzogen hatten.

Also zählte er Mauma zu seinen Frauen. Und mich zu *seiner Familie.*

Er zog mir einen Stuhl heran. »Komm, setz dich. Was treibt dich her?«

»Ich bin hier, um rauszufinden, was wirklich mit Mauma passiert ist. Ich weiß, dass Sie es wissen.«

»Manches weiß man besser nicht«, sagte er.

»Na, das sagt die Bibel aber nicht. In der Bibel steht, die Wahrheit wird euch frei machen.«

Er umkreiste den Tisch. »Na gut.« Dann schloss er das Fenster, damit die Wahrheit im Zimmer blieb und nicht an die Ohren der Welt da draußen drang.

»An dem Tag, als Charlotte Ärger mit der Wache hatte, ist sie hergekommen. Ich war in der Werkstatt, und irgendwann seh ich auf, und da steht sie vor mir. Sie hatten sie bis zum Rice Mill Pond gejagt, und da hat sie sich im Mühlhaus in einem Sack versteckt. Ihr Kleid war voller Reisschalen. Ich hab sie hierbehalten, bis es dunkel wurde, dann hab ich sie zum Neck gebracht, wo die Überwachung nicht so streng ist. Damit sie sich da versteckt.«

Der Neck lag im Norden der Stadt, dort lebten viele freie Schwarze und auch Sklaven, deren Besitzer sie »außerhalb« wohnen ließen, in den sogenannten Negerhütten. Ich versuchte, mir so eine Hütte vorzustellen, mit Mauma drin.

»Ich kenne da einen freien Schwarzen, der ein Zimmer hat. Er hat sie aufgenommen. Sie hat gesagt, wenn die Wache nicht mehr nach ihr suchte, würde sie zurück zu den Grimkés gehen und sich ihrer Gnade ausliefern.« Er war die ganze Zeit herumgelaufen, doch jetzt setzte er sich neben mich und erzählte, so schnell es ging, zu Ende. »Eines Nachts ist sie in der Radcliff Alley auf den Abort gegangen, und da war ein Weißer, ein Wilderer namens Robert Martin. Er hatte da auf sie gelauert.«

In meinem Kopf ertönte ein Geräusch, ein Klagelaut, so durchdringend, dass ich nichts mehr hören konnte. »Ein Wilderer. Was meinen Sie mit Wilderer?«

»Jemand, der anderen die Sklaven stiehlt. Der allerübelste Abschaum. Wir kennen diesen Mann – er war früher als Händler unterwegs. Erst mit regulären Waren, dann hat er Sklaven gekauft und dann gestohlen. Er jagt im Neck. Immer hat er sein Ohr dicht am Boden und sucht nach den Entlaufenen. Mehr als einer hat gesehen, dass er sich Charlotte gegriffen hat.«

»Er hat sie sich gegriffen? Er hat sie irgendwem verkauft?«

Ich war aufgesprungen und schrie über den Lärm in meinem Kopf hinweg. »Warum haben Sie sie nicht gesucht?«

Er packte mich an den Schultern und schüttelte mich. Seine Augen sprühten wie Feuerstein. Er sagte: »Gullah Jack und ich haben zwei Tage lang nach ihr gesucht. Wir haben überall gesucht, doch sie war weg.«

Sarah

Ich musste die beschwerliche Rückreise nach Philadelphia allein antreten. Dort fand ich in demselben Haus Unterkunft, in dem ich mit Vater logiert hatte. Ich hatte dort nur bleiben wollen, bis das Schiff die Segel setzte, doch an besagtem Morgen – mein Koffer war gepackt, die Kutsche wartete – sträubte sich ein Teil von mir, ein fremder Teil.

Mrs Todd, meine Vermieterin, klopfte an die Tür. »Miss Grimké, die Kutsche – sie wartet. Soll ich den Fahrer schicken, Ihren Koffer zu holen?«

Ich ließ sie auf die Antwort warten und stellte mich ans Fenster, schaute hinaus auf den Lattenzaun mit seinem vielblättrigen Wein, auf die gepflasterte Straße mit ihren Ahornbäumen, auf das Licht, das in ruhigen, gesprenkelten Mustern darauffiel, und hauchte leise: »Nein.«

Dann wandte ich mich um und löste meine Haube, schwarz, mit einem kleinen Rüschenrand, der Trauer angemessen. Ich hatte sie am Vortag auf der High Street gekauft, als ich ganz für mich allein unbeschwert durch die Geschäfte gegangen war. Hinterher war ich in dieses schlichte Zimmer heimgekehrt, in dem keine Diener oder Sklaven warteten, weder übersteigertes Mobiliar noch Filigranarbeit noch Blattgold, niemand, der mich zum Tee oder zu Besuchern rief, an denen mir nichts lag, niemand, der irgendetwas von mir wollte. Nur dieses kleine Zimmer, in dem ich mich selbst um alles kümmerte, sogar um Bett und Wäsche. Ich wandte mich an Mrs Todd. »Ich würde das Zimmer gern ein wenig länger behalten, falls das möglich ist.«

Sie schaute mich verwirrt an. »Sie reisen nicht wie geplant ab?«

»Nein, ich würde gern noch eine Weile bleiben. Nur eine Weile.«

Ich sagte mir, dass ich im Stillen trauern wollte. Das war doch denkbar, oder etwa nicht?

Mrs Todd, die Ehefrau eines darbenden Rechtsreferendars, griff nach meiner Hand. »Sie sind mir als Gast willkommen, so lange Sie das wünschen.«

Ich schrieb Mutter einen beflissenen Brief, in dem ich das Unerklärliche erklärte: Vater war gestorben und ich würde nicht sogleich nach Hause kommen. *Ich muss allein trauern.*

Ihre Antwort erreichte mich im September. Ihre kleinen, engen Zeilen trieften vor Tinte und vor Wut. Mein Verhalten sei gefühllos, schändlich, selbstsüchtig. »Wie kannst du mich in meiner dunkelsten Stunde im Stich lassen?«, hatte sie geschrieben.

Ich warf den Brief in den Kamin, doch da hatte mein Gewissen schon die ersten Prellungen davongetragen. In ihren Worten lag ein Körnchen Wahrheit. Ich war selbstsüchtig. Ich hatte Mutter im Stich gelassen. Und auch Nina. Die Erkenntnis quälte mich, und dennoch blieb ich.

Ich verbrachte meine Tage mit Müßiggang. Ich schlief, wenn ich müde war, oftmals mitten am Tag. Mrs Todd erwartete mich längst nicht mehr zu den Mahlzeiten, sondern stellte mir das Essen in der Küche bereit. Ich nahm es zu den merkwürdigsten Stunden hinauf in mein Zimmer und wusch das benutzte Geschirr selbst. Es gab im Haus zwar auch einige wenige Bücher, doch lieber schrieb ich in das kleine Tagebuch, das ich erworben hatte, hauptsächlich über Vaters letzte Tage, und übte mich, mithilfe einer Lernkartei, an der Heiligen Schrift. Ich flanierte unter Ahornbäumen, die erst hell, dann bronzefarben wurden, und wagte mich mit jedem Tag ein wenig weiter vor – bis zum Washington Square, zur Philosophical Hall, nach Old St. Mary's, und einmal, durch Zufall, bis zur The Man Full of Trouble Tavern, die ihrem Namen alle Ehre machte: Aus dem Inneren drangen Geschepper und Geschrei.

Eines Sonntags, die Luft war klar und frisch, Sonnenstrahlen schnitten sie wie Klingen, watete ich bis zur Arch Street knöcheltief im Laub. Dort stieß ich auf ein Versammlungshaus der Quäker, dessen Größe mich innehalten und staunen ließ. In Charleston gab es ein winziges Quäker-Haus, ein verwahrlostes Etwas, das, so hieß es, nur zwei zänkische alte Männer regelmäßig aufsuchten. Hier aber strömten die Menschen aus dem Portal, die Frauen und Mädchen in derart faden, gemaßregelten Kleidern, dass wir Presbyterianer dagegen geradezu flamboyant erscheinen mussten. Selbst die Kleinsten trugen farblose Mäntel und ernste Mienen. Ich sah sie mir an, im Hintergrund die roten Ziegel, das kirchturmlose Dach, die schlichten Fenster mit ihren Läden – es war abstoßend. Angeblich saßen sie im Stillen da und warteten darauf, dass jemand aus ihrer Mitte eine tiefe Verbindung mit Gott laut kundtat, damit es ein jeder hörte. Die Vorstellung war doch furchterregend!

Aber von der Begegnung mit den Quäkern abgesehen fühlte ich mich ähnlich wie in dem Moment, als ich unter der weißen Fahne im Meer getrieben war. Es waren Wochen von einer solchen Lebendigkeit, dass mir beinahe war, als schlüge ein zweites Herz in meiner Brust. Ich musste feststellen, dass ich recht gut allein zurechtkam. Hätte ich nicht den Tod meines Vaters betrauern müssen, ich hätte es eine glückliche Zeit genannt.

Doch als der November kam, wusste ich, dass diese Zeit vorüber war. Der Winter nahte. Und mit ihm eine trügerische See. Ich packte meinen Koffer.

Das Schiff war ein Kutter, was mich hoffen ließ, Charleston innerhalb von zehn Tagen zu erreichen. Ich hatte eine Erste-Klasse-Passage gebucht, doch meine Kabine war dunkel und beengt und bot keinerlei Komfort außer einem Wandschrank und einer zwei Fuß breiten Koje. Ich hielt mich so oft wie möglich an Deck auf, in den kalten, steifen Winden, und drängte mich mit den anderen Passagieren nach Lee.

Am dritten Morgen wurde ich kurz vor der Dämmerung wach. Der stickige Raum mit seiner abgestandenen Luft glich einer Grabkammer. Eilig kleidete ich mich an, flocht mir nicht einmal das Haar, und so erschien ich an Deck mit wehenden möhrenroten Strähnen. Ich hatte erwartet, allein zu sein, doch da war bereits ein anderer an der Reling, und so zog ich mir die Kapuze meines Umhangs über und suchte mir einen Platz in einiger Entfernung.

Eine winzige, weiße Mondkugel stand am Himmel und klammerte sich an die schwindende Nacht. Entlang des Horizonts zog sich bereits ein dünner Streifen blauen Lichts, der stetig wuchs.

»Wie geht es dir?«, fragte eine Männerstimme, wie ich es so oft in Philadelphia gehört hatte. Es war die übliche Anrede der Quäker, mit der sie die Gleichheit aller Menschen betonen wollten.

Als ich mich umdrehte, schlüpften einige Haarsträhnen unter meiner Kapuze hervor und peitschten mir ins Gesicht. »Mir geht es gut, Sir.«

Sein Kinn hatte eine dramatische Furche, und über den Augen, braun und durchdringend, ragten Brauen schräg nach oben, als wüchsen sie aus einem Talkessel. Er trug schlichte Kniehosen mit silbernen Schnallen, einen dunklen Mantel und einen dreispitzigen Hut. Eine Strähne, so dunkel wie Kohle, kringelte sich vor seiner Stirn. Ich schätzte, dass er älter war als ich, zehn Jahre, vielleicht auch mehr. Ich hatte ihn zuvor an Deck gesehen und am ersten Abend im Speiseraum des Schiffes, mit seiner Frau und seinen acht Kindern, sechs Jungen und zwei Mädchen. Mir war vor allem aufgefallen, wie erschöpft *sie* ausgesehen hatte.

»Mein Name ist Israel Morris«, sagte er.

Im Nachhinein sollte ich mich fragen, ob die Parzen das eingefädelt, ob sie mich drei Monate in Philadelphia verweilen lassen hatten, bis gerade dieses Schiff gen Süden segelte, auch wenn wir Presbyterianer natürlich glaubten, dass Gott folgenschwere Begegnungen wie diese arrangierte – und nicht mythologische Frauengestalten, die mit Spindel, Faden und Schere bewaffnet waren.

Die Hauptsegel knatterten und schlugen. Ich nannte ihm meinen Namen, dann standen wir da und sahen eine Weile zu, wie sich die Helligkeit erhob und die Meeresvögel am Himmel erste Kreise zogen. Er erzählte mir, dass seine Frau Rebecca in ihrer Kabine in Quarantäne bleiben und sich um die beiden jüngsten Kinder kümmern musste, die an der Ruhr erkrankt waren. Er war Kommissionär, und obwohl er bescheiden auftrat, merkte man ihm seinen Wohlstand an.

Im Gegenzug erzählte ich ihm von der Reise, die ich mit meinem Vater angetreten hatte, und von seinem unerwarteten Tod. Die Worte glitten mir flüssig von der Zunge, bis auf ein gelegentliches Stottern. Das verdankte ich wohl dem Wogen und Fließen des Wassers ringsumher.

»Mein aufrichtiges Beileid«, sagte er. »Es muss schwer gewesen sein, allein für Ihren Vater zu sorgen. Konnte Sie Ihr Ehemann denn nicht begleiten?«

»Mein Ehemann? Oh, Mr Morris, ich bin nicht verheiratet.«

Er errötete.

Um die Situation zu entkrampfen, sagte ich: »Ich versichere Ihnen, das ist nichts, was mich über die Maßen berührt.«

Daraufhin lachte er und fragte nach meiner Familie und dem Leben in Charleston. Als ich ihm von unserem Haus an der East Bay Street und der Plantage im Upcountry erzählte, erstarb der lebhafte Ausdruck auf seinem Gesicht. »Demnach besitzen Sie Sklaven?«

»Meine Familie, ja. Ich selbst billige es nicht.«

»Dennoch verknüpfen Sie Ihr Schicksal mit denen, die es tun?«

Das verstimmte mich. »Es ist meine Familie, Sir. Was soll ich denn machen?«

Sanftmütig und mitleidvoll schaute er mich an. »Im Angesicht des Bösen zu schweigen ist selbst eine Form des Bösen.«

Ich wandte mich ab, hin zu dem gläsernen Gewässer. Welcher Mann wagte so zu sprechen? Ein Gentleman aus dem Süden hätte sich eher auf die Zunge gebissen.

»Verzeihen Sie mir meine direkten Worte«, sagte er. »Ich bin nun einmal Quäker. Und in unseren Augen ist die Sklaverei ein schändliches Laster. Diese Sicht gehört wesentlich zu unserem Glauben.«

»Und ich bin nun einmal Presbyterianerin, und obwohl wir keine Doktrin gegen die Sklaverei kennen, gehört Ihre Sicht sehr wohl zu meinem Glauben.«

»Gewiss doch. Ich bitte um Entschuldigung. Ich fürchte, in mir lebt ein Eiferer, den ich nicht recht unter Kontrolle habe.« Er fasste an die Krempe seines Huts und lächelte. »Nun muss ich mich um das Frühstück für meine Familie kümmern. Ich hoffe, dass wir uns wieder einmal sprechen, Miss Grimké. Ich wünsche einen guten Tag.«

An den nächsten beiden Tagen war er mein einziger Gedanke. Er störte beinahe jede wache Minute, und selbst meinen Schlaf. Ich fühlte mich zu ihm weit mehr hingezogen als zu Burke, und gerade das ängstigte mich so. Es zog mich zu seinem radikalen Gewissen, zu seinem abstoßenden Quäkertum, der Kraft seiner Ideen, *seiner* Kraft. Er war verheiratet, und das war ein Segen. Das wiegte mich in Sicherheit.

Am sechsten Tag unserer Reise näherte er sich mir im Speisesaal. Das Schiff lief vor einem Starksturm, sämtliche Passagiere waren von Deck verbannt. »Darf ich mich zu Ihnen gesellen?«

»Wenn es Ihnen beliebt.« Hitze flammte in meiner Brust auf, die in meine Wangen stieg und sie apfelrot färbte. »Sind Ihre Kinder genesen? Und Ihre Frau? Ist sie gesund geblieben?«

»Die Krankheit wandert von einem Kind zum anderen, aber dank Rebecca erholen sie sich rasch. Ohne sie ginge es nicht einen Tag. Sie ist ...« Er brach ab, doch ich sah ihn so erwartungsvoll an, dass er den Satz beendete. »Die perfekte Mutter.«

Ohne Hut wirkte er viel jünger. Garben und Büschel schwarzen Haars wellten sich in alle Richtungen. Er hatte dunkle Ringe unter den Augen, die, so nahm ich an, daher stammten, dass er seiner Frau bei der Pflege der kranken Kinder half, doch da zog er ein abgegriffenes Lederbuch aus der Westentasche und sagte, er sei lange aufgeblieben, um zu lesen. »Dies sind die Aufzeichnungen von John Woolman, einem Apologeten unseres Glaubens.«

Als sich die Unterhaltung erneut in Richtung Quäkertum bewegte, öffnet er das Buch und las mir, in einem Versuch, mich über seinen Glauben zu belehren, daraus vor. »Alle Menschen sind von gleichem Wert«, sagte er. »Unsere Prediger sind Männer ebenso wie Frauen.«

»Frauen?« Das war so erstaunlich, dass meine Fragen gar kein Ende nahmen. Was ihn sichtlich amüsierte.

»Darf ich also annehmen, dass Sie nicht nur dem Abolitionismus anhängen, sondern auch an die Gleichwertigkeit der Frau glauben?«, fragte er.

»Ich selbst habe mir lange Zeit gewünscht, einen Beruf zu ergreifen.«

»Solche Frauen sind rar.«

»Manche bevorzugen den Ausdruck radikal.«

Er lächelte. Seine Brauen hoben sich und neigten sich noch sonderbarer. »Kann es sein, dass vor mir eine Quäkerin im Gewand einer Presbyterianerin steht?«

»Ganz gewiss nicht«, widersprach ich. Später aber, allein, war ich nicht mehr derart überzeugt. Die Sklaverei zu verdammen war das eine – das konnte ich still in meinem Herzen tun – aber weibliche Prediger!

Während der wenigen verbleibenden Tage an Bord führten wir unsere Gespräche fort. Wie trafen uns in der windgepeitschten Welt des Oberdecks und im Speisesaal, wo es nach Reis und nach Zigarren roch. Wir diskutierten nicht nur die Quäker, sondern auch Theologie, Philosophie und die Frage der Sklavenemanzipation. Er war der Meinung, die Abschaffung der Sklaverei solle schrittweise erfolgen. Ich hielt dagegen, sie solle augenblicklich erfolgen. Offenbar hatte er in mir eine intellektuelle Gefährtin gefunden, und dennoch konnte ich nicht ganz begreifen, warum er sich mit mir angefreundet hatte.

Am letzten Abend an Bord fragte Israel, ob ich mit ihm in den Speisesaal kommen würde, er wolle mich seiner Familie vorstellen. Seine Frau hielt den Jüngsten auf dem Schoß, einen weinenden Knirps von nicht einmal drei Jahren, der sein rotes Gesicht spechtgleich gegen ihre Schulter hämmerte. Sie war eine jener hauchzarten Frauen, deren Körper wie aus Luft gesponnen war, mit Haar so hell wie Stroh, gescheitelt und zurückgekämmt. Nur ein paar Strähnen fielen ihr ins Gesicht.

Sie tätschelte dem Kind den Rücken. »Israel spricht voller Hochachtung von Ihnen. Er sagt, dass Sie so gütig waren zuzuhören, als er Ihnen unseren Glauben dargelegt hat. Ich hoffe nur, dass er Sie nicht allzu sehr ermüdet hat. Er ist manchmal recht nachdrücklich.« Sie lächelte mir verschwörerisch zu.

Wenn sie doch nicht so hübsch und bezaubernd gewesen wäre. »Sagen wir, er war erschöpfend«, erwiderte ich, und ihr Gelächter gluckerte zu mir. Ich sah zu Israel. Er strahlte sie an.

»Wenn Sie das nächste Mal im Norden sind, müssen Sie uns besuchen«, sagte Rebecca. Dann brachte sie ihre Kinderschar in die Kabine.

Israel verweilte noch ein wenig länger. Er zog die Schriften John Woolmans hervor. »Bitte, das will ich Ihnen schenken.«

»Aber das ist Ihr Exemplar. Das kann ich unmöglich annehmen.«

»Es wäre mir eine große Freude – ich besorge mir in Philadelphia ein neues. Ich bitte Sie nur, dass Sie mir im Anschluss an Ihre Lektüre schreiben und Ihre Eindrücke schildern.« Er schlug das Buch auf und zeigte mir einen Zettel, auf dem seine Anschrift stand.

In jener Nacht lag ich, als ich die Kerze ausgepustet hatte, viele Stunden wach und dachte an das Buch in meinem Koffer und an die Adresse, die er heimlich dort hineingelegt hatte. *Schreiben Sie mir im Anschluss an Ihre Lektüre.* Unter mir wogten tiefe Wasser. In einer schwankenden Dunkelheit stürzten wir auf Charleston zu.

Handful

Wenn die dich verkaufen wollen, heißt es als Erstes, putz dir die Zähne. Das hatte Aunt-Sister uns immer gepredigt. Wenn auf der Straße Sklaven verkauft würden, würden die Weißen immer nach den Zähnen sehen. Doch als Master Grimké starb, dachte niemand von uns ans Zähneputzen. Wir alle dachten, das Leben würde wie bisher seinen bitteren Gang gehen.

Zwei Tage, nachdem Sarah aus dem Norden heimgekehrt war, erschien der Anwalt, um das Testament zu verlesen. Alles versammelte sich im Speisezimmer, jedes einzelne Grimké-Kind und jeder einzelne Sklave. Ich fand es seltsam, dass die Missus uns dabeihaben wollte. Wir standen in einer Reihe, hinten im Zimmer, und hatten beinah das Gefühl, wir würden zur Familie gehören.

Sarah saß an der einen Seite vom Tisch, Nina an der anderen. Sarah sah mit einem traurigen Lächeln zu ihrer Schwester, Nina schaute weg. Die beiden hatten Zoff. Die Missus trug ihr schönes schwarzes Trauerkleid. Ich hätte ihr gerne gesagt, dass sie es mal ausziehen und Mariah zum Waschen geben sollte, weil es graue Ringe unter den Armen hatte. Sie hatte es seit dem August jeden Tag getragen, aber dieser Frau konnte man nichts sagen. Mit der wurde es immer schlimmer.

Der Anwalt, Mr. Huger, erhob sich mit einer Handvoll Papiere und sagte, dass dies der Letzte Wille und das Testament von John Faucheraud Grimké wäre, aufgesetzt im Mai. Er verlas das Vorausgeschickt, Fernerhin und Überdies. Es war schlimmer als die Bibel.

Das Haus bekam die Missus nicht. Das ging an Henry, der noch keine achtzehn war, doch sie hatte bis an ihr Lebensende Wohnrecht. »Ihr hinterlasse ich das Mobiliar, das Porzellan, alles versilberte und vergoldete Geschirr, eine Kutsche und zwei Pferde sowie sämtliche Vorräte an Spirituosen und Proviant, die sich zum Zeitpunkt meines Todes im Hause befinden.« Und so weiter und so weiter. Das ganze Hab und Gut.

Dann las der Anwalt etwas vor, das mir die Haare auf den Armen aufstellte. »Sie soll von meinen Negern sechs nach ihrer Wahl erhalten, die restlichen möge sie, ganz nach ihrem Belieben, verkaufen oder unter meinen Kindern aufteilen.«

Binah stand gleich mir. Sie flüsterte: »O Gott, nein.«

Ich sah mir unsere Reihe an. Wir waren nur noch elf – Rosetta war im Jahr zuvor im Schlaf gestorben.

Sie soll sechs erhalten, die restlichen möge sie verkaufen oder aufteilen. Fünf aus unserer Mitte mussten gehen.

Minta begann zu schniefen. Aunt-Sister machte: »Pscht, still«, doch selbst ihre alten Augen irrten voller Angst umher. Sie hatte Phoebe zu gut angelernt. Auch Tomfry wurde alt, und Elis Finger waren knotig wie kleine Zweige geworden. Goodis und Sabe waren noch jung, aber wer brauchte für zwei Pferde zwei Sklaven im Stall? Prince war stark und arbeitete im Hof, aber er hatte neuerdings Anfälle von Schwermut. Dann saß er da und starrte ins Leere und blies sich die Nase in sein Hemd. Mariah war eine gute Arbeiterin, sie würde sicher bleiben, aber Binah, Binah stöhnte leise, denn sie war die Mauma von der Kinderstube, und im Haus waren keine kleinen Kinder mehr.

Ich sagte mir, *die Missus braucht doch eine Näherin*, aber dann sah ich wieder auf das schwarze Kleid. Von nun an würde sie nur noch ein paar in der Art brauchen, und dafür konnte sie jemanden anheuern.

Plötzlich sagte Sarah: »… Das hat Vater doch nicht ernst gemeint.«

Die Missus warf ihr einen giftigen Blick zu. »Diese Worte hat dein Vater selbst verfasst, und wir werden seine Wünsche respektieren. Uns bleibt keine Wahl. Bitte lass Mr Huger fortfahren.«

Als er weiterlas, sah mich Sarah mit dem gleichen kummervollen Blick an wie an dem Tag, als sie elf geworden war und ich mit dem violetten Band um den Hals vor ihr gestanden hatte. Die Welt war ein zerrütteter Ort, und sie konnte nichts dagegen tun.

Im Dezember waren alle mit den Nerven am Ende, weil die Missus noch immer nicht gesagt hatte, wer gehen und wer bleiben würde. Falls sie mich verkaufen würde, wie sollte Mauma mich dann finden, wenn sie wiederkam?

Jeden Abend legte ich mir einen heißen Ziegelstein ins Bett, um mir die Füße zu wärmen, und dachte daran, dass Mauma lebte. Irgendwo da draußen. Ob der Mann, der sie gekauft hatte, gut zu ihr war? Ob er sie in die Felder schickte? Ließ man sie nähen? Hatte sie meinen kleinen Bruder oder meine kleine Schwester bei sich? Trug sie immer noch den Beutel um den Hals? Ich wusste, wenn sie könnte, käme sie zurück. Hier, in dem Baum, war ihre Seele. Hier war ich.

Lass mich nicht diejenige sein, die gehen muss.

Die Missus feierte in jenem Jahr kein Weihnachten, sagte aber, feiert ihr ruhig euer Junkanoo, wenn ihr wollt. Das war ein Brauch, den es erst seit ein paar Jahren gab und der mit den Jamaika-Sklaven hergekommen war. Tomfry zog sich dann ein Hemd und zerrissene Hosen mit leuchtenden Stoffstreifen und einen hohen Zylinder an – dann war er der Ragman, wie wir dazu sagten. Wir anderen tapsten hinterher, sangen, schlugen auf Töpfe und schlängelten uns zur Hintertür. Tomfry klopfte, und die Missus und alle kamen raus und sahen ihm beim Tanzen zu. Dann verteilte die Missus kleine Geschenke. Eine Münze oder eine neue Kerze. Manchmal einen Schal oder eine Kolbenpfeife. Das sollte uns bei Laune halten.

Wir hatten nicht erwartet, dass irgendjemand in diesem Jahr in der Stimmung wäre, doch am Junkanoo-Tag kam Tomfry in seinem zerlumpten Anzug in den Hof, und wir machten ordentlich Geklapper und vergaßen für eine Weile unsere Sorgen.

Die Missus trat in ihrem schwarzen Kleid mit einem Korb voller Geschenke aus der Hintertür, Sarah, Nina, Henry und Charles im Gefolge. Sie versuchten, uns anzulächeln. Selbst Henry, der ganz nach seiner Mutter kam, war der reinste Grinse-Engel.

Tomfry machte seinen Jig, wirbelte und sprang und wedelte mit den Armen. Die Bänder tanzten, und als er fertig war, applaudierten alle. Er nahm den hohen Hut ab und rieb sich über das krustige Grau auf seinem Kopf. Die Missus griff in den Korb und gab allen Frauen hübsche Fächer aus Papier. Die Männer erhielten nicht nur eine Münze, sondern zwei.

Der Himmel war den ganzen Tag lang bedeckt gewesen, doch nun brach die Sonne durch. Die Missus stützte sich auf den goldbewehrten Stock und blinzelte uns an. Dann rief sie Tomfry. Danach Binah. Eli. Prince. Mariah. Sie sagte: »Für euch habe ich noch etwas«, und reichte jedem ein Glas Gurgelöl.

»Ihr habt mir gut gedient«, sagte sie. »Tomfry, du kommst in Johns Haus. Binah, du gehst zu Thomas. Eli, dich schicke ich zu Mary.« Dann wandte sie sich an Prince und Mariah. »Es dauert mich zu sagen, dass ich euch verkaufen muss. Es ist nicht mein Wunsch, doch es ist unabdingbar.«

Niemand sprach ein Wort. Auf uns lag die Stille wie ein Stein, der sich nicht bewegen lässt.

Mariah sank auf den Boden und rutschte auf den Knien zur Missus und flehte sie an, ihre Meinung zu ändern.

Die Missus wischte sich die Augen. Dann wandte sie sich um und ging ins Haus, gefolgt von ihren Söhnen. Sarah und Nina blieben draußen, mit mitleidsvoller Miene.

Das Beil hatte nicht mich getroffen. *Hat Gott, mein Herr, nicht auch Handful erlöst?* Das Beil hatte auch Goodis nicht getroffen, und ich staunte, wie erleichtert ich deswegen war. Doch Gott war hierbei nicht zugegen. Sondern nur die vier, die dort noch standen, und Mariah, auf den Knien. Ich konnte es nicht ertragen, Tomfry anzusehen, der den Hut unter seinem Arm zerdrückte. Prince und Eli schauten auf den Boden. Binah, den Papierfächer in der Hand, sah zu Phoebe. Der Tochter, die sie niemals wiedersehen würde.

Die Missus teilte die Arbeit unter uns Verbliebenen auf. Sabe übernahm Tomfrys Aufgaben als Butler. Goodis musste im Hof und im Stall arbeiten und die Kutsche fahren. Phoebe bekam die Wäsche, Minta und ich Elis Putzaufgaben.

Am ersten Tag vom neuen Jahr musste ich den englischen Leuchter im Salon reinigen. Die Missus sagte, Eli hätte ihn seit zehn Jahren nicht mehr richtig poliert. Er hatte achtundzwanzig Arme mit Schirmen aus Kristall und Tropfen aus geschliffenem Glas. Ich nahm die Leiter, zog mir weiße Baumwollhandschuhe an, nahm ihn auseinander, legte die Teile auf den Tisch und polierte alles mit Ammoniak. Es gelang mir aber nicht, das Ding wieder zusammenzusetzen.

Sarah war in ihrem Zimmer, sie las in einem Lederbuch. »Das finden wir schon heraus«, sagte sie. Wir hatten seit ihrer Rückkehr noch nicht viel gesprochen – sie wirkte beklagenswert, immer in dieses eine Buch versunken.

Als wir den Kandelaber endlich wieder heil und ganz an

der Decke hatten, flammten Tränen in ihren Augen auf, und ich fragte: »Bist du traurig wegen deinem Daddy?«

Sie gab mir eine wirklich seltsame Antwort, aber ich verstand, dass darin der wahre Schmerz lag, den sie von ihrer Reise mitgebracht hatte. »Ich bin siebenundzwanzig Jahre alt, Handful, und das ist mein Leben.« Sie sah sich im Zimmer um, hoch zum Kandelaber, und wieder zu mir. »... *Das* ist mein Leben. Bis ans Ende meiner Tage.« Ihre Stimme brach, und sie legte eine Hand vor den Mund.

Sie war gefangen, so wie ich, wenn auch von ihren geistigen Schranken und den geistigen Schranken all der Menschen rings um sie, und nicht vom Gesetz. Mr Vesey hatte in der afrikanischen Kirche immer wieder gesagt: *Gebt acht, denn ihr könnt zweifach versklavt werden, einmal mit eurem Körper, und einmal mit eurem Geist.*

Das versuchte ich ihr zu erklären. Ich sagte: »Mein Körper mag ein Sklave sein, aber nicht mein Geist. Bei dir ist es umgekehrt.«

Sie zwinkerte mich an, und dann kamen die Tränen wieder. Sie schillerten wie Glasperlen.

❧

An dem Tag, als Binah fortging, hörte ich Phoebes Weinen vom Küchenhaus bis zu mir nach unten.

Sarah

1. Februar 1820

Lieber Israel,
wie oft muss ich an unsere Gespräche an Bord des Schiffes denken! Das Buch, mit dem Sie mich betraut haben, habe ich gelesen. Es hat meinen Geist entflammt. Es gibt so vieles, was ich Sie zu fragen wünsche! Und wie sehr wünsche ich mir erst, wir wären wieder beisammen …

3. Februar 1820

Lieber Mr Morris,
nachdem ich ein halbes Jahr fern von den Übeln der Sklaverei war, überfiel mich der Anblick bei meiner Rückkehr mit neuem Entsetzen. Das Buch, das Sie mir gegeben haben, hat meinen Schrecken noch vergrößert. An wen kann ich mich wenden, wenn nicht an Sie …

10. Februar 1820

Lieber Mr Morris,
ich hoffe, Sie sind wohlauf. Wie geht es Rebecca, Ihrer teuren Frau …

11. Februar 1820

Ich danke Ihnen, Sir, für das Buch. In Ihrem Glauben liegt eine verwirrende Schönheit – die Vorstellung, dass in jedem von uns ein inneres Licht ist, eine geheimnisvolle innere Stimme. Hätten Sie die Güte, mir zu erläutern, wie diese Stimme …

Immer und immer wieder schrieb ich ihm, Briefe, die ich nicht fertigzustellen vermochte. Ein jeder endete mitten im Satz. Ich legte die Feder hin, faltete den Brief zusammen und verbarg ihn bei den anderen, tief in der Schublade unter meinem Schreibtisch.

Es war an einem Nachmittag in der Düsternis des Winters, als ich erneut das dicke Bündel mit dem schwarzen Band hervorzog und ihm den Brief vom 11. Februar hinzugesellte. Eines meiner Schriftstücke tatsächlich zu versenden würde mir nur Kummer bringen. Zu sehr fühlte ich mich zu ihm hingezogen. Jeder Brief, mit dem er antwortete, würde mich nur noch heftiger entflammen. Und es würde auch nichts Gutes daraus erwachsen, wenn er mich zum Quäkertum bewegen wollte. Bei uns galten die Quäker als verachtenswerte Sektierer, als anomal, eigenartig und vor allem unansehnlich, als kleines Häuflein gar zu exzentrischer Menschen, die mit ihrer schlichten Gewandung alle Blicke auf sich zogen. Dieser Art von Lächerlichkeit und Scham wollte ich mich nicht aussetzen – Mutter hätte so etwas ohnehin niemals gestattet.

Als ihr Stock plötzlich draußen auf die Dielen pochte, raffte ich die Briefe zusammen und riss die Schublade auf. Doch in meiner Panik ergoss sich der gesamte Inhalt über meinen Schoß und auf den Teppich. Ich bückte mich, um alles einzusammeln, als die Tür auch schon ohne Klopfen aufging. Mutter stand auf der Schwelle. Ihre Blicke maßen mein geheimes Inventar.

Ich schaute zu ihr auf. Das schwarze Band wand und rollte sich aus meinen Händen.

»Du wirst in der Bibliothek benötigt«, sagte Mutter. Sie schien sich nicht im Mindesten für den Inhalt meiner Schublade zu interessieren. »Sabe packt die Bücher deines Vaters zusammen – du solltest ein Auge darauf haben.«

»Packt?«

»Sie gehen zu gleichen Teilen an Thomas und John«, erklärte sie und machte kehrt.

Ich sammelte die Briefe ein, wickelte das schwarze Band darum und legte sie zurück an ihren Platz. Warum ich sie überhaupt aufbewahrte, weiß ich nicht – es war so töricht.

Als ich in die Bibliothek kam, war von Sabe nichts zu sehen. Er hatte die meisten Regale bereits geleert und die Bücher in große Kisten gestopft. Sie standen offen auf dem Boden – an dem Ort, an dem ich vor vielen Jahren vor Vater auf die Knie gefallen war. Doch daran wollte ich nicht denken, nicht an diese schreckliche Zeit, das leere Zimmer, auch nicht an die Bücher, die mir nun, die mir immer schon entzogen waren.

Ich sank in Vaters Stuhl. Draußen, im Korridor, tickte die Uhr, lauter und lauter, und wieder spürte ich die Schatten, die sich um mich drängten, mehr noch als beim letzten Mal. Seit meiner Rückkehr war ich mit jedem Tag ein wenig tiefer in die Melancholie hinabgeglitten. In jenen Pfuhl der Dunkelheit, der mich schon früher verschlungen hatte. Aus Furcht, Mutter würde wieder Dr. Geddings zu Rate ziehen, zwang ich mich jeden Tag, mit ihr den Tee im unteren Salon einzunehmen. Ertrug ich den Besuch ihrer Freundinnen. Ging ich in die Kirche, zum Bibelstudium, zur Almosen-Gruppe. Setzte ich mich morgens zu Mutter, legte mir den Stickrahmen auf den Schoß und quälte meine Nadel durch den Stoff. Mutter hatte mir die Haushaltsbücher übertragen, und so überprüfte ich nun wöchentlich die Vorräte, schrieb Inventare und Besorgungslisten. Das Haus, die Sklaven, Charleston, Mutter, die Presbyterianer – sie waren das Gewebe meiner Tage.

Nina hatte sich von mir zurückgezogen. Sie war wütend, weil ich nach Vaters Tod in Philadelphia geblieben war. »Du hast keine Vorstellung, wie das war, so ganz allein!«, hatte sie getobt. »Mutter hat mir ständig meine angeblich falschen Einstellungen vorgehalten, von der Kirche zur Sklaverei bis hin zu meinem rebellischen Wesen. Es war schrecklich!«

Ich war stets der Puffer zwischen ihr und Mutter gewesen, und meine lange Abwesenheit hatte Nina angreifbar gemacht. »Es tut mir leid«, hatte ich gesagt.

»Du hast mir nur ein einziges Mal geschrieben!« Zorn und Vorwurf hatten ihr schönes Gesicht verzerrt. *»Ein Mal.«*

Sie hatte recht. Die ungewohnte Freiheit hatte mich derart berauscht, dass mich nichts anderes mehr gekümmert hatte. So hatte ich nur wiederholen können: »Es tut mir leid.«

Mit der Zeit würde sie mir meine Selbstsucht vergeben, doch sie war nicht der einzige Grund für unsere Entfremdung. Nina war fünfzehn und musste sich von mir lösen, aus meinem Schatten treten, um herauszufinden, wer sie unabhängig von mir war. Philadelphia bot ihr nur den Vorwand, mir ihre Eigenständigkeit zu demonstrieren.

Als sie nach unserem Zusammenstoß in ihr Zimmer geflohen war, hatte sie gewütet: »Mutter hatte recht. Ich kenne keine eigenen Gedanken. Nur deine!«

Wir gingen wie Fremde aneinander vorüber. Ich ließ sie in Ruhe, doch auch das trug zu meiner Verzweiflung bei.

Nun schaute ich auf die Koffer voller Bücher und dachte an das Feuer, mit dem ich mich einst nach einer Profession, einem Lebenszweck gesehnt hatte. Was hatte mir die Welt nicht alles verheißen.

Sabe war noch immer nicht zurückgekehrt, und so stand ich auf und schaute voller Nostalgie durch Vaters Bücher. Ich stieß auf *Die Biografie der Heiligen Johanna von Orléans.* Wie oft hatte ich dieses wundersame Büchlein vom Wagemut der Jeanne d'Arc gelesen, bevor Vater mich aus der Bibliothek verbannt hatte. Als ich es aufschlug, schaute mir ihr Wappen entgegen – zwei Lilien. Das hatte ich vollkommen vergessen, aber nun verstand ich, warum ich mich mit elf an meinen Lilien-

Knopf geklammert hatte. Ich steckte das Buch unter meinen Schal.

In jener Nacht fand ich keinen Schlaf. Unten schlug die Uhr erst zwei, dann drei. Bald darauf brach ein Regen los, der grimmig an Veranda und Fenster trommelte, und ich stieg aus den Laken und zündete den Leuchter an. Ich wollte Israel schreiben, ihm mitteilen, dass meine Melancholie mich manchmal so verschlang, dass ich fast glaubte, das Grab wäre mir eine Erlösung. Auch das wäre ein Brief, den ich nicht versenden würde. Aber vielleicht würde er mir Linderung verschaffen.

Ich zog die Schublade auf. Das Licht fiel hinein. Meine Bibel und William Blackstones *Commentaries on the Laws of England* lagen unberührt vor mir, auch mein Schreibzeug, Tusche, Feder, Lineal und Siegelwachs, doch nicht das Bündel mit den Briefen. Ich zog die Lampe näher zu mir heran und fuhr mit der Hand in die leeren Ecken. Das schwarze Band war da, es ringelte sich wie ein böser Nachsatz. Die Briefe waren fort.

Anschreien wollte ich sie. Der Drang nahm mit derart blinder Wut von mir Besitz, dass ich die Tür aufriss und die Treppe hinunterstürzte. Ich musste mich am Geländer festhalten, meine Füße glitten unter mir davon.

Ich schlug mit der Faust an ihre Tür, dann rüttelte ich am Knauf. Verschlossen. »Wie konntest du es wagen, sie zu nehmen!«, kreischte ich. »Wie konntest du! Mach die Tür auf! Mach auf!«

Ich wollte mir nicht ausmalen, was sie sich bei meinen geheimen Geständnissen an einen Fremden aus dem Norden gedacht hatte. Ein Quäker. Ein verheirateter Mann. Glaubte sie etwa, ich wäre seinetwegen in Philadelphia geblieben?

Ich hörte durch die Tür, wie sie nach Minta rief, die auf dem Boden neben ihrem Bett schlief. Ich donnerte wieder an die Tür. »Mach auf! Dazu hattest du kein Recht!«

Sie reagierte nicht, doch Ninas verängstigte Stimme kam vom Treppenabsatz her. »Schwester?«

Ihr weißes Nachthemd glühte in der Dunkelheit. Neben ihr standen Charles und Henry, wie die drei Gespenster.

»Geht wieder ins Bett«, sagte ich.

Ihre bloßen Füße tappten über den Boden, dann schlossen sich der Reihe nach die Türen. Ich wandte mich um und hob die Faust erneut, doch meine Wut zog sich bereits zurück, strömte in die schauerliche Tiefe, aus der sie sich erhoben hatte. Starr und ermattet ließ ich den Kopf an den Türrahmen sinken. Ich hasste mich.

Am nächsten Morgen konnte ich nicht aufstehen. Ich bemühte mich nach Kräften, doch meine Glieder waren schwer wie Blei. Ich drehte das Gesicht in die Kissen. Es war mir einerlei.

An den nächsten Tagen brachte mir Handful Essen auf mein Zimmer. Ich rührte es kaum an. Mich hungerte nur nach Schlaf, doch der blieb mir versagt. In mancher Nacht ging ich auf die Veranda, schaute hinunter in den Garten und stellte mir vor, wie ich in die Tiefe stürzte.

Eines Tages stellte mir Handful einen Jutebeutel auf das Bett. »Mach ihn auf«, sagte sie. Der Geruch von Kohle strömte mir entgegen. Im Inneren lagen meine Briefe, geschwärzt und angesengt. Handful hatte Minta in dem Moment erwischt, als sie, auf Mutters Order hin, die Briefe im Küchenhaus in das Feuer geworfen hatte. Handful hatte sie mit dem Schürhaken geborgen.

Als der Frühling kam und sich mein Gemütszustand nicht besserte, traf Dr. Geddings ein. Mutter schien sich ernstlich um mich zu ängstigen. Mit Händen voller schlaffer Narzissen und mit lockenden Worten, ich solle doch mit ihr durch Gadsden

Green spazieren kam sie zu mir. Sie bat Aunt-Sister, mir einen Reisauflauf zu backen, und überbrachte die Genesungswünsche meiner Kirchengemeinde, die davon in Kenntnis gesetzt worden war, ich hätte die Pleuritis. Ich sah mit leerem Blick zu Mutter, dann zum Fenster.

Nina kam ebenfalls zu mir. »Bin ich schuld?«, fragte sie. »Bin ich der Grund, dass du dich so fühlst?«

»Oh, Nina«, sagte ich, »... so etwas darfst du niemals denken ... Ich kann nicht erklären, was es ist, doch an dir liegt es nicht.«

Dann, eines Tages im Mai, traf Thomas ein. Er bestand darauf, dass wir uns auf die Veranda setzten, wo es warm und die Luft von schwerem Fliederduft getränkt war. Ich lauschte, als er erregt über den jüngsten Kompromiss sprach, den der Kongress zwischen dem Norden und dem Süden ausgehandelt hatte und durch den der Bann der Sklaverei in Missouri wieder aufgehoben worden war. »Dieser abscheuliche Henry Clay!«, rief er. »Der Große Befrieder. Nun hat er den Krebs von Neuem wuchern lassen.«

Ich hatte nicht die geringste Ahnung, wovon er sprach, zu meinem Erstaunen aber war meine Neugier angestachelt. Später ging mir auf, dass Thomas genau das im Sinn gehabt hatte – einen kleinen Köder auszuwerfen.

»Was für ein Narr – glaubt, wenn er in Missouri die Sklaverei erlaubt, wird er die Kriegstreiber hier bei uns besänftigen, doch damit spaltet er das Land noch mehr.« Er schlug die Zeitung vor mir auf. »Sieh dir das an.«

Auf der Titelseite des *Mercury* fand sich der Abdruck eines Briefes, der Clays Kompromiss *Eine Feuerglocke in der Nacht* nannte.

Sie alarmierte und verängstigte mich. Mir kam sofort der Gedanke, das sei die Totenglocke der Union ... Unterzeichnet war er mit *Thomas Jefferson.*

Wie lang hatte es mich nicht bekümmert, was draußen in der Welt geschah. Nun aber loderte der alte Zorn auf. Offenbar fand die Gegnerschaft gegen die Sklaverei ein neues, kühnes Fundament! Und es klang, als stünde selbst mein Bruder ihr feindlich gegenüber.

»Bist du auf Seiten des Nordens?«, fragte ich.

»Ich weiß nur, dass wir vor der Sünde, einen Menschen in Ketten zu legen, nicht die Augen verschließen dürfen. Das muss ein Ende finden.«

»Also schenkst du deinen Sklaven die Freiheit, Thomas?« Aus dieser Frage sprach mein Groll. Er hegte diese Absicht keineswegs.

»Während du fort warst, habe ich in Charleston einen Kolonisierungs-Ortsverband gegründet. Wir sammeln Geld.«

»Sag mir bitte, dass du nicht noch immer hoffst, sämtliche Sklaven aufzukaufen und nach Afrika zurückzuschicken?« Solch glühenden Eifer hatte ich seit den Debatten mit Israel nicht verspürt. Meine Wangen brannten. »*Das* ist deine Antwort auf den wuchernden Krebs?«

»Es mag eine klägliche Antwort sein, Sarah, aber eine andere habe ich nicht.«

»Muss unsere Vorstellungskraft denn so bescheiden bleiben, Thomas? Wenn die Union zugrunde geht, wie unser alter Präsident es sagt, dann doch aufgrund eines Mangels an Vorstellungskraft … aufgrund der Hybris des Südens, unserer Liebe zum Wohlstand und der Rohheit unserer Herzen!«

Er stand auf und schaute lächelnd auf mich herab. »Da ist sie ja«, sagte er. »Da ist meine Schwester.«

Ich kann nicht behaupten, dass ich daraufhin sogleich zu meinem alten Selbst fand, doch die Melancholie fiel schrittweise von mir ab. An ihre Stelle trat das erregende Gefühl einer Metamorphose, als würde ich mich von einer alten Haut oder einem Kokon befreien. Ich verweigerte den Milchreis nun nicht mehr, nippte an Johanniskrauttee, setzte mich in die Sonne und las ein weiteres Mal das Quäker-Buch. Oft dachte ich an die Feuerglocke in der Nacht.

Im Hochsommer griff ich, ganz ohne Vorbedacht, zu einem Bogen Briefpapier.

19. Juli 1820

Lieber Mr Morris,
verzeihen Sie mein langes Zögern, Ihnen zu schreiben. Das Buch, das Sie mir letzten November an Bord des Schiffes gaben, war mir in all der Zeit ein treuer Gefährte. Die Glaubenssätze der Quäker locken mich, doch ich weiß nicht, ob ich den Mut haben werde, ihnen zu folgen. Der Preis wäre hoch und schmerzlich, dessen bin ich sicher. Ich erbitte nichts, bis auf Ihren Rat.

Ergeben,
Ihre Sarah Grimké

Ich übergab den Brief an Handful. »Hüte ihn gut«, sagte ich zu ihr. »Und versende ihn persönlich mit der Post am Nachmittag.«

Als Israels Antwort eintraf, war ich in der Aufwärmküche, sah die Vorratskammern durch und schrieb eine Liste der Lebensmittel, die vom Markt benötigt wurden. Handful hatte sich den Brief noch vor Sabe an der Tür geschnappt. Sie gab ihn mir und wartete.

Ich nahm ein Buttermesser aus der Schublade und riss das Siegel auf. Dann las ich den Brief zwei Mal, einmal nur für mich, und einmal laut für sie.

10. September 1820

Liebe Miss Grimké,
welche Freude, Ihren Brief zu erhalten und vor allem zu erfahren, dass Sie doch ein wenig zu den Quäkern neigen. Der Weg zu Gott ist schmal, und der Preis ist hoch. Doch wie sagt die Heilige Schrift: »Wer sein Leben findet, der wird's verlieren; und wer sein Leben verliert um meinetwillen, der wird's finden.« Fürchten Sie nicht zu verlieren, was verloren werden muss.
Ich muss Ihnen bedauerlicherweise eine schwere und traurige Nachricht überbringen. Meine teure Rebecca ist im Januar von uns gegangen. Sie ist kurz nach unserer Rückkehr nach Philadelphia an einer gefährlichen Grippe verstorben. Meine Schwester Catherine ist nun bei mir und kümmert sich um die Kinder. Sie vermissen ihre Mutter sehr, so wie ich, aber uns tröstet, dass eine geliebte Frau und Mutter bei Gott ist.
Schreiben Sie mir. Ich bin hier, um Sie auf Ihrem Wege zu bestärken.
Ihr Freund Israel Morris

Ich setzte mich mit geschlossenen Augen in mein Zimmer, faltete die Hände im Schoß und horchte auf die Stimme, von der die Quäker mit solcher Gewissheit behaupteten, dass sie in uns war. Dieser sonderbaren Tätigkeit gab ich mich hin, seit ich Israels Brief erhalten hatte, obwohl die Quäker dies sicher nicht als *Tätigkeit* bezeichnet hätten. Ihnen galt das Lauschen als die höchste Form der *Untätigkeit*, ein Sich-Ergeben in die Stille des eigenen Herzens. Ich wollte glauben, dass irgendwann Gott sich mir zeigen, Befehle und Erläuterungen murmeln würde. Doch wie üblich hörte ich nichts.

Ich hatte Israels Brief umgehend beantwortet. Meine Hand hatte derart gezittert, dass die Tintenstriche auf dem Blatt verwackelt waren. Ich hatte mein Mitgefühl ergossen, Gebete und allerlei frommen Zuspruch. Und doch war mir jedes einzelne

Wort so trivial erschienen wie das Geplapper in den Bibelstudien. Hinter den Worten hatte ich mich sicher gefühlt.

Er beantwortete auch diesen Brief, und endlich begann unsere Korrespondenz. Sie bestand vorwiegend aus ernsten Fragen meinerseits und Bestärkung und Anleitung seinerseits. Ich fragte ihn unverblümt, wie die innere Stimme klingt und wie ich sie erkennen sollte. »Das vermag ich nicht zu sagen«, schrieb er. »Aber wenn Sie sie hören, wissen Sie es.«

An jenem Tag war die Stille ungewöhnlich schwer und düster, als befände ich mich unter Wasser. Ich legte die Hände über die Ohren und drückte gegen das Trommelfell. Durch meinen Kopf huschten unruhige Gedanken, sie tollten wie Eichhörnchen umher. Vielleicht war ich für so etwas doch zu anglikanisch, zu presbyterianisch, zu sehr Grimké. Ich schlug die Augen auf und sah zum Feuer. Die Kohlen waren erloschen.

Nur noch wenige Minuten, sagte ich mir, und als sich meine Lider wieder senkten, war es ohne Erwartung, ohne Hoffnung und Bemühen – ich hatte aufgegeben, noch etwas zu hören. Da hörte mein Verstand zu jagen auf, und ich trieb auf einem sanften Strom.

Geh nach Norden.

Die Stimme fiel in meine Selbstvergessenheit wie ein dunkler, schöner Stein.

Ich hielt den Atem an. Das war kein gewöhnlicher Gedanke – er war deutlich, schillernd und von Gott durchdrungen.

Geh nach Norden.

Ich öffnete die Augen. Mein Herz schlug so wild, dass ich eine Hand auf die Brust legen und an die Rippen drücken musste.

Es war undenkbar. Unverheiratete Töchter zogen nicht allein und ohne Schutz an einen fremden Ort. Sie lebten daheim bei ihrer Mutter, und wo es keine Mutter gab, bei ihrer Schwester, und wo es keine Schwester gab, bei ihrem Bruder. Sie brachen nicht mit allem und allen, die sie kannten und liebten. Sie entsagten nicht ihrem Leben, ihrem Ruf und dem Namen ihrer Familie. Sie trafen nicht solch skandalöse Entscheidungen.

Ich stand auf und lief vor dem Fenster auf und ab. Dabei sagte ich mir, es ist unmöglich. Mutter würde die Apokalypse entfesseln. Stimme oder nicht, sie würde dem ein rasches Ende setzen.

Vater hatte seine Besitztümer und den größten Teil seines Vermögens seinen Söhnen hinterlassen, doch er hatte auch seine Töchter nicht vergessen. Jeder von uns hatte er zehntausend Dollar vermacht, und wenn ich sparsam wäre und mit den Zinsen auskommen würde, könnte ich mein Leben lang damit haushalten.

Hinter dem Fenster dräute ein gewaltiger Himmel im Zwielicht. Plötzlich musste ich an jenen Tag im Winter denken, als Handful den Kandelaber geputzt, an die Behauptung, die sie vertreten hatte: *Mein Körper mag ein Sklave sein, aber nicht mein Geist. Bei dir ist es umgekehrt.* Ich hatte ihre Worte von mir gewiesen – was wusste sie schon? Doch nun sah ich, wie sehr sie zutrafen. Mein Geist hatte in Ketten gelegen.

Ich ging zu meinem Toilettentisch und öffnete die Schublade, in die ich sonst niemals sah, die, in der die Granitschatulle war. Darin lag der Silberknopf, den Handful mir vor all den Jahren zurückgegeben hatte. Er war schwarz angelaufen und vergessen. Ich nahm ihn in die Hand.

Wie kann man sicher sein, dass es die Stimme Gottes ist? Zwar glaubte ich damals, dass es Seine Stimme war, die mich nach Norden rief, doch vielleicht war das, was ich an jenem Tag gehört hatte, in Wirklichkeit aus mir gekommen, aus meinem Drang nach Freiheit. Womöglich hatte ich bloß meine eigene Stimme gehört. Aber macht das einen Unterschied?

VIERTER TEIL

September 1821–Juli 1822

Sarah

Das Haus trug den Namen Green Hill. Ich hatte ein luftiges, weißes Holzhaus mit einer großen Veranda und Läden hell wie Kiefern erwartet, als ich Israels Einladung nach Philadelphia, aufs Land, zu seiner Familie gefolgt war. Es war ein Schock gewesen, als ich Ende des Frühjahrs vor einem Schlösschen gestanden hatte, das ganz aus Stein bestand. Green Hill ragte wie ein grauer Megalith auf, mit bogenförmigen Fenstern, Balkonen und Ecktürmchen versehen. Als ich zum ersten Mal an diesen groben Mauern hochsah, fühlte ich mich wahrlich wie in der Verbannung.

Israels verstorbene Frau Rebecca hatte zumindest dem Inneren Härte und Kanten genommen. Sie hatte das Haus mit handgeknüpften Teppichen und geblümten Kissen, mit schlichten Quäker-Möbeln und Wanduhren ausgestattet, aus denen den ganzen Tag lang kleine Vögel hüpften und die Stunde kuckuckten. Es war ein eigenartiger Ort, aber mit der Zeit gefiel es mir immer besser, inmitten eines Steinbruchs zu leben. Mir gefiel, dass die steinerne Fassade bei Regen glitzerte und sich bei Vollmond mit Silber überzog. Mir gefiel, dass die Stimmen der Kinder in den Räumen hallten und es in der Mittagshitze kühl und dämmerig blieb. Besonders aber gefiel mir, dass das Haus uneinnehmbar wirkte.

Nach langen Monaten der Korrespondenz mit Israel und des Ringens mit Mutter hatte ich eine Dachkammer im dritten Stock bezogen. Ich hatte mich auf die Taktik verlegt, Mutter davon zu überzeugen, dass das Ganze einer göttlichen Eingebung folgte. Sie war eine fromme Frau. Wenn irgendetwas gegen ihren sozialen Ehrgeiz ankam, war es ihre Frömmigkeit, doch als ich ihr von der inneren Stimme erzählt hatte, war sie außer sich geraten. In ihrer Vorstellung bewegte ich mich geradewegs auf das Schicksal jener wahnsinnigen Frauen zu, die man in Öl gekocht oder auf dem Scheiterhaufen verbrannt hatte. Als ich ihr eines Tages dann auch noch offenbart hatte, dass ich beabsichtigte, ausgerechnet mit jenem Mann unter einem Dach zu leben, an den ich diese skandalösen, nie versandten Briefe verfasst hatte, waren bei ihr allerlei Symptome ausgebrochen, von Fieberbläschen bis zu Brustschmerzen. Die Brustschmerzen waren nicht erfunden, das sah man an ihrem verzerrten, schwitzigen Gesicht, und mich hatte eine leise Angst beschlichen, meine Pläne würden sie tatsächlich umbringen.

»Wenn in dir auch nur ein Fetzen Anstand ist, dann gehst du nicht in das Haus eines Quäker-Witwers!«, hatte sie bei unserem letzten Streit gebrüllt.

Der hatte sich in ihrem Schlafzimmer ereignet. Ich hatte mit dem Rücken zum Fenster gestanden und in ihre wutverzerrte Miene geschaut.

»Israels unverheiratete Schwester lebt auch in diesem Haus«, hatte ich Mutter zum zehnten Mal erklärt. »Ich werde dort lediglich ein Zimmer mieten. Mich um die Kinder kümmern, um den Unterricht der Mädchen … Es ist ein völlig respektables Arrangement. Meine Rolle wird eher die einer Lehrerin sein.«

»Einer *Lehrerin*.« Sie hatte den Handrücken an die Stirn gepresst, als würde der Himmel Trümmer regnen. »Wäre dein Vater nicht schon tot, *das* würde ihn umbringen.«

»Lass Vater aus dem Spiel. Er würde wollen, dass ich mein Glück finde.«

»Ich kann – ich werde dir meinen Segen nicht geben.«

»Dann gehe ich ohne deinen Segen.« Meine Kühnheit hatte mich selbst erschrocken.

Mutter war in ihren Sessel zurückgesunken. Ich hatte sie getroffen. Ihr Blick war starr und siedend. »Dann *geh*! Aber behalte dieses schmutzige Detail mit dieser Stimme für dich. Du gehst um deiner Gesundheit willen nach Norden, hast du mich verstanden?«

»... Und worunter leide ich genau?«

Sie hatte zum Fenster gesehen, als würde sie den Ausschnitt safrangelben Himmels mustern. Ihr Schweigen hatte sich derart gedehnt, dass ich mich schon gefragt hatte, ob ich entlassen war. »Husten«, hatte sie schließlich befunden. »Wir fürchten, dass du an der Schwindsucht leidest.«

Und so hatten wir einen Pakt geschlossen. Mutter würde mein Gastspiel dulden und mich nicht aus dem Schoß der Familie stoßen, solange ich behauptete, dass meiner Lunge die Schwindsucht drohte.

Nun war ich seit drei Monaten in Green Hill, und wie so oft plagten mich Heimweh und Entfremdung. Nina fehlte mir, und auch Handful war stets in meinem Denken. Zu meinem Erstaunen fehlte mir auch Charleston, wenn auch nicht die Sklaverei und das soziale Kastenwesen, so aber doch das flirrende Licht des Hafens, die mit Salz gewürzte Luft, die Paradiesvögel, die ihre orangefarbenen Köpfchen reckten, und die Sommerwinde, die an Hurrikanläden und Veranden rüttelten. Wenn ich die Augen schloss, hörte ich die Glocken von St. Philip und atmete den beißend süßen Duft der Ligusterhecken, der die Stadt befiel.

Dankenswerterweise war ich den ganzen Tag beschäftigt. Ich musste mich um acht halb verwaiste Kinder kümmern, im Alter von fünf bis sechzehn, und um die Haushaltspflichten, die ich von Israels Schwester Catherine übernommen hatte. Allerdings konnte ich es ihr selbst in meinen striktesten presbyterianischen Momenten nicht recht machen. Sie meinte es gut, litt aber an einer unheilbaren Prüderie. Und trotz Brille waren ihre wässrigen Augen noch zu schwach, um eine Nadel zu führen oder Mehl abzumessen. Ich weiß nicht, wie das Haus vor mir zurechtgekommen war. Die Kleider der Mädchen waren schlecht gesäumt, und manchmal schmeckte man in der Biskuittorte Salz statt Zucker.

Einmal in der Woche traten wir die lange Fahrt in Richtung Stadt an, zum Versammlungshaus der Quäker. Ich hatte die Befragung durch den Ältestenrat über mich ergehen lassen und galt als Probekandidatin. Nun konnte ich nur noch auf die Entscheidung warten und mich derweil untadelig benehmen.

Jeden Abend ging ich, zu Catherines größtem Missfallen, mit Israel hinunter zu dem kleinen Teich, wo wir die Enten fütterten. Mit ihrem Putz aus leuchtend grünen Federn und raffinierten schwarzen Hauben waren es wahrlich unquäkerhafte Geschöpfe. Catherine hatte meine Kleider einmal mit diesem Federkleid verglichen. »Schmücken sich die Frauen im Süden alle mit einem derartigen Pomp?«, hatte sie gefragt. *Wenn sie wüsste.* Meine wirklich prachtvolle Garderobe hatte ich zurückgelassen. Nina hatte ich Seidenkleider übereignet, deren Besatz von Federn bis zu Pelz reichte, einen opulenten Kopfputz aus Spitze, eine importierte Haube aus Klöppelwerk, eine Stola aus gerüschtem Tüll, eine Lapislazuli-Brosche, Stränge von Perlen und einen Fächer, in den winzige Spiegel eingearbeitet waren.

Irgendwann musste ich meine Haube ganz entrüschen. Mir stand die formelle Entkleidung bevor, bei der ich allen schönen Dingen zugunsten von grauen Kleidern und schlichten Hauben entsagen musste, in denen ich noch durchschnittlicher aussehen würde, als ich es ohnehin schon tat. Catherine hatte mir bereits mehrere dieser mausgrauen Aufzüge vorgeführt, zwecks »Ansporns«. Allerdings spornte der Anblick höchstens meinen Widerwillen an. Glücklicherweise war das

Entrüschungsritual erst am Ende meiner Probezeit erforderlich, und eilig hatte ich es nicht.

Beim Teich warfen Israel und ich den Enten Brotkrumen zu und beobachteten, wie sie hinterherpaddelten. Am anderen Ufer lag ein verwittertes Ruderboot kopfüber im Schilf, doch dahin gingen wir nie. Wir setzten uns auf eine Bank, die Israel gezimmert hatte, und sprachen über die Kinder, über Politik und Gott und selbstverständlich die Glaubenssätze der Quäker. Israel sprach auch sehr viel von seiner Frau, deren Tod nun anderthalb Jahre zurücklag. Man hätte sie wahrlich heiligsprechen müssen, seine Rebecca. Einmal versagte ihm die Stimme, und da nahm er, als wir schweigend in einem intensiven violetten Licht verweilten, meine Hand.

⁂

Eines Nachts im September, noch vor dem Ende des Sommers, lag ich in meinem Zimmer in einem tiefen Schlaf, als ein Weinen zu mir drang und mich aus meinem Schlummer rief. Das Fenster stand offen, und eine Weile hörte ich nur das Rasseln und Raspeln der Grillen. Dann erklang es erneut. Ein Jammern.

Als ich die Tür öffnete, stand Becky vor mir, die Sechsjährige, in einem übergroßen weißen Hemd versunken, wimmernd und sich die Augen wischend. Sie hatte von ihrer Mutter nicht nur den Namen, sondern auch das schlaffe, flachsfarbene Haar, und doch erinnerte mich dieses Kind in gewisser Weise auch an mich. Es hatte mein kalkiges Äußeres, mit seinen blassen und beinahe unsichtbaren Augenbrauen und Wimpern. Überdies kaute und murmelte Becky ihre Worte und wurde von ihren Geschwistern gnadenlos verspottet. Als einer ihrer Brüder sie einmal Mahl-Maul genannt hatte, hatte ich ihm eine Standpauke gehalten. Seither mied er mich, Becky aber folgte mir auf dem Fuße wie ein Bärenjunges.

Sie stürzte sich in meine Arme.

»Du liebe Güte, was ist denn?«

»Ich hab von Mama geträumt. Sie war in einer Kiste in der Erde.«

»Oh, meine Süße, nicht doch. Deine Mutter ist bei Gott und seinen Engeln.«

»Aber ich hab sie in der Kiste gesehen. Ich hab sie gesehen.« Ihre Worte landeten in Schluchzern an meinem Hemd.

Ich legte die Hand um ihren Kopf, und als die Tränen endlich versiegten, sagte ich: »Na komm … Ich bring dich in dein Zimmer.«

Sie machte sich los, huschte an mir vorbei, in mein Bett, und zog sich die Daunendecke bis zum Kinn. »Ich will aber bei *dir* schlafen.«

Ich legte mich neben sie, und als sie zu mir robbte und an meiner Schulter schniefte, durchströmte mich ein unbeschreiblich tröstendes Gefühl. Ihr Kopf roch nach den süßen Majoranblättern, die Catherine in die Kissen nähte. Als ihre Hand auf meine Brust fiel, bemerkte ich, dass aus Beckys Faust eine Kette schaute.

»Was hast du da in der Hand?«

»Ich schlaf damit«, sagte sie. »Und dann träum ich von ihr.«

Sie löste die Finger. Es war ein rundes, vergoldetes Medaillon, in dessen Vorderseite ein Blumenstrauß eingraviert war, ein Bund Narzissen mit einer Schleife, und ein Name. *Rebecca.*

»Das ist mein Name«, sagte sie.

»Und das Medaillon ist auch deins?«

»Ja.« Dann schloss sie die Finger wieder darum.

In Charleston waren Medaillons bei kleinen Mädchen so alltäglich wie Haarspangen, doch an Catherine oder Beckys älterer Schwester hatte ich noch nie ein Schmuckstück gesehen.

»Ich will es nicht mehr«, sagte sie. »Ich will, dass du es trägst.«

»Ich? Aber, Becky, ich kann dein Medaillon nicht tragen.«

»Warum denn nicht?« Sie richtete sich auf, und ihre Augen füllten sich erneut mit Tränen.

»Weil... es dir gehört. Und dein Name daraufsteht, nicht meiner.«

»Aber du kannst es doch für mich tragen. *Nur für eine Weile.*«

Sie warf mir einen derart flehentlichen Blick zu, dass ich das Medaillon entgegennahm. »Ich werde es für dich aufbewahren.«

»Und du trägst es auch?«

»... Ich werde es ein Mal tragen, wenn es dir solche Freude macht. Aber nur ein Mal.«

Mit der Zeit wurden ihre Atemzüge länger. Sie glitten durch die Luft wie ein flatterndes Band, dann murmelte sie leise »Mama«.

Die ganze Woche lang begrüßte Becky mich mit einem Blick, der meinen Kragen abzutasten schien. Ich hatte gehofft, sie würde die Episode mit dem Medaillon vergessen, aber offenbar war es für sie von solcher Bedeutung, dass ihre Enttäuschung jedes Mal bodenlos war, wenn sie mich ohne ihr Medaillon antraf.

War meine Zurückhaltung töricht? In dem Medaillon lag eine Haarlocke, Beckys eigene, nahm ich an, aber offenbar beschwor die fahle Farbe Erinnerungen an ihre Mutter herauf. Doch wenn es Becky tröstete, dass ich das Medaillon trug, konnte es gewiss nicht schaden.

Ich legte das Schmuckstück am Donnerstag vor dem Unterricht der Mädchen an. Auf die Jungen wartete jeden Morgen ein Lehrer, der eigens aus der Stadt kam, während ich die beiden Mädchen am Nachmittag im Klassenzimmer unterwies. Israel hatte eine lange Reihe von Tischen und eine Bank gebaut, die er an der Wand fixiert hatte. Zudem hatte er eine Tafel angebracht, Bücherregale und ein Lehrerpult gezimmert, das nach Zeder roch. An jenem Morgen trug ich mein smaragdgrünes Kleid, das ich ausgesprochen selten trug, da es den Entenfedern so sehr ähnelte. Der Kragen verlief entlang meiner Schlüsselbeine, und in ihrer Mitte ruhte das goldene Medaillon.

Als Becky es erblickte, stellte sie sich auf die Zehenspitzen. Sie begann vor Freude zu strahlen, und ihre zarten Gesichtszüge wurden weich. Mein Lohn war eine eifrige Schülerin, die die Hand hob, wann immer ich eine Frage stellte, selbst wenn sie keine Antwort wusste.

Den Lehrplan durfte ich ganz nach meinem Belieben gestalten, und selbstverständlich wollte ich mich weit von meiner alten Widersacherin Madame Ruffin und ihrer »vornehmen Erziehung der Frauenzimmer« entfernen. Ich hatte vor, die Mädchen in Geografie, Geschichte, Philosophie und Mathematik zu unterrichten. Sie sollten die Klassiker lesen, und wenn ich mein Werk vollendet hatte, würden ihre Lateinkenntnisse die ihrer Brüder übertreffen.

Gegen Naturkunde jedoch hatte ich auch nichts einzuwenden, und nach einer besonders zermürbenden Stunde über Längen- und Breitengrade schlug ich John James Audubons *Die Vögel Amerikas* auf, einen dicken braunen Lederband, der mindestens so viel wie Becky wog. Ich blätterte zum Kragenhuhn, das in großer Zahl in den nahen Wäldern lebte, und fragte: »Wer von euch kann das Rufen dieses Vogels nachahmen?«

Und so standen wir wie eine Kragenhühnerschar am offenen Fenster und trällerten und pfiffen, als Catherine das Klassenzimmer betrat und zu wissen verlangte, welche Stunde ich gerade geben würde. Sie hatte die letzten Gurken geerntet und unser Gezwitscher gehört. »Das war reichlich störend«, sagte sie, den Gemüsekorb am Arm. Erde rieselte auf ihr aschefarbenes Kleid. Becky, die sehr wachsam auf die Verstimmungen ihrer Tante reagierte, machte den Mund auf, bevor ich auch nur ein einziges Wort hervorpressen konnte. »Wir haben das Kragenhuhn gerufen.«

»Ach, wirklich? Verstehe.« Sie sah zu mir. »Es schien mir ungebührlich laut. Vielleicht geht das künftig etwas leiser.«

Ich lächelte ihr zu, doch sie neigte den Kopf und trat näher, so nah, dass der Saum ihres Rockes den meinen streifte. Sie konzentrierte sich auf das Medaillon an meinem Hals. Hinter den dicken Gläsern ihrer Brille wurden ihre Augen riesengroß.

»Was hat das zu bedeuten?«, fragte sie.

»Was hat was zu bedeuten?«

»Ziehen Sie es aus.«

Becky zwängte sich zwischen uns. »Tante, Tante!«

Catherine ignorierte sie. »Ihre Absichten waren mir ja immer mehr als deutlich, Sarah, aber ich hätte nicht gedacht, dass Sie sich erdreisten würden, Rebeccas Medaillon zu tragen.«

»... Rebecca? ... Sie meinen, es gehörte ...« Meine Stimme ließ mich im Stich. Die Worte klebten wie Haftmuscheln in meinem Rachen.

»Israels *Ehefrau*«, beendete sie meinen Satz.

»Tante?« Beckys Gesicht versank in den grau-grünen Wogen unserer Röcke. Sie schaute flehentlich wie ein Ertrinkender nach oben. »Ich habe es ihr gegeben.«

»Du hast was? Nun, es ist mir einerlei, *wer* es ihr gegeben hat, sie hätte es nicht nehmen dürfen.« Sie streckte mir die Hand entgegen, bis fast unter mein Kinn. Ich hörte, wie die Luft durch ihre Nasenlöcher rasselte.

»Aber das ... wusste ich doch nicht.«

»Bitte geben Sie mir das Medaillon.«

»Nein!«, heulte Becky und sank auf den Teppich.

Ich trat einen Schritt zurück, löste die Kette und legte sie in die fordernde Hand. Als ich mich bückte, um Becky hochzuheben, zog Catherine das Kind schon sanft am Arm und führte beide Mädchen aus dem Zimmer.

Ich ging ruhig und langsam hinaus zum Teich. Bevor ich im Dickicht der Bäume verschwand, schaute ich zurück. Noch strahlte das Licht zitronengelb, doch bald würde Israel nach Hause kommen und von Catherine mit dem Medaillon empfangen werden.

Im Schutz der Zeder presste ich eine Hand auf den Bauch und die andere auf den Mund. So stand ich eine ganze Weile, als müsste ich mich in meine Haltung zwingen. Dann richtete ich mich auf und folgte dem Pfad zum Wasser.

Ich hörte den Teich schon von Weitem – das tiefe Brummen der Frösche, die surrenden Violinen der Insekten. Einem Impuls folgend ging ich zu dem Ruderboot. Es war tief im Schlamm versunken, und es kostete mich all meine Kraft, es umzudrehen. Ich nahm das Ruder aus dem Boot und suchte den Rumpf nach Löchern und verrotteten Planken ab. Als ich nichts fand, raffte ich meinen Rock, stieg hinein und paddelte in die Mitte des Teichs, weit weg vom Ufer. Was sollte ich Israel bloß sagen? Würde meine Stimme mich womöglich im Stich lassen?

Ich trieb auf dem Teich. Dunst stieg auf dem Wasser auf, Libellen schossen durch die Luft. Es war wunderschön. Ich hoffte inständig, dass Israel mich nicht fortschicken würde. Dass nicht in diesem Moment die Innere Stimme *Geh nach Süden* beschließen würde.

»Sarah!«

Ich fuhr zusammen. Das Boot neigte sich, ich fasste eilig an die Ränder, um es zu beruhigen.

»Was machst du da?«, rief Israel. Er stand in seinen Kniehosen mit den glitzernden Schnallen am Ufer, ohne Hut. Die Augen mit der Hand vor der Sonne schützend winkte er mich heran.

Ich tauchte das Paddel ins Wasser, schlug mit dem Holz gegen den Rumpf und bewegte mich in einem ungeschickten Zickzackkurs auf ihn zu.

Wir setzten uns auf die Bank. Dort erklärte ich ihm, so gut ich konnte, dass ich geglaubt hatte, das Medaillon gehörte seiner Tochter Rebecca, nicht seiner Frau. Ich schilderte ihm, was an jenem Abend, als Becky mir das Medaillon gegeben hatte, vorgefallen war, und wenn meine Stimme auch bockte und stockte, so verließ sie mich doch nie ganz.

»Niemals würde ich versuchen, den Platz deiner Frau einzunehmen.«

»Nein«, sagte er. »Das kann niemand.«

»Ich bezweifle jedoch, dass Catherine mir Glauben schenken wird … Sie war sehr empört.«

»Sie will mich beschützen, das ist alles. Unsere Mutter ist sehr früh verstorben, und von da an hat Catherine sich um mich gekümmert. Sie hat nie geheiratet. Wir, Rebecca, die Kinder und ich, waren ihre Familie. Deine Anwesenheit, so fürchte ich, bringt sie aus der Fassung. Ich glaube nicht, dass sie wirklich versteht, warum ich dich hergebeten habe.«

»Ich glaube nicht einmal, dass ich es verstehe, Israel … Warum bin ich hier?«

»Du hast es selbst gesagt – Gott hat dir befohlen, nach Norden zu gehen.«

»Aber er hat nicht gesagt: ›Geh nach Philadelphia und geh in das Haus Israels.‹«

Er legte seine Hand auf meinen Arm und drückte ihn sanft. »Erinnerst du dich an Rebeccas Worte auf dem Schiff? ›Wenn Sie das nächste Mal im Norden sind, müssen Sie uns besuchen.‹ Ich glaube, dass sie dich hergeführt hat. Für mich und für die Kinder. Gott hat dich zu uns geführt.«

Ich beobachtete den Teich, die Schlieren aus Schlick und Pollen. Mit dem schwindenden Tageslicht färbte sich das Wasser zu Bronze. Als ich zu Israel blickte, zog er mich an seine Brust und hielt mich, und ich spürte, dass er mich in seinen Armen hielt und nicht Rebecca.

Handful

Die Maisplätzchen waren schon einen halben Block vor Denmark Veseys Haus zu riechen. Da schon kamen mir das Bratöl und Gewese um den süßen Mais entgegen. Seit zwei Jahren nutzte ich nun jedes Schlupfloch, das sich in der Woche auftat, und stahl mich in die Bull Street 20. Sabe gab einen ziemlich nutzlosen Butler ab und hatte, anders als Tomfry, kaum ein Auge auf uns – dafür konnten wir der Missus dankbar sein.

Wenn ich Sabe sagte, dass wir Garn, Bienenwachs, Knöpfe oder Rattenscheiße brauchten, schickte er mich mir nichts, dir nichts auf den Markt. Ansonsten kümmerte es ihn nicht, wo ich war. Er hatte nur im Kopf, wie er sich über Master Grimkés Brandy und über Minta hermachen konnte. Ständig gingen die beiden in das leere Zimmer überm Kutschhaus und machten genau das, was Sie gerade denken. Wir anderen, ich, Aunt-Sister, Phoebe und Goodis, hörten sie bis zum Küchenhaus, und Goodis zog dann immer eine Augenbraue hoch und sah zu mir. Alle wussten, dass er seit seinem ersten Tag im Haus in mich verknallt war. Er hatte den Kaninchen-Stock für mich gemacht, und er würde mir die letzte Süßkartoffel von seinem Teller geben. Einmal hatte Sabe mich angeschrien, weil ich einfach verschwunden war, und da hatte Goodis ihm eine mit der Faust verpasst, und Sabe war auf der Stelle umgekippt. Ich hatte mich noch nie von einem Mann berühren lassen, ich hatte das auch nie gewollt, aber manchmal, wenn ich Sabe und Minta da oben im Kutschhaus hörte, erschien mir Goodis gar nicht mehr so übel.

Ohne Sarah war es hier im Haus wie in der Vorhölle. Auch die jüngsten Söhne waren nun im College, und außer der Missus, Nina und uns sechs Sklaven gab es niemanden, der alles in Schuss hielt. Die Missus jammerte die ganze Zeit wegen dem Geld rum. Sie hatte von Master Grimké einen Betrag bekommen, sagte aber, der wäre lächerlich, gemessen an dem, was sie bräuchte. Am Haus blätterte die Farbe ab, und eins der beiden Pferde war verkauft worden. Die Missus aß keinen Vogelnest-Pudding mehr, und wir bekamen Reis und noch mehr Reis.

Als ich die Maisplätzchen roch, waren es noch zwei Tage bis Weihnachten – ich erinnere mich, dass die Kälte draußen biss und an den Türen Palmkränze hingen, die wie komplizierte Zöpfe geflochten waren. Sabe hatte mich losgeschickt, um einen Brief von der Missus ins Anwaltsbüro zu bringen. Und glauben Sie ja nicht, dass ich den nicht erst gelesen hätte.

Lieber Mr Huger,
ich muss leider feststellen, dass mein Erbteil den Erfordernissen unseres Lebensstils in keiner Weise gerecht wird. Ich wünsche, dass Sie meine Söhne hiervon in Kenntnis setzen. Wie Ihnen bekannt ist, verfügen meine Söhne über Besitztümer, die zum Zwecke einer erhöhten Zuwendung an mich verkauft werden könnten. Dieser Vorschlag scheint mir jedoch besser von einem treuen Freund ihres Vaters und einem Mann Ihres Einflusses zu kommen.
Hochachtungsvoll,
Mary Grimké

Ich hatte ein Glas Zuckerhirse bei mir, das ich aus dem Vorratsschrank gemopst hatte. Es machte mir Freude, Denmark etwas mitzubringen, und die Hirse würde perfekt zu den Maisplätzchen passen. Er sagte zu allen, die in sein Haus kamen, dass ich seine Tochter wäre. Nicht, dass ich *wie* eine Tochter wäre, sondern, dass ich seine Tochter wäre. Susan grummelte zwar, doch auch sie war gut zu mir.

Sie war im Küchenhaus und hob die Maisplätzchen von der Pfanne auf einen Teller. Als sie mich sah, fragte sie: »Wo hast du denn gesteckt? Du hast dich die ganze Woche lang nicht blicken lassen.«

»Es geht nicht mit mir und nicht ohne mich.«

Sie lachte. »Es geht sehr gut ohne dich. Der, mit dem und ohne den's nicht geht, ist draußen in der Werkstatt.«

»Denmark? Was hat er wieder angestellt?«

Sie schnaufte. »Davon abgesehen, dass er sich in der ganzen Stadt andere Frauen hält?«

Dazu wollte ich lieber nichts sagen, schließlich war Mauma eine von diesen Frauen gewesen. »Ja, davon abgesehen.«

Ein Lächeln wanderte über ihre Lippen, und sie gab mir den Teller. »Hier, die sind für ihn. Er hat die ganze Zeit schlechte Laune. Wegen diesem Monday Gell. Der hat irgendwas verloren, und Denmark hat sich furchtbar aufgeregt. Irgendeine Liste oder so. Ich dachte schon, Denmark würde den armen Kerl umbringen.«

Ich ging zur Werkstatt. Natürlich wusste ich, welche Liste Monday Gell verloren hatte, die mit den Namen der Rekruten, die er auf der Bulkley-Farm aufgetan hatte.

Schon seit einer ganzen Weile rekrutierten Denmark und seine Leutnants Sklaven und schrieben ihre Namen in »Das Buch«. Zuletzt hatte ich gehört, dass über zweitausend geschworen hatten, zu den Waffen zu greifen, sobald die Zeit reif war. Ich durfte immer dabeisitzen, wenn Denmark davon sprach, eine Armee auszuheben und uns zu befreien, und die Männer hatten sich an mich gewöhnt. Sie wussten, dass ich meinen Mund hielt.

Denmark passte es schon nicht, wenn der Wind wehte, es sei denn, er wehte auf sein Kommando. Er hatte sich genau überlegt, was Gullah Jack und die anderen sagen sollten, wenn sie um Rekruten warben. Einmal musste ich so tun, als ob ich so ein Sklave wäre.

»Hast du's schon gehört?«, hatte er zu mir gesagt.

»Was gehört?«, hatte ich erwidert. Erwidern sollen.

»Wir kommen frei.«

»Frei? Wie das?«

»Komm mit, dann zeig ich's dir.«

So sollten sie mit den Sklaven reden. Wenn ein Sklave aus der Stadt neugierig geworden war, sollte der Leutnant ihn in die Bull Street bringen, zu Denmark. Bei den Sklaven auf den Plantagen war der Plan, dass Denmark zu ihnen gehen und geheime Treffen abhalten sollte.

Ich war einmal im Haus gewesen, als so ein neugieriger Sklave erschienen war, und das war ein Erlebnis, das ich mit ins Grab nehmen werde. Denmark war aus seinem Stuhl aufgefahren wie Elia in seinem Feuerwagen. »Der Herr hat zu mir gesprochen!«, hatte er gerufen. »Und er hat gesagt, lass mein Volk ziehen. Wenn dein Name in Das Buch geschrieben wird, bist du einer von uns und einer von Gott, und wir werden nach der Freiheit greifen, wenn der Herr es sagt. Lass dein Herz nicht voller Sorge sein. Noch voller Angst. Du glaubst an Gott, dann glaube auch an mich.«

Als er diese Worte gesprochen hatte, war ein Ruck durch mich gefahren, so wie damals im Alkoven, als ich klein war und mir vorgestellt hatte, dass mich das Wasser forttragen würde, oder wie früher in der Kirche, als in unseren Liedern die Mauern von Jericho gefallen und meine Beine zu Trommelstöcken geworden waren. Mein Name stand nicht in dem Buch, das war nur für die Männer, aber wenn ich gekonnt hätte, ich hätte ihn hineingeschrieben. Ich hätte ihn mit Blut geschrieben.

Als ich in die Werkstatt kam, dübelte Denmark die Beine an einen Kieferntisch. Er sah mich mit den Maisplätzchen, legte den Tischlerhammer beiseite und nahm sich eines. Als ich die Zuckerhirse vorholte, grinste er: »Wenn du nicht ganz wie Charlotte bist.«

Ich lehnte mich an den Werktisch, um mein Bein zu entlasten, sah Denmark eine Weile beim Essen zu und sagte: »Susan sagt, Monday hat seine Liste verloren.«

Denmark hatte die Tür zur hinteren Gasse offen gelassen, damit das Sägemehl nach draußen wehen konnte. Nun schaute er in beide Richtungen der Straße und machte sie dann zu. »Dieser Monday ist ein verdammter Idiot. Er hatte die Liste in ein leeres Futterfass in der Zaumzeugkammer gelegt, und gestern ist das Fass von der Bulkley-Farm verschwunden, und niemand weiß, wohin.«

»Was, wenn die Liste gefunden wird?«

Er setzte sich wieder auf den Hocker und griff zur Gabel. »Kommt drauf an. Wenn die Liste Argwohn erregt und der Wache übergeben wird, werden die sich mit der Peitsche durch die Namen arbeiten, bis sie wissen, um was es geht.«

Ich bekam eine Gänsehaut an den Armen. »Wo bewahrst du deine Namen auf?«

Er hörte auf zu kauen. »Wieso willst du das wissen?«

Offenbar hatte ich ihn auf dem falschen Fuß erwischt, aber das war mir egal. »Also, hast du sie gut versteckt oder nicht?«

Sein Blick wanderte zu einem Lederranzen auf dem Werktisch.

»Sie sind in dem Ranzen?«, fragte ich. »Wo sie jeder nehmen kann?«

Das klang, als wäre auch er ein verdammter Idiot, doch er schlug nicht zu, sondern lachte. »Den Ranzen lasse ich niemals aus den Augen.«

»Aber wenn die Wache Mondays Namen in die Finger kriegt und zu dir kommt, finden die deine Liste doch ganz leicht.«

Schweigend wischte er sich den Puderzucker von den Lippen. Er wusste, dass ich recht hatte, wollte es aber nicht zugeben.

Die Sonne kam durchs Fenster und zeichnete vier helle Quilt-Felder auf den Boden. Ich sah sie mir an, weil sich das Schweigen hinzog, dachte an Denmarks Worte, dass ich ganz wie Charlotte wäre, und da fiel mir plötzlich ein, dass sie in ihre Quilts Haare und kleine Zauber eingenäht hatte. Und die Sache mit der grünen Seide von der Missus kam mir in den Sinn. Damals hatte Mauma gesagt: »Ich hätte die Seide in einen Quilt einnähen sollen, dann hätten sie die nie gefunden.«

»Ich weiß, was du mit der Liste machen musst«, sagte ich.

»Ach ja?«

»Du musst sie in einem Quilt verstecken. Ich kann dir eine geheime Innentasche machen. Dann legst du den Quilt für alle sichtbar auf das Bett, und niemand merkt was.«

Er lief drei, vier Mal in der Werkstatt auf und ab. Schließlich fragte er: »Was, wenn ich die Liste brauche?«

»Das ist einfach. Ich lasse dir eine Öffnung, die groß genug für deine Hand ist.«

Nachdenklich nickte er. »Schau, ob Susan einen Quilt hat. Dann mach dich an die Arbeit.«

Als das neue Jahr kam, bekniete Nina fünf ihrer Freundinnen, mit ihr eine Betgemeinschaft für Frauen zu gründen. Sie trafen sich immer am Mittwochvormittag im Salon. Ich reichte Tee und Gebäck, sorgte für ein Feuer und behielt die Tür im Auge, denn soweit ich das sagen konnte, wurde dort alles Mögliche getan, aber nicht gebetet. Nina tat alles, um ihren Gästen das Übel der Sklaverei nahezubringen.

Dieses Mädchen. Es war wie Sarah. Mit den gleichen Ideen, der gleichen Sehnsucht, etwas Sinnvolles zu tun. Doch die beiden waren auch sehr verschieden. Nach Nina, mittlerweile siebzehn, drehte sich alles um, außerdem konnte sie das Salz bequatschen, aus dem Meer zu kommen. Trotzdem hielten ihre Verehrer nie sehr lange durch. Die Missus sagte immer, sie würde sie mit ihrer Eigensinnigkeit vergraulen.

Keine Ahnung, wieso sie ihre Freundinnen nicht vergraulte.

Sie hielt bei diesen Treffen lange, heißblütige Reden, bis eins von den Mädchen die Geduld verlor und das Thema wechselte – wer mit wem getanzt und wer was wann und wo getragen hatte. An dem Punkt gab Nina immer auf, doch offenbar war sie froh, dass sie ihre Meinung überhaupt äußern konnte, und die Missus war froh, dass Nina endlich zur Religion gefunden hatte.

Bei einem Treffen im März verärgerte Nina ausgerechnet das Smith-Mädchen. Nina wollte unbedingt, dass es erfuhr, in welch schrecklicher Nachbarschaft es lebte.

»Würdest du bitte einmal kommen, Handful?«, rief sie und wandte sich dann an die anderen. »Seht euch ihr Bein an! Seht euch an, wie sie es hinter sich herzieht! Das hat sie vom Arbeitshaus, von der Tretmühle. Von einer Abscheulichkeit, die direkt vor deinen Augen geschieht, Henrietta!«

Das Smith-Mädchen fuhr die Krallen aus. »Ach, und wie ist sie in das Arbeitshaus gekommen? Irgendeine Form von Disziplin muss es doch geben, oder nicht? Was hat sie denn angestellt?«

»Was sie *angestellt* hat? Hörst du mir denn überhaupt nicht zu? Du bist so blind, das ist zum Gotterbarmen! Aber wenn du wissen willst, wieso Handful ins Arbeitshaus musste, sie steht gleich neben dir. Sie ist ein Mensch, also frag *sie*.«

»Das würde ich lieber nicht«, sagte das Mädchen und stopfte sich den Rock rings um die Beine fest.

Nina stand auf und stellte sich neben mich. »Warum ziehst du nicht deinen Schuh aus und zeigst ihr, welches Grauen in ihrer Nachbarschaft vor sich geht?«

Ich hätte mich davor hüten sollen, doch ich hatte nie vergessen, dass Nina mich an dem Tag gerettet hatte, als ich mich zu Denmark schleichen wollte und Tomfry mich erwischt hatte. Sie hatte nie gefragt, wohin ich gegangen war, und außerdem wollte ich, dass diese Mädchen sahen, was mir das Arbeitshaus angetan hatte. Also zog ich meinen Schuh aus und entblößte das verkrüppelte Gelenk und die fleischig rosa Narben, die sich wie Regenwürmer über meine Haut wanden. Die Mädchen hielten sich die Finger unter die Nase und wurden bleich wie Mehl, aber alles nichts gegen Henrietta Smith. Die sank ohnmächtig in ihrem Stuhl zusammen.

Ich holte Riechsalz und half ihr, sich zu besinnen, doch da hatte die Missus von dem Drama schon Wind bekommen.

Abends klopfte es an meine Kellertür. Nina stand mit verquollenen Augen vor mir.

»Hat Mutter dich bestraft?«, fragte sie. »Ich muss es wissen.«

Seit Master Grimkés Tod bekam Minta den Gold-Stock der Missus so oft zu spüren, dass man sie nie ohne schwarze Flecken auf den braunen Armen sah. Kein Wunder, dass sie zum Trost mit Sabe ins Kutschhaus ging. Die Missus schlug auch mich und Phoebe mit dem Stock, und neuerdings sogar Aunt-Sister, und dass ich das einmal erleben würde, hätte ich nie gedacht. Aber Aunt-Sister gab nicht klein bei. Einmal hatte ich gehört, wie sie zur Missus sagte: »Binah und die, die Sie verkauft ham, die ham Glück.«

Nina sagte: »Ich wollte ihr erklären, dass ich dir *befohlen* hatte, den Schuh auszuziehen, dass du das nicht freiwillig …«

Ich streckte den Arm aus und zeigte ihr den Striemen.

»Der Stock?«

»Ein Schlag, aber ein ordentlicher. Was hat sie mit dir gemacht?«

»Vor allem geschimpft. Aber mit den Treffen ist es vorbei.«

»Ja, das hatte ich erwartet«, sagte ich, und sie blickte so kläglich drein, dass ich rasch sagte: »Immerhin, du hast es versucht.«

Ihre Augen füllten sich mit Tränen. Ich gab ihr mein sauberes Kopftuch. Sie nahm es, sank in den Schaukelstuhl und vergrub ihr Gesicht in meinem Tuch. Ich hatte keine Ahnung, wie viel Wasser sie vergießen würde, und ob sie über ihre gescheiterte Betgemeinschaft oder Sarahs Flucht weinte oder ob sie einfach enttäuscht war.

Als sie sich endlich ausgeweint hatte, ging sie wieder in ihr Zimmer. Ich machte eine Kerze an und setzte mich in das flackernde Licht. Dann dachte ich an den Quilt auf Denmarks Bett mit der Geheimtasche darin und an das Blatt mit den vielen Namen. Von Menschen, die bereit waren, für die Freiheit ihr Leben zu opfern. Als ich mir das Versteck für die Liste ausgedacht hatte, war nicht einmal ein Quilt im Haus gewesen. Susan nahm immer einfache Wolldecken. Ich hatte ihnen einen Quilt gemacht, mit meinem und Maumas Lieblingsmuster, rote Quadrate und schwarze Dreiecke – Schwarzdrosseln, die auf und davon fliegen.

Denmark glaubte, ohne Blutvergießen würde sich nichts ändern. Ich dachte an Nina, die fünf verwöhnte weiße Mädchen belehren wollte, und an Sarah, die so sehr unter ihrer Welt litt, dass sie ihr entflohen war, und natürlich sah und spürte ich das Gute in diesen Bemühungen, trotzdem glaubte ich nicht, dass die beiden mit solchen Taten viel gegen eine derartige Grausamkeit ausrichten konnten.

Die Vergeltung würde kommen, aber sie würde von unseren Händen ausgehen. Blut war unvermeidlich, da sah ich keinen anderen Weg. Ich war nur froh, dass Sarah weit weg von der Gefahr war. Nina jedoch musste ich schützen. *Lass dein Herz nicht voller Sorge sein. Noch voller Angst.*

Sarah

Ich schlug die strahlend weiße Tischdecke auf, und sie sank wie eine kleine runde Wolke langsam auf die Kiefernnadeln.

»Das ist nicht das Tuch, das wir für Picknicks nehmen«, bemerkte Catherine und verschränkte die Arme vor der Brust.

Ihre kritischen Bemerkungen waren ein Ritual, verbissen und ihr nicht weniger heilig als das tägliche Gebet. Inzwischen war ich auf der Hut. Ich unterrichtete die Kinder, bemühte mich aber, nicht allzu mütterlich zu wirken. Bei allen Fragen des Haushalts wandte ich mich erst an Catherine. Wenn sie Salz in den Kuchenteig gab, dann war es eben so. Und was Israel betraf – ihn sah ich kaum an, wenn Catherine in der Nähe war.

»Das tut mir leid«, erwiderte ich. »Ich hatte verstanden, dass ich die weiße Decke nehmen sollte.«

»Diese muss gebleicht und gestärkt werden. Beten wir, dass kein Kiefernharz auf dem Boden ist.«

Um Gottes willen, bloß kein Kiefernharz. Bitte nicht.

Es war der erste April, Beckys siebter Geburtstag, und der erste wirklich warme Tag in jenem Jahr. Nach einem Winter im Norden wusste ich die frühlingshafte Wärme neu zu schätzen. Niemals zuvor hatte ich Schnee gesehen, dann aber war der Himmel über Pennsylvania wie eine gewaltige Daunendecke aufgerissen, und die Welt trug Federn. Ich war ins Freie gegangen und hatte die Flocken mit der Hand und mit der Zunge aufgefangen und in meinem Haar schmelzen lassen, das offen über meinen Rücken floss. Als ich wieder ins Haus gegangen war, hatte ich bemerkt, dass Israel und die Kinder mich reichlich erstaunt vom Fenster aus beobachtet hatten. Als der Schnee jedoch schmolz, zermatschte auch mein Entzücken. Das Zwielicht hatte uns von früh bis spät im Griff. Aus der Welt war alle Farbe ausgelaufen, die Landschaft in Schwarz und Weiß gehüllt. Und wie wild die Feuer auch knisterten, die Kälte kroch wie Raureif in meine Charlestoner Gebeine.

Auf die Idee mit dem Picknick war ich gekommen. Die Quäker feierten keinen Geburtstag – ihnen galten alle Tage gleich viel und waren daher auf die gleiche schlichte Weise zu begehen –, an den Kindergeburtstagen aber wich Israel von dieser Regel ab. An jenem Tag hatte er zu Hause gearbeitet und sich mit Rechnungen, Kontobüchern und Wechseln in seinem Arbeitszimmer eingeschlossen. Ich war immerhin so klug gewesen, meinen Einfall nicht Catherine zu unterbreiten, sondern hatte lieber ihn am Vormittag bei seinem Werk gestört.

»Endlich ist der Frühling da«, hatte ich gesagt. »Das sollten wir nicht achtlos hinnehmen … Ein kleines Picknick würde uns allen guttun, und du solltest Becky sehen, sie ist doch so aufgeregt, weil sie sieben wird … Eine kleine Feier kann nicht schaden, oder?«

Er hatte das Kontobuch beiseitegelegt und mich mit einem langsamen, hilflosen Lächeln angeschaut. Es war Monate her, dass er mich berührt hatte. Im Herbst hatte er häufig meine Hand gehalten oder mir den Arm um die Taille gelegt, wenn wir vom Teich her den Hügel zum Haus hinaufgestiegen waren, doch dann war der Winter gekommen, die Spaziergänge hatten aufgehört, und er hatte sich in sich zurückgezogen, wie in eine Winterstarre. Ich konnte es mir nicht erklären, bis Catherine im Januar verkündete, dass sich Rebeccas Todestag nun zum zweiten Mal jähren würde. Mit einer, wie mir schien, verdrießlichen Freude hatte sie mir kundgetan, wie sehr ihr Bruder trauerte, in diesem Winter mehr noch als im letzten.

»Na schön, mach ein Picknick, aber keine Geburtstagstorte«, hatte er gesagt.

»Von so etwas Dekadentem wie einer Torte würde ich nicht einmal zu träumen wagen«, hatte ich ihn strahlend aufgezogen, und er hatte herzlich gelacht.

»Du solltest ebenfalls kommen«, hatte ich ergänzt.

Seine Augen waren zu dem Medaillon gewandert, das nun auf seinem Schreibtisch lag, den Narzissen und dem Namen seiner Frau.

»Wir werden sehen«, hatte er gesagt. »Ich habe viel zu tun.«

»Ach, versuch es doch. Die Kinder würden sich freuen.« Als ich gegangen war, hatte ich mir gewünscht, seine Stimmungsschwankungen würden mich nicht immer so bestürzen. An einem Tag stand er mit offenen Armen vor mir, am nächsten verschloss er sich.

Doch als ich nun auf das weiße Tuch am Boden sah, war ich nicht enttäuscht, sondern wütend. Er war nicht gekommen.

Zusammen mit Catherine breitete ich den Inhalt unseres Korbes aus: ein Dutzend hart gekochter Eier, Möhren, zwei Laib Brot, Apfelbutter und eine Art Weichkäse, den Catherine aus gekochter Sahne machte, die sie in einem Tuch trocknete. Die Kinder hatten am Waldrand Minze entdeckt und zerrieben ihre Blätter. Die Luft vibrierte von dem intensiven Duft.

»Oh«, hörte ich Catherine da sagen, und sie schaute zum Haus – zu Israel, der durch das braune Gras in unsere Richtung schritt.

Wir setzten uns zum Essen auf den Boden, das Gesicht dem hellen Himmel zugewandt, der zwischen den Bäumen hindurchschien. Als wir fertig waren, holte Catherine einen Ingwerkuchen aus dem Korb und stapelte die Stücke zu einer Pyramide. »Das oberste Stück ist für dich, Becky«, sagte sie.

Es war unübersehbar, wie sehr Catherine dieses Kind und auch die anderen liebte, und plötzlich bedauerte ich all meine schlechten Gedanken ihr gegenüber. Die Kinder griffen nach dem Kuchen, ehe sie sich zerstreuten, die Jungen liefen zu den Bäumen, die beiden Mädchen pflückten die ersten Wildblumen – und ich machte, während Catherine mit dem Aufräumen beschäftigt war, einen entsetzlichen Fehler.

Ich wurde schwach und lehnte mich zurück, auf Armeslänge von Israel entfernt. Mir war, als wäre er aus seinem langen Winterschlaf erwacht, und ich wollte in diesem kleinen Glück baden. Catherine hatte uns den Rücken zugewandt, und als ich zu Israel schaute, war dieser sehnsüchtige Ausdruck, dieses traurige, brennende Lächeln wieder da. In dem Moment wagte er es, die Hand über die Decke zu bewegen und seinen kleinen Finger mit meinem zu verschränken. Es war eine winzige Geste, unsere Finger wanden sich wie Ranken umeinander, doch sie war so intim, dass es mich heiß durchfuhr. Ich schnappte nach Luft.

Da drehte Catherine sich zu uns um. Israel riss den Finger los. Oder war ich es?

Sie fixierte ihn. »Aha, es ist also doch, wie ich vermutet habe.«

»Das geht dich nichts an«, wies er sie zurecht, stand auf, lächelte mich bedauernd an und ging zurück zum Haus.

Sie reagierte nicht sogleich, doch als ich ihr helfen wollte, den Korb zu packen, sagte sie: »Sie müssen ausziehen und anderswo Quartier nehmen. Es schickt sich nicht, dass Sie im Haus sind. Ich werde mit Israel darüber sprechen, aber es wäre besser, wenn Sie von sich aus gehen würden.«

»Er würde mich niemals bitten zu gehen!«

»Wir müssen tun, was die Schicklichkeit verlangt«, erklärte sie bestimmt und überraschte mich damit, dass sie ihre Hand auf meine legte. »Es tut mir leid, aber so ist es am besten.«

Wir saßen zu elft in der Bank im Versammlungshaus der Quäker – die acht Morris-Kinder, flankiert von Israel auf der einen und Catherine und mir auf der anderen Seite. In meinen Augen war es unnötig, dass wir geschlossen an einer Veranstaltung teilnahmen, die »Treffen zum Gebet mit Raum für Anliegen die Geschäfte betreffend« hieß. Du liebe Güte, das war eine Geschäftsversammlung, schlicht und einfach. Sie fand jeden Monat statt, und während Israel und Catherine dazu in die Arch Street fuhren, blieb ich gewöhnlich zu Hause. Diesmal aber hatten sie darauf bestanden, dass ich mitkam.

Catherine hatte keine Zeit vergeudet und war gleich nach dem Picknick zu Israel gegangen. Er war stur geblieben – ich würde Green Hill nicht verlassen. Hatte der Vorfall mit dem Medaillon das Verhältnis zwischen mir und Catherine abgekühlt, so hatten meine Weigerung zu gehen und Israels Weigerung, ihr beizustehen, es nun vollkommen zerrüttet. Ich konnte nur hoffen, dass Catherine mit der Zeit einlenken würde.

Nun stand eine Frau auf, um das Treffen einzuberufen, indem sie einen Vers aus der Bibel vortrug. Sie war die einzige Predigerin in unserer Mitte und wirkte nicht älter als ich mit meinen neunundzwanzig Jahren, was jung für ein solches Amt war. Als ich sie zum ersten Mal bei einer Versammlung gehört hatte, war ich in ehrfürchtiges Staunen verfallen. Nun stach mich der Neid. Ich hatte den Glauben der Quäker zu meinem gemacht, doch bislang davor zurückgeschreckt, mich in der Gemeinde zu äußern.

Als das eigentliche Treffen begann, trugen mehrere Mitglieder unerträglich öde Dinge vor. Zwei von Israels Söhnen rangelten leise miteinander, der jüngste war eingeschlafen. *Wie unnötig, dass Catherine uns hierhergeschleppt hat.*

In diesem Moment stand sie auf und zupfte die Stola über ihren schmalen, spröden Schultern zurecht. »Der Heilige Geist drängt mich, eine wichtige Angelegenheit vorzubringen.«

Mein Kopf fuhr hoch. Ich schaute auf ihr entschlossen vorgeschobenes Kinn, dann zu Israel am anderen Ende der Bank. Er war nicht minder überrascht.

»Ich erbete, dass wir einig werden ob der Notwendigkeit, für unsere geliebte Probandin Sarah Grimké ein neues Heim zu finden«, sagte Catherine. »Miss Grimké ist Israels Kindern eine hervorragende Lehrerin und mir eine Hilfe bei den häuslichen Pflichten, und selbstverständlich ist sie eine untadelige Christin, daher ist es wichtig, dass niemand innerhalb oder außerhalb unserer Gemeinschaft die Schicklichkeit bezweifelt, dass eine unverheiratete Frau im Hause eines Witwers lebt. Ihr Weggang schmerzt uns alle in Green Hill, doch wir sind bereit, dieses Opfer auf uns zu nehmen, denn hier geht es um ein höheres Ziel. Wir erbeten, dass ihr uns bei ihrer Umquartierung unterstützt.«

Ich war kaum in der Lage zu atmen, während ich auf die unlackierten Dielen und den Saum an Catherines Kleid sah.

Was auf ihre heimtückische Ansprache hin gesagt wurde, kann ich nur noch in Bruchteilen wiedergeben. Ich weiß noch, dass ich für meine Rücksichtnahme und meine Opferbereitschaft gepriesen wurde, dass Worte wie *ehrenhaft*, *selbstlos*, *lobenswert* und *unerlässlich* fielen.

Als das Stimmengewirr endlich nachließ, sagte ein älterer Mann: »Sind wir uns in dieser Sache einig? Wenn einer von euch dagegen steht, gebt euch bitte zu erkennen.«

Ich stehe dagegen, ich, Sarah Grimké. Die Worte drängten an meine Rippen und verloren sich. Ich wollte Catherines Ansprache widerlegen, doch ich wusste nicht, wie. Sie hatte mich auf brillante Weise als Inbegriff von Güte und Selbstverleugnung porträtiert. Jeder Widerspruch meinerseits würde all das Lügen strafen und meine Aussicht auf Aufnahme in die Gemeinschaft der Quäker womöglich ruinieren. Der Gedanke schmerzte mich. Denn so streng und haarspalterisch sie auch waren, so hatten sie doch das erste Schriftstück aller Zeiten gegen die Sklaverei verfasst. Sie hatten mir einen Gott der Liebe und des Lichts gezeigt und einen Glauben, der auf dem Gewissen des Einzelnen beruhte. Ich wollte sie nicht verlieren und auch nicht Israel, was sicher unausweichlich wäre, sollte ich die Probezeit nicht überstehen.

Ich war wie gelähmt, nicht der geringste Muskel meiner Zunge regte sich.

Israel rutschte vor und zurück, als wollte er aufstehen und für mich sprechen, doch auch er verharrte in der Bank, ballte eine Hand zur Faust und presste sie in die andere. Catherine hatte auch ihn in eine unhaltbare Position gebracht – er wollte niemandem Anlass geben, sich zu fragen, was in seinem Hause vor sich ging, erst recht nicht den guten Menschen aus der Arch Street, die im Zentrum seines Lebens standen, die Rebecca gekannt und geschätzt hatten. Das verstand ich. Doch als ich sein Zögern sah, überkam mich das Gefühl, dass sein Widerstreben, vor den anderen für mich einzutreten, noch eine tiefere Ursache hatte, dass ihn ein unbezwingbarer Drang dazu trieb, die Liebe zu seiner Frau zu schützen. Plötzlich wusste ich, dass dies auch der Grund war, warum er mir gegenüber seine Gefühle nicht erklärte. Er warf mir einen gepeinigten Blick zu und rutschte auf der Bank zurück.

Ganz vorn auf der Bank der Ältesten, uns direkt gegenüber, saß die einzige Frau unter den Predigern. Meine unverhohlene Qual entging ihr nicht, als sie mich musterte. Ich schaute zurück. Es war, als würde sie mir ins Herz sehen und dort Dinge entdecken, die sich mir selbst eben erst offenbarten. *Vielleicht wird er nie nach mir verlangen.*

Plötzlich nickte sie mir zu und erhob sich. »Ich stehe dagegen. Ich sehe keinen Grund, weshalb Miss Grimké das Haus verlassen sollte. Es wäre für sie ein großer Umbruch und für alle Beteiligten eine Last. Ihr Benehmen steht nicht infrage.

Wir sollten uns nicht so sehr um den äußeren Anschein sorgen.«

Als sie sich setzte, lächelte sie mir zu. Ich hätte vor Rührung fast geweint.

Sie war die Einzige, die Catherine die Stirn bot. Die Quäker entschieden, dass ich Green Hill binnen eines Monats zu verlassen hatte, und vermerkten es pflichtschuldigst in ihrem Protokollbuch.

Nach dem Treffen eilte Israel davon, um die Kutsche zu holen. Ich blieb sitzen und versuchte, mich zu sammeln. Weder wusste ich, wohin ich gehen sollte, noch ob ich die Kinder dann noch unterrichten würde. Als Catherine die Schar in Richtung Tür lenkte, drehte Becky sich zu mir. Sie wand sich unter Catherines Hand, die sich wie ein Harnisch um den kleinen Rücken legte.

»Sarah? Darf ich Sie Sarah nennen?« Es war meine Verteidigerin.

Ich nickte. »Danke, für Ihre Worte… Ich bin Ihnen so dankbar.«

Sie gab mir einen gefalteten Zettel. »Hier ist meine Adresse. Sie sind mir und meinem Mann aufs Herzlichste willkommen.« Dann ging sie davon, wandte sich jedoch noch einmal um. »Verzeihung, ich habe mich noch gar nicht vorgestellt. Mein Name ist Lucretia Mott.«

Handful

Denmarks Leutnants standen um den Tisch in seiner Werkstatt. Sie waren jetzt immer an seiner Seite. Er sagte, dass er den Tag bestimmt hätte, er wäre in zwei Monaten, und dass in dem Buch sechstausend Namen stehen würden.

Ich lauschte und kauerte in einer Ecke auf einem Schemel, meinem üblichen Platz. Niemand nahm Notiz von mir, außer wenn sie etwas trinken wollten. *Handful, hol das Fuselwasser. Handful, hol das Ingwerbier.*

Es war erst April, doch in Charleston herrschte schon eine Höllenhitze. Die Männer trieften. »In diesen letzten Wochen müsst ihr die Rolle des guten Sklaven besser denn je spielen«, mahnte Denmark. »Sagt allen, Zähne zusammenbeißen und gehorchen. Wenn jemand den Weißen sagen sollte, dass ein Aufstand droht, müssen sie lachen und sagen: ›Aber nicht bei unseren Sklaven, die gehören zur Familie. Das sind die glücklichsten Menschen auf Erden.‹«

Während sie sich besprachen, musste ich an Mauma denken. Mein Bild von ihr war mittlerweile so verblichen wie das Rot auf einem Quilt, der zu oft gewaschen worden war. Manchmal konnte ich mich nicht mehr richtig erinnern, wie ihr Gesicht ausgesehen, wo die Nadel Rillen in ihre Finger gegraben oder wie Mauma am Ende eines Tages gerochen hatte. In solchen Momenten ging ich raus zu unserem Seelenbaum. Dort spürte ich sie am stärksten, in den Blättern und der Rinde und den herabfallenden Eicheln.

Dann schloss ich die Augen und versuchte, sie zurückzurufen. Ich hatte Angst, dass sie mich für immer verlassen würde.

Aunt-Sister hätte gesagt: »Lass sie gehen, es is an der Zeit«, aber mir war der Schmerz, Maumas Gesicht und Hände zu sehen, lieber als ein Frieden ohne die Erinnerung.

Ich überlegte, ob ich aus Denmarks Werkstatt schlüpfen und zum Seelenbaum gehen sollte – es wagen sollte, noch vor der Dunkelheit über das Tor zu klettern, aber die Missus hatte mich vorigen Monat erwischt und auf meinem Kopf eine Scharte hinterlassen, die gerade erst verkrustete. Zu Sabe hatte sie gesagt: »Wenn Handful noch einmal ohne Erlaubnis das Haus verlässt, wirst du mit ihr ausgepeitscht.« Seither hatte er Glotzaugen am Hinterkopf.

Also versuchte ich, mich auf das Gespräch der Männer zu konzentrieren.

»Was wir brauchen, ist eine Gießform«, sagte Denmark. »Wir haben Musketen, aber keine Kugeln dafür.«

Sie gingen die Liste mit den Waffen durch. Dass Blut fließen würde, hatte ich gewusst, aber nicht, dass es durch die Straßen strömen würde. Sie hatten Keulen, Äxte und Messer. Schwerter, die sie gestohlen hatten. Unter den Docks hatten sie Fässer mit Kanonenpulver und langsam brennende Lunten versteckt, die sie in der ganzen Stadt entzünden wollten, um sie bis auf die Grundmauern niederzubrennen.

Ein Schmiede-Sklave namens Tom machte ihnen angeblich fünfhundert Spieße. Das musste Tom, der Schmied, sein, der Maumas falsche Sklaven-Marke gemacht hatte. Ich erinnerte mich noch gut an den Tag, an dem sie mir die Marke gezeigt hatte. Das kleine Kupferrechteck mit dem Loch darin, auf dem *Hausangestellte, Nummer 133, im Jahr 1805* gestanden hatte. All das sah ich vor mir, nur Maumas Gesicht bekam ich nicht mehr deutlich hin.

Auf dem Weg hatte ich eine winzige Häherfeder aufgesammelt. Ich zog sie aus der Tasche und spielte damit, um mich zu beschäftigen, und plötzlich fiel mir ein, dass Mauma einmal eine Vogel-Beerdigung gesehen hatte. Als kleines Mädchen hatte sie mit meiner Omama eine tote Krähe gefunden, unter ihrem Seelenbaum. Sie waren eine Schaufel holen gegangen, um den Vogel zu beerdigen, und als sie zurückgekommen waren, hatten sich sieben Krähen um den toten Vogel versammelt und nicht *Kräh Kräh*, sondern *Fiep Fiep* gemacht, ein schriller Ton wie Trauerklagen. Meine Omama hatte gesagt: »Siehst du, so machen das die Vögel, sie fliegen nicht mehr, sie jagen nicht mehr, sie stürzen nach unten, um ihre Toten zu hüten. Damit jeder weiß: Dieser Vogel hat gelebt, doch nun ist er tot.«

Bei der Geschichte kam Mauma in leuchtendem Rot zu mir zurück. Ich sah sie ganz deutlich vor mir, die gelb verdörrten Stellen ihrer Haut, die Schwielen an den Händen, die goldenen Augen und die Lücke zwischen ihren Zähnen, sogar, wie breit sie gewesen war.

»Im Zeughaus auf der Meeting Street gibt es eine Gießform«, sagte Gullah Jack. »Aber wie man da reinkommen soll – keine Ahnung.«

»Wie viele Wachen stehen da?«, fragte Rolla.

Gullah Jack rieb sich das Barthaar. »Zwei, manchmal drei. Da drin hat die Wache ihren ganzen Waffenbestand, da lassen die uns nicht einfach reinmarschieren.«

»Da kämen wir nur mit Gewalt rein«, sagte Denmark, »und genau das können wir uns nicht leisten. Wie gesagt, im Moment ist das Wichtigste, dass keiner Verdacht schöpft.«

»Was ist mit mir?«, fragte ich.

Alle drehten sich zu mir, als ob sie vergessen hätten, dass ich da war.

»Was soll mit dir sein?«, fragte Denmark.

»Ich könnte doch da reingehen. Wer achtet schon auf eine Sklavenfrau mit einem lahmen Bein.«

Sarah

Als die Dämmerung des Abends nahte, setzte ich mich an meinen Schreibtisch und machte einen Brief von Nina auf. Ich war nun seit beinahe einem Jahr in Green Hill und hatte ihr jeden Monat unbeirrt geschrieben, kleine Berichte aus meinem Leben und Fragen zu ihrem, doch sie hatte keinen einzigen Brief beantwortet. Nun hielt ich einen Umschlag mit ihrer ausladenden Schrift in Händen und musste das Schlimmste befürchten.

14. März 1822

Liebe Schwester,
ich war Dir keine gute Brieffreundin und eine noch schlechtere Schwester. Mit Deiner Entscheidung, in den Norden zu gehen, war ich nicht einverstanden, und das hat sich nicht geändert, doch ich habe mich nicht richtig verhalten, und ich hoffe, dass Du mir vergeben wirst.
Ich bin am Ende mit meiner Weisheit, was Mutter anbelangt. Sie wird mit jedem Tag schwieriger und rabiater. Sie geifert, weil uns nicht genügend Mittel hinterlassen wurden, Thomas, John und Frederick wirft sie vor, sich nicht um sie zu sorgen. Ich muss nicht eigens erwähnen, dass sie wirklich selten kommen, und Mary kommt niemals, allein Eliza. Seit du fortgegangen bist, verbringt Mutter fast den ganzen Tag in ihrem Zimmer, und wenn sie erscheint, dann nur, um gegen die Sklaven zu wüten. Beim nichtigsten Anlass schwingt sie den Stock. Neulich hat sie Aunt-Sister wegen einer Lappalie geschlagen: Ihr waren Brote angebrannt. Gestern Abend hat sie Handful geschlagen. Sie war über das hin-

tere Tor geklettert. Ich sollte erwähnen, dass Handful in den Hof und nicht aus dem Hof geklettert ist, und als Mutter nach einer Erklärung verlangte, hat Handful behauptet, sie hätte auf der Straße einen verwundeten Welpen gesehen und wäre über das Tor geklettert, um dem Tier zu helfen. Sie ist dabei geblieben, dass sie sich um den Hund kümmern wollte, doch ich denke nicht, dass Mutter ihr geglaubt hat. Ich gewiss nicht. Mutter hat ihr die Stirn aufgeschlagen, die ich, so gut es ging, verbunden habe. Ich sorge mich wegen Mutters immer häufigerer Ausbrüche, aber ich fürchte auch, dass Handful in etwas Gefährliches verwickelt ist, das offenbar mit regelmäßigen Touren über das Tor einhergeht. Einmal habe ich selbst erlebt, wie sie sich aus dem Haus gestohlen hat. Sie weigert sich, mit mir zu sprechen. Ich glaube nicht, dass ich sie schützen kann, wenn sie erneut ertappt wird.

Ich bin so einsam und hilflos. Bitte komm und steh mir bei. Ich flehe Dich an, komm nach Hause.

In Nöten und mit schwesterlicher Liebe,
Deine Nina

Ich legte den Brief beiseite, trat an mein Dachfenster und schaute auf den Zedernhain, der in der Dunkelheit versank. Ein kleiner Schwarm von Leuchtkäfern stob, glühender Asche gleich, daraus empor. *Ich bin so einsam und hilflos* – das waren Ninas Worte, doch mir war, als wären es auch meine.

Tagsüber hatte Catherine meinen Koffer aus dem Keller holen lassen, seither räumte ich meine Habseligkeiten aus Kleiderschrank und Schreibtisch und verteilte sie auf Bett und Teppich – Hauben, Stolen, Kleider, Nachtkleider, Handschuhe, Tagebücher, Briefe, die schmale Biografie der Jeanne d'Arc, die ich aus Vaters Bibliothek gestohlen hatte, eine einreihige Perlenkette, Bürsten aus Elfenbein, Flakons aus französischem Glas mit Puder und Lotionen und, das war mir das Teuerste, die Granitschatulle mit dem Silberknopf.

»Du bist nicht zum Abendessen gekommen.« Plötzlich stand Israel auf der Schwelle, voller Furcht, so wie mir schien, den Fuß in mein kleines, unaufgeräumtes Allerheiligstes zu setzen.

Nach Grimké-Maßstäben waren meine Besitztümer geradezu kümmerlich, und doch genierte ich mich hier für solcherlei Exzess, besonders aber für die wollene Unterwäsche, die ich in dem Moment in Händen hielt. Israel fixierte den offenen Koffer, dann schoss sein Blick zum Gesims, als schmerzte es ihn, mich beim Packen zu sehen.

»... Ich hatte keinen Hunger«, sagte ich.

Endlich trat er in mein Durcheinander. »Ich bin gekommen, um dir zu sagen, dass es mir leidtut. Ich hätte in der Versammlung sprechen müssen. Es war falsch zu schweigen. Was Catherine getan hat, ist unverzeihlich – das habe ich ihr auch gesagt. Ich werde diese Woche vor die Ältesten treten und ihnen klarmachen, dass ich nicht möchte, dass du gehst.« Seine Augen schimmerten vor, wie ich glaubte, Pein.

»... Es ist zu spät, Israel.«

»Aber nicht doch. Ich werde ihnen erklären ...«

»Nein!« Das kam weit heftiger als beabsichtigt.

Er sank auf mein schmales Bett und pflügte durch sein schwarzes ungezähmtes Haar. Ihn auf dem Bett zu sehen, zwischen all meinen Kleidern und Perlen und der Granitschatulle, bereitete mir einen stechenden, beinahe exquisiten Schmerz. Ich würde ihn so sehr vermissen.

Er stand auf und nahm meine Hand. »Aber du wirst doch weiterhin kommen und die Mädchen unterrichten? So viele Menschen haben angeboten, dich aufzunehmen.«

Ich entzog ihm meine Hand. »Ich fahre nach Hause.«

Sein Blick wanderte erneut zu meinem Koffer. Seine Schultern sanken, seine Rippen beugten sich. »Ist es meinetwegen?«

Ich zögerte. Was sollte ich ihm antworten? Ninas Brief war

just in dem Moment gekommen, als ich mich an einem Tiefpunkt befand, und ja, der Vorwand, ihr zu Hilfe zu eilen, war mir willkommen. Lief ich vor Israel davon? »Nein«, erwiderte ich schließlich. Ich wäre gewiss in jedem Fall gefahren, welchen Sinn hatte es also, meine Beweggründe näher zu beleuchten?

Als ich Israel schilderte, was Nina mir mitgeteilt hatte, sagte er: »Das mit deiner Mutter ist fürchterlich, doch gewiss wird es andere Geschwister geben, die sich der Sache annehmen können.«

»... Nina braucht *mich*. Niemanden sonst.«

»Aber das kommt so plötzlich. Du solltest darüber nachdenken. Tu es beim Gebet. Gott hat dich hierhergeführt, das kannst du nicht leugnen.«

Nein, das konnte ich nicht leugnen. Etwas Gutes und Rechtes hatte mich in den Norden geführt, an diesen Ort – nach Green Hill, zu Israel und den Kindern. Der Ruf, Charleston zu verlassen, war noch immer von der gleichen durchdringenden Macht wie an dem Tag, als ich ihn vernommen hatte, doch nun lag Ninas Brief dort auf dem Tisch. Und dann war da noch die andere Sache, die Sache mit Rebecca.

»Sarah, wie brauchen dich. Du bist unentbehrlich – für uns alle.«

»... Es ist entschieden, Israel. Es tut mir leid. Ich fahre heim nach Charleston.«

Er seufzte. »Sag mir wenigstens, dass du zurückkommen wirst, wenn sich dort alles beruhigt hat.«

Hinter dem Fenster schimmerte der Mond. Ich legte den Kopf an die Scheibe und sah in die Nacht . Die Glühwürmchen flochten noch immer ihre leuchtenden Bänder. »Ich bin mir nicht sicher. Ich bin mir nicht mehr sicher.«

Handful

Am Abend, bevor ich ins Zeughaus gehen und die Gießform stehlen sollte, schlich ich mit Goodis in das leere Zimmer überm Kutschhaus – das, in dem Mauma und ich früher geschlafen hatten – und ließ ihn tun, was er seit Jahren mit mir und wohl auch ich mit ihm tun wollte. Ich war mittlerweile neunundzwanzig und hatte beschlossen, falls ich am nächsten Tag erwischt, falls die Wache mich töten würde, und falls nicht sie, dann das Arbeitshaus, bevor ich diese Erde also verlassen würde, könnte ich ja doch mal ergründen, weshalb da alle so einen Wirbel drum machten.

Das Zimmer war leer, bis auf eine Strohmatratze, die Sabe für sich und Minta besorgt hatte, doch es roch wie eh und je nach Pferdescheiße. Goodis legte eine saubere Decke über die dreckige Matratze und glättete selbst die kleinsten Fältchen, und als ich sah, welche Mühe er sich dabei gab, durchströmte mich eine Woge der Zärtlichkeit. Er war nicht alt, trotzdem hatte er kaum noch Haare. Das Lid über seinem wandernden Auge blieb inzwischen ganz gesenkt, auch wenn das andere sich öffnete. So sah er immer aus, als würde er halb schlafen, aber er hatte ein breites, bereitwilliges Lächeln, und das behielt er auch, als er mir aus meinem Kleid half.

Als ich auf der Decke lag, sah er auf das Beutelchen an meinem Hals, mit den Sachen von unserem Seelenbaum.

»Das nehm ich nicht ab.«

Er befühlte den Beutel, die harten Knoten aus Borke und Eicheln. »Sind das deine Juwelen?«

»Ja. Das sind meine Edelsteine.«

Vorsichtig schob er den Beutel zur Seite, nahm meine Brüste in die Hände und sagte: »Die sind ja kaum so groß wie Haselnüsse, doch so mag ich's, klein und braun wie die.« Er küsste mich auf den Mund und die Schultern und rieb sein Gesicht an meinen Haselnüssen. Dann küsste er meinen schlimmen Fuß, wanderte mit den Lippen über den gewundenen Pfad der Narben. Ich war nun wirklich keine Heulsuse, doch in dem Moment liefen mir die Tränen aus den Augenwinkeln bis hinter die Ohren.

Ich sagte während der ganzen Zeit kein Wort, auch nicht, als er in mich drang. Anfangs fühlte ich mich wie ein Mörser, und er war der Stößel. Es war, als würde man Reis stampfen, als würde man sanft und vorsichtig die harte Schale aufbrechen. Einmal lachte er und sagte: »Hast du's dir so vorgestellt?«, aber ich konnte nicht antworten. Ich konnte nur lächeln, während die Tränen flossen.

Am nächsten Morgen hatte ich Schmerzen vom Liebemachen. Beim Frühstück sagte Goodis: »Das is ein schöner Tag. Was sagst du, Handful?«

»Ja, wirklich schön.«

»Morgen wird auch schön.«

»Mag sein«, sagte ich.

Nach dem Essen ging ich zu Nina und bat sie um einen Passierschein für den Markt – Sabe hatte keine besonders gute Laune. Ich sagte: »Aunt-Sister sagt, deiner Mauma würde etwas Sirup mit ein wenig Whiskey guttun, um sie zu beruhigen, und wir haben keinen.«

Sie schrieb mir den Schein aus, und als sie ihn mir reichte, sagte sie: »Wenn du … Sirup oder sonst etwas brauchst, kommst du gleich zu mir. Hörst du?«

Und somit hatten wir eine Übereinkunft. Wenn sie allerdings gewusst hätte, was ich vorhatte, hätte sie niemals ihren Namen auf das Papier gesetzt.

Ich ging mit meinem Kaninchen-Stock, einem Korb voller Putzlappen, Spiritus, einer Federquaste und einem langen Besen über der Schulter zum Zeughaus. Gullah Jack hatte das Gebäude eine ganze Zeit lang beobachtet. Er hatte gesagt, dass es jeden ersten Montag im Monat für Inspektion und Reinigung geöffnet wurde, dass dann die Waffen gezählt, die Musketen geputzt und was nicht alles wurde. Ein freies schwarzes Mädchen namens Hilde kam an diesem Tag, um den Boden zu putzen, Staub zu wischen, die Gewehrständer zu ölen und das Toilettenhaus zu reinigen. Gullah Jack hatte dem Mädchen eine Münze gegeben, damit es an diesem Montag nicht kam.

Denmark hatte mir eine Gießform aufgezeichnet. Sie sah wie eine Zange aus, nur dass die Backen zu einer winzigen Kugel zusammenliefen, in die man das Blei goss. Er sagte, eine Gießform wäre kaum größer als seine Hand, also schnapp dir zwei, wenn's geht. Das Wichtigste aber war, sagte er, dass die mich nicht schnappten.

Das war auch für mich das Wichtigste.

Das Zeughaus war ein rundes Gebäude aus Muschelzement, die Wände waren zwei Fuß breit. Es hatte drei schmale Fenster, ganz weit oben, mit Gittern aus Metall. Nun standen die Läden offen, damit Licht reinkam. Die Wache an der Tür fragte, wer ich sei und wo Hilde bliebe, und ich mogelte mich durch die Geschichte, dass sie krank geworden war und mich an ihrer Stelle geschickt hatte. Er sagte: »Du siehst aber nicht aus, als könntest du den Besen schwingen.«

Und wie bitte soll der Besen auf meine Schulter gekommen sein? Von ganz allein? Doch das verkniff ich mir natürlich und schaute auf den Boden. »Ja, Sir, aber ich kann sehr hart arbeiten, Sie werden sehen.«

Er schloss den Riegel auf. »Heute werden die Musketen gereinigt. Halt dich fern von da. Wenn du fertig bist, klopf an die Tür, dann lass ich dich raus.«

Ich trat ein. Die Tür schlug zu. Der Riegel klickte.

Ich versuchte, mich in dem Halbdunkel zurechtzufinden. Es roch nach Schimmel und Leinöl und nach ranziger, abgestandener Luft. Am anderen Ende, unter einem Fenster, nahmen zwei Wachen eine Muskete auseinander – sie lag in ihren Einzelteilen auf dem Tisch. Einer der beiden drehte sich um und sagte: »Das ist Hilde.«

Ich berichtigte ihn nicht. Ich fing an zu wischen.

Das Zeughaus war nur ein Raum, voll mit Waffen. Über alles ließ ich meine Blicke schweifen. In der Mitte standen Fässer mit Schießpulver, die halb bis an die Decke reichten. An den Wänden zogen sich hölzerne Ständer mit Musketen und Pistolen entlang, mit Bergen von Kanonenkugeln und, ganz hinten, Dutzenden von Kisten. Ich bewegte mich besenschwingend durch den Raum und hoffte, dass das *Wisch-Wisch* meinen lauten, stoßweise gehenden Atem übertönte. Die Stimmen der Wachen hallten in meine Richtung.

Die hier könnte nur mit halber Kraft feuern. Siehst du die Schlagfeder hier am Hahn? Die ist nicht ganz in Ordnung.

Sieh zu, dass die Spitze fest am Ladestock sitzt und da kein Rost dran ist.

Als mich die Pulverfässer vor ihren Blicken abschirmten, beruhigte sich mein Atem, und ich zog den Staubwedel hervor. Ich wischte der Reihe nach über die Kisten und machte immer wieder kleine Pausen, sah nach hinten und hob dann einen Deckel an. In der ersten entdeckte ich Kuhhörner mit Lederriemen. Dann ein Wirrwarr aus eisernen Handschellen. Bleistangen. Dünne Seile, vermutlich Zündschnüre. Aber keine Gießform.

Da fiel mein Blick auf eine alte Rührtrommel, die an der Wand lehnte. Dahinter stand eine Truhe. Auf dem Weg stieß mein lahmer Fuß an die Trommel, die mit Kawumm auf den Boden fiel.

Schon trampelten die Stiefel. Ich griff nach dem Staubwedel, die Federn zitterten und zuckten, als ob sie lebendig geworden wären.

Die Wache schrie mich an: »Was war das für ein Lärm?«

»Mir ist die Trommel umgefallen.«

Er kniff die Augen zusammen. »Du bist nicht Hilde.«

»Nein, sie ist krank. Ich bin heute für sie hier.«

Er hielt ein langes Metallstück von einer Muskete in der Hand und wies auf die Trommel. »Solche Unachtsamkeit brauchen wir hier nicht.«

»Nein, Sir, ich gebe besser acht.«

Dann machte er sich wieder an die Arbeit, doch mein Herz hatte sich schon zu Butter geschlagen.

Ich öffnete die Truhe, an der die Trommel gelehnt hatte, und da waren bestimmt zehn Gießformen drin. Davon nahm ich mir zwei, ganz langsam, damit es nicht klapperte, und legte sie in meinen Korb unter die Putzlappen. Dann wischte ich die Staubfäden aus der Luft und rieb die Gewehrständer mit dem Öl ab. Als alles so sauber war, wie es bei Hilde gewesen wäre, sammelte ich meine Siebensachen ein und klopfte an die Tür.

»Vergiss nicht die Latrine«, sagte die Wache an der Tür und zeigte auf die Rückseite vom Zeughaus.

Ich ging zwar in die Richtung, aber nicht hinein, sondern einfach immer weiter.

❧

Abends entdeckte ich in meinem Haar ein Stück Spinnwebe. Ich rieb mich mit einem Handtuch sauber, dann legte ich mich auf den Story-Quilt und dachte an das Lächeln auf Denmarks Gesicht, als ich mit der Gießform in meinem Korb erschienen war. Und als ich ihm die zweite gegeben hatte, war er vor Freude aufgesprungen und hatte gesagt: »Du bist der beste Leutnant von allen.«

Ich wartete auf den Schlaf, doch er wollte nicht kommen. Nach einer Weile stand ich auf und setzte mich auf die Stufen von der hinteren Veranda. Der Hof war ruhig. Ich äugte zum Kutschhaus und fragte mich, ob mich Goodis nach dem Abendessen gesucht hatte. Jetzt schlief er sicher. Denmark auch. Ich war als Einzige wach und ängstigte mich wegen der Kapsel am Ende der Gießform, in die das Blei kommt. Wie viele Menschen würden diese Kugeln töten? Gut möglich, dass ich heute an einem von ihnen vorbeigegangen war. Ich konnte an hundert Menschen vorbeigehen, die meinetwegen sterben würden.

Der Mond war rund und weiß, und er stand klein am Himmel. Er hatte genau die richtige Größe für die Gießform. Hätte ich doch nach dem Mond greifen können. Nach dem Mond und nicht nach Blei.

Sarah

Ich traf in meinem besten Quäker-Kleid in Charleston ein, einem schlichten grauen Gewand mit einem simplen weißen Kragen und passender Haube. Der Inbegriff der Genügsamkeit. Bevor ich Philadelphia verlassen hatte, war ich offiziell in die Gemeinschaft aufgenommen worden. Meine Probezeit war zu Ende. Nun war ich eine von ihnen.

Mutter, die mich ein Jahr lang nicht gesehen hatte, ließ sich von mir auf die Wange küssen und sagte: »Wie ich sehe, kehrst du als Quäkerin heim. Im Ernst, Sarah, wie kannst du dich in einem solchen Aufzug in Charleston blicken lassen?«

Ich mochte meine Gewandung auch nicht, aber wenigstens war sie aus Wolle und frei von Sklavenfron. Wir Quäker boykottierten die Baumwolle aus dem Süden. *Wir Quäker* – wie seltsam das klang.

Ich versuchte zu lächeln und Mutters Bemerkung herunterzuspielen, da ich den eigentlichen Grund dafür noch nicht verstand. »So heißt du mich willkommen? Du hast mich doch gewiss vermisst.«

Sie saß an der Stelle, an der ich mich von ihr verabschiedet hatte, am Fenster, in ihrem verblichenen Sessel aus Goldbrokat, in ihrem schwarzen Kleid, den höllischen, goldbewehrten Stock auf ihrem Schoß. Es war, als hätte sie seit meinem Weggang dort gesessen. Sie wirkte unverändert, auch wenn es neue Spuren von Verfall gab. Ihr Hals lag schildkrötengleich und faltig über ihrem Kragen, der Haaransatz war wie ein ungesäumter Stoffrand ausgefranst.

»Natürlich habe ich dich vermisst, Liebes. Der gesamte

Haushalt hat unter deiner Fahnenflucht gelitten, trotzdem kannst du so nicht aus dem Haus gehen – man würde dich sofort als Quäkerin erkennen, und deren Einstellung gegen die Sklaverei ist hier unten wohlbekannt.«

Daran hatte ich nicht gedacht. Ich fuhr mit den Händen an meinem Rock entlang und mochte mein karges Gewand plötzlich sehr viel lieber.

Von der Tür kam eine Stimme. »Wenn dieses grässliche Kleid *das* aussagt, will ich auch so eins.«

Nina. Vor mir stand ein völlig fremdes Wesen. Sie war gewachsen, überragte mich um etliche Zentimeter. Das zobelbraune Haar trug sie aus dem Gesicht frisiert, ihre Wangen waren höher, die Augenbrauen dicht, die Augen schwarz. Aus meiner Schwester war eine dunkle Schönheit geworden.

Sie schlang die Arme um mich. »Du darfst nie wieder fortgehen.«

Als wir uns umarmten, murmelte Mutter, wie zu sich selbst: »Da sind dieses Kind und ich ausnahmsweise einmal einer Meinung.«

Nina und ich mussten lachen, und dann, zu unserem Erstaunen, fiel auch Mutter ein, und diese seltene Dreieinigkeit weckte ein sonderbares Glücksgefühl in mir.

»Lass dich ansehen«, sagte ich und nahm Ninas Gesicht in die Hände.

Mutters Blick wanderte über mein Kleid, vom Kragen bis zum Saum und dann zurück. »Das mit dem Kleid ist mir ernst, Sarah. Erst neulich hat man das Haus einer hiesigen Quäker-Familie mit Eiern beworfen. Es hat gestern im *Mercury* gestanden. Sag du es ihr, Nina. Erklär du deiner Schwester, dass die Charlestoner derzeit nicht in der Stimmung sind, sie in einem solchen Aufzug zu empfangen.«

Nina seufzte. »In der Stadt kursieren Gerüchte über einen Sklavenaufstand.«

»… Einen Aufstand?«

»Nichts als leeres Geschwätz«, beschwichtigte Mutter, »aber die Leute sind deswegen überreizt.«

»Wenn man den Geschichten Glauben schenkt«, sagte Nina, »dann wollen die Sklaven in den Straßen zusammenströmen, die gesamte weiße Bevölkerung töten und die Stadt niederbrennen.«

An meinen Armen kribbelte die Haut.

»Wenn sie alle getötet und alles niedergebrannt haben, so heißt es, wollen sie die Staatsbank plündern und sich die Pferde aus den städtischen Stallungen greifen. Andere wollen Schiffe besteigen und nach Haiti segeln.«

Aus Mutters Kehle kam ein leises Hohnlachen. »Könnt ihr euch vorstellen, dass die einen derart ausgefeilten Plan ersinnen?«

In meiner Brust sackte ein Bleigewicht nach unten. Ich konnte es mir vorstellen, allerdings. Bis auf den Teil mit dem Abschlachten – dem verweigerte sich mein Verstand. Doch in Charleston lebten weit mehr Schwarze als Weiße, warum also sollten sie keine Pläne schmieden, sich aus ihrer Knechtschaft zu befreien? Um Erfolg zu haben, müssten diese Pläne ausgereift und kühn sein. Und das hieß, sie würden unweigerlich in Blutvergießen enden.

Reflexhaft legte ich die Hände unter dem Kinn zusammen, als wollte ich beten. »Lieber Gott.«

»Aber so etwas kann man doch nicht ernst nehmen«, sagte Nina. »Eine ähnliche Situation gab es neulich erst in Edgefield, erinnerst du dich? Die Familien der Weißen waren überzeugt, man würde sie in ihren Betten niedermetzeln. Dabei war es reine Hysterie.«

»Was steckt denn dahinter? Woher stammt dieses Gerücht?«

»Angefangen hat alles mit dem Haussklaven von Colonel John Prioleau. Offenbar hat er bei den Docks Gerüchte von einem Aufstand aufgeschnappt und dem Colonel davon berichtet, und der ist zu den Behörden gegangen. Die Wache hat dann rasch die Quelle ermittelt – ein Sklave namens William Paul, scheinbar ein stadtbekanntes Großmaul. Der arme Mann wurde verhaftet und sitzt nun im Arbeitshaus.« Nina schauderte. »Ich will mir gar nicht vorstellen, was sie ihm dort antun.«

Mutter schlug mit dem Stock auf den Boden. »Der Bürgermeister hat die Angelegenheit zu den Akten gelegt. Governor Bennett hat die Angelegenheit zu den Akten gelegt. Ich will nichts mehr davon hören. Aber sei auf der Hut, Sarah, Charleston ist ein Pulverfass.«

Auch ich hätte die drohende Revolte gern zu den Akten gelegt, doch der Gedanke hatte mich mit großer Macht schon aufgewühlt.

Am nächsten Morgen suchte ich nach Handful. Sie saß auf der Treppe vor dem Küchenhaus, Goodis an ihrer Seite, eine Nadel in der Hand, einen Fingerhut aus Messing auf dem Finger, und säumte eine Schürze. Die beiden kicherten und verpassten sich liebevolle kleine Schubser. Als sie mich sahen, war damit Schluss.

Goodis sprang auf. Das Oberteil seiner Latzhose fiel an einer Seite herunter. Von einer plötzlichen Nervosität ob Handfuls Reaktion auf mich erfasst, wies ich ihn auf den fehlenden Knopf hin. »Das muss Handful flicken«, meinte ich und bedauerte es noch im selben Augenblick. Wie herrisch und herablassend. So hatte ich mir unser Wiedersehen nicht gewünscht.

»Ja, Ma'am«, sagte er und ließ uns mit einem Blick auf Handful allein.

Ich beugte mich herunter und umarmte sie, schloss die

Arme um ihre Schultern. Nach einer Weile hob auch sie die Arme und tätschelte mir die Rippen.

»Nina hat gesagt, dass du zurückkommst. Bleibst du jetzt für immer?«

»Gut möglich.« Ich setzte mich neben sie. »Wir werden sehen.«

»Also, wenn ich du wäre, würde ich das nächste Boot nehmen.«

Ich lächelte sie an. Das Gesims legte einen tiefblauen Schatten über uns, der umso dunkler wurde, je länger wir schwiegen. Ich sah auf ihren verdrehten Fuß, das Weh und Weben ihrer Hände, den Rücken, der sich über ihre Arbeit krümmte, und spürte die vertraute Schuld.

Aus Verlegenheit bestürmte ich sie mit Fragen: Wie war es ihr ergangen, wie hatte Mutter sie behandelt, wie stand es um die anderen Sklaven? Ich wollte wissen, ob sie eine besondere Freundschaft mit Goodis verband. Sie zeigte mir die Wunde auf ihrer Stirn, Mutters Handarbeit, wie sie es nannte. Sie sagte, dass Aunt-Sisters Sehkraft nachließ und darum Phoebe meistens kochte, dass Sabe Tomfry nicht das Wasser reichen konnte und Minta eine gute Seele war, die fast alle »Gemeinheiten der Missus« abbekam. Bei dem Thema Goodis hatte sie bloß gegrinst. Das sagte alles.

»Und was weißt du von den Gerüchten über einen Sklavenaufstand?«, fragte ich sie schließlich.

Einen Augenblick verharrte ihre Hand. »Sag du mir doch, was *du* weißt!«

Ich wiederholte, was Nina über den Sklaven William Paul und den angeblichen Aufstand berichtet hatte. »Die Behörden verbreiten in der Öffentlichkeit, dass kein Wort davon wahr ist«, ergänzte ich.

Sie legte die Schürze nieder. »Wirklich? Die halten das also für unwahr?«, rief sie derart erleichtert, dass mich das Gefühl beschlich, die Pläne zu einem solchen Aufstand wären nicht nur sehr real, sondern Handful überdies auch wohlbekannt.

»Selbst wenn die Behörden glaubten, dass es solche Pläne gibt, würden sie es leugnen«, sagte ich, damit Handful die Gefahr begriff, in der sie schwebte. »Das würde niemand öffentlich zugeben. Um eine Panik zu vermeiden. Damit ihnen niemand in die Karten schauen kann. Wenn es auch nur den kleinsten Beweis für eine Verschwörung gibt, glaub mir, werden die Behörden reagieren.«

Handful nahm Nadel und Faden wieder auf, und die Stille senkte sich erneut auf uns, schwerer nun. Ihre Hand fuhr auf und ab, über Höhen und Täler, ihr Fingerhut blitzte, und plötzlich überkam mich die Erinnerung – an uns, als kleine Mädchen auf dem Dach. An dem Tag hatte sie mir von dem Fingerhut aus echtem Messing erzählt. Das musste er sein. Ich sah vor mir, wie sich Handful an das Dach lehnte, in Himmel und Wolkenschlieren blinzelte, die Teetasse auf dem Bauch, Federn, die mit zerzausten Spitzen aus ihrer Tasche lugten. Damals hatten wir uns alle unsere Geheimnisse offenbart. Niemals zuvor und auch niemals danach waren wir der Ebenbürtigkeit je wieder so nahgekommen. Ich versuchte, das Bild vor meinem geistigen Auge zu bewahren, ihm neues Leben einzuhauchen, doch es löste sich schon wieder auf.

Sie würde sich mir nie mehr anvertrauen. Ihre Geheimnisse würden für immer die ihren bleiben.

Am Sonntag machten Nina und ich uns zu Fuß zu dem winzigen Versammlungshaus der Quäker auf, das am anderen Ende der Stadt lag und uns einen ungewöhnlich langen Marsch bescherte. Während wir Arm in Arm durch die Straßen gingen, erzählte mir Nina von den vielen Briefen, die noch Wochen nach meiner Abreise eingetroffen waren und nach meinem Wohlbefinden fragten. Ich hatte die angebliche Schwindsucht, mit der Mutter meine Abwesenheit erklärt hatte, ganz vergessen. Wir lachten bis zur Society Street.

Nachts war ein heftiger Sommerregen niedergegangen. Nun war die Luft kühl und frisch und mit dem Aroma der Süßen Duftblüte getränkt. In den Pfützen schwammen rosa die Blütenblätter der Bougainvilleen. Bei diesem Anblick, mit Nina an meiner Seite, überkam mich das Gefühl, ich könnte in Charleston wieder heimisch werden.

Die vergangenen zehn Tage waren ruhig verstrichen. Ich hatte vor allem versucht, den Haushalt neu zu ordnen, und dazu lange Gespräche mit Nina geführt, die alles über den Norden, die Quäker und Israel wissen wollte. Zwar hatte ich es vermeiden wollen, seinen Namen zu erwähnen, doch er drang durch jeden Spalt und jede Ritze. Handful ging mir aus dem Weg. Dankenswerterweise hatte sich in der Stadt nichts Ungewöhnliches ereignet, und so wandten sich alle wieder ihren Alltagsgeschäften zu. Die Berichte über einen Sklavenaufstand versiegten. Offenbar hatte ich überreagiert.

An jenem Sonntagmorgen trug ich meine »Abolitionskleidung«, wie Mutter es unbedingt nennen musste. Als Quäkerin war mir ohnehin keine andere Kleidung gestattet, und ich war, weiß Gott, gewissenhaft. Als Mutter beim Frühstück erfahren hatte, dass ich beabsichtigte, zu einer Quäker-Andacht zu gehen, noch dazu mit Nina, hatte sie einen so vorhersehbaren Wutanfall bekommen, dass wir nur noch die Augen verdreht hatten. Glücklicherweise wusste sie nicht, dass wir zu Fuß gehen wollten.

Je näher wir dem Markt kamen, umso deutlicher wurde ein fernes stetes Donnern. Dann erklangen Schreie. Als wir um die Ecke bogen, stürmten zwei Sklavinnen an uns vorbei. Sie hielten ihre Röcke hoch und rannten um ihr Leben. Hinter ihnen marschierte die South Carolina Miliz auf uns zu, mindestens einhundert Mann stark, die Säbel und Pistolen gezückt. Sie wurden von der Stadtwache flankiert, die mit Musketen anstelle der üblichen Schlagstöcke bewaffnet war.

Es war Sonntag, Markttag, und wie üblich versammelten sich die Sklaven in großer Zahl auf der Straße. Nina und ich blieben wie erstarrt stehen. Sklaven flohen in Panik, als Husaren auf ihren Pferden auf sie zustürmten und ihnen zuriefen, sie sollten sich zerstreuen.

»Was geht hier vor?«, fragte Nina.

Ich schaute fassungslos auf dieses Pandämonium. Wir standen vor dem Carolina Coffee House, und ich wollte mich schon mit Nina hineinflüchten, doch es war geschlossen. »Wir sollten heimgehen«, flüsterte ich.

Als wir umkehrten, stürzte eine Straßenverkäuferin auf uns zu, ein Sklavenmädchen, nicht älter als zwölf. In seiner Angst und Panik stolperte es, sein Korb und sein Gemüse fielen uns vor die Füße. Instinktiv bückten wir uns und halfen dem Mädchen, Radieschen, Kohlköpfe und Kartoffeln einzusammeln.

»Ihr da!«, rief ein Mann. »Tretet beiseite!«

Ich hob den Kopf. Ein Offizier, hoch zu Ross, trabte auf uns zu. Er meinte mich und Nina. Wir richteten uns auf. Das Mädchen kroch unbeirrt seiner lädierten Ware hinterher.

»Es schadet sicher nicht, wenn wir ihr helfen«, sagte ich, als das Pferd zum Stehen kam. Die Aufmerksamkeit des Offiziers galt jedoch nicht der Rübe in meiner Hand, sondern meinem Kleid.

»Sind Sie Quäkerin?«

Er hatte ein langes, knochiges Gesicht und leicht hervorstehende Augen, und vermutlich wirkte er dadurch weit furchterregender, als er war, doch für derart vernünftige Betrachtungen war ich in dem Moment nicht zugänglich. Angst und Schrecken schnürten mir die Kehle zu, und meine Zunge, dieses schwächliche Geschöpf, legte sich in meinen Mund wie eine träge Schnecke.

»Haben Sie mich nicht verstanden?«, fragte er ruhig. »Ich habe Sie gefragt, ob Sie eine dieser religiösen Parias sind, die gegen die Sklaverei hetzen.«

Ich bewegte die Lippen, doch vergeblich. Mein Mund mahlte nur still und grässlich vor sich hin. Nina trat dicht neben mich und verknotete ihre Hand mit meiner. Sie wollte für mich sprechen, das spürte ich, doch sie zögerte und wartete. Ich schloss die Augen und hörte die Möwen, die im Hafen schrien, und stellte mir vor, wie sie im Wind segelten und auf wogendem Gewässer ruhten.

»Ja, ich bin Quäkerin«, sagte ich, ohne das ruckartige Zögern, das fast jedem meiner Sätze vorausging. Nina stieß erleichtert den Atem aus.

Die schwelende Unruhe lockte zwei Männer herbei, zwei Weiße. Sie begafften uns. Das Sklavenmädchen eilte unbemerkt mit seinem Korb davon.

»Wie lautet Ihr Name?«, fragte der Offizier.

»Ich bin Sarah Grimké. Und Sie, Sir, Sie sind wer?«

Er fand mich keiner Antwort würdig. »Sie sind nicht die Tochter von Richter Grimké – ganz gewiss nicht.«

»Doch, er war mein Vater. Er ist verstorben, vor ungefähr drei Jahren.«

»Na gut, dass er Sie so nicht mehr erleben muss.«

»Ich bitte um Verzeihung? Ich wüsste nicht, dass Sie mein Glaube etwas angeht.« Mir war, als hätte ich mich aus einer Verankerung gelöst. Wie an jenem Tag in Long Branch, als ich im Meer getrieben war, Vater drinnen an sein Lager gefesselt. An dem Tag, als ich mich weit vom Halteseil entfernt hatte.

In der Zwischenzeit hatten uns die Kolonnen der Miliz eingeholt. Sie marschierten mit all ihrem Getöse und Getue vorbei. Als der Offizier die Stimme über das Lärmen hinweg erhob, ruckte sein Pferd unruhig am Zaumzeug. »Aus Respekt vor dem Richter werde ich darauf verzichten, Sie festzunehmen.«

Nun mischte sich Nina ein. »Mit welchem Recht wagen Sie …«

Ich fiel ihr ins Wort, denn ich wollte nicht, dass sie sich auf dieses abgründige Gewässer vorwagte. Seltsamerweise hatte ich bei mir keinerlei Bedenken. »Mich festnehmen?«, fragte ich. »Und aus welchem Grund?«

Mittlerweile hatte sich den beiden Gaffern eine ganze Horde zugesellt. Ein Herr im Sonntagsmantel spuckte in meine Richtung. Ninas Hand schloss sich noch fester um meine.

»Ihre Glaubenssätze, selbst Ihre Erscheinung, untergraben die Ordnung, die ich hier aufrechtzuerhalten suche«, sagte der Offizier. »Sie stören den Frieden aller guten Bürger und bringen die Sklaven auf ungeheuerliche Ideen. Sie fördern genau die Art von Aufruhr, wie er gerade in unserer Stadt geschieht.«

»Welcher Aufruhr?«

»Wollen Sie etwa vorgeben, Sie hätten von den Gerüchten nichts gehört? Es gab eine Verschwörung unter den Sklaven. Sie wollten ihre Besitzer massakrieren und anschließend fliehen. Und das dürfte, so wie ich das sehe, Sie und Ihre Schwester miteinschließen. All das sollte in der kommenden Nacht geschehen, aber ich versichere Ihnen, dieser Plan wurde gründlich vereitelt.«

Er hob die Zügel vom Sattelhorn, schaute auf die vorbeiziehende Miliz und wandte sich erneut an mich. »Gehen Sie nach Hause, Miss Grimké. Ihr Anblick auf der Straße ist ein unerwünschtes Ärgernis.«

»Ab nach Hause!«, rief eine Stimme aus der Menge, dann fielen alle ein.

Ich richtete mich auf und schaute in die wütenden Gesichter. »Was sollen die Sklaven denn Ihrer Meinung nach tun?«, schrie ich. »Wenn wir sie nicht befreien, befreien sie sich selbst, was es auch kosten mag.«

»Sarah!«, rief Nina überrascht.

Als mir die Menge erste Unflätigkeiten an den Kopf warf, fasste ich Nina am Arm und eilte mit ihr denselben Weg zurück, den wir gekommen waren. »Dreh dich bloß nicht um«, sagte ich.

»Sarah«, keuchte sie, außer Atem und vor Ehrfurcht bebend. »Du rufst ja öffentlich zur Meuterei auf!«

Die Sklaven erhoben sich nicht in jener Nacht und auch in keiner anderen. Durch die grausame Überzeugungsmacht des Arbeitshauses waren die Stadtväter tatsächlich einer Verschwörung auf die Spur gekommen. In den nachfolgenden Tagen wütete die Nachricht über den geplanten Aufstand wie eine Epidemie und hinterließ eine fassungslose und verstörte Stadt. Es gab erste Verhaftungen, und es hieß, dass noch viele folgen würden. Charleston rüstete sich zu einem monströsen Gegenschlag. Zäune, auf denen später fest angebrachte Eisenspitzen sitzen würden, wurden mit zerbrochenen Flaschen bewehrt. Bald schon verschlossen sich selbst die elegantesten Häuser hinter ihren ornamentierten Rüstungen und Barrikaden.

In den kommenden Monaten wurde mit aller Härte eine neue Ordnung durchgesetzt. Verfügungen wurden erlassen, die noch strengere Kontrollen und Beschränkungen der Sklaven erlaubten, und noch schlimmere Strafen sollten folgen. Eine Zitadelle wurde zum Schutz der weißen Bevölkerung erbaut. In jener ersten Woche aber standen wir alle unter Schock.

Mein renitentes Verhalten in der Öffentlichkeit sprach sich überall herum. Mutter konnte mich kaum ansehen, ohne zu erbleichen, und selbst Thomas erschien und mahnte mich, dass das Prestige seiner Kanzlei leiden würde, sollte ich mir weitere Tollheiten dieser Art erlauben. Nur Nina stand mir bei.

Und Handful.

Sie putzte eines späten Nachmittags in den Nachwehen all dieser Ereignisse das Mahagoni-Treppenhaus, als ein Stein in den Salon flog. Die Scheibe barst. Ich hörte das Splittern bis in den zweiten Stock und eilte nach unten. Handful stand, den Rücken an die Wand gedrückt, neben dem zerstörten Fenster und versuchte, unbemerkt hinauszuschauen. Sie scheuchte mich fort. »Vorsicht, da kommt vielleicht noch einer.«

Auf dem Boden lag, in einem Nest aus Scherben, ein Stein so groß wie ein Hühnerei. Schreie drangen von der Straße her. *Sklavenliebchen. Niggerliebchen. Abolitionistin. Hure des Nordens.*

Wir sahen einander an, bis das Toben draußen nachließ. Eine ernste Stille legte sich auf den Salon. Das Tageslicht fiel auf die Splitter. Sie glühten wie kleine Feuerzungen auf dem scharlachroten Teppich. Es zog mir den Boden unter den Füßen fort. Nicht, weil ich erschüttert war, sondern weil ich mich so machtlos fühlte, weil mir war, als könnte ich nichts tun. Bald würde ich dreißig, und ich hatte nichts getan.

Angeblich verlangsamt sich die Zeit in extremen Augenblicken, kehrt sie zu ihrem unbewegten Wesenskern zurück. Tatsächlich schien es mir in dem Moment, als ob alles stehen bleiben würde. Doch in dieser Starre rührte sich der alte, unbeherrschte Drang, meinen Platz und meine Rolle in der Welt zu finden. Diese Sehnsucht war größer als alles, was ich je empfunden hatte, größer noch als das alte, mir innewohnende Alleinsein. Wieder sah ich den Lilien-Knopf in meiner Dose und das unglückliche Mädchen, das ihn dort hineingelegt, die Frau, die ihn mit ins ferne Philadelphia und wieder zurück nach Charleston genommen, ihn wie eine müde, schwindende Hoffnung bei sich getragen hatte.

Handful trat zu den glühenden Trümmern, hob den Stein auf und drehte ihn in ihrer Hand. Und da wusste ich, dass ich diesen Ort erneut verlassen würde. Noch einmal würde ich gen Norden gehen und dort nach meinem Leben suchen.

Handful

Der Tag der Vergeltung verging, und nicht eine Musketenkugel wurde abgefeuert, nicht eine Lunte entzündet, nicht einer von uns befreit. Dafür sah uns nun kein Weißer mehr als harmlos an.

Ich wusste nicht, wen sie verhaftet hatten und wen nicht. Ich wusste nicht, ob Denmark in Sicherheit oder Gefangenschaft war. Sarah sagte, ich sollte lieber nicht auf die Straße gehen, aber am Mittwoch hielt ich es nicht länger aus. Ich ging zu Nina und sagte, ich bräuchte einen Passierschein, um Sirup zu besorgen. Sie stellte ihn aus und riet mir: »Sei bloß vorsichtig.«

Denmark war zu Hause, in seinem Schlafzimmer, und stopfte Geld und Kleidung in einen Tornister. Susan führte mich zu ihm. Ihre Augen waren blutunterlaufen von den vielen Tränen. Ich blieb auf der Schwelle stehen, atmete die schwere Luft und dachte: *Alles war vergeblich, aber wenigstens ist er noch da.*

An der Wand stand ein Eisenbett, und darauf lag der Quilt, den ich gemacht hatte, um die Liste mit den Namen zu verstecken. Die schwarzen Dreiecke saßen perfekt auf den roten Vierecken, doch mit einem Mal wirkten sie unglaublich traurig. Wie eine Vogelbeerdigung.

Ich sagte zu Denmark: »Und, wo willst du hin?«

Susan fing an zu weinen, und er sagte: »Frau, wenn du so ein Theater machen musst, dann mach's woanders.«

Sie drängte sich an mir vorbei, schniefte und sagte: »Dann geh doch zu deiner anderen Frau.«

Ich fragte: »Du gehst zu einer anderen Frau?«

Er hatte den Vorhang vorgezogen. Nur durch einen kleinen Spalt kam ein bisschen Licht ins Zimmer. Denmark stand darin wie der Zeiger einer Sonnenuhr. »Es ist nur eine Frage der Zeit, bis sie mich holen«, sagte er. »Gestern haben sie sich Ned, Rolla und Peter geschnappt. Die drei sind im Arbeitshaus, und ich zweifle nicht an ihrer Tapferkeit, aber man wird sie dort so lange foltern, bis sie Namen nennen. Wenn unsere Pläne weiterleben sollen, muss ich fort.«

Das Entsetzen kroch mir über den Rücken. Ich fragte: »Was ist mit meinem Namen? Werden sie auch meinen Namen nennen, weil ich die Gießform gestohlen habe?«

Denmark setzte sich aufs Bett, auf die Schwarzdrosseln mit ihren lahmen Flügeln. Auch er ließ die Arme hängen. Wenn Rekruten in sein Haus gekommen waren, hatte er gerufen: Der Herr hat zu mir gesprochen, und dabei hatte er so streng und mächtig wie der Herrgott selbst gewirkt, aber nun war er nur noch niedergeschlagen. »Keine Sorge«, sagte er. »Die sind hinter dem Anführer her – und das bin ich. Deinen Namen wird niemand nennen.«

Ich wollte ihm diese Frage nicht stellen, aber ich musste es einfach wissen. »Wie konnte das passieren?«

Er schüttelte den Kopf. »Die Haussklaven haben mir immer am meisten Sorgen gemacht, weil die oft nicht wissen, wo die Grenze zwischen ihnen und ihrem Besitzer ist. Das alles konnte nur passieren, weil wir verraten wurden. Einer von denen hat uns angeschwärzt, und dann hat die Wache ihre Spione auf uns angesetzt.«

Er spannte den Kiefer an und stieß sich vom Bett hoch. »An dem Tag, an dem wir losschlagen wollten, hatten sie die Truppen so verstärkt, dass unsere Kuriere nicht mehr aus der Stadt gekommen sind, um den Aufruf zu verkünden. Wir konnten die Lunten nicht entzünden und die Waffen nicht holen.« Er griff einen Zinnteller, auf dem eine Kerze stand, und schleuderte ihn an die Wand. »Zur Hölle mit ihnen, zur ewigen Hölle mit ihnen. *Zur* …« Sein Gesicht verzerrte sich.

Ich bewegte mich erst, als seine Schultern wieder sanken und ihn der Zorn verließ. Ich sagte: »Du hast getan, was du konntest. Niemand wird das je vergessen.«

»Doch, das werden sie. Sie werden es vergessen.« Er nahm den Quilt und legte ihn mir in die Arme. »Hier, nimm du ihn und verbrenn die Liste. Und zwar sofort. Ich habe nicht die Zeit dazu.«

»Wohin gehst du?«

»Ich bin ein freier Mann. Ich bin, wo ich bin«, stellte er fest. Natürlich war er vorsichtig, falls Rolla und die anderen doch meinen Namen nennen und die Weißen kommen und mich foltern würden.

Dann nahm er seinen Tornister und ging zur Tür. Es war nicht das letzte Mal, dass ich ihn sehen sollte, doch die Worte, *ich bin, wo ich bin*, waren die letzten, die er jemals zu mir sprach.

❧ ❧

Ich verbrannte die Liste im Herdfeuer im Küchenhaus. Dann wartete ich auf das, was kommen würde.

Denmark wurde vier Tage später im Haus einer freien Mulattin gefasst. Er bekam ein Verfahren mit sieben Richtern, und noch ehe das vorüber war, kannte jeder in der Stadt, ob schwarz, ob weiß, seinen Namen. Hörensagen drang aus dem Gericht, flutete Straßen und Gassen und strömte in Salons und Wirtschaftshöfe. Die Sklaven sagten, Denmark Vesey wäre der schwarze Jesus, und selbst wenn man ihn tötete, würde er am dritten Tage auferstehen. Die Weißen sagten, dass er die halberstarrte Schlange wäre, die jene Brust anfiel, die sie gewärmt hatte. Sie behaupteten, er wäre ein General, der seine eigene Armee irregeführt hätte, und dass er überhaupt nicht so viele

Waffen besessen hätte, wie die Sklaven geglaubt hätten. Die Wache hatte ein paar Spieße und Pistolen und zwei Gießformen gefunden, doch das war alles. Vielleicht hatte Gullah Jack, dem es gelang, bis zum August in Freiheit zu bleiben, die restlichen Waffen verschwinden lassen, aber manchmal fragte ich mich, ob Denmark die Wahrheit vielleicht doch wie Karamell gezogen und gedehnt hatte. Auf der Liste aus dem Quilt hatte ich zweihundertdreiundachtzig Namen gezählt und nicht sechstausend, wie er immer gesagt hatte. Heute denke ich, dass er einfach eine Flamme entzünden wollte, in dem Glauben, dass sich früher oder später jeder Taugliche seinem Kampf angeschlossen hätte.

An dem Tag, als das Urteil gesprochen wurde, musste ich auf Sabes Order hin auf allen vieren im Korridor die Teppiche aufrollen und die Böden schrubben. Die Hitze war so schlimm, ich hätte die Seife mit meinem Schweiß abspülen können. Ich hatte zu Sabe gesagt, Bodenschrubben ist eine Arbeit für den Winter, und da hatte er gesagt, schön, dann kannst du das im Winter ja noch einmal tun. Ehrlich, keine Ahnung, was Minta in ihm sah.

Als ich nach draußen auf die Veranda schlüpfte, um ein wenig Luft zu schnappen, kam Sarah zu mir. »Du möchtest doch sicher wissen, wie das Verfahren gegen Denmark Vesey abgeschlossen wurde.«

Natürlich war es ein Ding der Unmöglichkeit, dass er freikommen würde, trotzdem griff ich, schwach vor Hoffnung, ans Geländer. Sarah kam ganz nah zu mir und legte eine Hand auf mein triefend nasses Kleid. »Er wurde für schuldig befunden.«

»Was geschieht jetzt mit ihm?«

»Er wird hingerichtet. Es tut mir leid.«

Ich ließ mir nichts anmerken, doch der Kummer stimmte aufs Neue sein Lied in meinen hohlen Knochen an.

Da kam mir allerdings noch nicht in den Sinn zu fragen, warum Sarah mit dieser Nachricht zu mir gekommen war. Sie wusste ebenso wie Nina, dass ich das Grundstück hin und wieder aus persönlichen Gründen verließ, aber keine von beiden ahnte, dass ich dann zu *seinem* Haus gegangen war. Sie wussten nicht, dass er mich seine Tochter nannte oder dass er mir überhaupt etwas bedeutete.

»... Mit der Urteilssprechung wurde gleichzeitig ein Edikt erlassen«, berichtete Sarah. »Eine richterliche Anordnung.«

Ich musterte ihr Gesicht, die rötlichen Sommersprossen, die in der Sonne leuchteten, die Sorge, die in ihrem Blick lag, und da wusste ich, warum sie zu mir gekommen war – es war wegen diesem Edikt.

»Jede schwarze Person, ob Mann oder Frau, die Denmark Vesey öffentlich betrauert, wird auf der Stelle verhaftet und ausgepeitscht.«

Ich sah von ihr weg zum Ziergarten, wo Goodis Rechen, Harke und Wassereimer hatte stehen lassen. Alles, was grün war, neigte sich vor Durst. Alles welkte.

»Handful, bitte, hör mir zu, entsprechend der Anordnung darfst du auf der Straße weder Schwarz tragen noch seinen Namen nennen, noch irgendetwas tun, um seiner zu gedenken. Hast du das verstanden?«

»Nein, das habe ich nicht. Und das werde ich auch nie«, sagte ich und ging zurück ins Haus zur Scheuerbürste.

Am 2. Juli, noch bevor die Sonne aufging, wand ich mich durch mein Fenster, presste den Rücken gegen die Hauswand, mein gutes Bein an die Wand und ruckelte den Weg nach oben über die Mauer, so wie früher. Zur Hölle mit der Bettelei um einen Passierschein. Ein Weißer musste unterschreiben, damit ich auf die Straße gehen durfte? Zur Hölle damit.

Ich eilte durch die Stadt, solange mich die Dunkelheit noch schützte. Als ich in die Magazine Street kam, brach das Licht herein. Vor dem Arbeitshaus blieb ich wie angewurzelt stehen. Eine Zeit lang spürte ich in meinem Körper das Gefühl, er wäre da wieder drin. Ich hörte das Ächzen der Tretmühle, roch die Angst. Ich sah, wie die Peitsche das Baby auf dem Rücken von seiner Mauma traf, und spürte, wie ich stürzte. Das Einzige, was mich daran hinderte kehrtzumachen, war der Gedanke an Denmark, den man mit seinen Leutnants jeden Augenblick durch das Tor bringen würde.

Die Richter hatten den 2. Juli für die Hinrichtung bestimmt, ein Geheimnis, das die ganze Welt kannte. Es hieß, Denmark und fünf andere würden in den frühen Morgenstunden in Blake's Lands ihr Leben lassen, einem Sumpfgebiet, in dem ein paar Eichen standen, an denen man Piraten und Kriminelle hängte. Jeder Sklave, dem es irgendwie gelingen würde, dorthin zu kommen, würde da sein, und ein paar Weiße sicher auch, aber irgendetwas hatte mich zuerst zum Arbeitshaus getrieben, um Denmark von dort bis nach Blake's Lands zu folgen. Vielleicht würde er mich sehen und wissen, dass er die letzte Meile seines Lebens nicht alleine antreten musste.

Ich kauerte mich neben die Ställe beim Tor, und bald schon kamen vier Pferdefuhrwerke mit den Todgeweihten heraus, die hinten, gefesselt, auf ihren eigenen Särgen saßen. Was für ein verschwollener und geschlagener Haufen – Rolla und Ned im ersten Fuhrwerk, Peter im zweiten, zwei Männer, die ich noch nie gesehen hatte, im dritten. Denmark saß im letzten. Aufrecht und mit grimmiger Miene. Er sah mich nicht, als ich aufstand und hinter ihnen herhumpelte. In den Fuhrwerken saßen zahlreiche Wachen, ich musste Abstand halten.

Die Pferde trabten langsam. Ich folgte ihnen eine ganze Weile. Mir tat der Fuß weh, und ich hatte Mühe mitzuhalten.

Ich wünschte nur, dass er mich ansehen würde. Dann geschah etwas Seltsames. Die ersten drei Wagen bogen in die Straße nach Blake's Lands, der vierte mit Denmark bog in die entgegengesetzte Richtung ab. Denmark war verwirrt und versuchte aufzustehen, aber eine Wache drückte ihn nach unten.

Er musste zusehen, wie seine Leutnants davonrumpelten. Da rief er: »Sterbt wie Männer!« Er rief es immer wieder, während der Abstand zwischen ihnen wuchs und die Wagen im Staub verschwanden. Rolla und Peter erwiderten den Ruf. *Sterbt wie Männer. Sterbt wie Männer.*

Ich wusste nicht, wohin Denmarks Wagen rollte, aber ich eilte zwischen den Rufen hinterher. Dann fiel sein Blick auf mich, und er wurde still. Den Rest vom Weg sah er zu mir, wie ich mich hinterhermühte und dann weit zurückfiel.

Sie hängten ihn an einer Eiche an einer unbebauten Stelle an der Ashley Road auf. Niemand war dabei, bis auf die vier Wachen, das Pferd und mich. Ich konnte mich nur weit entfernt in ein Gebüsch aus Palmen kauern. Denmark stieg ruhig auf die Bank und rührte sich auch nicht, als sie ihm den Strick über den Kopf zogen. Er ging, wie er es den anderen zugerufen hatte. Wie ein Mann. Und bis sie die Bank unter ihm wegschlugen, blickte er zu den Palmblättern, in denen ich versteckt war.

Als er stürzte, sah ich weg. Ich hielt den Blick auf den Boden gerichtet und hörte das Keuchen, das vom Baum her zu mir drang. Einsiedlerkrebse flitzten um mich herum, sahen mich mit ihren dummen kleinen Augen an und huschten in ihre Löcher in der schwarzen Erde, um gleich wieder herauszueilen.

Als ich aufsah, schaukelte Denmark mit dem Hängemoos am Ast.

Sie nahmen ihn ab, legten ihn in den Holzsarg und nagelten den Deckel zu. Als das Fuhrwerk verschwunden war, kam ich aus meinem Versteck und ging zu dem Baum. Es war beinah friedlich dort in seinem Schatten. Als ob nichts geschehen wäre. Bis auf die Spuren im Staub, wo die Bank gekippt war.

In der Nähe war ein Armenfriedhof. Da würden sie ihn begraben, und niemand würde wissen, wo seine letzte Ruhestätte war. Das Edikt der Richter besagte, dass wir nicht weinen oder seinen Namen sagen oder irgendetwas tun durften, um seiner zu gedenken, aber ich nahm einen roten Faden aus meinem Beutel und band ihn an einem herabhängenden Ast um einen Zweig. Dann weinte ich meine Tränen und sagte seinen Namen.

FÜNFTER TEIL

November 1826–November 1829

Handful

Es war um den November herum. Goodis hatte sich einen schlimmen Husten geholt. Ich war auf dem Weg zum Stall, um ihm Helfkraut und braunen Zucker für den Hals zu bringen, und dachte, auch das wird einer dieser glimmend matten Tage. Der nächste Stich in den Stoff des Lebens.

Aus dem Haus kam wieder Streit. Nina und die Missus. Mal ging es darum, wie die Missus uns Sklaven behandelte, mal darum, dass sich Nina weigerte, am Gesellschaftsleben teilzunehmen. Jetzt, wo Sarah fort war, gab es niemanden, der sie trennte, und so zankten sie den ganzen Tag. Phoebe war im Küchenhaus, machte Fleischeintopf und bekam von Aunt-Sister mehr Ratschläge, als sie brauchte. Minta hatte sich irgendwo versteckt, vermutlich im Wäschehaus, und wenn mich jemand gefragt hätte, wo Sabe war, hätte ich gesagt, im Keller, mit der Pfeife von Master Grimké. Jetzt, wo der Alkohol verbraucht war, roch ich die Pfeife unentwegt.

Ich ging langsam am Gemüsegarten vorbei, weil ich sehen wollte, ob Goodis ihn schon für den Winter bepflanzt hatte. Aber da war nur nackte Erde. Auch der Ziergarten war in einem kümmerlichen Zustand – die Rosenranken erstickten den Oleander, die Myrte drängte sich in zwanzig Richtungen zugleich. Die Missus sagte immer, der Ausdruck träge wäre für Goodis noch zu milde, doch er war nicht faul, er war es nur leid bis an den Backenzahn, sich um ihre Blumen und Kürbisse zu kümmern.

Während ich mir den kahlen Garten ansah und mir Sorgen um Goodis machte, hatte ich das Gefühl, als würde ich beobachtet. Ich sah zum Fenster von der Missus, doch da war niemand. Die Tür zum Stall stand offen, doch Goodis hatte mir den Rücken zugewandt und rieb das Pferd trocken. Dann sah ich aus den Augenwinkeln am Hoftor zwei Gestalten. Auch als ich zu ihnen hinüberschaute, rührten sie sich nicht, sie standen einfach im harschen Gegenlicht – eine alte Sklavenfrau und ein Sklavenmädchen. Was die wohl wieder wollten? Irgendein Sklave hatte immer irgendetwas zu verkaufen, aber ich hatte noch nie gesehen, dass sie am Hintertor hausierten. Musste ausgerechnet ich die beiden verscheuchen? Die alte Frau war bucklig und wirkte furchtbar gebrechlich. Das Mädchen hielt sie am Arm.

Ich ging zu ihnen, die Hand um den Kaninchen-Stock. Sein Kopf war mit den Jahren glatt geworden. Die Frau und das Mädchen lösten nicht den Blick von mir. Als ich näher kam, sah ich, dass ihre Kopftücher aus demselben verwaschenen Rot waren. Die Frau hatte gelbbraune Haut. Plötzlich loderten ihre Augen auf, und ihr Kinn fing an zu zittern. *»Handful.«*

Ich blieb im Klang meines Namens stehen. Er schwebte eine Weile über mir. Dann warf ich den Stock weg und rannte los, so gut ich rennen konnte. Die alte Frau sank auf den Boden. Ich hatte keinen Schlüssel für das Tor, ich flog einfach darüber hinweg, wie durch den Himmel. Ich kniete mich hin und nahm sie in den Arm.

Offenbar hatte ich gerufen, denn erst kam Goodis angerannt, dann kamen Minta, Phoebe, Aunt-Sister und Sabe. Ich weiß noch, dass sie uns über das Tor hinweg angesehen haben. Und dass das fremde Mädchen gesagt hat: »Ist du Handful?« Dann saß ich auf der Erde und wiegte die Frau wie ein Baby in den Armen.

»Allmächtiger Herr Jesus«, sagte Aunt-Sister. »Das ist Charlotte.«

Goodis trug Mauma in den Kellerraum und legte sie aufs Bett. Alle drängten sich herein und starrten sie an wie ein Gespenst. Wir waren wie Rehe im Wald, reglos erstarrt, zu ängstlich, um uns zu bewegen. Mir war heiß, und in mir war kein Atem mehr. Maumas Lider wanderten nach oben. Das Weiß ihrer Augen war so gelb wie alles andere an ihr. Sie war dünn wie ein Faden. Ihr Gesicht bestand nur noch aus Falten, und ihr Haar war weiß wie Salz. Vor vierzehn Jahren war sie verschwunden, doch gealtert war sie um dreißig Jahre.

Das Mädchen hockte neben ihr auf dem Bett, sein Blick wanderte von einem Gesicht zum anderen. Seine Haut war so schwarz wie Kohle. Es hatte kräftige Knochen, kräftige Hände, kräftige Füße und eine Stirn so breit wie der Vollmond. Sie sah genau aus wie ihr Daddy. *Denmarks Tochter.*

Ich sagte zu Minta, hol uns einen feuchten Lappen. Als ich Mauma das Gesicht abrieb, stöhnte sie und verdrehte den Hals. Sabe stürmte los, um die Missus und Nina zu holen, und als sie kamen, öffneten sich Maumas Augen in die Wirklichkeit.

Rings um das Bett roch es nach ungewaschenen Leibern. Die Missus wich zurück und hielt sich die Nase zu. »Charlotte«, sagte sie ein Stück entfernt. »Bist du das? Ich hätte nie gedacht, dass wir dich wiedersehen würden. Wo um alles in der Welt bist du gewesen?«

Mauma öffnete den Mund und versuchte zu sprechen, doch ihre Worte schabten sinnlos durch das Zimmer.

»Wir freuen uns, dass du wieder hier bist, Charlotte«, sagte Nina. Mauma blinzelte sie an, als ob sie nicht die geringste Ahnung hätte, wer das war. Als Mauma verschwunden war, musste Nina sechs oder sieben Jahre alt gewesen sein.

»Ist sie bei Verstand?«, fragte die Missus.

Aunt-Sister stemmte die Hände in die Hüften. »Sie is erschöpft. Sie braucht Essen und viel Ruhe.« Dann schickte sie Phoebe los, die Fleischbrühe zu holen.

Die Missus musterte das Mädchen. »Wer ist das?«

Das wollten sie natürlich alle wissen. Das Mädchen setzte sich aufrecht hin und warf der Missus einen Blick zu, der Papier durchschnitten hätte.

»Das ist meine Schwester«, sagte ich.

Es wurde still.

»Deine *Schwester*?«, rief die Missus. »So wahr ich lebe und atme, was soll ich mit ihr tun? Ich kann *euch* ja kaum ernähren.«

Nina zog ihre Mutter zur Tür. »Charlotte braucht Ruhe. Sie müssen sich erst einmal um sie kümmern.«

Als sich die Tür hinter ihnen schloss, schaute Mauma mit ihrem alten Lächeln zu mir auf. Da, wo ihre Schneidezähne gewesen waren, war ein großes hässliches Loch. Sie sagte: »Handful, sieh dich an. Sieh dich doch an. Mein Mädchen, so erwachsen.«

»Ich bin jetzt dreiunddreißig, Mauma.«

»Die lange Zeit …« Ihre Augen füllten sich mit Tränen, den ersten Tränen, die ich sie je vergießen sah. Ich ließ mich neben ihr auf dem Bett nieder und legte mein Gesicht an ihres.

Sie sagte leise an mein Ohr: »Was is mit deinem Bein passiert?«

»Ich bin schlimm gestürzt«, flüsterte ich.

Sabe schickte alle wieder an die Arbeit, während ich Mauma mit einem Löffel Brühe fütterte und das Mädchen seine aus der Schüssel schlürfte. Den Nachmittag über schliefen sie Seite an Seite. Von Zeit zu Zeit steckte Aunt-Sister den Kopf durch die Tür und fragte: »Alles in Ordnung bei euch?« Sie brachte Teekuchen, in Milch gekochtes Rizinusöl und Decken für ein Bodenlager, das in der kommenden Nacht wohl mein Bett würde. Dann half sie mir, ihnen die Schuhe auszuziehen, ohne sie zu wecken, und als sie ihre Füße sah, voller eitriger Geschwüre, stellte sie Seife und einen Eimer Wasser vor die Tür.

Das Mädchen wurde einmal wach und wollte auf den Nachttopf. Ich ließ sie nach draußen auf den Abort, wartete und sah zu, wie die Blätter von der Eiche fielen, wie sie sanft nach unten schwebten. *Mauma ist wieder da.* Was für ein Wunder das war, hatte ich noch kaum begriffen, später aber würde es mich auf die Knie sinken lassen. Ich trug noch den Schock darüber in mir, wie sie aussah, und fragte mich voller Angst, was die Missus machen würde. Sie hatte die beiden angesehen, als wären es zwei Blutsauger, die sie sich vom Leib schütteln musste.

Als das Mädchen barfuß aus dem Plumpsklo kam, sagte ich: »Wir müssen dir die Füße waschen.«

Sie schaute mit offenem Mund nach unten und schob die rosa Zungenspitze vor. Sie musste dreizehn sein. *Meine Schwester.*

Ich setzte sie auf den dreibeinigen Schemel in den letzten warmen Flecken Sonne, holte den Eimer und die Seife nach draußen und stellte ihre Füße zum Einweichen ins Wasser. Ich fragte: »Wie viele Tage bist du mit Mauma gelaufen?«

Sie hatte seit dem Morgen kaum gesprochen, nun aber brach der Damm der Worte. »Ich weiß nich. Drei Wochen. Vielleicht mehr. Wir kommen von Beaufort. Von Massa Wilcox. Wir gehen bei Nacht. Auf Wegen von Händlern und an Bächen. Bei Tag verstecken wir uns in Feldern und Gräben. Das ist das vierte Mal, dass wir weglaufen, wir wissen, wie es geht. Mauma reibt Pfeffer und Zwiebelschalen an unsere Schuhe und Beine, um die Hunde zu verwirren. Sie sagt, diesmal gehn wir nich zurück. Lieber sterben wir.«

»Warte. Du und Mauma, ihr seid schon *drei Mal* weggelaufen und jedes Mal geschnappt worden?«

Sie nickte und schaute zu den Wolken. Sie sagte: »Einmal sind wir zum Combahee River gekommen. Einmal bis nach Edisto.«

Ich hob ihre Füße einen nach dem anderen aus dem Eimer und seifte beide ein. Währenddessen redete sie, und das tat sie wirklich gern – reden.

»Wir haben gerösteten Mais und getrocknete Süßkartoffeln. Aber das geht aus, und dann essen wir Blätter und Beeren. Was wir finden. Wenn Mauma nich mehr gehen kann, nehm ich sie auf den Rücken. Ich geh ein Stück, ruh mich aus, trag sie weiter. Sie sagt, wenn mir was passiert, geh weiter, bis du Handful findest.«

Was sie mir alles erzählte. Dass sie aus Pfützen getrunken und Tropfen von Sassafrasblättern geleckt hatten, dass sie im Sumpfland auf Bäume geklettert waren und sich zum Schlafen an Äste gebunden hatten, dass sie unter dem Mond und den Sternen umhergeirrt waren. Sie sagte, einmal wäre ein *buckruh* in einem Fuhrwagen vorbeigekommen, hätte sie aber nicht gesehen, obwohl sie direkt neben ihm in einem Graben gelegen hätten. Ich fand heraus, dass sie Gullah sprach, so wie die Sklaven auf den Inseln vor der Küste. Sie hatte es auf der Plantage von den anderen Frauen aufgeschnappt. Wenn sie einen Vogel sah, sagte sie *bidi*. Eine Schildkröte war ein *cooter*. Und ein Weißer ein *buckruh*.

Ich trocknete ihre Füße in meinem Schoß. »Du hast mir noch nicht gesagt, wie du heißt.«

»Der Mann, der uns in den Reisfeldern arbeiten lässt, nennt mich Jenny. Mauma sagt, das ist nich mein Name. Sie sagt, unser Volk ist geflogen wie die Schwarzdrossel. An dem Tag, als ich geboren, schaut sie in den Himmel, und so nennt sie mich. Sky.«

Dieses Mädchen sah nun wirklich nicht wie der Himmel aus. Sie war wie ein Baumstamm, ein Stein in einem Acker, um den man herumpflügen musste, aber ich fand es schön, dass Mauma ihr diesen Namen gegeben hatte. Aus dem Stall kamen ein Husten und ein Wiehern. Als ich aufstand, schaute

Sky zu mir auf und sagte: »Wenn wir verlaufen, erzählt sie die Geschichte von den Schwarzdrosseln. Ich weiß nich, wie oft.«

Ich lächelte ihr zu. »Mir hat sie die Geschichte auch erzählt.«

Meine Schwester war keine Augenweide, und wenn sie redete, musste man glauben, dass es mit ihrem Verstand auch nicht weit her war, aber ich hatte gleich Maumas Zähigkeit in ihr gespürt.

In jener Nacht wurde ich auf meinem Bodenlager wach. Mauma stand mitten im Zimmer, reglos, mit dem Rücken zu mir, und schaute zu ihrem hohen Fenster. Um sie lag Dunkelheit, doch ihr Kopftuch war heruntergerutscht, und ihr Haar schimmerte wie frisch poliertes Silber. Sky schnarchte laut und friedlich vor sich hin. Als Mauma mich hörte, drehte sie sich um und breitete die Arme aus. Ich stand leise auf und ging zu ihr, lief direkt in ihre Arme. In dem Moment war sie wirklich zu mir zurückgekommen.

Als ich wieder wach wurde, hatte sich das erste Licht im Zimmer ausgebreitet. Mauma saß aufrecht im Bett und sah auf ihren Story-Quilt. Sie hatte die ganze Nacht darunter geschlafen und es nicht gewusst.

Ich ging zu ihr und tätschelte ihren Arm. »Ich habe alles zusammengenäht.«

Als sie den Quilt zuletzt gesehen hatte, war er nur ein wilder Haufen Vierecke gewesen. Die Farbe war ein wenig verblichen, aber ihre Geschichte war noch da, in einem Stück.

»Jedes Viereck is an seinem Platz«, sagte sie. »Ich weiß nich, wie du das getan hast.«

»Ich habe mich nur danach gerichtet, was dir wann passiert ist.«

Als Phoebe und Aunt-Sister Frühstück brachten, beugte sich Mauma noch immer über den Quilt und musterte jeden einzelnen Stich. Sie berührte sanft die Figur auf dem letzten Viereck, von der ich wusste, dass es Denmark war. Es quälte mich, ihr sagen zu müssen, was mit ihm passiert war.

Über Nacht war es im Zimmer kalt geworden, darum holte ich Badewasser aus dem Wäschehaus, das Phoebe immer so schön heiß hielt. Sky stellte sich in eine Ecke und wusch ihren kräftigen Körper, während ich Mauma das Kleid aufknöpfte. »Dieses Kleid verbrennen wir«, sagte ich, und Mauma lachte ihr schönstes Lachen. Der Beutel, den ich für sie gemacht hatte, hing an ihrem Hals, verschrumpelt, aber an einem neuen Band, das sie aus einem Stück Tierhaut gemacht hatte. Sie zog den Beutel über den Kopf und gab ihn mir. »Viel is da nich mehr drin.«

Mir kam ein modriger Geruch entgegen. Als ich die Finger in den Beutel steckte, fühlte ich alte Blätter, die zu Staub zerfallen waren.

Mauma setzte sich auf den Hocker, ich löste ihre Arme aus dem Kleid und ließ es bis auf ihre Taille fallen. Darüber zeigten sich die Kerben von ihren Rippen, und ihre Brüste waren genauso eingefallen wie der Beutel. Ich tauchte das Tuch ins Wasser, und als ich hinter Mauma trat, um ihr den Rücken zu waschen, erstarrte sie. Da waren Peitschennarben vom oberen Rücken bis zur Taille, so knotig wie Baumwurzeln. In ihre rechte Schulter war ein *W* eingebrannt. Ich brauchte eine Weile, bis ich diesen traurigen Schmerz berühren konnte.

Als ich schließlich ihre Füße in das Becken stellte, fragte ich: »Was ist mit deinen Zähnen passiert?«

»Sie sind eines Tages ausgefallen«, sagte Mauma.

Sky machte etwas, das wie *hmmmmpf* klang. Dann erklärte sie: »Die ham sie dir doch ausgeschlagen.«

»Du sollst nich dauernd reden, du redest zu viel Quatsch«, wies Mauma sie zurecht.

Doch Sky sollte mehr Quatsch reden, als Mauma je von mir erfahren würde. Noch bevor die Woche vorbei war, hatte ich gehört, dass Mauma bei jeder Gelegenheit auf der Plantage für Ärger gesorgt hatte. Und umso schlimmer die Peitsche zugeschlagen hatte, umso mehr Löcher hatte Mauma in die Reissäcke geschnitten. Sie hatte alles Mögliche zerbrochen, gestohlen und versteckt. Sie hatte die Dreschsicheln im Wald vergraben, Zäune umgerissen und einmal das Toilettenhaus des Aufsehers in Brand gesteckt.

An diesem ersten Morgen ließ Sky auch nicht von der Geschichte mit Maumas Zähnen ab. »Das passiert, als wir das zweite Mal weglaufen. Der Aufseher sagt, wenn sie es wieder tut, findet man sie leicht, weil ohne Zähne. Er hat den Hammer genommen …«

»Sei still!«, rief Mauma.

Ich kauerte mich vor sie und sah ihr in die Augen. »Nimm bloß keine Rücksicht auf mich. Auch ich habe einiges gesehen. Ich weiß, wie's da draußen zugeht.«

Sarah

Als Israel mich aufsuchte, trug er einen neuen kurzen Quäker-Bart. Wir setzten uns Seite an Seite auf den Diwan im Salon der Motts. Israel ließ sich über den Großhandelspreis von Wolle und die Kapriolen des Wetters aus und strich dabei unentwegt über sein grau gesprenkeltes Gesichtshaar, das so dicht wie samtene Fransen war. Er sah attraktiver, weiser aus, als hätte er sich selbst neu inkarniert.

Nach meinem kläglichen Versuch, mich wieder in das Leben in Charleston einzufügen, hatte ich mir ein Zimmer im Haus von Lucretia Mott gemietet, wild entschlossen, mir hier ein kleines Leben zu erobern, und ich glaube, das war mir gelungen. Zwei Mal in der Woche fuhr ich hinaus nach Green Hill, um Becky zu unterrichten, obwohl mir meine alte Widersacherin Catherine mitgeteilt hatte, dass meine Protegé nächstes Jahr auf die Schule gehen und meine Unterweisungen mit Beginn des Sommers enden würden. Wenn ich mich auch weiterhin nützlich machen wollte, musste ich mir eine neue Quäkerfamilie suchen, die eine Lehrerin benötigte, aber bislang hatte ich mich kaum darum bemüht. Catherine war mir gegenüber ein wenig freundlicher, obwohl sie sich, wenn Israel mir bei der Andacht zulächelte – und das versäumte er niemals –, wie eine Blume in der Nacht verschloss. Genauso wenig versäumte Israel seine regelmäßigen Besuche. Zwei Mal im Monat machte er mir im Salon der Motts die Aufwartung.

Als ich zu ihm sah, fragte ich mich wieder einmal, wie wir auf diesem endlosen Plateau der Freundschaft hatten stranden können. Nicht, dass es zu diesem Thema nicht allerlei Gerüchte gegeben hätte. Eines besagte, seine beiden ältesten Söhne wären gegen eine Wiederheirat, allerdings, wohlgemerkt, nicht grundsätzlich, sondern nur mit *mir*. Ein anderes, dass er Rebecca auf dem Totenbett versprochen hätte, niemanden zu lieben außer ihr. Noch ein anderes, einige der Ältesten hätten ihm geraten, sich keine neue Frau zu nehmen, wobei die Gründe von seinem Mangel an Bereitschaft zu meinem Mangel an Eignung reichten. Schließlich war ich nicht von Geburt an Quäkerin. Vielmehr gehörte ich zu der Schicht, die in Charleston tonangebend war, den Plantagenbesitzern. Hier waren die Quäker in dieser Position. Manches war überall gleich. »Du bist die geduldigste aller Frauen«, hatte Israel einmal zu mir gesagt. In meinen Augen war das keine große Tugend.

Auch an diesem Tag verlief Israels Besuch, abgesehen von dem neuen Bart, so wie alle anderen. Ich spielte mit meiner Serviette, er sprach über Wollfarben und Merinoschafe. Als wir schwiegen, klapperten nur noch die Teetassen, erklangen die Kinderstimmen über unseren Köpfen und die quietschenden Dielen, und dann verkündete Israel aus heiterem Himmel: »Mein Sohn Israel wird heiraten.«

Ich war unangenehm berührt, weil er das so leise und entschuldigend geäußert hatte.

»Israel? … Der kleine Israel?«

»Klein ist er nicht mehr. Er ist zweiundzwanzig«, sagte er mit einem Seufzen, als ob er selbst etwas versäumt hätte, und ich stellte mir die aberwitzige Frage, ob die Quäker irgendein Gesetz hatten, das es einem Vater verbot, nach seinem Sohn zu heiraten. Und ob der Bart nicht vielmehr ein gefügiges anstelle eines neuen Selbst repräsentierte.

Als die Zeit kam, sich zu verabschieden, nahm er meine Hand und legte sie an die dunklen Haarwirbel auf seiner Wange. Dann schloss er die Augen, und als er sie öffnete, schien es, als wollte er etwas sagen. Ich hob die Augenbrauen. Doch plötzlich ließ er meine Hand los, erhob sich vom Diwan, und welch abwegiger Gedanke sich auch immer aus seinem Herzen hervorgewagt hatte, er kehrte reuig und ohne Erklärung an seinen Platz zurück.

Israel ging unsicheren Schrittes zur Tür und aus dem Zimmer; ich blieb sitzen. Mit einem Mal sah ich alles in entsetzlicher Deutlichkeit: diese Passivität, dieses Zögern vor der Zukunft. Nicht bei Israel – bei mir.

Der Winterregen klirrte an die Fensterscheiben des winzigen Zimmers, das Lucretia ihr Atelier getauft hatte, und gefror dort zu Eis. Wir hatten uns dicht an den Ofen gesetzt. Das Feuer schnippte und prasselte und pfiff wie Harfensaiten. Lucretia öffnete den kleinen Stapel Post, der am Nachmittag gekommen war. Ich hatte in einem Roman von Sir Walter Scott gelesen, der den Quäkern verboten war, was die Lektüre umso vergnüglicher machte, doch die Hitze stimmte mich träge. Ich ließ das Buch sinken und schaute in die Flammen.

Dies waren mir die liebsten Stunden des Tages – wenn die Kinder im Bett waren, sich Lucretias Mann James in sein Arbeitszimmer zurückgezogen hatte und wir beide uns allein in diesem seltsamen Schlupfwinkel wiederfanden. Im *Atelier.* Es umfasste lediglich zwei Polstersessel, einen großen Klapptisch, die Feuerstelle, einige Regale und ein großes Fenster, das auf ein Gehölz aus roten Maulbeerbäumen und schwarzen Eichen schaute. In diesem Raum wurde weder gekocht noch genäht, hier wurden weder Kinder noch Gäste betreut. Mit seinem Durcheinander aus Papieren und Pamphleten, aus Büchern und Korrespondenz, aus Paletten und gerahmten Stoffen, die Lucretia mit den hellen Lunamotten verzierte, die sie im Garten fand, war dies ihr eigenes Zimmer.

Ich kann nicht sagen, wie viele Abende wir hier im Gespräch oder, wie an jenem Tag, im stillen Mitsichsein verbrachten. Uns verband etwas, das weit über Freundschaft hinausging. Und dennoch spürte ich die Unterschiede zwischen uns. Sie kamen zum Vorschein, wenn Lucretia bei der Andacht auf der Ältesten-Bank uns anderen gegenübersaß, als einzige Frau unter den Predigern, wenn sie aufstand und mit unerschrockener Schönheit sprach, und auch am Morgen, wenn ich nach unten ging und mich dort ihre Kinder, voll klebrigen Haferschleims, erwarteten. In diesen Momenten regte sich schwach ein Gefühl von Leere in meinem Magen. Es war kein Neid, weil Lucretia einen Beruf oder Nachwuchs hatte, und auch nicht wegen James, der so gar nicht wie andere Männer war, sondern einer ganz eigenen Spezies angehörte – ein Ehemann, der strahlend stolz auf den Beruf seiner Frau war und morgens selbst den Haferschleim zubereitete. Nein, all das war es nicht. Es war die Eingebundenheit, nach der ich mich so sehr sehnte. Lucretia war Teil eines Lebens, einer Gemeinschaft.

»Oh, der Brief ist für dich.« Lucretia reichte mir einen Umschlag, und ich erkannte Ninas Briefpapier, nicht aber Ninas Handschrift. Es war eine kindliche und holprige Schrift. *Miss Sarah Grimké.*

Liebe Sarah,
Mauma ist wieder da. Nina hat gesagt, ich soll es dir selbst schreiben. Sie ist von der Plantage weggelaufen, wo sie festgehalten wurde. Du solltest sie sehen. Sie hat Narben und ihr Haar ist ganz weiß und sie sieht so alt aus wie Metusal, aber innen ist sie ganz die Alte. Ich kümmere mich Tag und Nacht um sie. Sie hat meine Schwester mitgebracht, Sky. Was für ein Name. Mauma und ihre Sehnsucht nach dem Himmel. Sie hat immer gesagt, dass wir eines Tages wie die Schwarzdrosseln fliegen werden.

Die Missus ist fast immer wütend auf Nina. Nina hat in ihrer presbiterrischen Kirche Ärger gemacht. Letzte Woche war ein Mann da, um sie zu bestrafen, wegen dem, was sie gesagt hat.
Mauma und Sky sind mein Licht.
Es hat lang gedauert, dass zu schreiben. Entschuldige die Fehler. Ich komm nicht mehr dazu zu lesen und mehr Worte zu lernen. Irgendwann mache ich das wieder.
Handful

»Es sind hoffentlich keine schlechten Nachrichten.« Lucretia blickte mich forschend an. Ich bin sicher, in meinen Augen zeigten sich Jubel und peinigendes Mitgefühl zugleich.

Ich las ihr den Brief vor. Über die Sklaven in unserem Haus hatte ich nur wenig gesprochen, doch von Handful hatte ich erzählt. Lucretia tätschelte meine Hand.

Als das Eis erneut zu Regen wurde und eine dunkle Flut auf das Fenster niederging, verfielen wir in Schweigen. Ich schloss die Augen und versuchte, mir das Wiedersehen von Handful und ihrer Mutter vorzustellen. Ihre Schwester Sky. Charlottes Narben und ihr weißes Haar.

»... Warum hat uns Gott solch tiefe Sehnsucht eingegeben ... wenn sie doch zu nichts führt?« Es war mehr Seufzer als Frage, und ich hatte an Charlotte gedacht, ihren Drang nach Freiheit, doch als die Worte aus meinem Mund kamen, hatte ich dabei auch mich im Sinn.

Ich hatte nicht wirklich mit einer Antwort gerechnet, doch nach einer Weile ergriff Lucretia das Wort. »Gott erfüllt uns mit allerlei Sehnsüchten, die dem Lauf der Welt entgegenstehen – aber dass diese Sehnsüchte so häufig zu nichts führen, nun, ich glaube nicht, dass auch das Gottes Werk ist.« Sie sah mich an und lächelte. »Wir beide wissen doch, dass dies das Werk der Männer ist.«

Sie beugte sich in meine Richtung. »Das Leben ist nicht für

uns gemacht, Sarah. Aber für Handful und ihre Familie ist es noch viel brutaler. Wir alle sehnen uns nach einem Stückchen Himmel. Oder nicht? Ich denke, dass Gott uns solche Sehnsucht in die Herzen pflanzt, damit wir zumindest versuchen, den Lauf der Dinge zu verändern. Wir müssen es einfach versuchen.«

Ihre Worte rissen ein Loch in das Leben, das ich mir erobert hatte. Ein Loch, das nicht zu stopfen war.

Am liebsten hätte ich Lucretia erzählt, dass ich mich als Kind nicht nur nach einem Stückchen Himmel, sondern nach dem gesamten Firmament gesehnt hatte. Nach einem Beruf, in dem sich noch niemals eine Frau versucht hatte. Sie sollte nicht glauben, dass ich mich mit dem Dasein einer Lehrerin begnügen würde, für das ich so wenig Leidenschaft empfand, doch ich drängte das Geständnis in mein Herz zurück. Selbst Nina wusste nichts von meiner Ambition, Anwältin zu werden, und erst recht nicht von der Demütigung, mit der dieser Wunsch geendet hatte.

»Aber du hast es nicht bei dem Versuch belassen, Predigerin zu werden … Es ist dir auch gelungen … Ich habe mich oft gefragt, ob man einen besonderen Ruf von Gott verspüren muss, um so etwas zu wagen.«

Die Prediger der Quäker waren mit der Geistlichkeit der Anglikaner oder Presbyterianer überhaupt nicht zu vergleichen. Sie verschanzten sich nicht hinter ihrem Katheder und hielten vorgefasste Predigten, sondern sprachen in die Stille, sobald Gott sie inspirierte. Selbstverständlich stand es jedem Gläubigen frei, dies zu tun, die Prediger aber waren die eloquentesten. Sie trugen die Worte für das Gebet vor, mit klaren Stimmen, die sich von denen aller anderen abhoben.

Lucretia fasste an den unordentlichen Knoten in ihrem Nacken. »Dass ich einen besonderen Ruf verspürt hätte, kann ich nicht sagen. Vielmehr wollte ich mitreden, das war wohl der Hauptgrund. Ich wollte mich nach meinem Gewissen äußern und gehört werden. Und dazu ruft Gott jeden von uns auf.«

»Glaubst du … auch ich könnte Predigerin bei euch werden?« Diese Frage trug ich schon so lange mit mir herum, womöglich schon seit dem Moment, als mir Israel begegnet war und mir erzählt hatte, dass es bei den Quäkern wahrlich und wahrhaftig weibliche Prediger gab.

»Sarah Grimké, du bist die intelligenteste Person, die ich kenne. Natürlich könntest du.«

Als ich in meinem wärmsten wollenen Nachthemd und mit losem Haar im Bett saß, über das tragbare Pult und die Schreibgarnitur aus Zinn gebeugt, die ich mir erst vor Kurzem gegönnt hatte, versuchte ich mich an einer Antwort auf Handfuls Brief.

19. Januar 1827

Liebe Handful,
welch glückliche Neuigkeiten! Charlotte ist wieder da! Du hast eine Schwester!

Ich legte die Feder beiseite und sah auf die Prozession von Ausrufezeichen. Ein Zwitschervogel war nichts dagegen. Es war mein fünfter Versuch.

Um mich herum lagen Bälle zerknüllten Papiers. *Wie glücklich du sein musst*, hatte ich zuerst geschrieben und dann gefürchtet, Handful würde darin lesen, dass ich glaubte, all ihr Elend hätte nun ein Ende. Danach: *Deine Neuigkeit hat mich vollkommen euphorisiert* – doch was, wenn sie das Wort *euphorisiert* nicht kannte? Mir gelang nicht eine Zeile, bei der ich nicht fürchtete, mein Brief könnte unsensibel oder herablassend, zu distanziert oder zu vertraut wirken. Wenn ich an uns beide dachte, dann sah ich uns als Kinder, mit den Teetassen auf dem Dach, doch das war unwiederbringlich vorbei, zu Papier geballt.

Ich zerknüllte den Bogen mit den nichtssagenden Ausrufezeichen. Tinte verschmierte meine Hand. Ich hielt sie in sicherem Abstand zu Lucretias schneeweißer Eiderdaune, hob das Bettpult von den Beinen und ging zum Becken. Mit Seife war der Fleck nicht zu entfernen, also suchte ich in der Schublade des Frisiertischs nach Kaliumsalz. Und da lag die schwarze Granitschatulle mit meinem silbernen Lilien-Knopf. Ich öffnete sie. Der Knopf glänzte dunkel-silbrig, als würde er mir aus einem tiefen Gewässer entgegenschimmern.

Er war das stetigste Objekt in meinem Leben. Auch wenn ich ihn einst fortgeworfen hatte, so war er doch zu mir zurückgekehrt. Das hatte ich Handful zu verdanken.

Ich schlüpfte wieder in mein warmes Bett und legte den Knopf auf das Pult, wo ihn das Licht meiner Lampe übergoss. An mein Kissen gelehnt dachte ich an die Feier zu meinem elften Geburtstag, den Tag, an dem mir Handful übergeben worden war, und an das übermächtige Gefühl, mit dem ich am nächsten Morgen erwacht war: dass ich eine Aufgabe in der Welt hatte, die groß, weit größer war als ich. Ich strich mit dem Finger über den Knopf. Diese Gewissheit hatte er für mich bewahrt.

Alles um mich herum verstärkte sich: das Knistern der Scheite im Ofen, das zarte Schaben an der Fußleiste, der Geruch von Tinte, die eingravierte Blume auf dem Knopf.

Ich nahm einen neuen Bogen.

19. Januar 1827

Liebe Handful,
ich bin zutiefst berührt. Ich versuche, mir Dich mit Charlotte und Deiner Schwester vorzustellen, dabei kann ich nicht einmal erahnen, wie Du Dich fühlen magst. Ich freue mich so für Dich. Zugleich betrüben mich die Narben, die Deine Mutter tragen, das Entsetzen, das sie durchlebt haben muss. Doch das soll nicht an erster Stelle stehen, sondern Eure glückliche Vereinigung.
Wusstest Du, dass Charlotte mich einst, wir beide waren noch Kinder, schwören ließ, dass ich alles tun würde, um Dir irgendwie die Freiheit zu schenken? Es war bei dem Holzstapel, in dem die kleine verwaiste Eule lebte. Es steht mir so deutlich vor Augen, als wäre es erst gestern vorgefallen. Heute will ich Dir gestehen, dass ich Dich aus diesem Grund das Lesen gelehrt habe. Ich hatte mir eingeredet, dass das Lesen eine Form von Freiheit wäre, die einzige, die ich Dir schenken konnte. Es tut mir leid, Handful. Es tut mir leid, dass ich mein Wort nicht auf bessere Weise halten konnte.
Ich habe immer noch den Silberknopf, den Du damals aus der Asche gerettet hast. Er liegt gleich neben dem Tintenfass und mahnt mich an die Bestimmung, die ich immer in mir gesehen habe. Wir soll man ein solches Gefühl erklären? Es ist wie das Wissen, dass in einer winzigen Eichel ein gewaltiger Baum lebt. Ich habe mein ganzes Leben lang den Hunger verspürt, diesen Samen wachsen zu lassen. Lange habe ich geglaubt, ich wäre dazu ausersehen, Anwältin zu werden, vielleicht, weil es der Beruf von Vater und auch Thomas war, doch dem war nicht so. Nun drängt es mich, Predigerin bei den Quäkern zu werden. Dies wird mir zumindest einen Weg aufzeigen, das zu tun, was ich an meinem elften Geburtstag versucht habe, als Du mir so grausam übereignet wurdest. Es wird mir gestatten, allen, die es hören wollen, zu sagen, dass ich so etwas nicht hinnehmen kann, dass wir die Sklaverei nicht hinnehmen dürfen, dass sie

ein Ende haben muss. Dafür bin ich geboren – nicht für das Amt der Predigerin, und auch nicht für das Rechtswesen, sondern für die Abschaffung der Sklaverei. Das, so ist mir heute Abend erst bewusst geworden, war immer schon der Baum in meiner Eichel. Sag Deiner Mutter bitte, dass es mich freut, dass sie zu Dir zurückgefunden hat. Richte Deiner Schwester meinen Gruß aus. Ich habe in so vielem versagt, selbst in meiner Liebe zu Dir, aber ich denke an Dich als meine Freundin.

Sarah

Handful

In jenem Winter saß Mauma müßig am Feuer im Küchenhaus. Sie hatte sogar etwas zugenommen, doch zu manchen Zeiten konnte sie kein Essen bei sich behalten, und dann waren wir wieder da, wo wir angefangen hatten. Mauma sagte, wann immer sie mich sah, wollte ich ihr Gebäck andrehen.

Es gab zwar jede Menge freie Sklavenquartiere, doch wir blieben zu dritt in unserem Kellerraum. Goodis hatte ein kleines Bett aus dem Kinderzimmer geholt, das quetschten wir neben das große und schliefen unter dem Quilt-Rahmen wie drei Erbsen in der Schote. Sky hatte mich einmal gefragt, was die komischen Bretter wären, die da an die Decke genagelt waren, und ich hatte gesagt: »Du hast noch nie einen Quilt-Rahmen gesehen?«, und Mauma: »Na, und du hast noch nie 'n Reisfeld gesehen.«

Mauma konnte noch immer nicht über das sprechen, was passiert war. Sie sagte nur: »Was vorbei is, is vorbei.« Doch sie wurde fast jede Nacht wach und lief im Zimmer umher. Es war überhaupt nicht vorbei. Die beste Kur, das merkte ich, waren Nadel, Stoff und Faden. Eines Tages sagte ich, ich könnte Hilfe brauchen, und gab ihr den Stopfkorb. Als ich zurückkam, tanzte die Nadel wie ein Kolibri in ihren Fingern.

Am schwersten war es, eine Arbeit für Sky zu finden. Beim Wäschewaschen hatte sie zwei linke Hände. Ich überredete Sabe, es mit ihr im Haus zu probieren, sie könnte doch mit mir und Minta putzen und den Tee servieren, aber die Missus sagte, sie sähe nicht entsprechend aus und würde die Gäste verschrecken. Als Nächstes versuchte sie sich im Küchenhaus, aber da machte sie Aunt-Sister mit ihrem Geschnatter wahnsinnig, mit all ihren Geschichten von Kaninchen, die Fuchs und Bären überlisten. Am Ende stand sie immer auf der Veranda und sang auf Gullah: *Ef oona ent kno weh oona da gwuine, oona should kno weh oona dum from.* Es war immer das gleiche Lied, immer und immer wieder. *Wenn du nicht weißt, wohin du gehst, dann wisse wenigstens, woher du kommst.*

Eines Morgens, als der Winter fast zu Ende war, donnerte der Türklopfer, und herein kam Mr Huger, der Anwalt, und stampfte sich die Kälte aus den Füßen. Er gab mir seinen Hut. Sabe holte die Missus.

Nina war in ihrem Zimmer. Sie bereitete sich auf den Unterricht vor, den sie in der Kirche gab. Ich sagte: »Rasch, du musst kommen und hören, was deine Mauma vorhat. Mr Huger ist unten …«

Sie stürmte aus dem Zimmer, bevor ich den Satz beendet hatte.

Ich drückte mich vor den geschlossenen Türen vom Salon herum, aber viel konnte ich nicht verstehen – nur einzelne Worte. *Pension … Bank … Baumwollcrash … Opfer.* Die Uhr schlug zehn. Der Klang dröhnte schwer durch das ganze Haus, und als wieder Ruhe war, hörte ich, wie die Missus *Sky* sagte. Sie sprach von meiner Schwester.

Ich legte das Ohr an die Tür. Sollte Sabe mich erwischen und verjagen, was kümmerte es mich.

»Sie ist dreizehn Jahre alt, hat keinerlei Kenntnisse im Haushalt, aber sie ist stark.« Das war die Missus.

Mr Huger murmelte etwas von aktuellen Preisen, von einem Verkauf im Frühling, wenn die Arbeit auf den Plantagen wieder anfing.

»Du kannst Sky doch nicht von ihrer Mutter trennen!«, schrie Nina. »Das ist unmenschlich!«

»Mir behagt es auch nicht«, sagte die Missus. »Aber wir müssen der Realität ins Auge sehen.«

Mein Brustkorb sank in sich zusammen. Ich schloss die Augen. Ich war diese elende Welt so leid.

Mauma war im Küchenhaus, allein, mit ihrem Stopfkorb. Ich ließ mich neben sie fallen. »Die Missus hat vor, Sky im Frühling zu verkaufen. Wir müssen irgendetwas finden, womit sie sich ihren Platz verdienen kann.«

»Verkaufen?« Mauma sah mich fassungslos an, dann kniff sie die Augen zusammen. »Wir sind nich bis hiergekommen, damit sie mein Kind verkauft. Das is mal verdammt sicher.«

»Es muss doch *irgendetwas* geben, was sie kann.« Das klang, als ob meine Schwester dämlich wäre. Mauma ging gleich auf mich los.

»So sprichst du nich von ihr! Deine Schwester hat den Grips von Denmark.« Sie schüttelte den Kopf. »Er is ihr Daddy, aber das war dir ja sicher klar.«

»Ja, allerdings.« Es schien mir an der Zeit, es ihr zu sagen. »Denmark, er ...«

»Es gibt nich einen Sklaven, der nich weiß, was ihm passiert is. Wir haben's bis rauf nach Beaufort gehört.«

Ich erzählte ihr nicht, dass ich mitangesehen hatte, wie er am Baum gehangen hatte, aber alles andere erzählte ich. Ich fing mit der Kirche an, in der wir *Jericho* gesungen hatten. Ich erzählte ihr vom Arbeitshaus, dass ich in die Tretmühle gefallen war und mir den Fuß verkrüppelt hatte. Und dass Denmark mich aufgenommen und Tochter genannt hatte. »Ich habe für diesen Mann eine Gießform für Musketenkugeln gestohlen«, sagte ich.

Mauma drückte die Finger so fest auf die Lider, als hätte sie Angst, ihr könnten die Augen übergehen. Danach hatte sie eine Landkarte aus roten Adern in den Augen.

»Sky hat mich nur ein Mal gefragt, wer ihr Daddy is«, sagte sie. »Er war ein freier Schwarzer aus Charleston, aber er is tot, hab ich ihr erzählt. Mehr weiß sie nich.«

»Warum nicht die ganze Geschichte?«

»Sky is wie ein Kind, sie plappert alles rum. Erzählst du ihr von Denmark, weiß es 'ne Minute später alle Welt. Und das wird ihr nich helfen.«

»Aber ich finde, sie sollte mehr von ihm wissen.«

»Und ich finde, sie sollte nich verkauft werden. Was sie am besten kennt, sind Reisfelder. Schick sie in den Garten.«

Sky nahm sich als Erstes den Ziergarten vor. Sie erweckte ihn zu neuer Pracht, denn sie machte alles wie von selber richtig – sie wusste, wie tief man die Narzissenzwiebeln setzen, wann man die Rosen und wie man die Hecken schneiden musste, damit sie wie die Zeichnungen aussahen, die Nina ihr in einem Buch gezeigt hatte. Als Sky Gemüse pflanzte, schaufelte sie Pferdemist aus dem Stall herbei und mischte ihn unter die Erde. Sie machte schnurgerade Furchen für den Samen und schob mit bloßem Fuß die Erde darüber, so wie sie es auf den Reisfeldern getan hatte. Wenn sie harkte, sang sie den Pflanzen Gullah-Lieder vor. Und wenn Ungeziefer kam, las sie es mit ihren Fingern ab.

Und, siehe da, die Kürbisse wurden so riesig wie Wassermelonen. Die Köpfe der Peonien so groß wie rosa Suppenschüsseln. Selbst die Missus kam nach draußen, nur um sich das anzusehen. Als die Narzissen blühten und man in ihrem süßen Duft kaum atmen konnte, gab die Missus im Garten eine Teegesellschaft, bei der ihre Freundinnen vor Neid fast platzten.

Es wurde Sommer, und Sky war immer noch bei uns.

»Wo hast du den Flickenstoff?«, fragte Mauma. Sie wühlte in unserem Nähtischchen herum. Neben ihren Füßen stand ein Korb mit Garnspindeln, Nadelkissen, Nadeln, Scheren und einem Maßband.

»Den Flickenstoff? Da, wo er immer ist. Im Flickenbeutel.«

»Und hast du rote und braune Baumwolle?«

»Ich habe immer rote und braune Baumwolle.«

Ich folgte ihr zum Seelenbaum. In seinen Zweigen saßen die Krähen. Sie setzte sich, mit dem Rücken zum Baum, auf Aunt-Sisters alten Hocker zum Fischeschuppen und machte sich an die Arbeit. Erst schnitt sie ein rotes Viereck zurecht, dann ließ sie die Schere durch den braunen Stoff gleiten und schnitt die Form von einem Fuhrwerk.

Ich fragte: »Ist das der Wagen, in dem dich die Wache damals weggebracht hat?«

Sie lächelte.

Dann machte sie sich an den Rest ihrer Geschichte. Nie sagte sie mit Worten, was ihr widerfahren war. Sie erzählte es mit ihren Stoffen.

Sarah

Als ich im Herbst mit Lucretia aus der Frauen-Andacht kam, drängte sich alles im Vestibül. Ich hatte mir den Lilien-Knopf an den Kragen meines grauen Kleides genäht, und dort erregte er die unverhohlene Aufmerksamkeit Jane Bettlemans. Zugegeben, der Knopf war aufwendig und teuer, und groß war er auch, so groß wie eine Brosche. Frisch poliert schimmerte sein Silber in dem düsteren Atrium wie eine fahle Sonne.

Ich fasste an die Lilie und flüsterte Lucretia zu: »Mein Knopf hat den Unwillen von Mrs Bettleman erregt.«

Sie flüsterte zurück: »Da du ständig den Unwillen von Mr Bettleman erregst, ist das nur recht und billig.«

Ich verkniff mir ein Lächeln.

Samuel Bettleman, die wohl tonangebendste Erscheinung der Gemeinde in der Arch Street, hatte jede Woche etwas an mir auszusetzen, und auch an Lucretia. Im Laufe der vergangenen Monate hatten wir uns bei den Versammlungen und Andachten häufig gegen die Sklaverei ausgesprochen, wonach er sich auf uns gestürzt und unsere Ansichten spalterisch genannt hatte. Selbstredend war niemand unter uns für die Sklaverei, doch viele standen dem Thema reserviert gegenüber, und es herrschte zudem Uneinigkeit darüber, wie rasch die Emanzipation erfolgen sollte. Selbst Israel war Gradualist und befürwortete, dass die Sklaverei schrittweise abgeschafft werden sollte, über einen längeren Zeitraum hinweg. Was Mr Bettleman und vielen anderen jedoch am meisten zusetzte, war die Tatsache, dass *Frauen* über dieses Thema sprachen. »Solange wir erörtern, wie wir unseren Ehemännern gute Gefährtinnen sind, ist alles schön und gut«, hatte Lucretia einmal zu mir gesagt. »Aber sobald wir uns an gesellschaftliche Fragen wagen, oder, Gott bewahre, Politik, wollen sie uns den Mund verbieten, als wären wir kleine Kinder.«

Sie machte mir so viel Mut, meine Lucretia.

»Miss Grimké, Mrs Mott, wie geht es euch?« Mrs Bettleman ließ die Blicke über meinen extravaganten Knopf schweifen.

Noch bevor wir den Gruß erwidern konnten, fügte sie hinzu: »Das ist ein ungewöhnlich schmückendes Ding an Ihrem Kragen.«

»Also gefällt es Ihnen?«

Mrs Bettleman stülpte ihre weißlichen Lippen wie die Blütenränder einer Calla vor. Sicher hatte sie erwartet, dass ich vor ihr zurückweichen würde. »Nun, es passt zweifelsohne zu der Persönlichkeit, die Sie neuerdings zum Vorschein bringen. In den Andachten erscheinen Sie ja recht beredt.«

»Ich versuche nur zu äußern, was Gott mir eingibt«, erwiderte ich mit mehr Frömmigkeit als Ehrlichkeit.

»Wie *erstaunlich*, dass Gott Ihnen so häufig eingibt, sich zur Sklaverei zu äußern. Nun, ich hoffe, Sie werden das, was ich Ihnen nun sage, ausreichend zur Kenntnis nehmen. Vielen von uns scheint es, als wären Sie allzu sehr von diesem Thema eingenommen.«

Lucretia trat demonstrativ noch einen Schritt näher, doch das beeindruckte Mrs Bettleman in keiner Weise. »Einige von uns glauben, die Zeit für Taten sei noch nicht gekommen.«

In mir brodelte die Wut. »Sie, die Sie nichts von der Sklaverei gesehen haben … überhaupt nichts, *Sie* maßen sich an zu sagen, dass die Zeit noch nicht gekommen sei?«

Meine Stimme hallte durch das Vestibül. Ringsum erstarben die Gespräche. Sämtliche Blicke richteten sich auf uns. Mrs Bettleman schnappte nach Luft – doch ich war noch nicht fertig. »Wenn Sie als Sklavin auf den Feldern von Carolina schuften müssten … würden Sie *gewiss* behaupten, dass die Zeit gekommen ist.«

Mrs Bettleman machte auf dem Absatz kehrt und stolzierte davon. Lucretia und ich blieben allein den schockierten, stummen Blicken ausgeliefert.

»Ich brauche frische Luft«, sagte ich ruhig, und so gingen wir hinaus auf die Straße, vorbei an den schlichten Ziegelhäusern, den Kohlehändlern und Obstverkäufern, bis zum Camden Fähranleger. Wir spazierten am Fährhaus vorbei zum Kai, auf dem es von Passagieren aus New Jersey wimmelte. Ganz am Ende des Docks mit seinen ausgebleichten Planken trotzte eine Schar weißer Möwen dem Wind. Dort machten wir Halt und schauten, eine Hand an der Haube, auf den Fluss.

Meine Hände zitterten, was auch Lucretia auffiel. »Du wirst aber doch keinen Rückzieher machen, oder?«, fragte sie in Anspielung auf den Zwischenfall und auf die unselige Neigung meines Geschlechtes, sich allzu gern wieder in sicheres Gefilde zu begeben.

»Nein«, erwiderte ich. »Auf keinen Fall.«

16. Februar 1828

Meine geliebte Schwester,

Du bist die Erste und Einzige, die es wissen soll: Ich habe mein Herz an Reverend William McDowell von der dritten presbyterianischen Kirche verloren. Er heißt in Charleston nur »der junge, attraktive Prediger aus New Jersey«. Er ist kaum über dreißig, und sein Antlitz gleicht dem Apolls auf dem kleinen Bild, das früher in Deinem Zimmer hing. Er kommt aus Morristown, seiner Gesundheit wegen aber musste er sich ein milderes Klima suchen. Und, ach, Schwester, er hat die größten Vorbehalte gegen die Sklaverei!

Im vergangenen Sommer hat er mich für den Unterricht an der

Sabbatschule rekrutiert, eine Aufgabe, der ich mit Freude nachkomme. Einmal habe ich mich vor den Kindern über das Elend der Sklaverei geäußert und sogleich einen belehrenden Besuch von Dr. McIntire erhalten, dem Superintendenten, und Du hättest sehen sollen, wie William mich verteidigt hat. Hinterher allerdings hat er mir angeraten, sofern es um die Sklaverei geht, einfach zu beten und zu warten. Mir jedoch liegt keins von beidem.

Er sucht mich jede Woche auf, und dann führen wir Gespräche über Theologie, über Gott und die Welt. Und bevor er mich verlässt, nimmt er meine Hand und betet. Ich mache dann heimlich die Augen auf und sehe zu, wie er seine Stirn in Falten legt und so eloquent die Fürbitten vorträgt. Wenn Gott auch nur erahnen kann, wie es ist, verliebt zu sein, wird er mir vergeben. William hat seine Absichten mir gegenüber noch nicht geäußert, doch ich glaube, dass er meine Gefühle erwidert. Oh, teil mein Glück mit mir!

Deine Nina

Ich hatte Ninas Brief mit in den winzigen Garten der Motts genommen, zu der Bank, die unter der Rot-Ulme stand. Für einen März war es ungewöhnlich warm. Die ersten Krokusse brachen durch die Winterkruste, und Grashüpfer und Vögel hatten sich hervorgewagt und tollten lärmend umher.

Ich hatte mir meinen kleinen Quilt über die Knie gelegt und meine Brille auf die Nase gesetzt. Neuerdings verwandelten sich die Worte vor meinen Augen in verschwommene Schnörkel. Ich hatte geglaubt, ich hätte mir die Augen mit meiner übermäßigen Lektüre verdorben – das ganze Jahr schon bereitete ich mich unermüdlich auf das Amt einer Predigerin vor –, doch der Arzt, den ich aufgesucht hatte, hatte das Problem auf mein nunmehr mittleres Alter geschoben. Ich schlitzte den Brief auf und dachte: *Wenn du mich so sehen könn-*

test, Nina, wie ich hier mit meiner betulichen Decke und meiner Brille sitze, du würdest mich für siebzig halten, nicht für halb so alt.

Als ich die Zeilen über ihren Reverend McDowell las, erfüllte mich ein Gefühl, das man wohl nur als Mischung aus mütterlicher Freude und Sorge bezeichnen kann. Ich fragte mich, ob er ihrer wert war. Ich fragte mich, was Mutter von ihm hielt und ob ich zur Hochzeit nach Charleston zurückkehren würde. Ich fragte mich, wie sich Nina als Frau eines Geistlichen machen würde und ob der Reverend ahnte, dass er die Büchse der Pandora öffnen würde.

Ich werde es wohl immer für eine Laune des Schicksals halten, dass Israel just in diesem Moment zu mir fand. Ich faltete gerade Ninas Brief zusammen, und als ich aufsah, kam er auf mich zu, ohne Hut oder Mantel. Es war mitten am Nachmittag.

Er hatte nie den Zwischenfall mit Jane Bettleman erwähnt, aber zweifelsohne wusste er davon. Wie jeder aus der Arch Street. Seither teilte sich die Gemeinde in solche, die mich für hochmütig und schamlos, und solche, die mich für unbedacht und leidenschaftlich hielten. Ich nahm an, dass Israel zu Letzteren gehörte.

Er setzte sich neben mich und drückte sein Knie an mein Bein. Hitze strömte durch meine Brust. Er trug noch immer seinen Bart, der sehr gepflegt, nun aber länger und silbrig war. Ich hatte Israel außerhalb der Andacht seit Wochen nicht gesehen, und es hatte auch keine Erklärung für seinen Rückzug gegeben. Ich hatte mir gesagt, dies ist wohl der Gang der Welt.

Nun nahm ich die Brille ab. »Israel … welche Überraschung.«

An ihm war eine Dringlichkeit, die mit Händen zu greifen war.

»Ich wollte schon so lang mit dir sprechen, doch ich habe widerstanden. Ich hatte Sorge, wie du auf das, was ich dir zu sagen habe, reagieren würdest.«

Sicher ging es nicht um das Geplänkel mit Mrs Bettleman. Das lag Monate zurück.

»Gibt es schlechte Nachrichten?«, fragte ich.

»Es mag dir sehr plötzlich scheinen, Sarah, aber ich habe mich entschlossen zu sprechen. Sieg oder Niederlage werde ich hinnehmen. Seit fünf Jahren nun ringe ich mit meinen Gefühlen.«

Aller Atem wich aus mir. Israel schaute auf das kahle Geäst am Rand des Gartens. »Ich habe um Rebecca getrauert, womöglich zu lang. Es wurde mir zur Gewohnheit, sie zu betrauern. Und zu vieles habe ich im Griff der Erinnerungen von mir ferngehalten.«

Er senkte den Kopf. Ich hätte ihm gern versichert, dass alles gut war, doch das war es nicht, und daher schwieg ich.

»Ich bin gekommen, um dir zu sagen, dass es mir leidtut«, fuhr er fort. »Es erschien mir unrecht, dich zu bitten, meine Frau zu werden, solange ich mich so an sie gebunden fühlte.«

Es war also eine Entschuldigung und kein Antrag. »Du brauchst dich nicht zu entschuldigen.«

Er sprach weiter, als hätte er mich nicht gehört. »Vor einigen Wochen habe ich von ihr geträumt. Sie ist zu mir gekommen, mit dem Medaillon, das Becky damals so gern an dir sehen wollte, und hat es mir in die Hand gelegt. Und als ich wach wurde, war mir, als hätte sie mich freigegeben.«

Bis zu dem Moment hatte ich unglücklich auf meine Hände geschaut, nun aber sah ich auf zu Israel. Das Wort *freigegeben* hatte so greifbar geklungen. Alles schien sich neu zu ordnen.

»Du sollst wissen, dass ich tief für dich empfinde«, sagte er. »Ein Mann sollte nicht allein sein. Die Kinder werden erwachsen, doch die Kleinen brauchen immer noch eine Mutter, und Green Hill braucht eine Herrin. Catherine hat den Wunsch geäußert, wieder in ihr Stadthaus zu ziehen. Ich finde nicht die richtigen Worte. Ich bitte dich – ich hoffe, dass du meine Frau werden willst.«

Ich hatte es mir so oft ausgemalt: Wie ich vor Freude überwältigt wäre. Ich würde die Augen schließen und spüren, dass mein Leben nun endlich, wirklich begann. *Liebster Israel, ja,* würde ich rufen. Alles auf der Welt wäre ein *Ja.*

Doch so war es nicht. Was ich empfand, war still und ungewohnt. Glück, von Angst überschattet. Eine endlose Minute lang konnte ich nicht sprechen.

Mein Schweigen peinigte ihn. »Sarah?«

»Ich möchte Ja sagen … und dennoch, wie du weißt, habe ich mich entschieden, einen Beruf zu ergreifen. Das Prediger-Amt … Was ich damit meine, ist … Könnte ich deine Frau *und* Predigerin sein?«

Seine Augen weiteten sich. »Ich war nicht darauf gefasst, dass du deine Ambition während unserer Ehe weiterhin verfolgen würdest. Willst du das wirklich?«

»Ja. Von ganzem Herzen.«

Sein Gesicht zerfurchte sich. »Verzeih, ich hatte geglaubt, du hättest diesen Weg gewählt, weil du mich aufgegeben hast.«

Er hatte gedacht, mein berufliches Streben wäre ein Ersatz für ihn? Unwillkürlich stand ich auf und machte einige Schritte.

Ich dachte an den Abend, an dem ich Handful geschrieben hatte, an dem mir so deutlich geworden war, was meine Aufgabe in diesem Leben war. In jenem Moment hatte dieselbe klare Stimme zu mir gesprochen, die mich einst in den Norden geführt hatte. Als ich den Knopf an mein Kleid genäht hatte, war es in dem Wissen geschehen, dass ich ihn nicht mehr lösen würde.

Ich ging zu Israel zurück. Er hatte sich erhoben und wartete. »Ich bin nicht Rebecca, Israel. Sie hat ihr ganzes Leben dir und den Kindern gewidmet, und ich würde dich nicht weniger lieben, als sie es getan hat, doch ich bin nicht sie. Es gibt Dinge, die ich tun muss. Bitte, Israel, zwing mich nicht zu einer Entscheidung.«

Er nahm meine Hände und küsste sie, erst die eine, dann die andere, und da erst ging mir auf, dass ich ihm meine Liebe erklärt hatte, er jedoch nicht. Er hatte von Bedürfnissen, dem Notwendigen gesprochen – für sich, die Kinder, für Green Hill.

»Würde ich, würden wir dir nicht genügen?«, fragte er. »Du wärst eine wundervolle Ehefrau und die beste aller Mütter. Wir würden Sorge tragen, dass du deine Ambitionen niemals missen würdest.«

Das war seine Art, mir zu sagen, dass ich nicht beides haben konnte. Es gab entweder ihn oder mich.

Handful

Ich breitete eine Decke unter unserem Baum aus und stellte meinen Nähkorb darauf. Die Missus hatte entschieden, dass sie neue Vorhänge und Bezüge für den Salon brauchte, was wirklich das Letzte war, was sie brauchte, aber so hatte ich einen Grund, nach draußen zu gehen und gemeinsam mit Mauma zu nähen.

Sie saß jeden Tag unter dem Baum und nähte ihre Geschichte in den Quilt. Sie war nicht einmal umzustimmen, wenn es tröpfelte – sie war wie der Herrgott, der die Welt zusammennähte. Wenn sie abends ins Bett ging, brachte sie den Baum mit. Den Geruch von Borke und Egerlingen. Die Krümel von der Erde.

Der Winter hatte sich davongemacht. Die ersten Blätter wagten sich ans Licht, und von den Ästen fielen goldene Spelzen, als ob der Baum sein Winterfell abwerfen würde. Als ich mich neben Mauma setzte, dachte ich an Sarah, oben im Norden. Ob ihr blasses Gesicht auch mal die Sonne sah? Sie hatte mir vor einiger Zeit geschrieben, es war der erste Brief, den ich je bekommen hatte. Ich trug ihn fast immer bei mir.

Die Frau von Thomas hatte der Missus einen Messingvogel gegeben, der den Stoff in seinem Schnabel festhielt, ein sogenannter Nähvogel. Ich steckte ihm ein Ende des Ballens in den Mund, nahm Maß und setzte die Schere an. Mauma schnitt den Umriss von einem Mann aus, der ein Brandeisen in ein Feuer hielt.

»Wer ist das?«, fragte ich.

»Das ist Massa Wilcox«, sagte sie. »Er hat mich gebrannt, als wir das erste Mal weggelaufen sind. Sky war etwa sieben – ich musste warten, bis sie alt genug für so was war.«

»Sky sagt, ihr seid vier Mal weggelaufen.«

»Wir sind im Jahr danach weggelaufen, da war sie acht, und dann, als sie neun war, da haben sie auch Sky ausgepeitscht, und da hab ich aufgehört, es zu versuchen.«

»Wieso hast du es dann ein letztes Mal getan?«

»Als ich da hingekommen bin, bevor Sky geboren war, ist Massa Wilcox zu mir gekommen. Alle wussten, was er wollte. Als er mich angefasst hat, hab ich eine Schaufel rote Kohlen aus dem Feuer genommen und nach ihm geworfen. Hab dem Mann durchs Hemd den Arm verbrannt. Da hab ich das erste Mal die Peitsche bekommen, aber das war das letzte Mal, dass er das bei mir versucht hat. Als Sky dreizehn geworden is, isser angekommen und hat um sie so rumgeschnüffelt. Da hab ich zu ihr gesagt, wir verschwinden, und wenn wir dabei umkommen.«

Ich hatte keine Worte, die sich damit messen konnten. Ich sagte nur: »Und ihr habt es geschafft. Jetzt seid ihr hier.«

Dann machten unsere Nadeln weiter. Drüben im Garten sang Sky ihr Lied. *Ef oona ent kno weh oona da gwuine, oona should kno weh oona dum from.*

Seit Sky bei uns war, hatte sie noch keinen Fuß in die Welt jenseits der Grimké-Mauern gesetzt. Die Missus hatte keine Papiere für sie, und Nina sagte, es wäre draußen zu gefährlich. Seit der Sache mit Denmark waren die Regeln strenger und die *buckrahs* gemeiner, aber am nächsten Markttag sagte ich zu Nina: »Schreib Sky einen Passierschein, tu es für mich. Ich passe auf sie auf.«

Ich wickelte Sky ein frisches Tuch um den Kopf und eine

frisch gebügelte Schürze um die Taille und sagte: »Also, du machst da draußen kaum den Mund auf, hörst du?«

Ich zeigte ihr die Gassen, in die man flüchten konnte, erklärte ihr, was die Wachen waren, wie man mit gesenktem Blick an ihnen vorbeiging, wie man Platz für die Weißen machte, kurz, wie man in Charleston überlebte.

Auf dem Markt herrschte großer Trubel – die Männer trugen Bretter voller Fisch, die Frauen gingen mit Fruchtkörben so groß wie Wäschekübel auf dem Kopf herum. Auch die kleinen Sklavenmädchen waren da und verkauften Erdnussplätzchen aus ihren Strohhüten heraus. Als wir an den Metzgertischen mit den blutigen Kalbsköpfen vorbeikamen, wurden Skys Augen so groß wie Hufeisen. »Wo kommt das alles her?«

»Du lebst jetzt in der Stadt«, sagte ich.

Ich zeigte ihr, wie man all das fand und kaufte, was Aunt-Sister brauchte – Kaffee, Tee, Weizenmehl, Maismehl, Rinderlende, Schmalz. Ich brachte ihr bei, wie man feilschte und wie man Geld wechselte. Das Mädchen war im Kopfrechnen schneller als ich.

Als wir mit den Einkäufen fertig waren, sagte ich: »Jetzt gehen wir noch wohin, aber ich will nicht, dass du Mauma, Goodis oder irgendjemand sonst davon erzählst.«

Als wir zu Denmarks Haus kamen, stellten wir uns auf die Straße und schauten auf die verwitterte Farbe. Ich war ein paar Monate, nachdem Denmark gelyncht worden war, hier gewesen, und eine freie Schwarze, die ich noch nie gesehen hatte, war an die Tür gekommen. Sie sagte, dass ihr Mann das Haus von der Stadt gekauft hatte und dass sie nicht wusste, was aus Susan Vesey geworden war.

Nun sagte ich zu Sky: »Du singst doch immer, dass man wissen soll, wo man herkommt«, und wies auf das Haus. »Hier hat dein Daddy gewohnt. Sein Name war Denmark Vesey.«

Während ich ihr von ihm erzählte, löste sie den Blick nicht

von der Veranda. Ich sagte ihr, dass er Zimmermann gewesen war, ein großer, tapferer Mann, mit einem schärferen Verstand als jeder weiße Mann, den die Sklaven in Charleston Moses genannt hatten, und dass er nur dafür gelebt hatte, uns zu befreien. Ich erzählte ihr von dem Blut, das er vergießen wollte. Blut, mit dem ich längst meinen Frieden geschlossen hatte.

»Ich weiß von ihm. Sie haben ihn gehängt«, warf Sky ein.

Und ich sagte: »Er hätte dich Tochter genannt, wenn er die Möglichkeit bekommen hätte.«

Wir hatten die Kerzen noch keine fünf Minuten ausgepustet, da flüsterte mir Mauma über die Matratze zu: »Was is mit dem Geld passiert?«

Ich riss die Augen auf. »Was?«

»Das Geld, das ich gespart hab, um unsere Freiheit zu kaufen. Was is damit passiert?«

Sky schlief tief und fest, mit keuchendem Atem. Sie rollte sich zu unseren Stimmen herüber und murmelte irgendwelchen Unsinn. Ich stützte mich auf den Ellbogen und schaute zu Mauma, die in der Mitte lag. »Ich dachte, das hättest du mitgenommen.«

»Ich hab an dem Tag Hauben ausgeliefert. Warum sollte ich all das Geld mit mir rumtragen?«

»Ich weiß nicht«, flüsterte ich. »Aber es ist nicht da. Ich habe überall gesucht.«

»Tja, es war die ganze Zeit vor deiner Nase – wenn es eine Schlange wäre, hätt es dich gebissen. Wo ist der erste Quilt, den du gemacht hast – der mit den roten Vierecken und schwarzen Dreiecken?«

Ich hätte es mir denken können.

»Der liegt auf dem Quilt-Rahmen, bei den anderen Quilts. Hast du's etwa *da* reingetan?«

Sie schlug die Decke zurück und stieg aus dem Bett. Ich stolperte hinterher und machte eine Kerze an. Sky setzte sich in der heißen, zischelnden Dunkelheit auf.

»Na komm, steh auf«, sagte Mauma zu ihr. »Wir wollen den Quilt-Rahmen runterlassen.«

Völlig verwirrt stapfte sie zu uns rüber. Ich griff nach dem Seil und senkte den Rahmen. Die Rädchen bettelten um Öl.

Mauma durchwühlte den Stapel. Mein Quilt lag ziemlich weit unten. Als sie ihn ausschüttelte, roch es im ganzen Zimmer nach altem Quilt. Sie schlitzte die Rückseite auf und fuhr suchend mit der Hand ins Innere. Grinsend zog sie ein dünnes Bündel hervor, dann fünf weitere, alle in Musselin gewickelt und mit einem Band verknotet, das so verrottet war, dass es in ihren Händen zerfiel. »Nun, sieh einer an«, sagte Mauma.

»Was is das?«, fragte Sky.

Nachdem wir ihr erzählt hatten, dass Mauma damals in der Stadt als Näherin gearbeitet hatte und wir herumgetanzt und unsere Reichtümer bestaunt hatten, legten wir das Geld wieder auf den Rahmen. Ich kurbelte ihn zurück nach oben.

Danach schlief Sky sofort ein, aber ich und Mauma lagen noch mit großen Augen wach.

Sie sagte: »Morgen wirst du als Erstes das Geld neu binden und wieder in den Quilt nähen.«

»Das ist nicht genug, um uns alle drei freizukaufen.«

»Das weiß ich auch, wir heben's erst mal auf.«

Es wurde Nacht, und ich sank langsam in den Schlaf. Kurz bevor ich ganz weg war, hörte ich, wie Mauma sagte: »Ich zähl nich drauf, dass ich freikomm. Ich komm frei, wenn ihr zwei freikommt.«

Sarah

13. April 1828

Meine teuerste Nina,
vorigen Monat hat mir Israel einen Antrag gemacht und sich endlich erklärt. Es wird Dich überraschen, doch ich habe ihn abgewiesen. Er wollte nicht, dass ich meine Pläne für das Amt eines Predigers weiterverfolge, zumindest nicht als seine Ehefrau. Wie könnte ich jemanden erwählen, der mich zwingen würde, meinen bescheidenen Griff nach einem Sinn im Leben aufzugeben? Ich habe mich für mich entschieden, und ich habe keinen Trost.
Du hättest ihn sehen sollen. Er konnte nicht fassen, dass eine verblühte Frau in ihren mittleren Jahren das Alleinsein seiner Gesellschaft vorziehen sollte. Achtbarer, attraktiver Israel. Auf meine Antwort fragte er, ob mir unwohl, ob ich geistig bei mir sei. Dann erklärte er mir, welch schweren Fehler ich begehen würde. Bat mich, es mir noch einmal zu überlegen. Bestand darauf, dass ich mit den Ältesten spreche. Als ob diese Männer in mein Herz blicken könnten.
Die Arch Street ist nicht minder konsterniert. Dort hält man mich für selbstsüchtig und irre. Nina, trifft das zu? Bin ich eine Närrin? Während nun die Wochen ohne seinen regelmäßigen Besuch verstreichen und ich untröstlich bin, fürchte ich immer häufiger, dass ich den schlimmsten Fehler meines Lebens begangen habe.
Ich würde Dir so gern schreiben, dass ich stark und entschlossen bin, doch in Wahrheit bin ich unsicher, verängstigt und allein. Mir ist, als wäre er gestorben, und in gewisser Weise trifft das zu. Mir bleibt nur dieses eigenartige Pochen in meinem Herzen, das mir

sagt, dass ich in dieser Welt etwas bewirken soll. Das kann ich nicht entschuldigen, und ebenso wenig, dass ich dieses bescheidene Pochen nicht weniger liebe als ihn.
Ich denke voller Hoffnung und mit all meinen Segenswünschen an Dich und Deinen Reverend McDowell.
Bete für Deine Dich liebende Schwester,
Sarah

Ich legte die Feder beiseite und versiegelte den Brief. Es war spät, im Haus der Motts regierte schon der Schlaf, meine Kerze war nur noch ein Stumpen, und hinter dem Fenster stand die schwarze Nacht. Wochenlang hatte ich mich dagegen gesträubt, Nina zu schreiben, doch nun war es getan, und es war ein Wendepunkt. Ich hatte allem entsagt, was ich ihr gewesen war: Mutter, Rettung, Vorbild. All das wollte ich nun nicht mehr sein. Ich wollte sein, was ich war: ihre fehlbare Schwester.

~

Als Lucretia mir Ninas Antwort überbrachte, traf sie mich in der Küche an, wo ich Gebäck wie einst Aunt-Sister machte, aus Weizenmehl, Butter, kaltem Wasser und einem Löffel Zucker. Nicht, dass es mich zum Backen drängte, doch hin und wieder bemühte ich mich, im Haushalt ein wenig zur Hand zu gehen. Ich öffnete den Brief über der Mehlschüssel.

1. Juni 1828

Liebste Schwester,
sei getrost! Die Ehe wird überbewertet.
Meine Neuigkeiten sind, wenn auch nicht so düster wie die Deinen, so doch ähnlich. Vor einigen Wochen bin ich in der Kirche vor die Gemeinde getreten und habe die Ältesten aufgefordert, ihre Sklaven freizugeben und die Sklaverei öffentlich zu

verurteilen. Das wurde nicht gut aufgenommen. Alle, darunter Mutter, unser Bruder Thomas, selbst Reverend McDowell, haben sich verhalten, als hätte ich ein Verbrechen begangen. Dabei habe ich gefordert, einer Sünde zu entsagen und nicht Jesus Christus und der Bibel!

Reverend McDowell stimmt mir in der Sache zu, doch als ich ihn gedrängt habe, vor den anderen zu predigen, was er mir im Stillen sagt, hat er sich geweigert. »Bete und warte«, war seine Antwort. »Bete und handle«, meine Widerrede. »Bete und sprich!«

Wie kann ich jemanden heiraten, der eine derartige Feigheit an den Tag legt?

Mir bleibt keine andere Wahl, als seiner Kirche den Rücken zu kehren. Ich habe mich entschieden, in Deine Fußstapfen zu treten und ebenfalls Quäkerin zu werden. Bei dem Gedanken an die grässlichen Kleider und das kahle Versammlungshaus schaudere ich, doch der Kurs ist gesetzt.

Sag Israel frohgemut Lebewohl! Tröste Dich mit der Gewissheit, dass die Welt an dem bescheidenen Pochen in Deinem Herzen hängt.

Deine Nina

Ich zog mir einen Stuhl unter dem Kieferntisch hervor und setzte mich. Feiner Mehlstaub schwebte durch die Küche. Was für ein seltsamer Zufall, dass wir beide innerhalb weniger Wochen denselben Schmerz fühlen mussten. *Sag Israel frohgemut Lebewohl.* Ich war nicht frohgemut. Ich hatte Angst, dass ich ihn mein ganzes Leben lieben, dass ich mich immer fragen würde, wie es wohl gewesen wäre, wenn ich mein Leben mit ihm in Green Hill verbracht hätte. Mit der Sehnsucht ging die schmerzliche Verklärung eines Lebens einher, dem nun auch Nina entsagen wollte. Doch inzwischen war mir bewusst geworden, dass ich es ebenso bedauert hätte, Israels Antrag anzunehmen. Ich hatte lediglich das Bedauern gewählt, mit dem ich am besten leben konnte. Und das Leben, das zu mir gehörte.

Seit beinahe zwei Jahren kämpfte ich nun um meine Zulassung als Predigerin. Am Tag unterstützte ich meine Anstrengungen durch karitative Arbeit in einem Kinderheim, womit ich die Quäkerfrauen für mich einzunehmen hoffte, und am Abend durch derart intensive Lektüre frommen Quäker'schen Gedankenguts, dass ich ständig nach Leuchtpetroleum roch. Ausschlaggebend jedoch waren meine Auftritte bei Andacht und Versammlung, und die waren schlichtweg fürchterlich. Meine Nervosität verschlimmerte mein Stottern, und Mr Bettleman beschwerte sich gern und vernehmlich über mein »inkohärentes Gemurmel«. Zwar war rhetorischer Feinschliff für das Amt des Predigers offiziell nicht erforderlich, doch es ließ sich nicht bestreiten, dass alle auf der Bank der Ältesten grauenhaft eloquent waren.

In der Hoffnung auf, endlich, eine Kur wandte ich mich an den Arzt, der mir die Brille verschrieben hatte, doch er verschreckte mich vollends mit seiner Rede von einer Operation, bei der die Zungenwurzel aufgeschnitten und überflüssiges Gewebe entfernt wurde. Ich schwor mir, ihn niemals wieder aufzusuchen. In jener Nacht fand ich keinen Schlaf. Leise machte ich mir warme Milch mit Muskat, setzte mich in die Küche und wiederholte unablässig die kleine Zungenübung, die mir Nina vor so vielen Jahren auferlegt hatte. *Fischers Fritz fischt frische Fische.*

8. Oktober 1828

Meine liebe Sarah,
ich soll öffentlich aus der dritten presbyterianischen Kirche ausgeschlossen werden! Offenbar hat man dort mit wenig Wohlgefallen aufgenommen, dass ich seit einigen Monaten den Andachten der Quäker beiwohne. Mutter ist entsetzt. Sie ist nicht davon abzubringen, dass mein Untergang mit meiner Weigerung begann, mich in St. Philip konfirmieren zu lassen. Angeblich war ich damals eine zwölfjährige Marionette, deren Fäden Du gezogen hast, nun bin ich eine erwachsene Marionette von vierundzwanzig Jahren, deren Fäden Du noch immer ziehst, wenn auch aus dem fernen Philadelphia. Wie Du das bewerkstelligst! Mutter fühlte sich genötigt, zusätzlich anzumerken, dass ich, dank meines Stolzes und meiner eigensinnigen Zunge, eine unverheiratete Marionette bin. Gestern hat mich Reverend McDowell aufgesucht und mir erklärt, dass ich zur »Herde der von Gott Erwählten« zurückkehren oder vor die Kirchenversammlung treten und mich wegen Eidbruchs und mangelnder Gottesverehrung verantworten müsse. Musstest du das je? Ich habe, so ruhig ich konnte, erwidert: »Bring mir das Dokument, das mich vor dein Gericht befiehlt, und ich werde folgen und mich verteidigen.« Im Anschluss habe ich ihm Tee gereicht. Mutter hat recht, ich bin stolz, ich bin sogar auf meinen Stolz stolz. Doch als er fort war, bin ich in mein Zimmer geflohen und habe bittere Tränen geweint. Ich stehe unter Anklage! Mutter sagt, dass ich diese Quäker-Narretei aufgeben und zu den Presbyterianern zurückkehren muss, andernfalls würde ich die Grimkés einem öffentlichen Skandal aussetzen. Nun, so etwas haben wir doch schon öfter durchgemacht, nicht wahr? Erst Vaters Amtsenthebungsverfahren, dann dieser schändliche Burke Williams und schließlich Deine bewundernswerte »Fahnenflucht« gen Norden. Nun ist es also an mir.

Ich bleibe stark.

Deine Schwester Nina

Im Verlauf des folgenden Jahres wurden meine Briefe an Nina das Tagebuchähnlichste, was ich seit Vaters Tod geschrieben hatte. Ich berichtete ihr, dass ich *Fischers Fritz* übte und große Angst hätte, meine Stimme könnte mich an der Verwirklichung meines größten Wunsches hindern. Ich schrieb ihr, wie quälend es war, Israel jede Woche bei der Andacht zu sehen, und dass er mich mied, während seine Schwester Catherine mir gegenüber immer aufgeschlossener wurde, eine Kehrtwendung, mit der ich nie gerechnet hätte.

Außerdem fertigte ich für Nina Zeichnungen des Ateliers an und schilderte ihr, welche Gespräche Lucretia und ich dort führten. Ich hielt sie auf dem Laufenden, wenn in Philadelphia kontroverse Petitionen zirkulierten: sei es, dass die Schwarzen vor der Vertreibung aus den weißen Vierteln bewahrt oder die »farbige Bank« aus den Versammlungshäusern verbannt werden sollte.

»Es war mir eine Offenbarung«, schrieb ich ihr, »zu erkennen, dass der Abolitionismus nicht notwendig an den Wunsch nach einer Gleichheit der Rassen gebunden ist. Die Wurzel allen Übels ist das Vorurteil gegen die dunkle Hautfarbe. Wird es nicht beseitigt, werden die Neger auch noch lang nach dem Ende der Sklaverei unter dieser Plage leiden.«

Nina erwiderte darauf: »Ich wünschte, ich könnte Deinen Brief in der Meeting Street an einen Pfosten nageln.«

Ich war dem gar nicht abgeneigt.

Sie schrieb mir von den ständigen Kämpfen, die sie mit Mutter auszufechten hatte, den blutleeren Andachten der Quäker, an denen sie nun teilnahm, und der blindwütigen Ächtung, die ihr in Charleston deswegen entgegenschlug. »Wie lang muss ich noch in diesem Land der Sklaverei verbleiben?«, schrieb sie.

Dann, an einem trägen Sommertag, legte mir Lucretia wieder einen Brief in die Hände.

12. August 1829

Liebe Sarah,

vor einigen Tagen, ich war auf dem Weg zum Krankenlager eines unserer Gemeindemitglieder, habe ich an der Kreuzung Magazine und Archdale Street gesehen, wie zwei Jungen – es waren noch Knaben! – eine völlig verängstigte Sklavin zum Arbeitshaus geführt haben. Sie hat sie angefleht, es nicht zu tun, und bei meinem Anblick hat sie unter Tränen gebettelt: »Bitte, Missus, helfen Sie mir.« Aber ich, ich konnte doch nichts tun.

Es wird mir immer deutlicher, hier kann ich nichts tun. Deshalb komme ich zu Dir, Schwester. Ich werde Charleston den Rücken kehren und Ende Oktober, wenn die Stürme vorüber sind, nach Philadelphia segeln. Dann sind wir endlich wieder zusammen, und zusammen wird uns nichts und niemand aufhalten.

Mit unerschütterlicher Liebe,

Nina

Seit über einer Woche hielt ich nun schon am Fenster meines neuen Zimmers unter Catherines Dach nach Nina Ausschau. Das Wetter im November war abscheulich gewesen und hatte die Ankunft des Schiffs verzögert, doch am Vortag waren die Wolken endlich aufgebrochen.

Heute, ganz gewiss heute.

Auf meinem Schoß lag ein schmales Bändchen mit Gebeten, doch ich konnte mich nicht konzentrieren. Rastlos ging ich in dem engen Zimmer auf und ab, dieser schmucklosen kleinen Zelle, die der ähnelte, die dem Eingang gegenüber auf Nina wartete. Was sie wohl dazu sagen würde?

Es war mir schwergefallen, Lucretia zu verlassen, aber sie hatte keinen Platz für Nina. Israels Schwiegertochter hatte auf Green Hill das Heft in die Hand genommen, und so war Catherine wieder in ihr Stadthaus gezogen. Als sie angeboten hatte, uns zu beherbergen, hatte ich erleichtert eingewilligt.

Ich ging wieder zum Fenster, schaute auf das Blau hoch über mir und den leuchtend gelben Teppich der Ulmenblätter unter mir, und plötzlich musste ich über mein Leben staunen. Wie sonderbar es sich gefügt hatte, so anders, als ich es mir einst erdacht hatte. Da lebte die Tochter des Richters John Grimké – ein Patriot des Südens, Sklavenhalter und Aristokrat – in diesem strengen Haus im Norden, als Ehelose, Quäkerin und Abolitionistin.

Eine Kutsche bog in die Straße. Ich erstarrte, gebannt vom *Klipp Klapp* der fuchsbraunen Pferde, unter deren schnellen Hufen die Blätter aufwirbelten. Dann lief ich los.

Nina öffnete die Kutschentür. Als ich auf sie zustürmte, ohne Stola und mit losen roten Haarsträhnen, lachte sie. Sie trug einen schwarzen bodenlangen Umhang mit Kapuze, die sie nun abnahm, und sah strahlend aus und dunkel.

»Schwester!«, rief sie und fiel mir in die Arme.

SECHSTER TEIL

Juli 1835–Juni 1838

Handful

An dem Morgen stand ich neben dem Bett und schaute auf Mauma. Sie schlief noch, die Hände wie ein Kind unters Kinn geklemmt. Es widerstrebte mir, sie aufzuwecken, aber ich tätschelte trotzdem ihren Fuß. Sie schlug die Augen auf, und ich sagte leise: »Hast du Lust aufzustehen? Die Kleine Missus sagt, ich soll dich holen.«

Die Kleine Missus war unser Name für Mary, die älteste Grimké-Tochter. Sie war Anfang vom Sommer Witwe geworden, und noch bevor sie ihren Ehemann mit Anstand unter die Erde gebracht hatte, hatte sie die Teeplantage schon ihren Söhnen übereignet und gesagt, sie hätte viel zu lange am Ende der Welt gelebt. Und im nächsten Moment schon stand sie hier, mit neun Sklaven und mehr Kleidern und Möbeln, als wir unterbringen konnten. Ich hatte gehört, wie die Missus sagte: »Musstest du gleich die ganze Plantage mitbringen?« Und Mary: »Wäre es dir lieber gewesen, ich hätte das Geld dagelassen?«

Gerade als die Missus an dem Punkt gewesen war, wo sie ihren Gold-Stock nicht mal mehr mit der Kraft einer Dreijährigen schwingen konnte, kam die Kleine Missus und machte weiter. An den Augen hatte sie Fältchen und Silberfäden in den Haaren, aber sonst war sie wie immer. Und jeder hier konnte sich noch gut daran erinnern, wie schlecht sie ihre Kammerzofe Lucy behandelt hatte – Binahs andere Tochter. Als Mary mit ihrer Prozession eingetroffen war, war Phoebe aus dem Küchenhaus gelaufen und hatte gerufen: »Lucy! Lucy?« Als niemand geantwortet hatte, war sie zur Kleinen Missus geeilt: »Haben Sie meine Schwester Lucy mitgebracht?«

Die Kleine Missus hatte völlig ratlos gewirkt und dann gesagt: »Ach, die. Die ist vor langer Zeit gestorben.« Anstatt auf Phoebes trauriges Gesicht hatte sie nur auf die Küchenschürze gesehen und gesagt: »Ich weiß ja nicht, wann hier das Mittagessen serviert wird, doch von nun an wird das um vierzehn Uhr geschehen.«

Die Sklavenquartiere platzten aus allen Nähten. Alle Zimmer waren voll, manche Sklaven mussten auf dem Boden schlafen. Aunt-Sister und Phoebe klagten über die vielen Mäuler, die sie stopfen mussten, und die Kleine Missus ließ mich und Mauma für alle neue Livreen und Hauskleider nähen. Willkommen bei den Grimkés. Sie hatte zwar keine Näherin mitgebracht, aber sonst wirklich jeden und darüber hinaus deren entfernte Verwandte. Da waren ein neuer Butler, eine Wäscherin, die persönliche Kammerzofe der Missus, ein Kutscher, ein Lakai, ein Diener und neue Hilfen für die Küche, das Haus und den Wirtschaftshof. Sabe wurde degradiert und zu Sky in den Garten geschickt, und Goodis, der arme Goodis, saß den ganzen Tag im Stall und schnitzte Stöckchen. Auch der kleine Raum, in dem wir immer noch hin und wieder Liebe machten, war nun besetzt.

Mauma hob nicht einmal den Kopf vom Kissen. Sie hatte für die Kleine Missus keinen Bedarf. »Was will sie von mir?«

»Heute findet eine große Teegesellschaft statt, und sie will Bänder an den Servietten haben. Sie tut, als ob du die Einzige wärst, die so was kann. Ich muss schon den Tisch decken.«

»Wo is Sky?«

»Sky putzt die Vordertreppe.«

Mauma sah so müde aus. Ihre Magenschmerzen waren wieder schlimmer geworden, sie hatte die ganze Woche lang in ihrem Essen nur herumgestochert. Nun richtete sie sich ganz langsam auf, es war, als ob ein Ästchen aus der Matratze wachsen würde.

»Mauma, leg dich wieder hin. Ich mach das mit den Bändern.«

»Du bist ein gutes Kind, Handful, das warst du immer.«

Der Story-Quilt lag gefaltet am Fußende, sie hatte ihn gern in ihrer Nähe, legte ihn sich dann über die Beine. Es war ein heißer, stickiger Tag im Juli, und ein Uhrticken lang fragte ich mich, ob das die Kälte war, die einem in die Knochen kriecht, wenn es zu Ende geht. Aber dann drehte Mauma den Quilt, bis sie das erste Viereck in den Händen hielt. »Das ist meine Omama, als die Sterne gefallen sind und man sie verkauft hat.«

Ich setzte mich neben sie. Ihr war nicht kalt, sie wollte nur noch einmal die Geschichte auf dem Quilt erzählen. Sie liebte die Geschichte.

Die Bänder waren vergessen, und ich würde sicher Ärger kriegen, doch so war Mauma nun einmal. Sie ging den ganzen Quilt durch, jedes Viereck, und bei denen, die sie seit ihrer Rückkehr genäht hatte, ließ sie sich besonders viel Zeit für ihre Geschichte. Die Wache bringt sie in dem Fuhrwerk weg. Sie arbeitet mit dem Baby auf dem Rücken in den Reisfeldern. Ein Mann macht ihr mit der linken Hand das Brandzeichen und schlägt ihr mit der rechten die Zähne aus. Sie läuft unter dem Mond davon. Und schließlich das letzte Viereck – ich, Mauma und Sky, die Arme ineinander verschlungen.

Ich stand auf. »Schlaf noch ein bisschen.«

»Nein, ich komm. Ich bin gleich da.«

Ihre Augen glühten wie die Papierlaternen, die wir früher bei Gartenfesten aufgestellt hatten.

Ich war im Speisezimmer, mit Blick zum Fenster, und legte Obst und alles sonst, was nicht verdorben war, in große Kristalltrichter. Da sah ich, dass Mauma auf unseren Seelenbaum zuschlich, den Story-Quilt um ihre Schultern geschlungen.

Meine Hände erstarrten – wie langsam sie einen Fuß vorschob, eine Pause machte, dann den anderen. Als sie den Baum erreichte, stützte sie sich mit einer Hand am Stamm ab und setzte sich langsam auf die Erde. Mein Herz schlug plötzlich seltsam.

Ich schaute nicht, ob die Kleine Missus in der Nähe war. Ich eilte raus zur Hintertür. So schnell ich konnte, so schnell sich die Erde unter mir bewegte.

»Mauma?«

Sie hob den Kopf. Das Licht in ihren Augen war erloschen. Da war nur noch ein schwarzer Docht.

Ich sank neben sie. *»Mauma?«*

»Es is alles gut. Ich bin hier, um meine Seele zu holen.« Ihre Stimme kam ganz tief aus ihrem Innern. »Ich bin müde, Handful.«

Ich versuchte, keine Angst zu haben. »Ich kümmere mich um dich. Mach dir keine Sorgen, du findest deine Ruhe.«

Sie lächelte ihr traurigstes Lächeln, und das sagte mir, dass sie Ruhe finden würde, aber nicht auf die Art, die ich erhofft hatte. Ich nahm ihre Hände. Sie waren eiskalt. Kleine Vogelknöchelchen.

Sie sagte es erneut. »Ich bin müde.«

Sicher wollte sie von mir hören, dass alles gut war, dass sie ihre Seele holen und gehen durfte, aber das konnte ich nicht sagen. Ich sagte nur: »Natürlich bist du müde. Du hast ein Leben lang so hart gearbeitet. Du hast immer nur gearbeitet.«

»An das erinnerst du dich bitte nich. Du erinnerst dich nich, dass ich eine Sklavin war und hart arbeiten musste. Wenn du an mich denkst, dann sag, sie hat diesen Leuten nie gehört. Sie hat niemandem gehört, nur sich selbst.«

Sie schloss die Augen. »Daran wirst du dich erinnern.«

»Das werde ich, Mauma.«

Ich zog ihr den Quilt um die Schultern. Hoch oben in den Zweigen krächzten Krähen. Tauben klagten. Dann beugte sich der Wind herab und hob sie in die Lüfte.

Sarah

An einem schwülen Morgen im August näherten wir uns dem Versammlungshaus mit dem festen Entschluss, uns auf die Negerbank zu setzen.

»Wollen wir das wirklich tun?«, fragte ich Nina.

Sie machte auf dem verdörrten Rasen Halt. Ein harsches gelbes Licht fiel ihr aus dem wolkenlosen Himmel ins Gesicht. »Du hast doch selbst gesagt, die Negerbank sei eine Schranke, die durchbrochen werden muss!«

Das *hatte* ich allerdings gesagt, und zwar erst am Vorabend. Da hatte ich es für eine zündende Idee gehalten, diese Schranke zu durchbrechen, doch nun, im grellen Tageslicht, sah ich darin ein riskantes Vorhaben. Bislang hatte die Gemeinde meine Angriffe auf die Sklaverei wie einen Schwarm lästiger Insekten hingenommen – die man verscheucht oder ignoriert, so gut es geht –, doch dies wog schwerer. Es war ein Akt der Rebellion, und vermutlich würde er meinen Bemühungen um das Prediger-Amt auch nicht gerade zupasskommen. Die Idee, uns in die Negerbank zu setzen, war uns nach der Lektüre des abolitionistischen *Liberator* gekommen. Wir schmuggelten die Zeitung in unseren Paketen in Catherines Heim, einmal sogar als kleines Bündel unter Ninas Haube. Herausgeber war ein gewisser Mr William Lloyd Garrison, der wohl radikalste Abolitionist im ganzen Lande. Wenn Catherine auch nur eine einzige Ausgabe in unseren Zimmern entdeckt hätte, wären wir zweifelsohne des Hauses verwiesen worden. Wir hielten den *Liberator* unter unseren Matratzen versteckt, und nun fragte ich mich, ob ich nicht lieber nach Hause gehen und die Zeitungen rasch verbrennen sollte.

In Sicherheit wiegen konnte man sich nie und nirgends. Schon den ganzen Sommer lang verbreiteten Pro-Sklaverei-Mobs Angst und Schrecken, und das nicht etwa im Süden, sondern *hier*, im Norden. Sie warfen die Druckerpressen der Abolitionisten in die Flüsse und brannten die Häuser der freien Schwarzen und der Abolitionisten nieder. Allein in Philadelphia waren es an die fünfzig gewesen. Nina und ich waren vollkommen schockiert ob dieser Gewalt – selbst die räumliche Entfernung bot keinen Schutz. Als Abolitionist konnte man mitten auf der Straße angegriffen, beschimpft, ausgepeitscht, gesteinigt, gar getötet werden. Auf manche war ein Kopfgeld ausgesetzt, und viele waren in den Untergrund gegangen.

Als ich nun zögernd auf dem Rasen stand und in Ninas enttäuschte Miene sah, sehnte ich mich nach Lucretia. Wäre sie doch mit ihrer weißen Organza-Haube und ihren furchtlosen Augen an meiner Seite erschienen! Doch sie hatte mit ihrem Mann zu einer anderen Gemeinde gewechselt, weil ihnen die Arch Street zu konservativ geworden war. Ich hatte erwogen, ihr zu folgen, doch Catherine hatte sehr deutlich gemacht, dass wir uns in dem Fall ein anderes Quartier suchen müssten, und es gab wenige angemessene Orte, wenn überhaupt, an denen zwei unverheiratete Schwestern unter einem Dach leben konnten. Manches Mal dachte ich an den Tag am Delaware River, als ich Lucretia versprochen hatte, keinen Rückzieher zu machen. Ich hatte meinen Vorsatz auch befolgt, so gut es ging, doch ständig waren Kompromisse nötig, so viele kleine Zugeständnisse.

»Du bekommst doch nicht etwa kalte Füße?«, fragte Nina. »Sag mir bitte, dass dem nicht so ist.«

Israels Stimme drang durch die Menge. Er rief nach Becky,

doch als ich aufschaute, verschwand sein Rücken schon im Versammlungshaus. Ich verharrte kurz, roch die Hitze, die den Pferdesätteln entströmte, den Uringestank der Pflastersteine.

»Ich habe immer kalte Füße ... Aber nun komm, das soll mich nicht hindern.«

Sie hakte sich bei mir ein. Ich konnte kaum Schritt halten, so zielstrebig zog sie mich zur Tür, das Kinn wie in Kindertagen trotzig vorgereckt, und einen Augenblick lang sah ich vor mir, wie sie mit vierzehn auf dem gelben Sofa vor Reverend Gadsden saß und sich beharrlich der Konfirmation verweigerte.

Nina war kaum in Philadelphia angekommen, da hatten die Quäker sie schon als Aufpasserin in die Kleinkinderbetreuung gesteckt, was ihr vollkommen gegen den Strich ging. Unsere Bitten, ihr eine andere Aufgabe zuzuweisen, verhallten ungehört – vermutlich wollte man ihr den Stolz austreiben, indem man sie Babys wickeln ließ. Die unverheirateten Männer, so auch Jane Bettlemans Sohn Edward, traten sich gegenseitig auf die Füße, um ihr aus der Kutsche zu helfen, und ständig drängten sie sich um sie, damit sie ihr reichen konnten, was immer sie versehentlich fallen ließ. Nina waren sie nur lästig. Sie war im Winter dreißig geworden, und seither machte ich mir still meine Gedanken. Nicht, dass ich fürchtete, aus ihr würde eine zweite Tante Amelia Jane, so wie ich – ich scherzte sogar, dass wir uns beide im Fluss ertränken müssten, sollte Mrs Bettleman ihre Schwiegermutter werden. Nein, meine Sorge war, dass sie irgendwann, so wie ich, dreiundvierzig würde und noch immer Quäker-Babys helfen müsste, ein Bäuerchen zu machen.

Die Negerbank stand an der geduckten Stelle unter den Stufen, die zum Balkon führten. Wie üblich wurde sie von einem der Männer bewacht, damit sich nicht etwa aus Versehen eine weiße Person in diese Bank oder eine farbige Person in eine andere setzte. An jenem Tag war es Edward Bettleman. Ich seufzte. Offenbar waren wir dazu verdammt, uns seine Familie ständig aufs Neue zu Feinden zu machen.

Sarah Mapps Douglass und ihre Mutter Grace, in der Regel die einzigen Neger in unserer Gemeinde, saßen mit ihren Quäkerkleidern und Hauben auf der Bank. Sarah Mapps, die etwa so alt wie Nina war, hatte eine Schule für schwarze Kinder gegründet und arbeitete dort als Lehrerin, ihre Mutter war Hutmacherin. Ihre Nähe zum Abolitionismus war bekannt, doch als wir auf sie zutraten, fragte ich mich zum ersten Mal, ob sie mit dem, was Nina und ich tun würden, überhaupt einverstanden wären und ob dies für sie nicht möglicherweise unangenehme Folgen hätte.

Ich zögerte, doch Nina, die sich wohl wieder wegen der Temperatur in meinen Füßen sorgte, schritt forsch zur Bank und ließ sich neben der älteren der beiden Frauen nieder.

Ich erinnere mich an eine verschwommene Folge von Dingen – ein erstaunter Laut verließ die Lippen von Mrs Douglass, Sarah Mapps verstand und sah zu mir auf, Edward Bettleman stürzte sich auf Nina und sagte viel zu laut: »Nicht hier, hier dürfen Sie nicht sitzen.«

Nina reagiert nicht und schaute tapfer geradeaus, während ich zu Sarah Mapps in die Bank schlüpfte. Nun wandte Edward sich an mich. »Miss Grimké, dies ist die Negerbank, Sie müssen aufstehen.«

»Wir sitzen hier sehr gut«, sagte ich, während sich in der Nähe schon zahlreiche Köpfe zu uns umdrehten.

Edward marschierte davon. In der Stille, die nun folgte, hörte man nur, wie die Frauen mit ihren Fächern raschelten und sich die Männer räusperten. Ich hoffte schon, die Aufregung würde sich legen, doch vorn, auf der Bank der Ältesten, wurde wild geflüstert. Dann kam Edward mit seinem Vater zurück.

Wir rückten instinktiv zusammen.

»Ich bitte Sie, diesen heiligen Ort und seine Traditionen zu respektieren und die Bank zu verlassen«, sagte Mr Bettleman.

Mrs Douglass atmete hörbar schneller. Mich peinigte die Angst, dass wir sie in Bedrängnis gebracht hatten. Viel zu spät fiel mir ein, dass sich eine freie Schwarze jüngst bei einer Hochzeit auf eine Bank der Weißen gesetzt hatte und daraufhin gezwungen worden war, die Straße zu kehren. Ich wies auf unsere Nachbarinnen. »Sie haben nichts mit …« Beinahe hätte ich *mit unserem abweichlerischen Verhalten* gesagt, doch das konnte ich mir gerade noch verkneifen. »Sie haben nichts damit zu tun.«

»Dem ist nicht so«, sagte Sarah Mapps, sah zu ihrer Mutter und dann zu Mr Bettleman. »Wir haben sehr wohl damit zu tun. Schließlich sitzen wir hier alle beisammen, oder nicht?«

Sie schob die Hände in die Falten ihres Rocks, um das Zittern zu verbergen. Ich empfand Mitleid und Schmerz zugleich.

Mr Bettleman wartete. Wir verharrten. »Ich bitte Sie ein allerletztes Mal«, sagte er. Er wirkte fassungslos, erzürnt, sich seiner Rechtschaffenheit absolut gewiss, doch mit Gewalt würde er uns nicht vertreiben. Oder?

Nina richtete sich mit flammendem Blick auf. »Hier sitze ich, ich kann nicht anders, Sir!«

Sein Gesicht lief tiefrot an. Er sah zu mir und flüsterte gepresst: »Ich warne Sie, Miss Grimké. Zügeln Sie Ihre Schwester, und auch sich selbst.«

Als er ging, spähte ich zu Sarah Mapps und ihrer Mutter, die sich an den Händen fassten und sie erleichtert drückten, und dann zu Nina. Auf ihrer Miene stand ein stummer Jubelschrei. Sie hatte immer schon mehr Mut bewiesen als ich. Während ich mir immer viel zu viele Gedanken um die Meinung anderer machte, kümmerte sie das keinen Deut. Ich war vorsichtig, sie forsch. Ich war die Denkende, sie die Handelnde. Ich entzündete das Feuer, sie trug es in die Welt. Und da begriff ich, wie listig die Parzen doch gewesen waren. Nina war der eine Flügel, ich der andere.

An einem, wie wir glaubten, ruhigen Septembernachmittag rief uns Catherines Teeglocke aus den Zimmern. Sie läutete häufig, wenn ein Brief eingetroffen war, Essen serviert wurde oder Catherine Hilfe im Haushalt benötigte. Ohne jeden Argwohn trabten wir die Treppe hinunter – und da waren sie. Aufrecht wie die Ladestöcke saßen die Ältesten in Catherines Salon, einige, darunter Israel, mussten sogar an der Wand stehen. Catherine thronte als einzige Frau in ihrem altmodischen samtenen Ohrensessel. Wir wurden vor die Inquisition gestellt.

Beide hatten wir uns nicht die Mühe gemacht, das Haar hochzustecken. Meines hing in schlaffen roten Fransen bis zur Taille, Nina wogten Korkenzieher um die Schultern. Für eine gemischte Gesellschaft war das unschicklich, doch Catherine sandte uns nicht wieder fort. Sie spitzte die Lippen zu etwas, das als säuerliches Lächeln durchging, und winkte uns in den Salon.

Seit wir auf der Negerbank Platz genommen hatten, waren drei Wochen vergangen, und niemand außer Mr Bettleman hatte ein mahnendes Wort zu uns gesprochen. Auch an den folgenden Sonntagen hatten wir uns zu Sarah Mapps und Grace gesetzt, und niemand hatte einen Versuch unternommen, uns daran zu hindern. Ich hatte mich von der Hoffnung einlullen lassen, dass sich die Ältesten damit abgefunden hatten. Doch damit hatte ich mich, wie man sah, geirrt.

Wir standen Seite an Seite und warteten darauf, dass jemand das Wort ergriff. Die Sonne glühte hinter den Fensterscheiben, der Salon wurde zum Brennofen, und mir lief ein Rinnsal aus kaltem Schweiß zwischen den Brüsten hindurch. Ich versuchte, Israels Blick einzufangen, doch er lehnte sich in den Schatten des Gesimses zurück. Als ich zu Catherine sah, entdeckte ich in ihrem Schoß die Zeitung. *The Liberator.*

Mir drehte sich der Magen um.

Catherine fasste die Zeitung mit Daumen und Zeigefinger, als würde sie eine tote Maus am Schwanz packen. »Wir wurden auf einen Brief aufmerksam, der auf der Titelseite der berüchtigtsten Anti-Sklaverei-Schrift unseres Landes steht.« Sie rückte ihre Brille zurecht – die Gläser so dick wie Flaschenböden. »Erlauben Sie mir vorzulesen. *30. August 1835. Geschätzter Freund ...*«

Nina schnappte nach Luft. »Oh, Sarah, ich ahnte ja nicht, dass er das veröffentlichen würde.«

Ich blinzelte in ihre entsetzten Augen und versuchte, aus ihren Worten schlau zu werden. Als es mir dämmerte, konnte ich nicht sprechen. Es kam nur Luft aus meinem Mund, und ich musste die Worte wie Tapete von meiner Zunge rollen. »... Du ... hast an ... Mr Garrison ... geschrieben?«

Ein Stuhl schabte über den Boden, dann kam Mr Bettleman auf uns zu. »Sie wollen uns glauben machen, dass Sie, die Tochter einer Familie von Sklavenhaltern, einen Brief an einen Agitator wie William Lloyd Garrison geschrieben haben, in dem Glauben, er würde nicht veröffentlicht? Das ist genau die Art aufwieglerischen Materials, das er verbreitet.«

Nina zeigte keine Reue, sondern Trotz. »Nun, vielleicht habe ich ja geglaubt, dass er ihn veröffentlicht!«, sagte sie. Und dann zu mir: »Andere riskieren ihr Leben im Kampf gegen die Sklaverei, und was tun wir? Wir sitzen in der Negerbank! Ich habe getan, was ich tun musste.«

Plötzlich sah ich es. Sie hatte wirklich nur getan, was unvermeidlich war. Unser Leben würde nie wieder das, was es gewesen war, dafür hatte sie gesorgt, und dafür wollte ich sie dankbar in die Arme schließen. Und sie zugleich wütend schütteln.

Alle schauten uns mit Grimm und Anklage entgegen, finstere Mienen hinter der Glasur aus Licht. Nur Israel sah auf den Boden, als ob er sich wünschte, weit, weit fort zu sein.

Als Catherine an das Ende der Lektüre kam, blickte Nina stur auf die Wand ihr gegenüber. Der Brief war lang und eloquent und, ja, aufwieglerisch war er auch.

»*Wenn Verfolgung erduldet werden muss, um die Emanzipation zu erreichen, dann sage ich, lasst sie kommen, denn es ist meine tiefe, ernste und freie Überzeugung, dass dies eine Sache ist, für die es sich zu sterben lohnt. Angelina Grimké.*« Catherine faltete die Zeitung zusammen und legte sie auf den Boden.

Die Kunde über diesen Brief würde natürlich bis nach Charleston wandern. Mutter, Thomas, die gesamte Familie würde ihn mit Empörung und Beschämung lesen. Nina konnte niemals mehr nach Hause – ob sie bedacht hatte, dass diese Worte die letzte Tür verriegelt hatten, die ihr dort noch offen stand?

Da sprach Israel von seinem Platz an der Wand. Ich schloss die Augen zu der Sanftheit seiner Stimme, der unerwarteten Freundlichkeit. »Ihr zwei seid unsere Schwestern. Wir lieben euch, so wie Christus euch liebt. Wir sind hier, um euch wieder zu Einvernehmlichkeit mit euren Quäkerbrüdern zu verhelfen. Noch könnt ihr voller Reue zurückkehren, wie einst der verlorene Sohn zu seinem Vater …«

»Sie werden den Brief zurücknehmen oder ausgeschlossen«, fasste Mr Bettleman es knapp und klar zusammen.

Ausgeschlossen. Das Wort war schneidend wie ein Schwert, das grell im Licht blitzte. Das durfte nicht geschehen. Ich hatte dreizehn Jahre mit den Quäkern verbracht, strebte seit sechs Jahren nach dem Amt des Predigers, dem einzigen Beruf, der mir noch blieb. Alles hatte ich dafür aufgegeben, die Ehe, Israel, eigene Kinder.

Ich eilte mich, vor Nina zu sprechen, denn ich wusste, was sie sagen würde, und dann würde die Klinge auf uns niedersausen. »... Bitte, ich weiß, dass ihr barmherzig seid.«

»Versuchen Sie, es zu verstehen, Sarah. Wir haben Sie gewähren lassen, als Sie sich auf die Negerbank gesetzt haben«, sagte Catherine. »Aber das hier geht zu weit.« Sie verschränkte die Finger unter dem Kinn, ihre Knöchel schimmerten weiß. »Außerdem sollten Sie erwägen, wohin Sie noch gehen können, sollten Sie nicht widerrufen. Sie liegen mir beide am Herzen, aber in dem Fall könnten Sie selbstverständlich nicht bleiben.«

Die Panik kroch in meinen Hals. »... Ist es denn so falsch, einen Brief zu schreiben? ... Ist es denn so falsch, der Berufung würdig zu leben?«

»Derlei Angelegenheiten gehören nicht in das Wirken eines Frauenlebens«, erklärte Israel und trat aus dem Halbschatten hervor. »Das siehst du sicher ein.« Seine Stimme war schwer von Gekränktheit und Enttäuschung. Nicht anders hatte er geklungen, als ich seinen Antrag abgewiesen hatte. Mir war bewusst, dass er nicht nur von dem Brief sprach. »Uns bleibt keine Wahl. Die Art und Weise, in der ihr euch erklärt habt, liegt außerhalb dessen, was das Quäkertum toleriert.«

Ich griff nach Ninas Hand. Sie war feucht und heiß. Ich sah zu Israel, zu ihm allein. »... Wir können diesen Brief nicht widerrufen. Ich wünschte nur, ich hätte auch meinen Namen daruntergesetzt.«

Nina drückte meine Hand so fest, dass es schon schmerzte.

Handful

4. August

Liebe Sarah,
Mauma ist letzten Monat gestorben. Sie ist unter dem Eichenbaum eingeschlafen und nicht mehr wach geworden. Dann hat sie sechs Tage geschlafen, bevor sie in ihrem Bett gestorben ist, ich an ihrer Seite, und auch Sky. Deine Mauma hat für sie einen Kiefernsarg bezahlt.
Sie ist auf dem Sklavenfriedhof an der Pitt Street beerdigt. Die Missus hat Goodis erlaubt, mich und Sky in der Kutsche hinzufahren, damit wir ihren Ruheplatz sehen und uns verabschieden konnten. Sky ist 22 und groß wie ein Mann. Als wir am Grab gestanden haben, habe ich ihr nicht mal bis zur Schulter gereicht. Sie hat das Lied gesungen, das die Frauen auf der Plantage singen, wenn sie den Reis zerstoßen, den sie auf die Gräber legen. Sie sagt, das tun sie, damit die Toten den Weg zurück nach Afrika finden. Sie hatte sich im Küchenhaus eine Tasche gefüllt und über Mauma verteilt und dazu gesungen.
Da ist mir das Lied eingefallen, das ich als Mädchen erfunden habe. Übers Wasser, übers Meer, zieh ich hinter Fischen her, zieh ich hinter ihnen heim. *Das habe ich für Mauma gesungen, und dann habe ich den Fingerhut aus Messing genommen, den ich schon als Kind so geliebt habe, und ihn aufs Grab gelegt, damit sie diesen Teil von mir immer bei sich hat.*
Nun, ich wollte, dass du das weißt. Ich denke, sie hat jetzt ihren Frieden.
Ich hoffe, dieser Brief erreicht dich. Wenn du mir schreibst, sei vorsichtig, denn deine Schwester Mary beobachtet alles. Hector, der

schwarze Kutscher von ihrer Plantage, ist jetzt hier der Butler, und der spioniert für sie.
Deine Freundin Handful

Ich schrieb im Kerzenlicht ihren Namen und ihre Adresse auf den Umschlag, alles in der Schrift der Missus. Die Hand der Missus hatte so sehr nachgelassen, ich hätte jeden Brief als ihren ausgeben können. Dann verschloss ich den Brief mit einem Tropfen Wachs und drückte ihr Siegel hinein. Ich hatte den Stempel aus ihrem Zimmer gestohlen – oder sagen wir lieber entliehen, denn ich wollte ihn zurückbringen, bevor sie ihn vermisste. Das Briefpapier aber, das hatte ich schlicht gestohlen.

Hinter mir schlief Sky und warf sich in der Hitze hin und her. Ihre Arme suchten nach dem Platz, wo Mauma immer gelegen hatte. Dann blies ich die Flamme aus und schaute zu, wie der Rauch im Dunkeln davonschwebte. Morgen würde ich den Brief in den Poststapel stecken und hoffen, dass niemand zu gut hinsah.

Sky sang im Schlaf, es klang wie Gullah, und ich dachte an den Reis, den sie über Maumas Grab verteilt hatte, um ihre Seele nach Afrika zu schicken.

Afrika. Mauma würde immer da sein, wo ich und Sky waren.

Sarah

Bei jedem Erwachen fühlte ich mich leer und krank. Catherine hatte uns bis zum Ersten des Oktobers Zeit gegeben, unsere Habseligkeiten zu packen und zu gehen, doch es fand sich niemand, der zwei von den Quäkern verstoßene Schwestern aufnehmen wollte, und Lucretias Haus war mittlerweile voller Kinder. Die Straßen waren mit Handzetteln übersät – sie klebten an Laternenmasten und Gebäuden, sie lagen auf der Erde –, überall schrien sie ihre Botschaft laut und lüstern in die Welt: *SCHANDE: Ein Abolitionist der widerlichsten Art ist unter Euch.* Darunter war Ninas Brief in voller Länge abgedruckt. Selbst die niedersten Pensionen würden uns nicht einlassen.

Ich war am Rande der Verzweiflung, als ein Brief eintraf, auf dessen Umschlag weder Absender noch Anschrift standen.

29. September 1835

Liebe Misses Grimké,
da Sie so kühn waren, sich zu uns auf die Negerbank zu setzen, werden Sie es vielleicht auch über sich bringen, mit uns das Heim zu teilen, bis sich eine passendere Unterkunft gefunden hat. Meine Mutter und ich können Ihnen lediglich einen teilmöblierten Dachboden anbieten, doch er hat ein Fenster, und der Kamin läuft mitten hindurch und sorgt für Wärme. Der Boden gehört Ihnen, wenn Sie wollen. Wir bitten Sie nur, mit niemandem über dieses Arrangement zu sprechen, auch nicht mit Ihrer jetzigen Vermieterin Catherine Morris. Wir erwarten Sie in der Lancaster Row Nr. 5.

In Verbundenheit, Ihre Sarah Mapps Douglass

Am nächsten Tag verließen wir unser bisheriges Leben, ohne Nachsende-Anschrift oder Lebewohl, und trafen mit der Kutsche vor einem winzigen Ziegelhaus in einem armen, vorwiegend weißen Viertel ein. Vor dem Haus stand ein schiefer hölzerner Zaun mit einer Kette um das Tor, und so mussten wir unsere Koffer zur Hintertür schleifen.

Die Dachkammer war düster und schimmerte vor Spinnweben, und wenn unten im Haus das Feuer loderte, drangen eine lähmende Hitze und der bittere Geruch von Holzrauch in den Raum, doch wir klagten nicht. Wir hatten ein Dach über dem Kopf. Wir hatten einander. Wir hatten Freundinnen in Sarah Mapps und Grace.

Sarah Mapps war sehr gebildet, womöglich mehr als ich, denn sie hatte die beste Quäker-Akademie für freie Schwarze in der Stadt besucht. Sie erzählte mir, sie hätte schon als Kind gewusst, dass es in ihrem Leben nur eine Mission gab, eine Schule für schwarze Kinder zu gründen. »Nur wenige verstehen diese innere Gewissheit«, sagte sie. »Die meisten, auch meine Mutter, meinen, ich hätte zu viel aufgegeben, weil ich nicht geheiratet und keine Kinder bekommen habe, dabei sind die Schüler doch meine Kinder.« Ich verstand sie weit besser, als sie ahnte. Sie liebte Bücher, so wie ich, und bewahrte die ihr teuren Bände in einer Truhe in dem kleinen vorderen Salon auf. Jeden Abend las sie ihrer Mutter mit ihrer melodischen Stimme vor – Milton, Byron, Austen – und das noch lang, nachdem Grace in ihrem Sessel eingeschlafen war.

Das Haus war voller Hüte, in sämtlichen Entstehungsphasen. Sie hingen überall auf Ständern, und wo keine Hüte waren, lagen und klemmten Skizzen, auf Tischen und im Rahmen des Spiegels an der Tür. Grace schuf große, wild gefiederte Kreationen, die sie an die Modegeschäfte in der Stadt verkaufte. Als Quäkerin hätte sie so etwas niemals hätte tragen dürfen. Nina meinte, dass Grace in den Hüten ein Ersatzleben führen würde, ich aber glaube, dass sie lediglich ihrem künstlerischen Drang folgte.

In der ersten Woche putzten wir. Wir fegten Staub und Spinnen fort und wischten Fensterscheiben, polierten die schmalen Bettgestelle, Tisch, Stuhl und den quietschenden Schaukelstuhl. Sarah Mapps brachte uns einen handgeknüpften Teppich, helle Quilts, einen zweiten Tisch, eine Leuchte und ein schmales Bücherregal, auf dem wir unsere Bücher und Hefte aufbewahrten. Wir hängten duftende immergrüne Zweige unter die Traufe und unsere Kleider an Haken an der Wand. Mein Schreibgerät aus Zinn kam auf den zusätzlichen Tisch.

In der zweiten Woche wurde uns langweilig. Sarah Mapps sagte, wir sollten beim Betreten und Verlassen des Hauses Vorsicht walten lassen, da ihre Nachbarn Rassenmischung nicht tolerierten, und eines Tages entdeckte uns tatsächlich eine Bande rüpelhafter Jungen und verfolgte uns mit Steinen und Beleidigungen. *Verschmelzer. Verschmelzer.* Am Tag darauf wurde das Haus mit Eiern beworfen.

In der dritten Woche wurden wir zu Einsiedlern.

Als der November kam, begann ich, auf dem ovalen Teppich meine Runden zu drehen und dabei alle Bücher und Briefe ein weiteres Mal zu lesen, damit ich nicht wieder in der Melancholie versank, der ich als Kind anheimgefallen war. Mir war, als müsste ich um meinen festen Boden fürchten, als würde ich ohne den Teppich unter meinen Füßen in den alten Abgrund stürzen.

Bevor wir bei Catherine ausgezogen waren, hatte uns noch ein Brief von Handful mit der Nachricht von Charlottes Tod erreicht. Jedes Mal, wenn ich ihn las – so häufig, dass Nina mir schon angedroht hatte, ihn zu verstecken –, dachte ich an das Versprechen, das ich Charlotte gegeben hatte. Es hatte mich mein ganzes Leben lang gequält, und Charlottes Tod war keinerlei Entbindung. Er hatte meine Verpflichtung nur noch zwingender gemacht. Ich redete mir ein, dass ich es versucht hatte – ich *hatte* es versucht. Wie oft hatte ich Mutter gebeten, mir Handful zu verkaufen, damit ich ihr die Freiheit schenken konnte? Mutter hatte auf meine Bitten nicht einmal reagiert.

Dann, eines Morgens, als meine Schwester mit den letzten Aquarellfarben die kahle Weide vor dem Fenster malte und ich meinen streng bemessenen Kurs auf dem Teppich ablief, blieb ich plötzlich stehen und schaute auf das Schreibgerät aus Zinn. Ich starrte es mehrere Minuten lang an. Alles lag in Scherben, doch da war das Schreibgerät.

»Nina! Weißt du noch, wie Mutter uns früher stundenlang dazu verdonnert hat, Entschuldigungsbriefe zu schreiben? Nun, ich werde wieder einen schreiben ... Einen aufrichtigen Entschuldigungsbrief für das Übel der Sklaverei. Du könntest auch einen schreiben ... Wir beide könnten schreiben.«

Sie starrte mich an. Plötzlich lag alles klar und deutlich vor mir. »Der Süden muss angesprochen werden«, sagte ich. »Und wir sind aus dem Süden ... Wir kennen die Sklavenhalter, du und ich ... Wir können zu ihnen sprechen ... und sie mit unseren Worten nicht belehren, sondern berühren.«

Nina wandte sich zum Fenster, sie schien die Weide zu betrachten. Als sie wieder zu mir sah, glühten ihre Augen. »Wir könnten ein Pamphlet verfassen!«

Sie stand auf und trat in das helle Viereck, das das Fenster auf den Boden warf. »Mr Garrison hat meinen Brief gedruckt, vielleicht würde er auch unser Pamphlet drucken und an die Städte im Süden schicken. Aber wir sollten es nicht an die Sklavenhalter adressieren. Sie würden uns ja doch nicht zuhören.«

»An wen dann?«

»Wir schreiben an die Geistlichkeit und an die Frauen. Wir

lassen die Prediger auf sie los und ihre Frauen und Mütter und Töchter.«

❧

Ich schrieb, in ein wollenes Tuch gehüllt, an meinem kleinen Pult im Bett, Nina, ihre alte, pelzbesetzte Haube auf dem Kopf, beugte sich über den Tisch. Der Dachboden seufzte vor Kälte und dem *Kratz-Kratz* unserer Federn, und draußen in der hereinbrechenden Dunkelheit riefen sich die Nachtschwalben.

Den ganzen Winter lang röchelte unser Zimmer von der Hitze des Kamins. Nina riss ständig das Fenster auf, um die eisige Luft hereinzulassen. Wenn wir schrieben, schwitzten oder froren wir, etwas dazwischen gab es selten. Allmählich näherten sich unsere Pamphlete der Vollendung – meines hieß *Ein Brief an die Geistlichkeit der Südstaaten*, Ninas *Ein Aufruf an die Christlichen Frauen des Südens*. Sie hatte sich die Frauen vorgenommen, ich die Geistlichkeit, worin nicht wenig Ironie lag, da ich mich, im Gegensatz zu ihr, mit den Männern schwertat. Andersherum, so hatte Nina befunden, wäre die Ironie jedoch noch größer – wenn sie über Gott schreiben müsste, mit dem sie sich so schwertat.

Wir hatten jedes Argument aufgeführt, das der Süden zur Verteidigung der Sklaverei heranzog, und sie alle einzeln widerlegt. Auf dem Papier stotterte ich nicht. Ich war in einem regelrechten Rausch und schrieb ohne Zögern alles nieder, was in mir verborgen lag, und das mit einer Kühnheit, zu der ich im Gespräch nie fähig gewesen wäre. Manchmal dachte ich an Vater und sein schonungsloses Geständnis am Ende seines Lebens. *Glaubst du etwa, ich würde die Sklaverei nicht minder verabscheuen, als du es tust? Glaubst du, ich wüsste nicht, dass allein die Gier mich daran gehindert hat, meinem Gewissen zu folgen?* Doch mehr als alle anderen suchte Charlotte meine Seiten heim.

Unten, in der Küche, fütterten Sarah Mapps und Grace den Ofen, einen störrischen alten Rumford, der Rußwolken hustete, und bald schon roch es nach Gemüse – Zwiebeln, Rüben, Rübenkraut. Wir beendeten unser Tagewerk und stiegen die Leiter hinunter.

Als wir in die Küche kamen, wandte sich Sarah Mapps vom Herd ab. Sie war in Rauchschwaden gehüllt. »Seid ihr vorangekommen?«, fragte sie, und ihre Mutter, die Teig geknetet hatte, hielt inne und wartete ebenfalls auf eine Antwort.

»Sarah hat ihre Fortschritte mitgebracht«, sagte Nina. »Sie hat heute den finalen Satz geschrieben. Ich sollte morgen fertig werden.«

Sarah Mapps klatschte in die Hände, so wie sie es vermutlich vor den Kindern in der Schule tat. Es war uns zur Gewohnheit geworden, uns nach dem Essen im Salon zu treffen. Dort lasen Nina und ich vor, was wir neu verfasst hatten. Unsere Augenzeugenberichte erregten Grace mitunter so, dass sie uns mehrfach unterbrach – *So eine Widerwärtigkeit! Sieht denn niemand, dass wir Menschen sind? Das hätte doch auch mich ereilen können!* In solchen Momenten holte Sarah Mapps den Hutkorb, damit ihre Mutter sich ablenken und die Nadel in einen Hut stecken konnte.

»Heute ist ein Brief für dich gekommen, Nina«, sagte Grace, wischte sich den Teig von den Händen und zupfte das Schreiben aus ihrer Schürze.

Nur wenige Menschen wussten von unserem Verbleib: Mutter und Thomas, und auch Handful hatte ich die Adresse geschickt, jedoch nichts von ihr gehört. Unter den Quäkern hatten wir nur Lucretia informiert, aus Angst, dass Sarah Mapps und Grace wegen ihres Umgangs mit uns büßen müssten. Die Handschrift auf dem Umschlag aber war mir fremd.

Ich schaute Nina über die Schulter, als sie das Papier aufriss.

»Er ist von Mr Garrison!«, rief Nina. Das war mir entfallen – Nina hatte ihm vor einigen Wochen geschrieben und unser literarisches Vorhaben geschildert, worauf er begeistert geantwortet und uns gebeten hatte, ihm unser Werk bei Vollendung vorzulegen. Was aber wollte er nun?

21. März 1836

Liebe Miss Grimké,
diesem Schreiben liegt ein Brief von Elizur Wright aus New York bei. Da er nicht weiß, wie er Sie erreichen kann, hat er mir seinen Brief zur Weiterleitung anvertraut. Sie werden die außergewöhnliche Wichtigkeit seines Schreibens sicherlich begreifen.
Ich bete, dass mich die Schriften, die Sie und Ihre Schwester verfertigen, bald erreichen und dass Sie beide dem, was nun an Sie herangetragen wird, mit Mut und Kraft begegnen können.
Das gebe Gott.
William Lloyd Garrison

Nina schaute auf und suchte meinen Blick. Ihre Augen waren voller Staunen. Sie holte tief Luft und las den beigefügten Brief vor.

2. März 1836

Liebe Miss Grimké,
ich schreibe Ihnen im Auftrag der Amerikanischen Anti-Sklaverei-Gesellschaft, die in Bälde vierzig Redner beauftragen und entsenden wird, um in den freien Staaten auf Versammlungen zu sprechen, die Menschen zu bekehren und für unsere Sache zu gewinnen. Nachdem ich Ihren eloquenten Brief im Liberator *lesen und erleben durfte, welche Ehrfurcht und Empörung er hervorrief, ist das Exekutivkomitee einstimmig zu dem Entschluss gekommen, dass Ihre Einblicke in das Übel der Sklaverei und Ihre leidenschaftliche Stimme von unschätzbarem Wert sein werden. Wir laden Sie hiermit ein, uns bei diesem großen moralischen*

Unternehmen zu begleiten, sowie auch Ihre Schwester Sarah, da wir auch von ihrem Einsatz und ihren unerschütterlichen abolitionistischen Ansichten Kenntnis erhielten. Wir glauben, dass Sie unserer Mission offener gegenüberstehen, wenn Ihre Schwester Sie begleitet. Sollten Sie beide zustimmen, unsere einzigen weiblichen Redner zu sein, würden wir Sie in die privaten Damensalons New Yorks entsenden.
Wir erwarten Sie am sechzehnten des kommenden Septembers zu zwei Monaten strenger Redeübungen unter der Ägide von Theodore Weld, dem großen Orator der Abolitionisten. Ihre Vortragsreihe würde im Dezember beginnen.
Wir bitten um gewogene Betrachtung unseres Anliegens und eine Antwort Ihrerseits.

Mit hochachtungsvollsten Grüßen,
Elizur Wright
Sekretär der AASS

Wir alle schauten uns eine Weile verdattert und fassungslos an, dann schlang Nina die Arme um mich. »Sarah, all unsere Hoffnungen werden wahr, ja sogar mehr als das!«

Ich stand nur reglos da. Sarah Mapps nahm eine Handvoll Mehl und warf sie über uns wie Reis bei einer Trauung. Ihr Gelächter mischte sich mit Küchendampf.

»Denk doch nur, wir werden von Theodore Weld angeleitet«, sagte Nina. Er war niemand Geringeres als der Mann, der Ohio »abolitioniert« hatte. Er sei, so hieß es, fordernd, kompromisslos, ein Mann der strengen Disziplin.

Irgendwie überstand ich Essen und Lektüre, und als wir endlich ins Bett schlüpften, pries ich still die Dunkelheit. Ich lag reglos da und hoffte, Nina würde mich für schlafend halten, doch dann kam ihre Stimme aus dem Bett, zwei Armeslängen nur von mir entfernt: »Ich gehe nicht ohne dich nach New York.«

»I-Ich habe nicht gesagt, dass ich nicht gehe. Natürlich gehe ich.«

»Du warst so ruhig, ich wusste nicht, was ich denken soll.«

»Ich bin vor Freude überwältigt, Nina … Es ist nur … Ich muss reden. In aller Öffentlichkeit … vor Fremden … Ich muss die Stimme in meinem Hals benutzen, nicht die auf dem Papier.«

Den ganzen Abend lang hatte ich mir ausgemalt, wie es wäre, wenn meine Zunge über die Worte stolpern, die New Yorker Damen auf ihren Stühlen herumrutschen und verlegen in ihren Schoß schauen würden.

»Du hast bei den Andachten gesprochen«, sagte Nina. »Dein Stottern hat dich nicht daran gehindert, den Weg zum Prediger-Amt einzuschlagen.«

Ich schaute auf die schwarze Planke über meinem Kopf. Natürlich hatte Nina recht. Da erst ging mir auf, dass es nicht das Reden war, das ich am meisten fürchtete. Diese Angst war so alt, dass sie sich erschöpft hatte. Was ich wirklich fürchtete, war die Ungeheuerlichkeit – das Land als Rednerin in nationalem Auftrag zu bereisen. Fast hätte ich gesagt: *Wer bin ich denn, dass ich das wage, ich als Frau?* Doch diese Stimme war nicht meine. Es war die Stimme meines Vaters. Meines Bruders Thomas. Sie gehörte Israel, Catherine und Mutter. Sie gehörte meiner Kirche in Charleston und den Quäkern in Philadelphia. Und ich würde alles tun, damit sie nicht auch mir gehörte.

Handful

Ich war wegen einer Besorgung in der Nähe vom Adgers-Kai, als ein Dampfer aus dem Hafen fuhr. Das war vielleicht ein Anblick! Das Schaufelrad donnerte, der Schornstein rauchte, die Leute auf dem Oberdeck winkten mit ihren Taschentüchern. Ich schaute hinterher, bis sich die Gischt wieder beruhigte und das Boot über die blaue Kante glitt.

Die Kleine Missus hatte mich losgeschickt, um zwei Flaschen Scotch zu besorgen, und ich musste mich sputen. Ich führte nun die meisten Aufträge für sie aus. Wenn sie einen von den Plantagensklaven losschickte, kam er mit leerem Korb zurück oder hatte noch immer die Nachricht in den Händen, die er überbringen sollte. Die konnten die Battery-Promenade nicht vom Wragg Square unterscheiden, und wenn sie Glück hatten, bekamen sie wegen so etwas kein Abendessen, wenn sie Pech hatten, fünf Peitschenhiebe von Hector.

In der Vorwoche hatte Sky ein Lied erdacht, das sie die ganze Zeit im Garten sang. *Die kleine Missus Mary, gemein wie eine Schlange, die kleine Missus Mary, schlag sie möglichst lange.* Ich hatte ihr gesagt, sing das nicht, Hector hat Ohren zu hören, aber Sky bekam den Reim nicht von der Zunge. Das Ende vom Lied war der eiserne Maulkorb. Der wurde eigentlich benutzt, wenn ein Sklave Essen gestohlen hatte, aber er funktionierte genauso gut, wenn man einen von uns am Reden hindern wollte. Vier Männer waren nötig, um Sky festzuhalten, die Zinken in ihren Mund zu bekommen und das Ding an ihrem Hinterkopf zu schließen. Sie schrie so laut, dass ich mir auf die Innenseite von meiner Wange biss, bis Blut kam und ich Kupfer schmeckte. Sky konnte damit zwei Tage lang nicht essen oder sprechen. Sie schlief im Sitzen, damit ihr das Eisen nicht ins Gesicht schnitt, und wenn sie stöhnend wach wurde, schob ich ihr einen feuchten Lappen unter dem Rand vom Knebel durch, damit sie daraus das Wasser saugen konnte.

Als ich aus dem Schnapsladen kam, musste ich an ihre eingerissenen Mundwinkel denken. Sky hatte seitdem nicht eine Note mehr gesungen. Dann hörte ich Schreie und roch Rauch.

Schwarze Schwaden stiegen über der Alten Börse auf. Als Erstes kam mir Denmark in den Sinn. Endlich stand die Stadt in Flammen, so wie er es sich immer gewünscht hatte. Ich raffte meinen Rock hoch, stieß den Kaninchen-Stock in die Pflastersteine und versuchte, meine Beine schneller zu bewegen. Die Scotch-Flaschen klimperten in meinem Korb. Der Schmerz schoss bis zu meiner Hüfte hoch.

An der Ecke zur Broad Street blieb ich wie angewurzelt stehen. Was ich für die brennende Stadt gehalten hatte, war nur ein großes Feuer vor der Börse. Darum herum drängte sich ein Mob. Der Mann von der Post stand auf den Stufen und warf bündelweise Papier in die Flammen. Jedes Mal, wenn ein Stapel im Feuer landete, stieben die Funken und die Menge grölte.

Ich hatte keine Ahnung, was sie alle so erregte, und man will ja wirklich nicht davonlaufen, wenn jemand anders Ärger hat, aber wenn man sich verspätete oder verlief, gab es von der Kleinen Missus Peitschenhiebe.

Mit gesenktem Kopf bahnte ich mir den Weg zurück. Da sah ich eins der Hefte, die dort brannten, es lag platt getreten auf der Straße. Ich ging hin und hob es auf.

Es war sogar unterzeichnet. *Ein Brief an die Geistlichkeit der Südstaaten, von Sarah M. Grimké.*

Ich stand stocksteif da. Sarah. *Sarah M. Grimké.*

»Gib das her, Niggerweib!«, sagte ein Mann. Er war alt und kahl und roch von der Sommerhitze säuerlich. »Gib das her.«

Ich schaute in seine roten, wässrigen Augen und steckte das Bändchen in meine Tasche. Da stand Sarahs Name drauf, und im Innern waren ihre Worte. Sollten sie die anderen Schriften ruhig verbrennen, die hier bekamen sie nicht.

Später, am Abend, sollten Sky und Goodis an mein Bett kommen und sagen: *Handful, was hast du dir dabei gedacht? Du hättest es ihm geben müssen*, aber da hatte ich schon getan, was ich getan hatte.

Ich schenkte seinen Worten keine Beachtung, wandte mich um und ging fort, fort von seinem Gestank und seiner grabschenden Hand.

Er bekam den Griff von meinem Korb zu fassen und riss mich zurück. Ich stolperte nach hinten. Er ließ nicht los, schwankte und sagte: »Was bildest du dir ein? Dass du damit weggehen kannst?« Dann sah er in den Korb, der angetrunkene Narr, und erkannte die Flaschen mit dem besten Scotch von ganz Charleston. Seine graue Zunge kam hervor und leckte sich die Lippen.

Ich sagte: »Hier, Sie bekommen den Schnaps, und ich bekomm das Heft«, ließ den Korb vom Arm gleiten und den Mann damit einfach stehen. Dann humpelte ich davon, ich und mein listiges Kaninchen, und verschwand in der Menge.

Ich ging an der Market Street vorbei. Die Sonne sank in Orange in den Hafen, von den Gartenmauern fielen grüne Schatten. Überall auf den Straßen trabten die Pferde heim.

Ich hatte keine Eile. Ich wusste ja, was mich erwartete.

In der Nähe vom Grimké-Haus sah ich die Anlegestelle und das weiß verputzte Gebäude mit dem Schild über der Tür: *Charleston Steamship Company*. Ein Mann mit einer Taschenuhr in der Hand verschloss gerade die Vordertür. Als er weg war, ging ich zum Landungssteg und setzte mich versteckt hinter die hölzernen Kisten und schaute den Pelikanen zu, die pfeilgerade ins Wasser tauchten. Als ich das Bändchen aus der Tasche zog, hatte ich kleine verrußte Flocken in der Hand. Bei einigen Worten hatte ich große Mühe. Aber wenn ich stockte, sah ich auf die Buchstaben und wartete, bis sich der Sinn von selber zeigte. Er kam so wie die Bilder, die sich in den Wolken formen.

Geschätzte Freunde,
ich wende mich an Euch als reuige Sklavenhalterin des Südens, als eine, die in der Gewissheit lebt, dass der Neger kein Vieh ist, das man besitzt, sondern ein Mensch unter Gott…

Die Kleine Missus ließ mich bei Mondlicht auspeitschen.

Als ich verspätet am Tor erschienen war, ohne ihren teuren Scotch oder das Geld, das sie mir dafür gegeben hatte, sagte sie zu Hector, dass er sich um mich kümmern sollte. Es war dunkel, der schwarze Himmel voller stechender Sterne, wie aus Blech geschnitten, und der Mond so voll, dass Hectors Schatten flach am Boden lag. Er hatte die Bullenpeitsche aufgerollt, die an seinem Gürtel hing.

Ich hatte meine Hoffnung immer von Mauma bezogen, doch sie war nicht mehr bei mir.

Er band meine Hände an einen Pfosten am Küchenhaus. Zuletzt war ich ausgepeitscht worden, weil ich das Lesen gelernt hatte – ein Hieb, das reinste Zuckerschlecken, hatten die anderen gesagt –, da hatte Tomfry mich an denselben Pfosten gebunden.

Diesmal waren es zehn Hiebe. Der Preis für Sarahs Worte.

Ich wartete mit dem Rücken zu Hector, entdeckte Goodis, der in den Schatten beim Kräutergarten kauerte, und Sky, die sich neben der Aufwärmküche versteckte, ihre Augen blitzten, als wäre sie ein kleines Tier der Nacht.

Ich schloss die Augenlider vor der Welt. Wozu war das gut? Wozu war irgendetwas hiervon gut?

Der erste Schlag kam direkt aus dem Feuer. Ein Schürhaken brannte sich in meine Haut. Ich hörte, wie die Baumwolle von meinem Kleid riss, spürte, wie die Haut aufsprang. Es riss mir die Beine weg.

Ich schrie, weil ich nicht anders konnte, weil mein Körper klein und ungepolstert war. Ich schrie, um Gott aus seinem Schlummer aufzuwecken.

Mir kamen Sarahs Worte in den Sinn. *Ein Mensch unter Gott.*

In Gedanken sah ich den Dampfer. Das Schaufelrad drehte sich.

~

Am nächsten Tag nahm ich bei der Kleinen Missus Maß für ein Kleid, ein Ausgehkostüm aus Seidentaft, wie man es so braucht, und sie tat, als wäre nichts geschehen. Sie war sogar ausgesprochen gefällig. *Handful, was hältst du von diesem Goldton, ist der zu blass?… Niemand näht wie du, Handful.*

Als ich das Maßband von ihrer Taille bis zu den Knöcheln ausrollte, zwickte und zog die aufgerissene Haut an meinem Rücken. Ein Tropfen lief mir zwischen den Schultern entlang. Phoebe und Sky hatten mir braunes Papier, das in Sirup eingeweicht war, auf den Rücken gelegt, um die wunden Stellen sauber zu halten, aber den Schmerz hatte mir das nicht versüßt. Jeder Schritt tat weh. Ich schob die Füße über den Boden, ohne sie anzuheben.

Die Kleine Missus drehte sich auf der Anprobenkiste im Kreis. Sie erinnerte mich an den Globus in der Bibliothek von Master Grimké.

Dann polterte der Türklopfer. Hectors Schuhe schlappten durch den Korridor zum Salon, wo die Missus ihren Tee zu sich nahm. Er rief: »Missus, der Bürgermeister ist da. Er sagt, Sie soll'n zur Tür kommen.«

Mary stieg von der Anprobenkiste und steckte den Kopf zur Tür hinaus, um zu sehen, so viel sie konnte. Die Missus war inzwischen alt, ihr Haar so weiß wie Papier, doch sie war noch recht beweglich. Erst hörte man, wie ihr Stock eilig pochte, dann drang ihre kriecherische Stimme durch den Raum. »Mr Hayne! Was für eine Ehre. Bitte, kommen Sie, leisten Sie mir beim Tee Gesellschaft.« Sie hatte den ganz großen Fisch an der Angel.

Die Kleine Missus mühte sich in ihre Schuhe. Sie und die Missus schwärmten unentwegt vom Bürgermeister. Mr Robert Hayne wandelte über die Wasser von Charleston. Sie priesen ihn als den Großen Anti-Föderalisten.

»Ich fürchte, dies ist kein gesellschaftlicher Anlass, Mrs Grimké. Ich bin in einer offiziellen Angelegenheit Ihre beiden Töchter Sarah und Angelina betreffend hier.«

Die Kleine Missus wurde still. Sie wich zum Türrahmen zurück, ein Schuh an, ein Schuh aus, ich folgte ihr dorthin.

»Ich muss mit Bedauern anzeigen, dass Sarah und Angelina in dieser Stadt nicht mehr willkommen sind. Sie sollten beiden mitteilen, dass sie, sollten sie anlässlich eines Besuchs zurückkehren, verhaftet und festgehalten werden, bis ein Dampfer sie wieder nach Norden bringen kann. Es ist zu ihrem eigenen Wohlergehen wie auch dem der Stadt – Charleston ist derart entrüstet über die beiden, dass sie zweifelsohne von einer Woge der Gewalt empfangen würden, sollten sie sich in der Stadt zeigen.«

Es wurde ruhig. Das Haus knirschte mit seinen alten Knochen.

»Haben Sie mich gehört, Madame?«, fragte der Bürgermeister.

»Ich habe Sie sehr gut gehört, aber nun hören Sie *mir* zu.

Meine Töchter mögen ruchlose Meinungen vertreten, aber ich werde nicht zulassen, dass sie auf derart beleidigende und demütigende Weise behandelt werden.«

Die Haustür knallte, der Stock klapperte, dann stand die Missus mit zitternder Lippe im Entree.

Mir glitt das Maßband aus den Händen. Es rollte sich auf dem Boden, neben meinem Fuß. Ich würde Sarah niemals wiedersehen.

Sarah

Von meinem Platz auf der Bühne aus verfolgte ich, wie das Publikum Nina mit immer größerer Verzückung lauschte. Die Luft knisterte. Es war, als würde es in den Köpfen brodeln. Dies war unser Antrittsvortrag, und wir hockten nicht etwa in einem New Yorker Salon vor zwanzig Damen samt Stickrahmen auf dem Schoß, so wie die Anti-Sklaverei-Gesellschaft sich das ursprünglich vorgestellt hatte. Nein, wir befanden uns in einem imponierenden Saalbau, mit Schnitzereien an den Galerien und roten Samtstühlen, die bis auf den letzten Platz besetzt waren.

Die ganze Woche lang hatten die Zeitungen wütend gegen die unheilbringende Neuerung angeschrieben, dass zwei Schwestern, einer doppelten Fanny Wright gleich, eine Rede gegen die Sklaverei halten wollten. Handzettel, die alle Frauen dringend mahnten, im Haus zu bleiben, pflasterten die Straßen zu, und selbst in der Anti-Sklaverei-Gesellschaft war Nervosität ausgebrochen, als der Vortrag in einen öffentlichen Saal verlegt wurde. Beinahe wäre die Veranstaltung in dieser Form abgesagt und wir doch wieder in den Salon verfrachtet worden.

Theodore Weld hatte sich erhoben und die Gesellschaft ob ihrer Feigheit gescholten. Er hieß dort nur der König aus dem Stamme der Abolitionisten, und das aus gutem Grund – er konnte, wenn nötig, recht nachdrücklich sein. »Ich verteidige das Recht dieser Damen, hier und überall sonst gegen die Sklaverei einzutreten. Es ist über die Maßen lächerlich von Ihnen, sie um diesen großen Moment zu bringen.«

Er hatte uns gerettet.

Nina fegte auf der Bühne hin und her, untermalte ihre Worte mit Händen und sprach mit einer Stimme, die bis zu den Galerien drang. »Wir stehen vor Ihnen als Frauen aus dem Süden und sind gekommen, um Ihnen die entsetzliche Wahrheit über die Sklaverei zu schildern ...« Sie hatte sich ein elegantes, tiefblaues Kleid geleistet, das ihr Haar betonte, und ich kam nicht umhin, mich zu fragen, was Mr Weld zu diesem Anblick sagen würde.

Er hatte die Übungen für Nina, mich und die anderen achtunddreißig Redner angeleitet und uns in Rhetorik geschult, und doch hatte er nicht gewusst, was er uns raten sollte. Sollten wir reglos dastehen und mit sanfter Stimme sprechen, so wie es von Frauen allgemein erwartet wurde, oder sollten wir gestikulieren und bildmächtig reden wie ein Mann? »Das überlasse ich Ihnen«, hatte er am Ende beschieden.

Er hatte an uns ein, wie er es nannte, brüderliches Interesse entwickelt und besuchte uns oft in unserer Unterkunft. Genau genommen hatte er ein Interesse an Nina entwickelt, und ich bezweifelte, dass es sehr brüderlich war. Nina gab es zwar nicht zu, doch auch sie fühlte sich zu ihm hingezogen. Ich hatte mir Mr Weld als gestrengen älteren Herrn vorgestellt, doch wie sich herausstellte, war er jung und so freundlich wie gestreng. Er war dreiunddreißig, unverheiratet und mit seinen üppigen braunen Locken und den stahlblauen Augen ausnehmend attraktiv. Außerdem war er farbenblind und mischte bei seiner Kleidung die sonderbarsten, unpassendsten Töne. Wir fanden es berückend. Dennoch hatte nichts von alledem Nina für ihn eingenommen. Ich vermutete, dass es jener befreiende Satz gewesen war. Jene vier Worte. *Das überlasse ich Ihnen.*

»Die Frauen unter den Sklaven sind unsere Schwestern!«, rief Nina und streckte die Arme zu den Seiten aus, als wäre sie von einer Schar dieser Schwestern umgeben. »Wir dürfen sie nicht im Stich lassen.« Es war ihr letzter Satz. Donnernder Applaus folgte. Die Damen sprangen von den Sitzen.

Als der Beifall überhaupt kein Ende nahm, wurde mir immer heißer. Nun war ich an der Reihe. Die Mitglieder der Gesellschaft hatten mich beim Einüben meiner Rede gehört und beschlossen, dass Nina als Erste sprechen und ich folgen sollte, da sie fürchteten, dass bei umgekehrter Reihenfolge zu wenige bis zum Ende lauschen würden. Ich stand voller Sorge auf, dass die Worte, die ich zu sagen beabsichtigte, mir nicht folgen würden.

Als ich an das Pult trat, wurden meine Knie weich. Ich musste mich kurz an den Seiten des Podiums festhalten. Mich überwältigte, dass ich, ausgerechnet ich, dort stand. Ich schaute in ein Meer aus fragenden Gesichtern. Vermutlich bot ich nach meiner großen, strahlend schönen Schwester einen recht erstaunlichen, wenn nicht gar verstörenden Anblick. Ich war klein, mittleren Alters, von durchschnittlichem Äußeren, mit einer Brille auf der Nase und einem alten Quäkerkleid am Leib. Mittlerweile fühlte ich mich wohl darin. *Ich bin, was ich bin.* Bei dem Gedanken musste ich lächeln, und wohin ich auch schaute, lächelten die Frauen zurück. Vielleicht hatten sie erfasst, was mir durch den Kopf gegangen war.

Dann öffnete ich den Mund, und die Worte purzelten nur so heraus. Ich sprach mehrere Minuten, ehe ich zu Nina schaute, als ob ich sagen wollte: *Ich stottere ja gar nicht!* Sie nickte, mit großen glänzenden Augen.

Früher war mein Stottern auf mysteriöse Weise gekommen und gegangen, doch in der letzten Zeit war es derart hartnäckig geblieben, dass ich es schon als meinen dauerhaften Begleiter gesehen hatte. Doch nun redete und redete ich. Ruhig sprach ich über jedes Übel der Sklaverei, das ich mit eigenen Augen gesehen hatte. Ich berichtete von Handful, ihrer Mutter und ihrer Schwester. Ich ließ nichts aus.

Schließlich schaute ich über meine Brillengläser und ließ den Blick auf meinen Zuhörerinnen verweilen. »Wir werden nicht länger schweigen. Wir Frauen werden uns im Namen der Sklaven erheben, und wir werden nicht schweigen, bis sie die Freiheit erringen!«

Dann wandte ich mich ab und ging zu meinem Stuhl. Hinter mir erhoben sich die Frauen und füllten den Saal mit ihrem Beifall.

Zwei Wochen lang sprachen wir vor großen Menschenmengen in New York, danach führten wir eine Kampagne in New Jersey an, im Anschluss reisten wir durch die Städte entlang des Hudson. Die Frauen kamen in Scharen, ihre Zahl vermehrte sich wie die Brote und die Fische in der Bibel. In einer Kirche in Poughkeepsie war der Andrang so groß, dass die Galerie unter dem Gewicht ächzte. Die Kirche musste evakuiert werden, und wir hielten unsere Reden im Freien, in der Kälte und Dunkelheit eines Februarabends – nicht eine einzige Frau ging. In jeder Stadt, in die wir kamen, ermutigten wir die Frauen, selbst eine Gesellschaft gegen die Sklaverei zu gründen, und hießen sie, Unterschriften auf Petitionen zu sammeln. Mein Stottern kam und ging, wie es ihm beliebte, doch es hatte die Güte, sich von den meisten meiner Reden fernzuhalten.

Wir waren in bescheidenem Maße berühmt und über die Maßen berüchtigt. Während dieses Winters und Frühjahrs verbreitete praktisch jede Zeitung im Lande unsere Taten. Die abolitionistischen Zeitungen publizierten unsere Reden, Zehntausende unserer Pamphlete gingen in Druck. Sogar unser ehemaliger Präsident John Quincy Adams willigte ein, uns zu empfangen, und versprach, die Petitionen der Frauen in den Kongress zu tragen. In einigen Städten des Südens wurden wir in effigie gehängt, gleich neben Mr Garrison, und unsere Mutter hatte uns übermitteln lassen, dass wir in Charleston mit einer Verhaftung rechnen müssten.

Mr Weld hielt uns am Leben. Er schrieb Briefe, die an uns beide gerichtet waren, pries darin unsere Anstrengungen und auch uns als beharrlich, kühn und unerschütterlich. Hin und wieder fügte er ein Postskriptum für Nina an. *Angelina, überall erzählt man mir, dass Ihr Publikum Ihnen hörig ist. Als der Verantwortliche Ihrer Ausbildung wünschte ich, ich könnte das Lob dafür einheimsen, doch es gebührt Ihnen allein.*

An einem milden Nachmittag im April erschien er, ohne Vorankündigung, bei Gerrit Smith, dem größten Wohltäter unserer Organisation. Nina und ich wohnten während unserer letzten Vortragsreihe einige Tage in seinem Landhaus in Peterboro, New York. Angeblich war Mr Weld gekommen, um mit Mr Smith einige finanzielle Angelegenheiten zu besprechen, doch sein eigentliches Anliegen war nicht zu übersehen. Jeden Morgen unternahm Mr Weld mit Nina einen Spaziergang durch die Obstgärten. Er hatte auch mich dazu eingeladen, aber nach einem Blick auf Ninas Miene hatte ich dankend abgelehnt. Am Nachmittag geleitete er uns zu den Vorträgen und wartete währenddessen vor dem Saal. Abends saßen wir zu dritt mit Mr und Mrs Smith im Salon, erörterten Strategien und berichteten von unseren Abenteuern. Wenn Mrs Smith dann meinte, es sei an der Zeit, dass sich die Damen zurückzögen, sahen sich Theodore und Nina voller Sehnsucht an, worauf er sagte: »Nun denn. Sie benötigen Ihren Schlaf«, und Nina schmerzlich langsam den Salon verließ.

Am Tag seiner Abreise sah ich sie von meinem Fenster aus, als sie von ihrem Spaziergang zurückkehrten. Es hatte zu regnen begonnen, ein plötzlicher Schauer mitten im Sonnenschein, und Mr Weld hielt seinen Mantel wie ein kleines Zelt über ihre Köpfe. Sie gingen ohne jede Eile, lachend.

Als sie auf die Veranda kamen und die Nässe abschüttelten, beugte er sich vor und küsste meine Schwester auf die Wange.

Im Juni reisten wir nach Amesbury, Massachusetts, wo wir uns zwei Wochen lang im Schindel-Cottage einer Mrs Witthier erholen wollten. Unser Kreuzzug durch New England stand bevor, er sollte sich über den ganzen Herbst erstrecken, und wir waren vollkommen erschöpft. Ich hatte einen leichten Husten, der nicht weichen wollte, außerdem brauchten wir neue, der Jahreszeit entsprechende Kleidung. Mrs Whittier hatte kirschrote Wangen und war so nahrhaft, wie sie wirkte. Sie fütterte uns mit reichhaltigen Suppen, flößte uns Lebertran ein, schickte jeden Besucher fort und uns ins Bett, noch bevor der Mond am Himmel stand.

Erst nach einigen Tagen fanden wir heraus, dass sie die Mutter von John Greenleaf Whittier war, Theodores bestem Freund. Wir tranken im Salon Tee, da begann sie von ihrem Sohn und dessen langjähriger Freundschaft mit Theodore zu sprechen. Nun verstanden wir auch, warum sie uns aufgenommen hatte.

»Dann kennen Sie Theodore gewiss sehr gut«, sagte Nina.

»Teddy? Ach Gott, Teddy ist wie ein Sohn für mich, und für John ist er wie ein Bruder.« Sie schüttelte den Kopf. »Vermutlich wissen Sie von diesem grässlichen Schwur.«

»Schwur?«, fragte Nina. »Aber nein, davon wissen wir nichts.«

»Nun ja, ich bin gar nicht damit einverstanden. Mir ist das einfach zu extrem. Eine Frau in meinem Alter wünscht sich schließlich Enkelkinder. Aber die beiden sind Männer von Prinzip, da hilft auch kein Zureden.«

Nina war bis zur Stuhlkante vorgerutscht. Sie hatte ihr Strahlen verloren. »Was haben sie denn geschworen?«

»Sie haben sich geschworen, dass keiner der beiden heiraten wird, ehe nicht die Sklaverei aus der Welt geschafft ist. Aber das werden sie wohl kaum erleben.«

In jener Nacht weckte mich ein Klopfen an der Tür, lange nachdem der Mond aufgegangen war. Nina stand vor mir, das Gesicht so starr und düster wie ein Wall. »Das ertrage ich nicht«, sagte sie und sank an meine Schulter.

In jenem Sommer 1837 kamen die Einwohner New Englands zu Tausenden, um uns zu hören, und zum ersten Mal waren auch Männer im Publikum. Zuerst nur eine Handvoll, dann fünfzig, dann Hunderte. Dass wir in der Öffentlichkeit zu Frauen sprachen, war schlimm genug – dass wir in der Öffentlichkeit vor Männern sprachen, stellte das puritanische Weltbild auf den Kopf.

»Sie werden die Scheiterhaufen entzünden«, versuchte ich Nina gegenüber zu scherzen, als die ersten Männer kamen. Wir lachten, doch das sollte uns bald vergehen.

Zu lehren gestatte ich der Frau nicht. Sie soll auch nicht über den Mann herrschen wollen, sondern sich still verhalten. Kannte die Bibel einen Vers, der noch empörender gewesen wäre? In jenem Sommer wurde er, mit Bezug auf unser Handeln, von jeder Kanzel New Englands gepredigt. Die kongregationalistischen Kirchen erließen einen Zensurbeschluss gegen uns und ordneten den Boykott unserer Vorträge an, woraufhin uns etliche Kirchen und Säle verschlossen blieben. In Pepperell waren wir gezwungen, unsere Botschaft in einer Scheune zu überbringen, zwischen Pferden und Kühen. »Wie Sie sehen, gab es in der Herberge keinen Platz«, begrüßte Nina unsere Zuhörer. »Aber die Weisen haben dennoch zu uns gefunden.«

Wir bemühten uns, standhaft, kühn und hartnäckig zu bleiben, so wie Theodore uns gepriesen hatte, und verfochten auf unseren Vorträgen nun auch unser Recht auf freie Rede. »Was wir für uns fordern, fordern wir für alle Frauen!« Das war unser Schlachtruf in Lowell und Worcester und Duxbury, es war der Schlachtruf an jedem Ort, an den wir kamen. Sie hätten sehen sollen, wie die Frauen zu uns strömten, und einige, wie die furchtlosen Frauen von Andover, schrieben öffentliche Briefe zu unserer Verteidigung. Meine alte Freundin Lucretia schickte uns eine Nachricht aus dem fernen Philadelphia. Es waren nur vier Worte: *Weiter so, meine Schwestern.*

Unbeabsichtigt hatten wir das Land in einen Aufruhr versetzt. Das Thema der Frauenrechte war neu, befremdlich und verpönt, doch plötzlich wurde es selbst in Ohio diskutiert. Meine Schwester wurde in Devilina umgetauft, wir gemeinsam in die »weiblichen Brandstifter«. Kein Zweifel, wir hatten eine Lunte entzündet.

In der letzten Augustwoche kehrten wir wie von einer Schlacht in Mrs Whittiers Cottage zurück. Ich fühlte mich abgekämpft und belagert, ich wusste nicht einmal, ob ich im Herbst wieder Vorträge halten könnte. Mein Kampfgeist hatte sich vollkommen erschöpft. Am Ende unserer letzten Versammlung hatten Dutzende wütender Männer vor dem Saal auf Fuhrwerken gestanden, »Devilina!« gebrüllt und Steine nach uns geworfen. Ein Stein hatte mich am Mund getroffen und meine Unterlippe in eine dicke rote Wurst verwandelt. Ich sah so grotesk aus. Ich hatte keine Ahnung, was Mrs Whittier zu all dem sagen, ob sie uns überhaupt noch Obdach gewähren würde – schließlich waren wir nun Parias –, doch sie zog uns in die Arme und küsste uns auf die Stirn.

Als ich am dritten Tag unseres Refugiums von einem Spaziergang entlang des Merrimack zurückkam, lehnte Nina schwer am Fenster, als wäre sie eingeschlafen, den Kopf an der Scheibe, die Augen geschlossen, die Arme an den Seiten. Sie wirkte wie ein Kreisel, der zum Stillstand gekommen war.

Als sie meine Schritte hörte, wandte sie sich um und wies müde auf den Teetisch. Dort lag die *Boston Morning Post.* Mrs Whittier hatte uns den Leitartikel ersparen wollen, doch Nina hatte die Zeitung zufällig im Brotkasten entdeckt.

25. August

Nun haben die Misses Grimké also eine ganze Weile schon ihre Reden gehalten, ihre Pamphlete geschrieben und sich auf andere unweibliche Weise in der Öffentlichkeit gezeigt, aber Ehemänner haben sie keine gefunden. Woran liegt es nur, dass all die alten Hennen Abolitionisten sind? Weil sie sich in ihrer Unfähigkeit, einen Mann für sich zu gewinnen, Chancen bei dem Neger ausrechnen, doch dafür müssen sie zunächst die Mischehe salonfähig machen...

Ich konnte den Artikel nicht zu Ende lesen.

»Und zu allem Überfluss kommt heute Nachmittag auch noch Theodore mit Elizur Wright und Mrs Whittiers Sohn John. Der Brief ist eingetroffen, während du spazieren warst. Mrs Whittier macht schon Mince Pies.«

Nina hatte Theodore den ganzen Sommer nicht erwähnt, doch sie war krank vor Sehnsucht. Das war nicht zu übersehen.

Die Männer trafen um drei Uhr ein. Meine Lippe hatte beinahe wieder ihre normale Größe, jedenfalls klang es nicht mehr, als würde ich mit vollem Mund reden, doch es tat noch immer weh, und so wartete ich schweigend darauf, dass die Männer den Grund ihres Besuches ansprechen würden. Schließlich hatte Theodore uns schon einmal verteidigt – *Es ist über die Maßen lächerlich von Ihnen, die Damen um diesen großen Moment zu bringen.*

An jenem Tag trug er zwei Grüntöne, die sich schmerzhaft bissen. Er war zum Kaminsims gegangen und spielte mit einem geschnitzten Walrosszahn. Seine Blicke wanderten zu Nina. »Ich wüsste niemanden außer den Grimké-Schwestern, der einen derart beeindruckenden und entschlossenen Beitrag gegen die Sklaverei geleistet hätte.«

»Hört, hört«, sagte die gute Mrs Whittier, doch ihr Sohn schaute zu Boden. Da wusste ich, weshalb sie gekommen waren.

»Wir rühmen euch dafür«, fuhr Theodore fort. »Und doch habt ihr auch Männer ermutigt, zu euren Vorträgen zu kommen, und uns so in eine Kontroverse verwickelt, die allzu sehr vom Kampf gegen die Sklaverei ablenkt. Wir sind hier in der Hoffnung, euch zu überzeugen …«

Nina fiel ihm ins Wort. »In der Hoffnung, uns davon zu überzeugen, wie brave Schoßhündchen unter dem Tisch auf die Brosamen zu warten, die ihr uns zuwerft? Ist es das, worauf ihr hofft?« Ihr Gegenangriff war so schnell und scharf, dass ich mich fragte, ob er nicht auch eine Reaktion auf seinen Eheschwur war.

»Angelina, bitte, hör uns an«, sagte er. »Wir sind auf eurer Seite, mit unserem ganzen Herzen sind wir das. Gerade ich unterstütze euer Recht, frei zu sprechen. Es ist vollkommen widersinnig, Männer von euren Versammlungen fernzuhalten.«

»Warum druckst ihr dann so herum?«, fragte ich.

»Weil wir euch im Dienste des Abolitionismus ausgesandt haben, nicht im Dienste der Frauen.«

Er spähte zu John. Mit seinen schweren Augenbrauen und seinem schmalen Gesicht wirkte er wahrlich wie sein Bruder, nicht nur im geistigen Sinne.

»Theodore will lediglich sagen, dass die Sklaverei von größerer Dringlichkeit ist«, erklärte John. »Auch ich unterstütze die Sache der Frauen, aber ihr wollt wohl kaum die Sklaven aus dem Blick verlieren, nur weil ihr einen selbstsüchtigen Kreuzzug wegen einiger nichtiger Klagen führt.«

»Nichtig?«, schrie Nina. »Ist unser Recht zu sprechen etwa nichtig?«

»Gemessen an der Sache der Abolitionisten? Ja, das will ich sagen.«

Mrs Whittier setzte sich auf. »Also, bitte, John! Ich hätte ja nie gedacht, dass ich Grund zur Klage hätte, bis du den Mund geöffnet hast.«

»Warum muss es denn das eine oder andere sein?«, fragte Nina. »Wir haben doch nicht aufgehört, für den Abolitionismus zu kämpfen. Wir sprechen für die Sklaven *und* die Frauen. Seht ihr denn nicht, dass wir hundertmal mehr für die Sklaven tun könnten, wenn uns nicht all diese Fesseln binden würden?« Sie wandte sich an Theodore und warf ihm einen wundervollen, inständigen Blick zu. »Kannst du nicht Seite an Seite mit mir stehen? Mit uns?«

Er holte tief Luft. Seine Miene verriet ihn – er wand sich in Liebe und Qual –, doch er war auf einer Mission, und, wie Mrs Whittier gesagt hatte, ein Mann von Prinzip, ob er im Recht war oder nicht. »Angelina, ich sehe in dir eine Freundin, die teuerste meiner Freunde, und es peinigt mich, mich gegen dich zu wenden, doch dies ist die Zeit, für die Sklaven einzustehen. Die Zeit wird kommen, um uns auch der Frauenfrage anzunehmen, doch dies ist nicht der richtige Moment.«

»Nun, für mich ist dies die Zeit, ein Recht zu verfechten, wenn es einem verweigert wird!«

»Es tut mir leid«, erwiderte er.

Draußen rüttelte der Wind an der Birke. Ihr Rauschen und

ihr Geruch drangen durch das offene Fenster. Mich überkam eine flüchtige Erinnerung. Ich spiele unter der Eiche in unserem Hof und bilde mit den Murmeln die Worte meines Bruders, *Sarah gehen*. Plötzlich wird die Sklavin aus dem Kuhhaus gezerrt und ausgepeitscht. Ich schreie nicht, ich gebe keinen Mucks von mir. Ich bleibe stumm.

Mittlerweile hatte der ältere Mr Wright zu seinem Part angesetzt. Er kam nun zum Kern der Sache. »Es betrübt mich, doch Ihre Agitation für die Sache der Frau schadet der unseren. Sie droht, unsere Bewegung zu spalten. Ich kann nicht glauben, dass Sie das wollen. Wir bitten Sie doch nur, Ihr Publikum auf Frauen zu beschränken und davon abzusehen, weiter über Frauenreformen zu sprechen.«

Wieder will man uns den Mund verbieten – würde das denn niemals enden? Ich schaute zu Mr Wright, der sich die arthritischen Finger rieb, dann zu John und Theodore, diesen guten Männern, die über uns bestimmen wollten, natürlich sanft und gütig, zum Wohle des Abolitionismus, zu unserem eigenen, zu ihrem Wohle, zu einem größeren Wohle. Ich kannte das zu gut. Ihr Maulkorb trug nur einen anderen Namen.

Seit Beginn dieser Diskussion hatte ich erst ein Mal gesprochen. Nun jedoch war mir, als hätte ich mein Leben lang versucht, mir jene Stimme zurückzuholen, die mich an diesem fernen Tag im Hof verlassen hatte. Nina, sichtlich erzürnt, hatte das Streiten aufgegeben. Sie sah flehentlich zu mir, auf dass ich etwas sagte. Ich legte den Finger an den Mund und berührte die Schwellung an meiner Lippe. Da wallte die Wut erneut in mir auf, die mich durch den ganzen Sommer und vermutlich durch mein ganzes Leben getragen hatte. Und ich formte sie zu harten, kugelglatten Worten. »Wie können Sie von uns verlangen, zurück in die Salons zu gehen?«, sagte ich und stand auf. »Uns selbst und unser Geschlecht im Stich zu lassen? Wir wollen die Bewegung nicht separieren, ganz gewiss nicht – der Gedanke betrübt mich –, doch solange wir unter der Fuchtel der Männer stehen, können wir für die Sklaven wenig tun. Leiten Sie also in die Wege, was immer Sie müssen, zensieren Sie uns, entziehen Sie uns Ihre Unterstützung, doch wir machen weiter. Und nun, meine Herren, nehmen Sie freundlicherweise den Fuß aus unserem Nacken.«

An jenem Abend begann ich mit meiner zweiten Streitschrift, *Briefe über die Gleichheit der Geschlechter.* Ich schrieb bis kurz vor Sonnenaufgang. Die ersten Zeilen hatten sich schon am Nachmittag in meinem Kopf geformt, als ich mir anhören musste, auf welche Weise die Männer uns mundtot machen wollten. *Was für den Mann sittlich und rechtens ist, sei auch für die Frau sittlich und rechtens. Ihr Schöpfer hat sie mit den gleichen Rechten und den gleichen Pflichten bekleidet.*

Handful

Wenn der Frühling kam, wurde im Haus Großputz gemacht. Ich und Sky kamen jeden Abend nach einem langen Tag an der Bürste in unseren Kellerraum und fielen nur noch auf das Bett. Das Erste, was ich sah, war der Quilt-Rahmen, das wahre Dach über meinem Kopf, und dann dachte ich an alles, was darin verborgen war – Maumas Story-Quilt, das Geld, Sarahs Büchlein, ihr Brief, in dem sie mir von ihrem Versprechen geschrieben hatte, mir die Freiheit zu schenken –, und schlief froh darüber ein, dass all das sicher über meinem Kopf war.

Dann, eines Sonntagmorgens, ließ ich den Rahmen runter. Sky sah mir wortlos zu, als ich mit der Hand über den roten Quilt mit den schwarzen Dreiecken fuhr und das Geld befühlte, das dort hineingenäht war. Ich löste den Musselin um Sarahs Schrift, sah sie mir an und wickelte sie wieder ein. Dann legte ich den Story-Quilt über den Rahmen, und wir stellten uns davor und schauten uns Maumas Geschichte an. Ich legte eine Hand auf das zweite Viereck – auf die Frau in dem Feld und die Sklaven, die hoch über ihrem Kopf durch die Lüfte flogen. All unsere Hoffnung, alles verpufft.

Die Kleine Missus hörten wir nicht. Das Schloss, das Mauma an die Tür gemacht hatte, war schon lange weg, und die Kleine Missus klopfte nicht. Sie stolzierte einfach ins Zimmer. »Ich will in die Kirche und brauche meinen bordeauxroten Umhang. Den du für mich flicken solltest.« Ihr Blick wanderte an mir vorbei in Richtung Quilt-Rahmen. »Was ist das denn da?«

Ich verstellte ihr die Sicht. »Das stimmt, ich habe Ihren Umhang vergessen.« Am liebsten hätte ich sie wie eine lästige Motte vom Licht verscheucht, doch sie rauschte schon an mir vorbei und sah sich all das Rosa, Rot, Orange, Violett und Schwarz an. Mauma und ihre Farben.

»Ich komme sofort und flicke den Umhang«, sagte ich und löste das Seil vom Haken, um den Rahmen nach oben zu ziehen, ehe die Kleine Missus begriff, worauf sie da schaute.

Sie hob die Hand. »Warte. Du hast es ja entsetzlich eilig, das vor meinen Blicken zu verbergen.«

Ich hakte das Seil wieder fest. In meiner Brust begann ein heftiges Flattern. Sky summte eine nervöse Melodie. Ich legte den Finger auf die Lippen, aber seit sie diesen Maulkorb getragen hatte, brachte ich es nicht mehr übers Herz, ihr den Mund zu verbieten. Wir schauten von einer zur anderen, während sich die Kleine Missus von einem Quadrat zum anderen blinzelte, als würde sie ein Buch lesen. Vor ihr stand alles, was man Mauma angetan hatte. Die einbeinige Strafe, das Auspeitschen, das Brandmarken, das Ausschlagen ihrer Zähne. Maumas Körper lag in Stücken vor ihr.

Der Musselin mit Sarahs Schrift lag sehr sichtbar daneben, und auch der Quilt mit dem Geld. Man erkannte die Umrisse der Bündel. Ich hätte das alles so gerne verborgen, doch ich rührte mich nicht.

Als sich die Kleine Missus zu mir drehte, fiel ihr die Morgensonne ins Gesicht, und das Schwarze in ihren Augen zog sich zu harten Knoten zusammen. »Wer hat dieses Ding gemacht?«

»Mauma. Charlotte.«

»Also, das ist grauenhaft.«

Noch nie hatte ich so sehr schreien wollen wie in diesem Moment. Doch ich sagte nur: »Diese grauenhaften Sachen hat sie erlebt.«

Ein tiefes Rosa überzog ihre Wangen. »Um Himmels willen, man sollte ja meinen, dass ihr Leben nur aus Gewalt und Grausamkeit bestanden hätte. Außerdem sieht man nirgendwo, welche Taten diese Strafen nötig gemacht haben.«

Sie schaute wieder auf den Quilt, ihre Blicke schossen über die Applikationen. »Wir haben sie gut behandelt, das kann niemand bestreiten. Natürlich kann ich nicht für die sprechen, vor denen sie fortgelaufen ist, denn da war sie nicht in unserer Obhut.« Die Kleine Missus rieb sich die Hände, als ob sie sie in einer Schüssel waschen würde.

Der Quilt hatte sie beschämt. Sie ging zur Tür und schaute noch einmal nach hinten, und da wusste ich, dass sie den Quilt entfernen würde. Sie würde Hector schicken, sobald wir das Zimmer verließen, und er würde Maumas Geschichte den Flammen übergeben.

Während wir warteten, bis die Schritte verklangen, sah ich nach unten auf den Quilt, auf die Sklaven, die so hoch durch die Lüfte flogen, und da hasste ich mein Sklavenleben mehr als den Tod. Mein Hass glitzerte so voller Schönheit, dass ich vor Ehrfurcht auf den Boden sank.

Ohne Kopftuch waren Skys Haare wie ein Weidenkorb, und als sie sich zu mir beugte, stachen mir die Spitzen ins Gesicht. Sie rochen nach Scheuerbürste. Sie fragte: »Alles in Ordnung?«

Ich sah zu ihr auf. »Wir verschwinden von hier.«

Sie hatte mich verstanden, doch sie traute ihren Ohren nicht. »Was sagst du?«

»Wir verschwinden, und wenn wir dabei umkommen.«

Sky zog mich hoch, als ob sie eine Blüte zupfen würde, und Denmarks Gesicht leuchtete in ihren Zügen auf, sein Gesicht an jenem Tag, als er auf seinem Sarg in den Tod gefahren war. Ich hatte immer frei sein wollen, aber nie gewusst, wohin ich gehen und wie ich dort hinkommen sollte. Doch das spielte jetzt keine Rolle mehr. Ich wollte meine Freiheit dringender als den nächsten Atemzug. Wir würden verschwinden, und wenn auch wir auf unseren Särgen fahren mussten. Auf diese Weise hatte Mauma ihr ganzes Leben gelebt. Sie hatte mir immer gesagt, du musst dir überlegen, welches Ende der Nadel du sein willst, das, an dem der Faden hängt, oder das, das in den Stoff sticht.

Ich nahm den Quilt vom Rahmen und faltete ihn zusammen. In seinem Innern waren Federn, und im Innern der Federn war die Erinnerung an den Himmel.

»Hier«, sagte ich und legte Sky den Quilt in die Arme. »Ich muss den Umhang flicken. Steck den Quilt in den Jutebeutel und bring ihn zu Goodis. Sag ihm, er soll ihn zwischen den Pferdedecken verstecken und niemanden in seine Nähe lassen.«

Ich flickte nicht nur den Umhang. Obwohl die Kleine Missus im Raum war, nahm ich das Siegel von ihrem Schreibtisch und ließ es in meine Tasche gleiten.

Dann wartete ich, bis es dunkel war.

23. April 1838

Liebe Sarah,
ich hoffe, das erreicht Dich. Ich werde mit Sky verschwinden, und wenn wir dabei umkommen. Das steht fest. Ich weiß noch nicht, wie, aber wir haben Maumas Geld. Wir brauchen nur einen Ort, an den wir gehen können. Ich habe die Adresse auf diesem Brief. Ich hoffe, dass ich Dich eines Tages wiedersehe.

Deine Freundin Handful

Sarah

Die Hochzeit fand am 14. Mai um vierzehn Uhr in einem Haus an Philadelphias Spruce Street statt – einem Tag mit glitzerndem Sonnenlicht und blassblauen Wolken, einem jener Tage, die zugleich überscharf und doch verschwommen sind. Ich weiß noch, dass ich im Speisezimmer gestanden und dem Lauf der Dinge wie aus großer Entfernung zugesehen habe, als würde ich mich aus der Tiefe des Schlafs emporwinden, wo mich nach den kühlen Laken ein neuer Tag empfangen würde. Das alte Leben endet, und ein neues beginnt.

Mutter hatte, womit wir gar nicht gerechnet hatten, Glückwünsche gesandt und uns angefleht, ihr die Hochzeit in allen Details zu schildern. *Was wird Nina tragen?*, hatte sie gefragt. *Ach, wenn ich sie sehen könnte!* Selbstredend hatte sie uns mitgeteilt, wie erleichtert sie war, dass Nina nun endlich einen Ehemann gefunden hatte, und dass sie außerdem hoffte, wir würden nun von unserem naturwidrigen Leben Abstand nehmen, doch davon abgesehen war ihr Brief ein schwermütiger Ausdruck der Liebe einer alternden Mutter. Sie nannte uns ihre lieben Töchter und beklagte den großen Abstand zwischen uns. *Werde ich euch jemals wiedersehen?* Diese Frage sollte mich noch tagelang verfolgen.

Als ich zu Nina und Theodore schaute, die vor dem Fenster standen und gleich ihren Eid sprechen würden, oder, wie Nina es genannt hatte, die Worte, die ihnen das Herz in diesem Augenblick eingeben würde, dachte ich, wie gut es war, dass Mutter nicht in unserer Mitte weilte. Sie hätte Nina in elfenbeinfarbener Spitze erwartet, womöglich blauem Leinen, dazu ein Bouquet aus Rosen oder Lilien, was Nina gänzlich als unoriginell von sich gewiesen hatte. Sie war zu einer Hochzeit angetreten, die die breite Masse schockieren sollte.

Nina trug ein braunes Kleid aus Baumwolle, die nicht von den Sklavenfeldern stammte, dazu eine breite weiße Schärpe und weiße Handschuhe. Theodore hatte sie passend in einen braunen Gehrock gekleidet, mit weißer Weste und beigefarbenen Pantalons. Sie hielt eine Handvoll weißen Rhododendrons, den sie frisch aus dem Garten gepflückt hatte. Einen Zweig hatte sie in das Knopfloch von Theodores Rock gesteckt. Mutter wäre schon nicht über das braune Kleid hinweggekommen, und erst recht nicht über das Eingangsgebet, das ein Neger-Prediger gesprochen hatte.

Philadelphias Tageszeitung hatte die Hochzeit mit einer Anspielung auf die gemischte Gästeliste angekündigt, und wir hatten schon Sorge gehabt, es könnte zu Demonstrationen kommen – zu Beleidigungen, Schmährufen und Steinwürfen –, doch glücklicherweise waren nur die geladenen Gäste erschienen, darunter selbstverständlich Sarah Mapps und Grace, dazu eine Reihe ehemaliger Sklaven, mit denen wir Bekanntschaft pflegten. Zudem hatten wir das Datum der Hochzeit mit der Versammlung der Abolitionisten abgestimmt, sodass sich einige der bekanntesten Gegner der Sklaverei im Raum befanden: Mr Garrison, Mr und Mrs Gerrit Smith, Henry Standon, die Motts, die Tappans, die Westons und die Chapmans.

Sie sollte als die Abolitionisten-Hochzeit in die Geschichte eingehen.

Als Nina das Wort ergriff, das Gesicht zu Theodore gewandt, musste ich plötzlich an Israel denken, und mich beschlich eine leise Trauer. In solchen Momenten war mir, als würde ich vor eine leere Kammer treten, und wenn ich dann hineinging, traf mich der Geist desjenigen, der diese Kammer einst bewohnt hatte, mit voller Wucht. Ich verirrte mich nur noch selten dorthin, doch wenn es geschah, erzeugte es einen dumpfen, hohlen Schmerz in meiner Brust.

Ich schaute zu Nina, der strahlenden Nina, und stellte mir vor, ich stünde an ihrer Stelle, Israel an meiner Seite, wir würden den Eid sprechen – und der Gedanke kurierte mich. Immer wieder fand ich zu der Erkenntnis, dass ich Israel nun nicht mehr wollte, überhaupt nicht heiraten wollte, und dennoch packte mich zuweilen das Gespenst des Was-hätte-sein-können mit all seiner Verführungsmacht.

Ich schloss die Augen, schüttelte mir die Überbleibsel der Sehnsucht aus dem Kopf, und als ich auf Braut und Bräutigam schaute, schwirrten draußen vor dem Fenster Libellen umher, ein rascher grüner Sturm, dann war er wieder fort.

Nina versprach, Theodore zu lieben und zu ehren, wobei sie bewusst *gehorchen* vermied. Theodore begann einen seltsamen Monolog, in dem er die Gesetze tadelte, die den Besitz der Frau unter die Kontrolle ihres Ehemannes stellten, wies alle Ansprüche auf Ninas Hab und Gut zurück, hüstelte verlegen und bekundete schließlich seine Liebe.

Wir hatten die Auseinandersetzung in Mrs Whittiers Cottage hinter uns gelassen. Nicht, dass Theodore ernsthaft von seiner Position abgerückt wäre, doch seither hatte er seine Rhetorik so gemäßigt, wie es wohl jeder verliebte Mann getan hätte. Die Bewegung war in zwei Lager zerfallen, ganz, wie es die Männer vorausgesagt hatten, und Nina und ich wurden noch mehr geächtet, doch die Sache der Frauen war in Bewegung geraten.

Nina hatte den Brief mit Theodores Antrag in meiner Anwesenheit geöffnet. Das Schreiben war im letzten Winter eingetroffen, als wir uns eine Weile bei Sarah Mapps und Grace erholt und auf mehrere Vorträge im Boston Odeon vorbereitet hatten. Sie hatte den Brief gelesen, die Seiten auf den Schoß sinken lassen und war in Tränen ausgebrochen. Als sie mir Theodores Worte vorgelesen hatte, hatte auch ich geweint, aber in meine Freudentränen hatten sich Angst und ein Gefühl der Nichtswürdigkeit gemischt. Ich wünschte ihr diese Ehe, ihr Glück lag mir nicht minder am Herzen als das meine, doch was würde dann aus mir? Tagelang hatte ich mich nicht auf die Rede, die ich zu schreiben versuchte, konzentrieren und auch das Gefühl des Verlustes nicht überwinden können. Der Gedanke an ein Leben ohne sie, ein Leben ganz allein war mir unerträglich, aber ich wollte ihnen auch nicht zur Last fallen und die Verwandte aus dem Hinterzimmer geben. Sicher hatte Theodore so etwas auch nicht vorgesehen.

Dann, eines Tages, war Nina zu mir gekommen und hatte sich neben mich auf den Hocker gesetzt. Wortlos hatte sie die Bibel aufgeschlagen und die Stelle vorgelesen, in der Ruth zu Noëmi spricht:

Dränge mich nicht, dich zu verlassen und wegzugehen von dir. Denn wo du hingehst, will auch ich hingehn; wo du weilst, will auch ich weilen; dein Volk ist mein Volk, und dein Gott ist mein Gott. Wo du stirbst, da will ich sterben, und da will ich begraben sein. Möge Jahwe mir dieses Schlimme antun und jenes andere auch noch, wenn nicht der Tod allein uns scheiden wird.

Sie hatte die Bibel geschlossen und gesagt: »Wir können uns nicht trennen, das ist unmöglich. Du musst mit mir kommen und nach meiner Heirat bei uns leben. Theodore hat mich gebeten, dir zu sagen, dass mein Wunsch auch der seine ist.«

Theodore hatte in Fort Lee, New Jersey, eine kleine Farm gekauft. Wir würden ein seltsames Dreigestirn, doch ich hätte noch immer meine Nina. Wir könnten auch weiterhin gemeinsam schreiben und gegen die Sklaverei und für die Frauen kämpfen, ich würde ihr im Haus helfen, und wenn Kinder kämen, wäre ich ihre glückliche Tante. *Das alte Leben endet, und ein neues beginnt.*

Nun sprach der Prediger ein Gebet, doch ich schloss nicht wie gewöhnlich die Augen, sondern verfolgte, wie Nina nach Theodores Hand griff. Wir hatten vereinbart, dass ich dem Paar zwei Wochen trauter Zweisamkeit gewähren und ihnen dann nach Fort Lee folgen würde, doch ich musste ständig an Mutter und ihre bange Frage denken. *Werde ich euch jemals wiedersehen?* Für mich lag darin mehr als das wehmütige Sehnen einer alten Frau, und ich erwog, die Pause von unserer Arbeit zu nutzen, um Mutter zu besuchen.

»Was sagt man dazu, nun sind wir Mann und Frau«, erklärte Nina, als das Gebet beendet war, selbst.

⁂

Wir hatten den Esstisch im Garten gedeckt, mit einem weißen Leinentuch, Tellern voller Süßigkeiten und frisch gepflückten Blumen – Fingerhut, rosa Azaleen und die fedrigen Blüten des Berufskrauts. Der Konditor hatte die Hochzeitstorte mit Eischnee überzogen und die einzelnen Schichten, passend zu Ninas braun-weißem Thema, mit dunklem Sirup eingefärbt, dazu gab es eine große Schale mit gezuckertem Johannisbeersaft, vor der die Abstinenten Schlange standen und so taten, als wäre er nicht fermentiert. Ich selbst hatte meine schwankende Tasse zu schnell geleert, und mein Kopf fühlte sich schwebeleicht an.

Nun mischte ich mich unter die etwa vierzig oder fünfzig Gäste, hielt nach Lucretia, nach Sarah Mapps und Grace Ausschau und dachte leicht beschwipst: *Hier sind alle unsere Freunde, unsere Gefährten versammelt, und Gott sei Dank spricht heute niemand von der Grausamkeit der Welt.* Ich bemerkte John, Mrs Whittiers Sohn, den ich seit unserer Konfrontation im

August nicht mehr gesehen hatte. Er unterhielt die Umstehenden mit einem selbst verfassten Spottgedicht auf Theodore, weil er den Schwur gebrochen hatte, und nannte ihn scherzhaft einen Landesverräter à la Benedict Arnold. Als er mich sah, grüßte er mich wie eine Schwester.

Lucretia entdeckte mich zuerst. Es war Jahre her. Strahlend zog sie mich von den anderen fort zu den blühenden Rhododendronbüschen. »Meine liebe Sarah, ich kann kaum fassen, was ihr alles erreicht habt!«

Die Röte kroch mir ins Gesicht.

»Aber so ist es doch«, bekräftigte sie. »Du und Angelina, ihr seid die berühmtesten Frauen Amerikas.«

»Du meinst wohl, die berüchtigtsten.«

Sie lächelte. »Das auch.«

Ich dachte an Lucretia und ihr kleines Atelier, an unsere vielen abendlichen Gespräche. Ich dachte an die verdrießliche junge Frau, die ich gewesen war, die so blockiert, so besorgt darum gewesen war, dass sie ihren Lebenssinn nie finden würde. Wie gern hätte ich mich nun an sie gewandt und ihr gesagt, dass alles gut würde.

Als ich aufschaute, kamen Sarah Mapps und Grace auf uns zu. Nina und ich waren in den letzten anderthalb Jahren beinahe pausenlos unterwegs gewesen und hatten sie, unseren Besuch im letzten Winter ausgenommen, kaum gesehen. Ich schlang die Arme um sie, wie auch Lucretia, die Sarah Mapps und Grace noch aus der Arch Street kannte.

Sarah Mapps zog einen Brief aus der Handtasche und reichte ihn mir. Die Handschrift erkannte ich augenblicklich – Handfuls –, auch wenn der Umschlag das Siegel meiner Schwester Mary trug. Ich riss ihn auf der Stelle auf und las die kurze Nachricht mit wachsender Besorgnis. *Wir verschwinden, und wenn wir dabei umkommen.*

Es gab Berichte von ersten Flüchtigen, die es von Kentucky über den Ohio River oder von Maryland aus nach Philadelphia und New York geschafft hatten, aber selten gelang es jemandem so tief aus dem Süden.

»Was ist denn?«, fragte Lucretia. »Du siehst so verstört aus.«

Ich las ihnen Handfuls Brief vor, dann faltete ich ihn mit zittrigen Händen zusammen. »Man wird sie fassen. Oder töten«, sagte ich.

Sarah Mapps runzelte die Stirn. »Die beiden müssen doch wissen, worauf sie sich da einlassen. Das sind doch keine Kinder.«

Sie war nie in Charleston gewesen. Sie wusste nichts von den Gesetzen und Erlassen, die jeden Moment im Leben eines Sklaven reglementierten, nichts von der Stadtwache, der Ausgangssperre, den Passierscheinen, den Durchsuchungen, der Nachtwache, den Bürgerwehren, den Sklavenfängern, dem Arbeitshaus, der unsagbaren Brutalität, der Unmöglichkeit.

»Sie sind auf dem Weg zu uns«, sagte Grace, als ob es ihr gerade erst gedämmert hätte.

»Und wir werden sie willkommen heißen«, ergänzte Sarah Mapps. »Sie können in euer altes Zimmer unter dem Dach ziehen. Und uns in der Schule helfen.«

»So weit werden sie es niemals schaffen«, sagte ich.

Womöglich waren Handful und Sky bereits auf der Flucht. Ich öffnete den Brief erneut und schaute auf das Datum: der 23. April.

»Der Brief ist erst drei Wochen alt«, sagte ich mehr zu mir selbst als zu den anderen. »Ich bezweifle, dass sie schon geflohen sind. Vielleicht bleibt mir noch Zeit, irgendetwas zu unternehmen.«

»Aber was?«, fragte Lucretia.

»Ich weiß nicht einmal, ob ich überhaupt etwas unternehmen kann, doch ich werde hier nicht tatenlos herumsitzen … Ich fahre nach Charleston. Vielleicht kann ich meine Mutter dazu bewegen, mir beide zu verkaufen, damit ich ihnen die Freiheit schenken kann.«

Das wäre nicht mein erster Versuch, doch diesmal würde ich sie persönlich darum bitten.

Immerhin hatte sie mich ihre liebe Tochter genannt.

Handful

Ich schaute vom Alkoven aus auf den Hafen und dachte an die Zeit zurück, als ich zum ersten Mal das Wasser gesehen hatte, das so weit und unermüdlich reiste, und ich zu meinem kleinen Lied herumgesprungen war. Damals war ich zehn Jahre alt gewesen. Nun würde ich bald fünfundvierzig, und meine Füße tanzten längst nicht mehr. Sie wollten fort von hier. Die Kleine Missus hatte mich seit der Peitsche nicht mehr aus dem Haus gelassen, aber bei jeder Gelegenheit stahl ich mich hierher, nach oben. Manchmal, so wie heute, nahm ich meine Näharbeit mit und verbrachte den Morgen mit der Nadel am Fenster. Das störte die Kleine Missus nicht, solange ich arbeitete, meine Zunge im Zaum hielt, den Kopf senkte und *Ja, Ma'am, ja, Ma'am, ja, Ma'am* sagte.

Es war ein heißer Tag, die Sonne linste frech ins Haus, und ich öffnete das Fenster. Sofort wehte ein kräftiger Wind herein, mit ihm der Geruch von Schlick und Schlamm. Von meinem Hochsitz aus konnte ich sehen, wie ein Dampfer vor der East Bay Street festmachte. Ich hatte das Kommen und Gehen auf dem Dock beobachtet und viel dabei gelernt. An fast jedem Wochentag legte ein Dampfer an. Als Erstes pflügte immer ein Baggerschiff voraus und machte die Bahn frei, dann dröhnte das Schaufelrad, schnauften die Schleppboote und brüllten die Docksklaven hin und her, griffen eilig nach den Tauen und legten die Planke aus.

Bevor das Schiff den Hafen wieder verließ, kamen die Kutschen und hielten vor dem weiß gekalkten Gebäude mit dem Schild der Steamship Company. Dann gingen die Leute ins

Innere und warteten. Draußen auf der Anlegestelle luden die Sklaven Koffer, Waren und Postsäcke auf das Schiff. Wenn es zehn schlug, überquerten die Passagiere die Straße, und die Sklaven halfen den Damen über die Gangway. Das Boot legte immer erst ab, nachdem die Wache gekommen war. Sie gingen durch das ganze Schiff, immer zu zweit, manchmal auch zu dritt – erstes Deck, zweites Deck, Ruderhaus, von oben nach unten. Einmal hatten sie jede einzelne buckelige Truhe aufgemacht, bevor sie verladen worden war. Da hatten sie nach blinden Passagieren gesucht, nach flüchtigen Sklaven.

Das Boot am Donnerstag fuhr bis New York, dort musste man dann auf ein anderes Schiff umsteigen, das weiter nach Philadelphia fuhr – das wusste ich aus dem *Charleston Post and Courier*, den ich mir aus dem Salon gemopst hatte. Die Zeitung druckte sämtliche Fahrpläne, außerdem stand dort, dass die Tickets fünfundfünfzig Dollar kosteten.

An diesem Tag war die Anlegestelle leer, aber ich war auch nicht im Alkoven, um einem Boot nachzuschauen. Ich war da, um herauszufinden, wie wir auf ein Boot kommen konnten. Wochenlang war ich ja so geduldig gewesen. So vorsichtig. *Ja, Ma'am, ja, Ma'am.* Die Palmen schlugen im Wind, und ich dachte an das Mädchen, das in der Kupferwanne gebadet hatte. An die Frau, die eine Gießform für Musketenkugeln gestohlen hatte. Ich liebte dieses Mädchen, diese Frau.

In Gedanken ging ich alles durch, was ich am Hafen gesehen hatte, alles, was ich wusste. Ich saß mit ruhigen Händen da, die Augen geschlossen, doch innerlich flog ich mit den Möwen, und unter mir neigte sich die Welt.

Als ich aufstand, zitterte ich an allen Gliedern.

Als Hector in der Woche darauf die täglichen Aufgaben verteilte, sagte er zu Minta, du ziehst die Betten ab und bringst sie raus zum Waschhaus. Ich dachte rasch nach und sagte: »Oh, das mach ich, der armen Minta tut der Rücken weh.« Sie sah mich erstaunt an, widersprach mir aber nicht. Wenn sich eine Pause bietet, welcher Art auch immer, greift man zu.

An dem Tag im Alkoven war mir etwas in den Sinn gekommen – *Kleider*. Ich hatte die schwarzen Kleider vor mir gesehen, die die Missuses getragen hatten, um ihre Männer zu betrauern, die Schutenhauben mit den dichten schwarzen Schleiern und die schwarzen Handschuhe. Es hatte so deutlich wie das Tageslicht vor mir gestanden.

Leise ging ich in das Zimmer von der Missus und zog die Laken ab. Ich lauschte auf Schritte auf der Treppe, auf den Stock, der drohend pochte, dann öffnete ich die unterste Schublade an ihrem Wäscheschrank. Ich selbst hatte dort vor Jahren das Trauerkleid hineingefaltet, dazu die Haube und die Handschuhe. Sie in Leinen mit Kampferharz gewickelt, um Motteneier fernzuhalten. Ich griff voller Angst in die Schublade, dass das Kleid womöglich nicht mehr da war, dass das, was die Motten fernhalten sollte, die Ratten angezogen hatte, doch da stieß ich auf die Leinentücher.

Ich schaute in das Bündel. Es war noch immer das großartigste Kleid, das ich je gemacht hatte – schwarzer Samt, bestickt mit Hunderten von schwarzen Glasperlen. Einige waren lose und rollten in den Leinenfalten hin und her. Zwei Glastränen mussten wieder am Schleier vor der Haube befestigt werden, und außerdem musste ich den Handschuhen Finger machen – ich hatte vollkommen vergessen, dass sie keine hatten. Ich stopfte alles in die Bettlaken und machte einen Knoten. Dann eilte ich in das Schlafzimmer von der Kleinen Missus.

Ihr Beerdigungskostüm war auf ähnliche Weise in der

Kommode gelagert, nur mit Zedernringen statt mit Kampfer. Wie wir die aufdringlichen Gerüche loswerden sollten, war mir ein Rätsel. Als ich auch ihr Kleid, den Hut und die Handschuhe fest in die Laken eingewickelt hatte, schwang ich mir beide Bündel über den Rücken und ging mit meinem Stock die Treppe runter, direkt in unseren Kellerraum.

Abends schoben ich und Sky das Bett vor die Tür, dann zog sie das schwarze Samtkleid von der Missus an und stand mit offenen Knöpfen da. So breit die Missus auch war, für Sky musste ich das Oberteil trotzdem auslassen, den Rock um fünfzehn Zentimeter und die Ärmel um fünf verlängern. Sie war Denmarks Tochter, keine Frage.

Die Kleine Missus war normal groß, doch ich hätte in ihr Kleid noch zweimal reingepasst.

Das Einzige, was wir nicht hatten, waren Schuhe, richtige Schuhe. Wir hatten nur unsere Sklavenschuhe, die mussten reichen.

Noch in derselben Nacht begann ich mit der Arbeit. Sky holte mir Faden und Schere und beobachtete jeden einzelnen Stich. Dazu sang sie ihr Lieblingslied auf Gulllah. *Wenn du nicht weißt, wohin du gehst, dann wisse wenigstens, woher du kommst.*

Ich sagte zu ihr: »Jetzt wissen wir, wohin wir gehen.«

»Ja«, lächelte sie.

»Wenn nächsten Donnerstag der Dampfer ablegt, sind wir bereit.«

Sie griff nach ihrer Schürze, die über dem Schaukelstuhl hing, und holte aus der Tasche zwei kleine Fläschchen, wie Aunt-Sister sie immer für ihre Tinkturen benutzt hatte. »Ich hab uns weißen Oleander-Tee gemacht.«

Mir lief ein Beben vom Hals bis in die Finger. Weißer Oleander war die tödlichste Pflanze der Welt. Auf der Hasell Street hatte neulich ein Busch Feuer gefangen, und ein Mann war tot umgefallen, nur weil er den Rauch eingeatmet hatte. Von der braunen Flüssigkeit in Skys Fläschchen würden wir uns auf dem Boden winden und bis zum letzten Atemzug würgen, aber lange würde es nicht dauern.

»*Wir verschwinden, und wenn wir dabei umkommen*«, sagte Sky.

Sarah

Ich traf während eines Gewitters in Charleston ein. Als der Dampfer in den Hafen ächzte, zerrissen Blitze den Himmel, der Regen trommelte von allen Seiten. Dennoch wagte ich mich unter dem Dach des Oberdecks hervor, weil ich sehen wollte, wie die Stadt langsam näher kam. Ich hatte sie seit sechzehn Jahren nicht gesehen.

Wir schäumten vorbei an Fort Sumter an der Hafenmündung. Der Bau war seit meiner Abreise nicht sehr weit gediehen. Die Halbinsel ragte wie eine alte Schimäre drohend aus dem Wasser, die weißen Häuser entlang der Promenade verschwammen hinter grauen Regenströmen. Einen Augenblick lang spürte ich den begierigen Hunger derer, die in die Heimat kommen, dann überfiel mich der Schmerz des Ausgeschlossenseins. Sie war schön, diese Stadt, und sie war grausam. Sie verleibte sich die Menschen ein, doch wer sich nicht assimilieren ließ, den spie sie aus wie einen Pflaumenkern.

Ich hatte sie aus freien Stücken verlassen, und dennoch hatte mich die Stadt verbannt, so wie ich sie. Nun sah ich sie wieder, nach langer Zeit, das hohe Gras, das wild in den Marschen wucherte, die dicht gedrängten Häuserdächer mit ihren Ausgucken und Witwengängen, dahinter die Türme von St. Philip und St. Michael, die sich mahnend wie dunkle Finger in die Höhe reckten, und ich bereute weder, Charleston zu lieben noch zu fliehen. Es hatte aus mir gemacht, was ich war.

Der Wind blies mir die Haube vom Kopf, ihr Band verfing sich in meinem Nacken, und als ich mich umwandte und danach greifen wollte, sah ich durch das Fenster des Salons das Paar, das mich so beunruhigte. Die beiden kehrten von einer Reihe gesellschaftlicher Verpflichtungen heim und hatten mich kurz hinter New York erkannt. Ich hatte versucht, Distanz zu wahren, doch die Frau hatte mich mit ihren neugierigen Blicken verfolgt. »Sie sind diese Grimké-Tochter, nicht wahr?«, hatte sie gesagt. »Diejenige, die …« Ihr Mann hatte sie am Arm gefasst und fortgeführt, bevor sie ihren Satz beenden konnte. Bevor sie sagen konnte, *die uns verraten hat.*

Auch jetzt starrten sie mich an, mit meinem nassen Rock und meiner flatternden Haube, und ich war sicher, dass der Mann meine Ankunft unverzüglich den Behörden melden würde. Vielleicht war es doch ein Fehler heimzukehren. Ich wandte mich ab und ging zum Bug, als ein krachender Donner losbrach und schließlich im Tosen der Motoren unterging. Charleston vergab vieles, nicht jedoch Verrat.

Ich war kaum eine Stunde zu Hause, da suchte ich nach Handful. Sie saß im Alkoven und nähte. Als sie mich sah, sprang sie auf, schwankte leicht auf dem versehrten Bein und ließ ihre Arbeit, ein Sklavenhemd samt Nadel und Faden, auf den Boden fallen. Ich wollte ihr helfen, doch da war sie schon in meinen Armen.

»Ich habe deinen Brief erhalten«, sagte ich sehr leise, falls die Wände Ohren hatten.

Sie schüttelte den Kopf. »Aber du bist doch nicht deshalb hergekommen, doch nicht meinetwegen.«

»Aber natürlich«, sagte ich. Ich hob das Hemd vom Boden, und wir setzten uns auf den Kissenplatz am Fenster.

Handful trug ihr übliches rotes Kopftuch, und auch sonst schien sie kaum verändert. Ihre Augen waren immer noch so groß wie Untertassen, das Gold ein wenig dunkler, sie selbst so zart wie eh und je. Doch sie wirkte nicht zart oder ätherisch, eher klar und konzentriert.

Zwischen uns lehnte ein Stock mit einem kunstvollen Griff, einem Kaninchenkopf. Handful stellte ihn beiseite und sagte: »Du bist nicht gekommen, um uns aufzuhalten, oder?«

»Aber es ist gefährlich, Handful… Ich habe Sorge um euch.«

»Nun, das mag sein, aber ich fürchte mehr, den Rest meiner Tage vor deiner Mauma und deiner Schwester zu dienern und zu kriechen.«

Ich sprach mit kaum hörbarer Stimme, als ich ihr von meinem Plan erzählte, dass ich Mutter überzeugen wollte, sie mir beide zu verkaufen.

Handful lachte ein bitteres Lachen. *»Äh äh.«*

Darauf war ich nicht gefasst gewesen. Ich sah an ihr vorbei, zum Hafen, auf die Dampfer in der Ferne, die der Regen sauber wusch.

Handful richtete sich auf und stieß laut den Atem aus. »Ich habe noch nie erlebt, dass die Missus auch nur eine gute Sache für mich tut, das ist alles. Aber nun bist du einmal da, von so weit her – das hätte niemand sonst für mich getan –, also ist es den Versuch wohl wert. Falls sie einwilligen sollte, werde ich dir alles geben, was ich habe, und das sind vierhundert Dollar.«

»Dazu besteht keine Notwendigkeit…«

»Nun, wir machen's so oder gar nicht.«

Wir unterbrachen unser Gespräch, als Hector, der Butler, der Mary zu Diensten war, mit meiner Truhe die Treppe heraufkam. Sein Blick verweilte unerfreulich lang auf uns. Ich erhob mich. »Ich sollte auf mein Zimmer gehen.«

»Dann rede mit ihr«, flüsterte Handful. »Aber warte nicht zu lange.«

Ich wartete vier Tage. Es erschien mir unklug, meinen Wunsch früher vorzubringen – Mutter sollte glauben, ich wäre ihretwegen heimgekehrt.

Meinen Vorstoß wagte ich am Dienstagnachmittag, als ich mit Mutter und Mary im Salon saß und wir mit unseren Fächern gegen die dampfige Hitze anfächelten. Eine träge Stille, die niemand stören wollte, hatte sich über uns gelegt. Sämtliche unverfänglichen Themen waren erschöpft: das regnerische Wetter, das unfassbare Wunder Eisenbahn, das von Charleston nach Savannah fuhr, Ninas Hochzeit in einer zensierten Fassung, Neues von meinen Geschwistern und von Nichten und Neffen, die ich nicht kannte. Wenn ich die geringste Chance haben wollte, Handful und Sky die Freiheit zu gewähren, durften wir nicht über meine skandalösen Abenteuer sprechen, die ohnehin in allen Zeitungen gestanden hatten. Und genauso wenig über den Abolitionismus, die Sklaverei, den Norden, den Süden, über Religion, Politik oder die Tatsache, dass ich im Vorsommer in der Stadt geächtet worden war.

»Die Leute reden, Sarah«, durchbrach Mary die Stille da plötzlich. Sie wechselte einen Blick mit Mutter, und wieder einmal fiel mir auf, wie eingespielt, wie ähnlich sie sich waren. Die Einsamkeit aus Kindertagen hallte in mir nach, erneut empfand ich mich als Außenseiterin. Selbst jetzt noch. Binahs Stimme klang in meinem Kopf. *Arme Miss Sarah.* Woher kamen plötzlich diese irrationalen, kindlichen Gefühle?

»Das Gerücht, dass du hier bist, greift immer weiter um sich«, sagte Mary. »Es ist nur eine Frage der Zeit, bis der Sheriff zu uns kommt, und falls du dann noch hier bist, weiß ich nicht, was wir deiner Vorstellung nach sagen sollen. Wir können dich ja kaum wie eine Flüchtige verstecken.«

Ich wandte mich an Mutter. Ihr Blick wanderte zur Veranda. Die Fenster standen offen, und der kräftig schokoladige, ekelerregende Geruch des Oleanders wehte ins Zimmer.

»Wünscht ihr, dass ich abreise?«

»Die Frage ist nicht, was wir wünschen«, sagte Mutter. »Sollten die Behörden kommen, werde ich dich ihnen selbstverständlich nicht ausliefern, auf keinen Fall. Du bist meine Tochter. Du bist immer noch eine Grimké. Wir wollten nur darauf hinweisen, dass es für alle einfacher wäre, wenn dies ein kurzer Besuch bliebe.«

Zu meiner Verblüffung füllten sich ihre Augen mit Tränen. Mutter war eine runde Frau mit dünnem weißem Haar geworden und einem jener alten Gesichter, in die sich tiefe Furchen eingegraben hatten. Als die Tränen flossen, schaute sie mich an. Ich ging zu ihr, bückte mich unbeholfen und legte die Arme um sie.

Sie hielt sich einen Augenblick lang an mir fest, dann richtete sie sich auf. Ich kehrte nicht an meinen Platz zurück. Stattdessen ging ich vor dem Fenster auf und ab und sammelte all meinen Mut.

»Ich will euch keinem Risiko aussetzen, daher werde ich mit dem nächsten Dampfer abreisen, doch zuvor habe ich eine Bitte. Ich möchte Hetty und ihre Schwester Sky kaufen.«

»Kaufen?«, fragte Mary. »Wieso? Du handelst doch nicht mit Sklaven.«

»Mary, du liebe Güte, sie hat vor, sie zu befreien«, sagte Mutter.

»Ich biete jede Summe.« Ich trat an Mutters Seite. »Bitte. Ich würde das als große Geste mir gegenüber betrachten.«

Mary stand auf und trat an die andere Seite. »Wir kommen unmöglich ohne Hetty aus«, sagte sie. »Es gibt wenige Näherinnen in Charleston, die es mit ihr aufnehmen können. Sie ist unersetzlich. Die andere ist verzichtbar, Hetty nicht.«

Mutter sah auf ihre Hände. Ihre Schultern bewegten sich mit ihrem Atem auf und ab. In mir kribbelte eine leise Hoffnung.

»Es gibt Gesetze, die so etwas erschweren«, gab sie zu bedenken. »Um sie zu emanzipieren, müsste man vor Gericht gehen.«

»Es ist schwer, aber nicht unmöglich«, erwiderte ich.

Etwas in ihr schien nachzugeben, sich zu meinen Gunsten zu neigen. Mary spürte es ebenfalls. Sie legte ihre Hand in Mutters und drückte sie. »Ohne Hetty kommen wir nicht aus. Außerdem müssen wir auch an sie denken. Wohin sollte sie denn gehen? Wer sollte sich um sie kümmern? Das hier ist doch ihr Zuhause.«

»Das ist kein Zuhause, sondern ein Gefängnis«, sagte ich.

Mary verhärtete sich. »Wir haben es nicht nötig, dass du hierherkommst und uns einen Vortrag über die Sklaverei hältst. Und ich werde mich nicht vor dich stellen und sie verteidigen. Sie gehört zu unserer Lebensweise.«

Ihre Worte empörten mich. Ich fragte mich kurz, ob es Mutter günstiger stimmen würde, wenn ich meine Zunge im Zaum hielt. Gab es Momente, in denen man seine Überzeugung dem Zweck opfern sollte? Oder würde Mutter sowieso tun, was sie tun würde? Und wie konnte es sein, dass ich dort draußen in der Welt meine Sprache fand, sie aber verlor, sobald ich ins Haus meiner Eltern kam?

Da brach es aus mir heraus – die Jahre in diesem Haus, dieser Stadt, Seite an Seite mit dem Unvertretbaren. »*Eure Lebensweise!* Wozu soll euch das berechtigen? Die Sklaverei ist eine Ausgeburt der Hölle, wie kannst du sie verteidigen!«

An Marys Hals erschienen kleine rote Waffelmuster. »Gott hat vorgesehen, dass wir sie uns untertan machen«, erklärte sie, aufgeregt und stotternd.

Ich trat auf sie zu. Mein Zorn war nicht mehr zu bändigen. »Du redest, als ob Gott ein Weißer aus dem Süden wäre! Als ob wir ihn nach unseren Idealen formen könnten. Du sprichst wie eine Närrin. Der Neger ist ein Geschöpf wie wir. Unser

Weißsein ist nicht heilig, Mary! Es kann nicht auf Dauer über alles und jeden verfügen.«

Ich glaube nicht, dass irgendjemand jemals so zu ihr gesprochen hatte. Pikiert wandte sie sich von mir ab.

Auch ich war fassungslos. Es war mir ein Rätsel, wie ich mich so erheben, so zu mir selbst, zu solcher Kühnheit und Autorität finden konnte. Ich schloss die Augen und pries im Stillen dieses Wunder. Mir war, als hätte ich endlich zu dem Ort zurückgefunden, den ich einst verlassen hatte. Und nichts und niemand würde mich von dort vertreiben.

Mutter hob die Hand. »Derartige Gespräche erschöpfen mich«, sagte sie und mühte sich mit ihrem alten, goldbewehrten Stock auf die Füße. Sie ging zur Tür. Dort wandte sie sich noch einmal um und ließ den Blick auf mir ruhen. »Ich werde dir Hetty und Sky nicht verkaufen, Sarah. Es tut mir leid, dich zu enttäuschen, *allerdings* bin ich zu einem Kompromiss bereit.«

Das Dunkel des Kellers schluckte mein klägliches Klopfen. Es war schon nach Mitternacht. Ich hatte gewartet, bis das Haus schlief, und mich dann in meinem Nachtgewand nach unten geschlichen. Als ich erneut an Handfuls Tür klopfte, schwankte meine Laterne. Die Schatten schaukelten. *Aufwachen, Handful, komm schon.*

»Wer ist da?« Erschreckt und gedämpft kam ihre Stimme durch die Tür.

»Alles gut, ich bin's, Sarah.«

Sie öffnete die Tür einen Spalt, dann ließ sie mich hinein. Unter ihrem Kinn flackerte eine Kerze. Ihre Augen leuchteten von ganz allein.

»Es tut mir leid, dass ich euch geweckt habe. Wir müssen reden.«

Sky setzte sich auf, das Haar wie ein großer, dunkler Fächer. Ich stellte die Laterne ab und nickte ihr zu. Gleich nach meiner Ankunft hatte ich sie im Ziergarten gesehen, auf den Knien, mit einer Pflanzschaufel. Der Garten hatte sich in ein Wunderland verwandelt, in einen Kreuzgang aus farbigen Blumen, getrimmten Büschen und gewundenen Pfaden. Er lud zum Wandeln ein, und ich hatte gleich einige Schritte hinein gemacht. Sky hatte nicht gewartet, bis ich sie ansprach. Sie war gleich zu mir gekommen, mit dem Geruch von frischer Erde und grünen Pflanzen. Sie sah Handful überhaupt nicht ähnlich, und Charlotte auch nicht. Sie war ein Kraftpaket. Ungezähmt und ausgefuchst. Sie hatte gesagt: »Du Sarah?«, und gegrinst, als ich bejaht hatte: »Handful sagt, du die beste Grimké.«

»Ich bin nicht sicher, ob das viel heißt«, hatte ich erwidert und sie angelächelt.

»Kann sein«, hatte sie geantwortet, und ich hatte sie sofort gemocht.

Ich sah mich im Kellerraum um. Es war enger geworden mit den zwei Betten. Sie standen Seite an Seite unter dem Fenster.

»Was ist denn?«, fragte Handful, doch sie ahnte es schon, bevor ich etwas sagen konnte. »Deine Mauma wird uns nicht verkaufen, oder?«

»Nein, es tut mir leid. Sie weigert sich. Aber …«

»Aber was?«

»Sie hat eingewilligt, euch nach ihrem Tod in die Freiheit zu entlassen. Sie sagt, dass sie das entsprechende Schriftstück aufsetzen lassen und ihrem Testament hinzufügen wird.«

Handful stand im Schein der Kerzen da und sah mich an. Es war nicht das, was wir gewollt hatten, aber immerhin etwas.

»Sie ist vierundsiebzig«, erinnerte ich sie.

»Die überlebt doch selbst die letzte Kakerlake«, sagte Handful. Sie sah zu Sky. »Übermorgen gehen wir hier weg.«

Ich war erleichtert und entsetzt zugleich. Vor mir stand der geballte Trotz. Das, was Handful ausmachte. Mir blieb nur noch eine Frage: »Wie kann ich euch helfen?«

Handful

Am Abend, bevor wir die Flucht ergreifen wollten, huschte ich mit Sky durch die Dunkelheit und sammelte alles zusammen. Wir stahlen uns zum Stall, um Maumas Quilt zwischen den Pferdedecken vorzuholen, quer über den Hof, unter dem hellen Licht der Sterne. Wir stiegen hoch zu Sarahs Zimmer, aus dem Keller in den zweiten Stock, und das drei Mal, mit Quilts, den schwarzen Kleidern, Hüten, Schleiern, Handschuhen und den Taschentüchern. Auf und nieder, ich und mein lahmer Fuß, vorbei an den Zimmern von der Missus und der Kleinen Missus. Wir liefen auf Strümpfen und machten so vorsichtige Schritte, als ob der Boden unter uns nachgeben könnte.

Nach dem letzten Streifzug schloss Sarah hinter uns die Tür zu ihrem Zimmer. Es erinnerte mich matt an die Zeit, als sie das Schlüsselloch verhangen und mir das Lesen beigebracht hatte, als wir im Lampenlicht geflüstert hatten, so wie jetzt. Ich hängte die Kleider in ihren Schrank. Sie saßen nun wie angegossen. Die Schleier waren steif gebügelt. Samt und Crepe hatte ich mit dem Lavendelwasser von der Missus besprenkelt, damit alles nach weißer Dame duftete. In die Innenseiten der Kleider hatte ich Taschen für unser Geld genäht, für Sarahs Schrift, Maumas rotes Kopftuch und die Adresse in Philadelphia, bei der wir anzukommen hofften.

Sky sagte, das Kaninchen wäre am Ende doch ausgefuchster als der Fuchs.

Sarah öffnete ihre Bootstruhe, und ich legte Maumas Story-Quilt auf das Satinfutter. Ich hatte auch den Quilt mit den roten Vierecken und den schwarzen Quadraten mitgebracht – die ersten Flügel von einer Schwarzdrossel, die ich je genäht hatte –, aber als ich sah, wie klein die Truhe war, bekam ich ein schlechtes Gewissen. »Der kann hierbleiben.«

Sarah nahm mir den Quilt aus den Händen und legte ihn in die Truhe. »Lieber lasse ich meine Kleider hier – die sind nicht viel wert.«

Ich kannte die Gefahr, in die sie sich begab, genauso gut wie sie, denn ich hatte heimlich die Zeitung gelesen. Zwanzig Jahre Gefängnis für die Verbreitung von aufrührerischen Schriften. Zwanzig Jahre für die Beihilfe zur Flucht von einem Sklaven.

Ich sah ihr zu, wie sie ihre wenigen Habseligkeiten auf die Quilts legte, und dachte: *Das ist nicht die Sarah, die von hier weggegangen ist.* Sie hatte einen entschlossenen Ausdruck in den Augen, und ihre Stimme zitterte und zögerte auch nicht wie sonst. Sarah war zu einer guten, kräftigen Brühe eingekocht.

Das Haar hing ihr lose wie Seidenwinden am Hals herab, wie die roten Fäden, die ich um den Seelenbaum geschlungen hatte. In dem Moment sah ich es, dieses seltsame Etwas zwischen uns. *Liebe war es nicht, oder doch? Was aber war es dann?* Es war immer da, rund in meiner Brust, wie ein Nadelkissen, das mich piekste und zugleich mit ihr verband. Die beiden Mädchen auf dem Dach, denen der Tee in den Tassen kalt geworden war.

Sarah klappte den Deckel zu.

Ich sagte zu Sky, geh du runter in den Keller und leg dich etwas hin, ich bin gleich da – denn ich hatte noch etwas zu erledigen, ganz für mich allein. Leise schlich ich die Treppen nach unten, durch die Hintertür und humpelte mit meinem Stock zu unserem Seelenbaum. Von den Blättern tropfte Mondlicht. Ich spürte, wie die Eulen blinzelten und der Wind Luft holte. Als ich zum Haus sah, stand Mauma oben am Fenster und wartete darauf, mir ein Bonbon zuzuwerfen. Sie stand in den Furchen vor dem Kutschhaus, ein Bein hochgebunden, den Riemen um den Hals. Sie lehnte still am Baum, mit ihrem Nähzeug auf dem Schoß.

Ich bückte mich und las ein wenig Schnittgut auf – Eicheln, Zweige, ein müdes welliges Blatt – und steckte es in meinen Beutel. Dann nahm ich meine Seele mit.

Am nächsten Morgen verhielten wir uns wie immer. Sky ging mit ihrem Erntekorb in den Gemüsegarten und pflückte reife Tomaten und Salatköpfe. Mir hatte die Missus befohlen, ihre Elfenbeinfächer mit Sandpapier abzureiben, gegen die gelben Verfärbungen. Ich setzte mich mit dem Geschmirgel in den Alkoven, den Dampfer im Blick. Das Wasser im Hafen kräuselte und rüschte sich.

Sarah war im Salon und sagte der Missus Lebewohl. Sie würde ihre Mauma niemals wiedersehen. Das wusste sie, und auch die Missus wusste es. Die Luft im Haus tönte wie eine lange Note auf dem Cembalo. Unten neben der Haustür stand Sarahs Truhe, reisefertig verschlossen, mit allem Wichtigen – mit Maumas Geschichte und dem Schwarm der Schwarzdrosseln.

Die Uhr schlug, und ich zählte ihre Töne. Es waren neun. Sarah kam mit rot brennenden Augen aus dem Salon. Ich legte die Elfenbeinfächer beiseite und folgte ihr in ihr Zimmer. Den Kaninchen-Stock ließ ich zurück, ans Fenster gelehnt.

Sarah trug ein blassgraues Kleid mit einem Silberknopf am Kragen, es war der Knopf, an den sie als Kind all ihre Hoffnungen geheftet hatte. Sie trat durch die Tapetentür auf die Veranda, spähte über das Geländer und winkte Sky. Das hieß: *Verlass deine Pflanzen und Blumen und komm ins Haus. An den Haussklaven gehst du einfach vorbei. Und wenn dich die Kleine Missus anspricht, sagst du, Sarah hat gerufen.*

Als Sky an die Tür klopfte, trug ich bereits mein Kleid und hatte mir das Gesicht mit Mehlkleber betupft. Sky lächelte. »Siehst aus wie ’n Geist.«

»Hat dich jemand gesehen?«, fragte Sarah.

»Nur Hector. Er sagt, ich soll sagen, Goodis holt die Kutsche.«

Ich schloss Sky das Kleid am Rücken und half ihr, sich das Gesicht weiß anzumalen. Niemand sprach ein Wort. Sarahs Stirn war ein einziges Runzeln. Sie ging im Zimmer hin und her, an ihrem Arm baumelte eine Tasche mit Kordelzug.

Wir zogen die Handschuhe an und setzten die Hüte auf. Zogen die Schleier bis zur Taille. Die kleinen Fläschchen mit dem Oleandersaft steckten wir in unsere Ärmel – davon musste Sarah ja nichts wissen.

Durch den Schleier sah das Zimmer ganz verschwommen aus, wie der Dunst vor Tagesanbruch.

Draußen klapperte das Pferd aus dem Wirtschaftshof auf die Straße. Mir zog sich der Magen zusammen. Ich versuchte, nicht zu viel Hoffnung zu haben, nicht an die freien schwarzen Frauen oben im Norden zu denken, die uns aufnehmen wollten, nicht an den Dachboden, durch den ein Kamin verlief, aber ich konnte mich nicht bremsen. Wir konnten ihnen in der Schule und bei den Hüten helfen. Ich konnte Quilts machen und verkaufen. Und Sky konnte einen Garten anlegen.

Sarah reichte mir den goldbewehrten Stock von ihrer Mutter. Sie sah uns an und sagte: »Auf der Straße würde ich euch nicht erkennen.«

Wir eilten die Treppe nach unten. Wenn die Kleine Missus erschien, dann war es eben so. Einfach weitergehen. Bloß nicht stehen bleiben. Als wir die unterste Stufe erreichten, sah ich die leere Stelle, an der die Schiffstruhe gestanden hatte. Nun stand Hector da. Er durchbohrte uns mit Blicken.

Sarah sprach ihn an. »Mutter hat mich gebeten, ihren Besuch nach Hause zu begleiten. Du kannst gehen. Goodis wird sich um uns kümmern.«

Hector zog sich zurück. *Wie er uns gemustert hatte – wusste er Bescheid?* Die Kleine Missus war nirgendwo zu sehen.

Wir traten durch die Vordertür, und die Welt stürzte uns entgegen. Als ich mich zu Sky drehte, erahnte ich etwas Weißes hinter ihrem Schleier.

Als Goodis die Kutsche vor dem Schild von der Steamboat Company halten ließ, hatte sich die Hitze bereits unter unseren Schleiern gesammelt. Der Schweiß floss uns nur so den Nacken runter. Sky hob die Stoffberge an ihrem Rock und lüftete Lavendelduft und Körpergerüche aus.

Als Goodis mir aus der Kutsche half, flüsterte er mir zu: »Gott, Handful, was wird das?«

Ihm hatten wir nichts vorgemacht, und Hector, glaube ich, hatte die Sache auch durchschaut. Ich spähte nach hinten, ob er vielleicht schon mit der Kleinen Missus im Sulky die East Bay Street hinunterjagte.

Leise sagte ich: »Goodis, es tut mir leid, wir fliehen. Verrat uns nicht.«

Er presste die Lippen zusammen, und ich spürte an meinem Körper all die Stellen, an denen sie mich berührt hatten. Es gab keinen besseren Mann als ihn. Ohne dass ich es wollte, hatte sich mein Herz mit seinem Herz verwoben.

Er drückte meine Hand. Sein Gesicht schien düster durch meinen dunklen Vorhang. »Pass auf dich auf, Mädchen.«

Wir warteten auf die Tickets, darauf, an Bord zu gehen, darauf, dass irgendjemand fragte: *Wer sind Sie?*

Als wir über den Landungssteg gingen, kam ein Wind auf. Das Schiff schwankte. Ich dachte an die Missus und ihre Gebetsstunden. Mit dieser Frau hatten wir die Bibel durchwandert. Nun wandelten wir selbst wie Jesus übers Wasser.

Wir kletterten an Truhen, Fässern, Ballen, Kisten und dem Kesselraum vorbei aufs zweite Deck, setzten uns im Salon auf eine Bank und warteten die Patrouille ab. Der Raum hatte weiße Wände, an den Fenstern zogen sich Tische entlang, die am Boden festgenagelt waren. Die Leute standen zu zweit oder dritt zusammen, in ihren besten Kleidern und Wolken aus Pfeifenrauch, und hin und wieder schauten sie zu uns und musterten die tiefe Trauer, die wir trugen. Sarah saß ein wenig abseits und hatte sich ganz in ihre Haube zurückgezogen.

Als die beiden Wachen in den Salon trampelten, ging Skys Atem schneller. Eine Wache kontrollierte die linke, die andere die rechte Seite. Die Männer nickten den Leuten zu und quatschten hier und da ein paar Worte. Ich sah nach unten. Unter Skys elegantem Kleid lugten die Zehenspitzen ihrer Sklavenschuhe hervor. Die Mühsal dieser braunen Schuhe in all ihrer zerschrammten Traurigkeit.

Der Mann blieb vor uns stehen. »Wohin reisen Sie?« Er meinte mich.

Meine Sklavenzunge war wie Skys Schuhspitze. Sie würde uns verraten. Ich hob den Kopf und sah ihn an. Die Kappe trug er seitlich auf dem Kopf. Er hatte frische blonde Bartstoppeln und grüne Augen. Hinter ihm, hinter dem schmierigen Fenster, schimmerte das Wasser.

»Mam?«, sagte er.

Sarah rutschte auf der Bank herum. Ich hatte Sorge, dass sie sich darauf vorbereitete, irgendwas zu sagen, dass Sky jeden Augenblick lossummen oder dass die Angst, die wie eine Sprungfeder in mir saß, hochschnappen würde. Dann ging mir auf, was für ein Kleid ich trug. Ich machte ein Geräusch, als ob ich ihm antworten wollte, in meiner großen Trauer aber an den Worten würgen müsste. Das musste ich noch nicht mal spielen. Ich verspürte wahren, tiefen Kummer, über mein Leben, über alles, was ich gesehen und erlebt hatte, über alles, was für mich verloren war. Da flossen echte Tränen.

Mir entfuhr ein sanftes Klagen. Er trat einen Schritt zurück. »Ich bedaure Ihren Verlust, Mam.«

Als er weiterging, tropfte eine Träne weiß von meinem Kinn, auf meinen Rock fiel Mehl.

Der Motor wurde angelassen, ein Schaudern lief durch die Bank. Dann roch es nach Öl und spuckendem Rauch. Die Passagiere verließen den Salon, um zum Abschied mit ihren Taschentüchern zu winken, und auch wir gingen nach draußen, dorthin, wo die Docksklaven die schweren Seile warfen. In der Ferne läuteten die Glocken von St. Michael.

Wir stellten uns an den Bug, wir drei, und umklammerten das Geländer. So warteten wir. Die Möwen zogen ihre Kreise, der Dampfer stampfte und schlingerte voraus. Als sich die Schaufelräder in Bewegung setzten, legte Sarah eine Hand auf meinen Arm. Sie ließ sie dort, während die Stadt langsam beidrehte. Es war das letzte Viereck auf dem Quilt.

Da dachte ich an Mauma. Ihre Knochen würden diese Erde nie verlassen. Es heißt, schau nicht zurück, was vorbei ist, ist vorbei, aber ich würde immer Rückschau halten.

Langsam verlor Charleston sich im Morgenlicht.

Als wir die Hafenmündung verließen, nahm der Wind an Stärke zu. Unsere Schleier umflatterten uns. Die Schwarzdrosseln schlugen mit den Flügeln. Wir fuhren in die schimmernden Wasser, in die weite Ferne.

Anmerkungen der Autorin

Im Jahr 2007 bin ich nach New York gefahren, weil ich im Brooklyn Museum Judy Chicagos Meisterwerk »The Dinner Party« sehen wollte. Ich war damals gemeinsam mit meiner Tochter Ann Kidd Taylor mit einem sehr persönlichen Buch befasst: »Granatapfeljahre: Vom Glück, unterwegs zu sein«. Über meinen nächsten Roman hatte ich da noch gar nicht weiter nachgedacht. Ich hatte zu dem Zeitpunkt nur die vage Vorstellung, dass es um zwei Schwestern gehen sollte. Aber ich hatte mir noch nicht überlegt, wer die Schwestern sein, wann und wo sie leben und was sie uns erzählen sollten.

Chicagos »Dinner Party« (1974–1979) ist eine raumgreifende Installation, eine Hommage an die Frau und eine alternative Geschichtsschreibung aus westlicher Perspektive. Den Kern bildet ein dreieckiger Banketttisch für 39 weibliche Ehrengäste mit ausgesprochen blumigen Gedecken. In die Mitte dieses Dreiecks ist ein Boden aus Porzellanfliesen mit den Namen von 999 weiteren Frauengestalten aus Historie und Mythos eingelegt. Dazu finden sich in der sogenannten Biographic Gallery erläuternde Texttafeln, und hier bin ich auf die Schwestern Sarah und Angelina Grimké aus Charleston, South Carolina, gestoßen, wo ich damals lebte. Wie konnte es sein, dass mir diese Namen überhaupt nichts sagten?

Auf dem Weg aus dem Museum habe ich mich gefragt, ob ich »meine« Schwestern gefunden hatte. Und in Charleston, nach den ersten biografischen Recherchen, wurde daraus leidenschaftliche Gewissheit.

Es sollte sich herausstellen, dass ich seit mehr als zehn Jahren am Haus der Grimké-Schwestern, das nicht als solches gekennzeichnet ist, vorbeigefahren war. Ebenso wenig war mir bewusst, dass die beiden Frauen die ersten offiziellen Rednerinnen der Anti-Sklaverei-Bewegung waren und in den USA zu den ersten bedeutenden Frauenrechtlerinnen zählen. Sarah war die erste Frau in den Vereinigten Staaten, die ein umfassendes feministisches Manifest verfasst hat, und Angelina die erste Frau, die vor einem Organ der Legislative sprach. In den späten 1830er Jahren waren beide die mit Sicherheit berühmtesten und auch berüchtigtsten Frauen in den Staaten, dennoch sind sie heute weitgehend unbekannt, sogar in ihrer Heimatstadt. Ich selbst hatte mir mein Versäumnis zum Vorwurf gemacht, doch es bestätigte zugleich die These Judy Chicagos, nach der die Errungenschaften der Frauen immer wieder aus der Geschichte herausgeschrieben werden.

Sarah und Angelina Grimké wurden in den Einfluss und den Wohlstand der Charleston'schen Aristokratie hineingeboren, die sich am niederen englischen Landadel orientierte. Beide waren fromme und vornehme Damen, die sich in den elitären Kreisen der Gesellschaft bewegten. Und doch gehörten sie zu den wenigen Frauen, die im 19. Jahrhundert »derart aus der Art geschlagen« sind. Sie machten eine lange und schmerzhafte Verwandlung durch, sagten sich von ihrer Familie, Religion, Heimat und deren Traditionen los, mussten Charleston schließlich verlassen und die Ächtung der Stadt erdulden. Fünfzehn Jahre, bevor Harriet Beecher Stowe »Onkel Toms Hütte« schrieb – im Übrigen zutiefst von der Schrift »American Slavery As It Is« (1839, sinngemäß: Wie es wirklich ist: Die Sklaverei in Amerika) geprägt, die gemeinsam von Sarah, Angelina und ihrem Ehemann Theodore Weld verfasst wurde –, befanden sich die Grimké-Schwestern schon auf ihrem Feldzug. Sie kämpften nicht nur für die sofortige Befreiung aller Sklaven, sondern auch für deren Gleichstellung, was selbst in den Kreisen der Abolitionisten eine radikale Forderung war. Bereits zehn Jahre vor der von Lucretia Mott und Elizabeth Cady Stanton initiierten Seneca Falls Convention, dem Kongress, der als Auftakt der nordamerikanischen Frauenrechtsbewegung gilt, hatten die Grimké-Schwestern für die Frauenrechte gekämpft – und die ersten, mitunter schmerzhaften Gegenreaktionen hinnehmen müssen.

Je mehr ich las, umso mehr zog es mich zu Sarah hin, mit allem, was sie überwunden hatte. Lange vor ihrem Auftritt in der Öffentlichkeit hatte sie schon einiges erlebt: das intensive Verlangen nach einem Beruf, zerplatzte Hoffnungen, Verrat, einseitige Liebe, Einsamkeit, Selbstzweifel, Entfremdung und ein Umfeld aus erdrückendem Schweigen. Mir war, als wären ihre Flügel nicht trotz, sondern aufgrund all dieser Erfahrungen gewachsen. Sie fesselte mich als Reformerin *und* als Person. Wie war sie zu der Frau geworden, die sie war?

Mein Ziel war nicht, ihren Lebensweg möglichst exakt nachzuzeichnen. Vielmehr wollte ich ihr Leben, von den Fakten inspiriert, erzählen und vor allem ausschmücken. Im Zuge meiner Recherchen, als ich mich in Tagebücher, Briefe, Reden und Zeitungsartikel, in Sarahs eigene Texte sowie große Mengen biografischen Materials versenkte, gelangte ich zu einem sehr persönlichen Verständnis ihrer Wünsche, Konflikte und Motivationen. Sarahs Stimme und ihre Gedankenwelt entspringen also meiner Interpretation.

Ich habe versucht, den groben Umrissen ihres Lebens zu folgen. Die meisten Ereignisse und Erlebnisse, die für sie prägend und bedeutend waren, sind in den Roman miteingeflossen, ebenso eine große Anzahl historischer Details. Gelegentlich habe ich mir Worte aus Sarahs Schriften geborgt. Die Briefe im Roman entstammen jedoch sämtlich meiner Feder.

Die markanteste Abweichung von Sarah Grimkés wahrem Leben aber besteht in der von mir imaginierten Freundschaft mit Hetty Handful. Sie ist eine fiktive Protagonistin. Mir erschien es von Anfang an notwendig, auch die Geschichte einer versklavten Frau zu erzählen und ihre Erfahrungen und ihre Stimme mit der Sarahs zu verstricken. Anders war das Buch für mich nicht denkbar, es musste beiden Welten Raum geben. Dann stieß ich auf einen interessanten Hinweis. Als Mädchen hatte Sarah eine Kammerzofe bekommen, eine junge Sklavin namens Hetty, die ihr, so berichtete sie selbst, nahegestanden hatte. Sarah hatte sich über die Gesetze von South Carolina und damit auch über ihren Vater, einen Juristen, der an der Ausarbeitung gerade dieser Gesetze beteiligt gewesen war, hinweggesetzt und Hetty das Lesen beigebracht, wofür beide schwer bestraft wurden. An dieser Stelle jedoch endet das historisch Verbriefte. Über Hetty ist nichts weiter bekannt, außer dass sie kurz darauf an einer nicht näher benannten Krankheit verstarb. Für mich stand jedoch fest, dass ihre Geschichte die zweite Hälfte des Romans werden würde. Ich wollte Hetty zu neuem Leben erwecken. Mir vorstellen, wie es hätte sein können.

Natürlich habe ich dem Erzählfluss manches fiktive Detail beigemischt, mir Dinge selbst erschlossen oder sie erfunden. So lässt sich beispielsweise gut nachweisen, dass Sarah eine schlechte Rednerin war und Mühe hatte, sich mündlich flüssig auszudrücken, doch es findet sich nirgends ein Verweis darauf, dass sie an einem Sprachfehler litt, so wie ich es schildere. Auch ist Sarah tatsächlich in den Monaten vor Denmark Veseys geplantem Aufstand nach Charleston zurückgekehrt, am ehesten wohl, um Abstand zu ihren Gefühlen für Israel Morris zu gewinnen, und hat dort ihre Haltung zur Sklaverei publik gemacht. Dabei ist es zwar zu Konfrontationen gekommen, die brisante Begegnung mit einem Offizier der South Carolina Miliz hingegen ist reine Erfindung. Historisch gesichert ist auch, dass Sarah die Frauenrechtlerin Lucretia Mott gekannt hat – beide gehörten zur Quäker-Gemeinde in der Arch Street – und sich von Motts Rolle als Predigerin inspirieren ließ, doch sie hat nie in deren Haus gewohnt. Gleiches gilt für Sarah Mapps Douglass, die ebenfalls das Versammlungshaus in der Arch Street frequentierte. Die beiden Sarahs schlossen eine dauerhafte Freundschaft, dennoch flohen die historischen Schwestern, nachdem Angelinas aufrüttelnder Brief im »Liberator« erschienen war, nicht unter das Dach von Sarah Mapps. Als sie im Haus von Catherine Morris nicht länger willkommen waren, fanden sie Unterkunft bei Freunden in Rhode Island und auch andernorts. Ich habe den Dachboden vor allem als späteres Refugium für Handful und Sky erdacht. Auf diese Weise habe ich häufig Fakt und Fiktion miteinander verschmolzen.

Hier und da habe ich mir kleine Anachronismen erlaubt. Die Tretmühle, auf der Handful im Arbeitshaus zum Krüppel wird, war grausige Wirklichkeit, allerdings habe ich ihre Errichtung um sieben Jahre vorverlegt. Der Sturm auf die afrikanische Kirche Charlestons, die Denmark Vesey radikalisieren sollte, hatte bereits im Juni 1818 stattgefunden, ein Jahr früher, als ich es schildere. Auch das Alphabet-Lied, das Sarah mit den farbigen Kindern in der Sonntagsschule singt – wo sie de facto unterrichtet hat –, habe ich vordatiert. Und während Angelinas Brief an den abolitionistischen »Liberator« tatsächlich der Moment war, der die Schwestern in die Öffentlichkeit katapultieren sollte, war Sarah, anders als von mir geschildert, anfangs gar nicht mit den Verlautbarungen ihrer Schwester einverstanden. Ihre Wandlung hat sich sehr viel langsamer vollzogen, als sich eine Schriftstellerin das wünschen würde. Bis sie endlich zu sich selbst fand und sich in die revolutionären Umtriebe stürzte, die ihre Lebensleistung werden sollten, benötigte Sarah ein ganzes Jahr. Es sollte auch erwähnt werden, dass Angelinas Brief innerhalb des konservativen Zweigs der Quäker zwar zu Überwerfungen und Tadel führte und ihr das Komitee der Overseer, das für die Überprüfung der Sittsamkeitsregeln zuständig war, mit dem Ausschluss drohte. Verstoßen wurden sie jedoch erst drei Jahre später – Angelina, weil sie einen Nicht-Quäker geheiratet, Sarah, weil sie der Hochzeit beigewohnt hatte.

Ich hoffe, dass Sarah und Angelina aufgrund ihrer erstaunlichen und berührenden Symbiose – die wohl tatsächlich ihren Ursprung darin haben dürfte, dass Sarah im Alter von zwölf Jahren zur Patin ihrer Schwester wurde – nichts dagegen gehabt hätten, dass ich mir das eine oder andere bei Angelina geborgt und Sarah zugeschrieben habe. Ein markantes Beispiel hierfür sind die Anti-Sklaverei-Pamphlete an die Frauen und die Geistlichkeit der Südstaaten. Die Idee stammte in Wirklichkeit von Angelina, nicht von Sarah, die ihr Pamphlet erst ein Jahr nach Angelinas schrieb. Nachdem Sarah aber ihren ersten Essay verfasst hatte, wurde sie die versiertere Theoretikerin und Autorin, während Angelina zur schillerndsten und überzeugendsten Rednerin ihrer Zeit aufstieg. Sarahs kühne Argumentation in ihren »Letters on the Equality of the Sexes« (etwa: Briefe zur Gleichheit der Geschlechter), die 1837 publiziert wurden, inspirierte und beeinflusste so berühmte Reformerinnen und Abolitionistinnen wie Lucy Stone, Abby Kelley, Elizabeth Cady Stanton und

Lucretia Mott. Es waren überdies Angelinas Pamphlete, die öffentlich vom Postmeister der Stadt Charleston verbrannt wurden, woraufhin Mrs Grimké tatsächlich die Warnung erhielt, dass ihrer Tochter bei einer Rückkehr nach Charleston die Verhaftung drohe. Es sollte jedoch nicht unerwähnt bleiben, dass auch Sarah in Charleston nicht mehr willkommen war.

Stark gekürzt und zusammengefasst habe ich die Ereignisse, die sich um den Feldzug der Schwestern in der Zeit von Dezember 1836 bis Mai 1838 herum abgespielt haben. Ich werfe nur einige Schlaglichter auf die Angriffe, die Zensurmaßnahmen, die Feindseligkeit und die Gewalt, die Sarahs und Angelinas Worte und Auftritte provoziert haben. Die Frauen Nordamerikas waren bis dahin aus der politischen und sozialen Sphäre gänzlich ausgeschlossen, und diese Bastion haben Sarah und Angelina bestürmt, durchlöchert und am Ende auch durchbrochen. Wie Angelina inmitten all des Aufruhrs wirklich sagte: »Wir Abolitionisten-Frauen stellen die Welt auf den Kopf.« Sarahs bitterer Spott, der, leicht abgewandelt, in den Roman miteingeflossen ist, trifft es womöglich noch besser: »Ich erbitte von unseren Brüdern nur, dass sie den Fuß aus unserem Nacken nehmen.«

Da, wo der Roman endet, endet größtenteils auch das öffentliche Leben der Schwestern – eine Reaktion auf Angelinas Hochzeit, aber auch auf ihre angegriffene Gesundheit. In den folgenden Jahren zogen sie gemeinsam die drei Kinder von Angelina und Theodore groß und engagierten sich in Anti-Sklaverei- und Suffragetten-Organisationen, sammelten unermüdlich Unterschriften und unterstützten eine Reihe ehemaliger Sklaven der Grimké-Familie, denen sie geholfen hatten freizukommen. Bis zum Erscheinen von »Onkel Toms Hütte« hatte sich »American Slavery As It Is« besser als jede andere Streitschrift gegen die Sklaverei verkauft. Sarah hat zeit ihres Lebens geschrieben, und es hat mich sehr berührt, dass sie eine Übersetzung von Alphonse de Lamartines Biografie der Jeanne d'Arc veröffentlicht hat, ihrem vielbewunderten weiblichen Vorbild. Sarah und Angelina sollten schließlich mehrere Internate gründen und die Kinder vieler führender Abolitionisten unterrichten. Im Zuge ihres Wirkens an der Schule von Raritan Bay Union, New Jersey, einer gelebten kooperativen Utopie, sind sie mit Intellektuellen und Reformern wie Ralph Waldo Emerson, Bronson Alcott und Henry David Thoreau in Kontakt gekommen. Ich habe mit großem Vergnügen Thoreaus Kommentar über Sarah gelesen, der ihre Erscheinung mit dem grauen Haar und dem feministischen Bloomer-Kostüm recht erstaunlich nennt.

Von allen Begebenheiten, die sich in Sarahs späterem Leben ereignen sollten, hat mir ihr Eingreifen bei einer Lokalwahl im Jahr 1870 am meisten imponiert, wenige Jahre bevor sie in Hyde Park, Massachusetts, starb. Gemeinsam mit ihrer Schwester führte sie eine Prozession von zweiundvierzig Frauen durch einen grimmigen Schneesturm zu den Wahlen und einer symbolischen Urne und warf in diese ihre – damals selbstverständlich illegalen – Stimmzettel. Es war der letzte Akt öffentlichen Widerstands der beiden Schwestern. Sarah wurde einundachtzig Jahre alt, Angelina vierundsiebzig. Trotz gelegentlicher Konflikte ist das Band zwischen ihnen nie zerrissen, noch haben sie sich je getrennt.

Neben Sarah und Angelina habe ich eine Reihe weiterer historischer Gestalten in den Roman hineingeschrieben, wobei ich die Fakten frei interpretierte: den bekannten Abolitionisten Theodore Weld, mit dem Angelina verheiratet war, Lucretia Mott, die berühmte Abolitionistin und Pionierin auf dem Gebiet der Frauenrechte, Sarah Mapps Douglass, Lehrerin und freie farbige Abolitionistin, Israel Morris, einen wohlhabenden Quäker, Geschäftsmann und Witwer, der Sarah zwei Anträge gemacht hat. (Aus ihrem Tagebuch geht hervor, dass sie ihn sehr liebte, auch wenn sie ihn abgewiesen hat. Möglicherweise geschah das in dem Glauben, dass ihr Ehe und Unabhängigkeit zugleich nicht möglich wären, denn sie fühlte sich, ihren eigenen Worten nach, sehr an ihre Berufung zur Predigerin gebunden.) Verbürgt sind auch Catherine Morris, Israels Schwester und konservative Älteste bei den Quäkern, bei der Sarah und Angelina gewohnt haben, William Lloyd Garrison, Herausgeber der radikalen abolitionistischen Zeitung »The Liberator«, Elizur Wright, Sekretär der American Anti-Slavery Society, sowie der

Dichter John Greenleaf Whittier, Freund von Theodore Weld, mit dem er tatsächlich geschworen hatte, erst dann zu heiraten, wenn die Sklaverei abgeschafft wäre. Ergänzend sei hinzugefügt, dass beide Männer zwar für die Frauenrechte eingetreten sind, in ihren Briefen an Sarah und Angelina beide dennoch massiv bedrängt haben, sich von dem Thema loszusagen, weil sie fürchteten, es würde die Bewegung der Abolitionisten entzweien. Einige der pointierteren Zeilen, mit denen Angelina auf solche Forderungen geantwortet hat, finden sich in der fiktiven Szene, in der die Männer Mrs Whittier aufsuchen und die Schwestern auffordern, den Kampf für die Frauenrechte aufzugeben. Sarah und Angelina haben sich den Männern nicht nur widersetzt, sie waren es auch, wie die Historikerin Gerda Lerner deutlich macht, die die Frauenfrage überhaupt erst mit dem Abolitionismus verknüpften und so eine Situation herbeiführten, die von manchen als gefährlicher Bruch und von anderen als brillante Allianz gesehen wurde. In jedem Fall hat ihr Widerstand entscheidend dazu beigetragen, die Frauenfrage auf die Agenda der Vereinigten Staaten zu setzen.

Den anderen Mitgliedern der Grimké-Familie habe ich versucht, in meiner Schilderung möglichst gerecht zu werden. Sarahs Mutter Mary war allen Berichten zufolge eine stolze und schwierige Frau. Catherine Birney, Sarahs erste Biografin, bezeichnet sie als gottesfürchtig, engstirnig, emotional unterkühlt ihren Kindern und häufig grausam ihren Sklaven gegenüber, die sie auf die übliche drakonische Weise bestrafte. Soweit ich weiß, hat sie jedoch nie die einbeinige Strafe verhängt, die, wie Sarah es selbst detailliert beschreibt, bei »einer der ersten Familien Charlestons« angewendet wurde. Sarahs Vater, Richter John Grimké, und die Ereignisse aus seinem Leben habe ich nach Lage der Archive porträtiert. Das gilt auch für Sarahs Lieblingsbruder Thomas, jedoch nicht für ihre ältere Schwester Mary (die »Kleine Missus«), deren Geschichte größtenteils im Dunkeln liegt. Obwohl sie in einer Quelle als ledig bezeichnet wird und eine andere von einem unbekannten Ehemann berichtet, habe ich sie mit einem Plantagenbesitzer verheiratet und später als Witwe heimkehren lassen. Sie hat sich jedoch nachweislich bis zu ihrem Tod im Jahr

1865 nicht von der Sklaverei abbringen lassen, und auf dieses Detail wiederum habe ich mich gestützt.

Es war ungeheuer spannend, das Haus der Grimkés auf der East Bay Street zu besichtigen. Obwohl sich die Geschichte des Hauses nur bis etwa 1789 zurückverfolgen lässt, könnte es durchaus schon 1784 mit der Hochzeit in den Besitz John Grimkés gekommen sein. Es blieb im Eigentum der Familie, bis Mrs Grimké 1839 verstarb. Heute ist es restauriert und Sitz einer Anwaltskanzlei. Vieles spricht dafür, dass der ursprüngliche Grundriss sowie viele Ausstattungsdetails unverändert sind, so die Kamine, die Zypressenpaneele, die Delfter Kacheln, die Kiefernböden und die Zierleisten. Bei meinem Rundgang durch das Haus konnte ich mir gut vorstellen, wie Handful in ihrem Alkoven im zweiten Stockwerk sitzt und auf den Hafen schaut und wie Sarah die Treppe hinunter in die Bibliothek ihres Vaters huscht, während die Sklaven auf dem Boden vor den Zimmern schlafen. Ich durfte sogar den Dachboden besichtigen, wo sich eine Luke befand, zu der eine Leiter führte. Zwar kann ich nicht mit Sicherheit sagen, dass es diese Luke immer schon gegeben hat, doch vor meinem geistigen Auge ist dort eine junge Sarah mit Handful hinaufgeklettert, und so ist die Idee zu der Szene entstanden, in der die beiden auf dem Dach Tee trinken und sich ihre Geheimnisse anvertrauen.

Eine große Hilfe war mir die Historic Charleston Foundation, die mir ein Dokument mit einem Inventar allen »Habs und Guts« im Hause John Grimkés kurz nach seinem Tod im Jahr 1819 zur Verfügung stellte. Zu meiner Bestürzung bin ich auf dieser langen und detailreichen Liste auf Namen, Alter, Tätigkeit und Schätzwert von siebzehn Sklaven gestoßen, vermerkt zwischen einem Brüsseler Teppich und elf Yards Baumwolle und Flachs. Diese Entdeckung hat mich lange Zeit verfolgt und schließlich Eingang in das Buch gefunden, in die Szene, in der Handful das Inventar in der Bibliothek ausgräbt und darin ihren Namen und den ihrer Mutter Charlotte findet, samt ihrem vermuteten Wert.

Die versklavten Protagonisten entspringen sämtlich meiner Fantasie, mit Ausnahme Denmark Veseys und seiner Leutnants Gullah

Jack, Monday Gell, Peter Poyas sowie Rolla und Ned Bennett. Sie alle wurden, bis auf Gell, wegen ihrer Beteiligung an dem geplanten Aufstand gehängt. Vesey selbst war ein freier Zimmermann. Sein Leben, die Pläne zu seiner Verschwörung, seine Verhaftung, sein Gerichtsverfahren und seine Hinrichtung habe ich versucht, möglichst nah an den historischen Fakten zu schildern. Auch dass er mit der Losnummer 1884 in der Lotterie gewonnen und sich von dem Gewinn seine Freiheit und ein Haus auf der Bull Street gekauft hat, ist kein Produkt meiner Fantasie. Ich hätte wohl kaum den Mut gehabt, ein derart unwahrscheinliches Ereignis zu erfinden. In den Dokumenten heißt es, Vesey wäre mit fünf seiner Mitverschwörer bei Blake's Lands gehängt worden, ich jedoch habe mich an einer mündlichen Tradition orientiert, die seit den 1820er Jahren unter den farbigen Einwohnern Charlestons kursiert, wonach Vesey allein an einer Eiche gehängt wurde, um seine Hinrichtung unter dem Schleier der Anonymität zu vollziehen. Vesey hätte, so heißt es, in der Stadt eine ganze Reihe von »Ehefrauen« und mit ihnen zahlreiche Kinder gehabt, und so habe ich mir erlaubt, aus Handfuls Mutter eine dieser Frauen und aus Sky seine Tochter zu machen.

Manche Historiker zweifeln am Ausmaß oder gar der Existenz von Veseys geplantem Sklavenaufstand. Ich habe mich jedoch der Meinung angeschlossen, dass Vesey nicht nur mehr als fähig war, ein solches Komplott zu erdenken, sondern es tatsächlich auch versucht hat, denn ich wollte, dass dieses Buch den vielen versklavten und freien farbigen Amerikanern, die sich verschworen und widersetzt, die für die Freiheit gekämpft und ihr Leben dafür gelassen haben, Respekt zollt. Die historischen Berichte über Protest und Flucht versklavter Frauen haben mir geholfen, die Charaktere Charlotte und Handful mit ihrer Geschichte zu ersinnen.

Die Inspiration für Charlottes Story-Quilt bilden die wundervollen Quilts der versklavten Harriet Powers aus Georgia, die biblische Geschichten und historische Legenden mittels einer traditionellen, aus Afrika stammenden Applikationstechnik erzählen. Die beiden einzigen noch existierenden Quilts befinden sich im National Museum of American History in Washington, D.C., und im Bostoner

Museum of Fine Arts. Nach Washington habe ich eine regelrechte Pilgerreise unternommen, und nachdem ich Powers' Quilt gesehen hatte, erschien es mir vollkommen plausibel, dass die versklavten Frauen, die weder lesen noch schreiben durften, zu subversiven Ausdrucksmitteln gegriffen haben, um ihre Erinnerungen wachzuhalten und ihre jeweiligen Traditionen aus Afrika zu bewahren. In meiner Vorstellung hat Charlotte Stoff und Nadel so benutzt wie andere Feder und Papier und sich auf diese Weise eine bildhafte Denkschrift geschaffen: die Ereignisse ihres Lebens, in einen Quilt verwebt. Zu den faszinierendsten Momenten meiner Recherche gehört die Beschäftigung mit den Sklavenquilts und den Symbolen und Bildern auf afrikanischen Textilien. Von ihnen entstammen auch die schwarzen Dreiecke, die für die Flügel von Schwarzdrosseln stehen.

Sollten sich meine Leserinnen und Leser tiefer mit den hier geschilderten historischen Vorkommnissen oder den Quilts der Harriet Powers befassen wollen, könnten die folgenden überaus lesbaren Bücher eine Hilfe sein:

Gerda Lerner: The Grimké Sisters from South Carolina: Pioneers for Women's Rights and Abolition

Gerda Lerner: The Feminist Thought of Sarah Grimké

Maurie D. McInnis: The Politics of Taste in Antebellum Charleston

David Robertson: Denmark Vesey: The Buried Story of America's Largest Slave Rebellion and the Man Who Led It

Charles Johnson, Patricia Smith and WGBH Series Research Team: Africans in America: America's Journey through Slavery

Mary Lyons: Stitching Stars: The Story Quilts of Harriet Powers (ALA Notable Book for Children)

Maude Southwell Wahlman: Signs & Symbols: African Images in African American Quilts

Leider liegt keines der Bücher in deutscher Übersetzung vor.

Während der Arbeit an »Die Erfindung der Flügel« habe ich täglich auf das folgende Zitat von Professor Julius Lester geschaut, das mich begleitet und geprägt hat. »Geschichte besteht nicht nur aus Fakten und Ereignissen. Geschichte ist auch ein tiefer Schmerz im Herzen eines Menschen, und wir müssen die Geschichte wiederholen, bis es uns gelingt, den Schmerz eines anderen in unser eigenes Herz zu tragen.«

Danksagung

Mein tief empfundener Dank gilt:

Ann Kidd Taylor, einer außergewöhnlich begabten Autorin, die dieses Manuskript im Laufe seines Entstehens immer wieder gelesen und mir mit unendlich wertvollen Kommentaren und unerschütterlicher Zuversicht zur Seite gestanden hat.

Jennifer Rudolph Walsh, meiner fantastischen Agentin und wunderbaren Freundin.

Meinem großartigen Herausgeber Paul Slovak sowie Clare Ferraro von Viking samt ihrem großartigen Team, für die grenzenlose Unterstützung.

Carter Hudgens, Leiter der Abteilung Preservation and Education in Drayton Hall in Charleston, für seine Zeit und die vielen Einblicke in das Leben und die Geschichte der Sklaven.

Den folgenden Institutionen, die mir gemeinsam mit der History Charleston Foundation and Drayton Hall als Archiv gedient haben: das Charleston Museum, die Charleston Library Society, das College of Charleston's Addlestone Library and the Avery Research Center, die Charleston County Public Library, die South Carolina Library, das Aiken-Rhett House Museum, das Nathaniel Russell House Museum, das Charles Pickney House, der Old Slave Mart, die Magnolia Plantation and Gardens, Lowcountry Africana, Middleton Place und Boone Hall Plantation.

Pierce, Herns, Sloan & Wilson LLC aus Charleston, die mir gestattet haben, das einstige Haus der Familie Grimké (das heute nach seinem ursprünglichen Besitzer Blake House genannt wird) nach Herzenslust zu erkunden.

Jacqueline Coleburn von der Abteilung für seltene Bücher der Library of Congress in Washington, D.C., die mich mit einem Schatz an Briefen, Zeitschriften, Protokollen von Anti-Sklaverei-Kongressen und weiteren Dokumenten zu Sarah und Angelina Grimké und der Geschichte des frühen 19. Jahrhunderts versorgt hat.

Doris Bowman, Associate Curator und Spezialistin aus der Textilsammlung des National Museum of American History in Washington, D.C., die mich in den Archiven des Smithsonian empfangen hat, wo ich mir Harriet Powers' Bibel-Quilt angesehen habe, und ihr Wissen so großzügig mit mir geteilt hat.

Der New York Historical Society, die mir zahlreiche Dokumente zu den Grimké-Schwestern und zu Denmark Vesey zugänglich gemacht hat, darunter die offiziellen Berichte über Veseys Aufstand und Gerichtsverfahren.

Dem National Underground Railroad Freedom Center in Cincinatti, dessen interaktive Exponate zu den Themen Sklaverei und Abolitionismus mich Ehrfurcht gelehrt und mir zahlreiche Informationen vermittelt haben.

Marilee Birchfield, Bibliothekarin an der University of South Carolina, die mir bei sämtlichen Fragen geholfen hat.

Robert Kidd und Kellie Bayuzick Kidd, die mir bei der Recherche willige und fähige Assistenten waren.

Scott Taylor für seine geduldige und kenntnisreiche technische Hilfe, vor allem in der Woche, in der mein Computer abgestürzt ist.

Meine Recherche fußt auf zahlreichen Primärquellen, Büchern, Essays und Artikeln über die Grimkés, Denmark Vesey, die Sklaverei, den Abolitionismus, über Quilts und afrikanische Textilkunst sowie die Geschichte des frühen 19. Jahrhunderts. Besonders erwähnen möchte ich an dieser Stelle Dr. Gerda Lerner, deren Kenntnisse und Schriften zu den Grimké-Schwestern starken Einfluss auf meine Arbeit hatten, vor allem ihre Biografie »The Grimké Sisters from South Carolina: Pioneers for Women's Rights and Abolition« (etwa: Die Grimké-Schwestern aus South Carolina: Pionierinnen auf dem Feld der Frauenrechte und des Abolitionismus). Dank schulde ich auch den Forschungen und Schriften folgender Personen: Mark Pery und seinem Buch »Lift Up Thy Voice: The Grimké Family's Journey from Slaveholders to Civil Rights Leaders« (etwa: Erhebe deine Stimme: Die Familie Grimké auf dem Weg von Sklavenhaltern zu Anführern der Bürgerrechtsbewegung), H. Catherine Birney und »The Grimké Sisters«, David Robertson und »Denmark Vesey: The Buried Story of America's Largest Slave Rebellion and the Man Who Led It« (etwa: Denmark Vesey: Die unterdrückte Geschichte des größten amerikanischen Sklavenaufstands und ihres Anführers) sowie Maurice D. McInnis und »The Politics of Taste in Antebellum Charleston« (etwa: Die Politik der Sitten im Charleston vor dem Bürgerkrieg). Nennen möchte ich hier auch eine volkstümliche Legende des farbigen Amerika, die mich zu der Geschichte inspiriert hat, nach der die Menschen in Afrika einst fliegen konnten und ihre Flügel verloren, als sie in die Sklaverei gezwungen wurden. Sie wird ganz wunderbar von Virginia Hamilton erzählt und ebenso fantastisch von Leo und Diane Dillon in dem ALA Notable Children's Book »The People Could Fly: American Black Folktales« illustriert (Die Menschen konnten fliegen: Afroamerikanische Volkslegenden).

Unendlich dankbar bin ich auch all meinen wundervollen Freunden, die stets ein offenes Gehör für meine Begeisterung wie meine Erschöpfung hatten und mich immerzu ermutigt haben: Terry Helwig, Trisha Sinnott, Curly Clark, Carolyn Rivers, Susan Hull Walker und Molly Lehman. Danke auch an Jim, Mandy und Terry Helwig, die ich schon seit Langem als meine erweiterte Familie betrachte.

Nicht ein Tag ist vergangen, an dem ich nicht auf die Liebe und Unterstützung meiner Familie zählen konnte: meine Eltern Leah und Ridley Monk, mein Sohn Bob Kidd und seine Frau Kellie, meine Tochter Ann Kidd Taylor sowie ihr Mann Scott, meine Enkel Roxie, Ben und Max und schließlich mein Mann Sandy, der mich seit dem College begleitet und dessen Mut im Verlauf des letztes Jahres mir Kraft und eine neue Tiefe geschenkt hat. Meine Dankbarkeit ihnen allen gegenüber lässt sich nicht in Worte fassen.